KB039282

동영상과 함께 "큐브수학 심화"로 상위 1% 되자!

무료 문제 풀이 동영상 강의로 사고력을 키워 상위권 공략

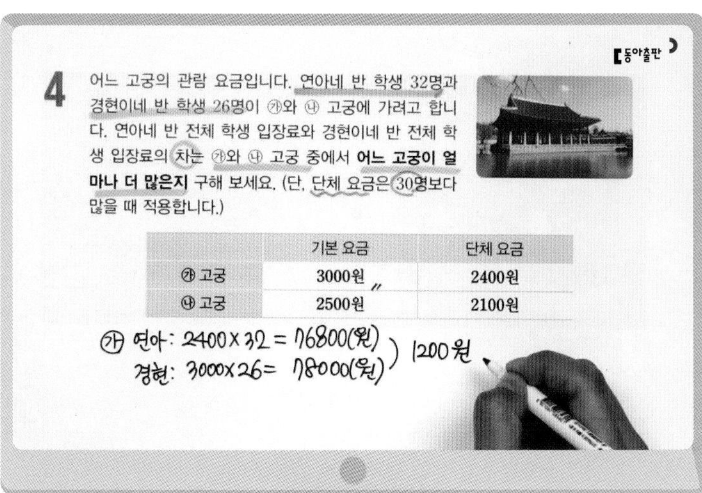

수학 상위권이 되려면 어떻게 해야 할까요?

상위권 도전 심화서인 큐브수학 심화가 있습니다.

혼자 공부하기 어렵지 않을까요?

무료 스마트러닝에 접속하면 <최상위 도전하기> 문제 풀이 동영상 강의가 있어 혼자서도 공부할 수 있습니다.

무료 스마트러닝 접속 방법

방법 1

동아출판 홈페이지 www.bookdonga.com에 접속하면 큐브수학 심화 무료 스마트러닝을 이용할 수 있습니다.

방법 2

핸드폰이나 태블릿으로 **교재 표지에 있는 QR코드**를 찍으면 무료 스마트러닝에서 큐브수학 심화의 문제 풀이 동영상 강의를 이용할 수 있습니다.

동영상과 함께 수학 1등 되는
큐브수학 시리즈

큐브수학 개념 개념 강의

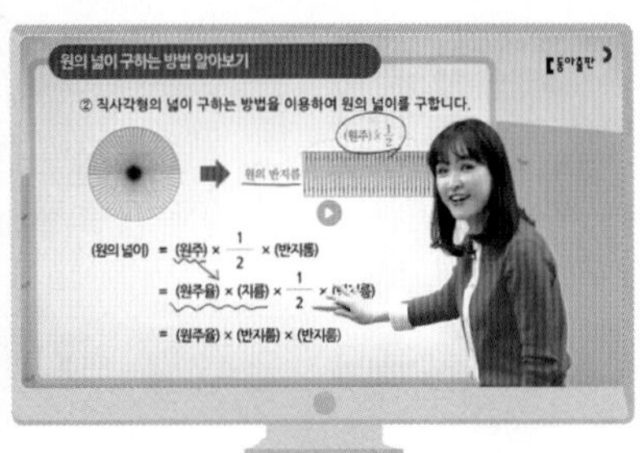

- 개념 문제를 한 번 더 풀어 개념 잡기
- 익힘책 문제로 탄탄한 기본 잡기
- 기초력 향상 학습지+ 미리 보는 수학 익힘책 제공

큐브수학 개념응용 개념, 응용 문제 강의

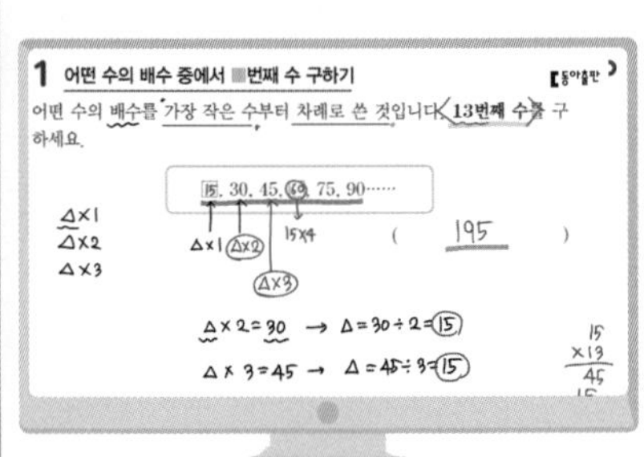

- 개념을 세분화하여 쉽고 빠르게 이해
- 수준별 문제 구성으로 문제 적용력 UP
- 응용 문제를 복습할 수 있는 응용 강화북 제공

큐브수학 실력 서술형 해결하기 강의

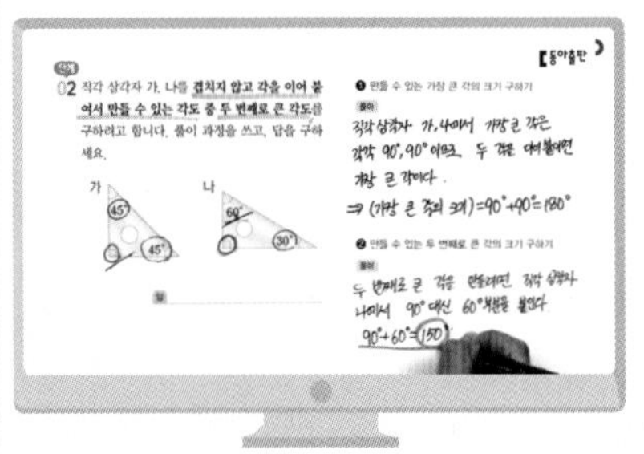

- 유형 ▶ 확인 ▶ 강화의 3단계로 문제 유형 마스터
- 연습 ▶ 단계 ▶ 실전의 3단계로 서술형 완벽 대비
- 매칭북으로 진도북 문제를 한 번 더 복습

큐브수학 심화 최상위 도전하기 강의

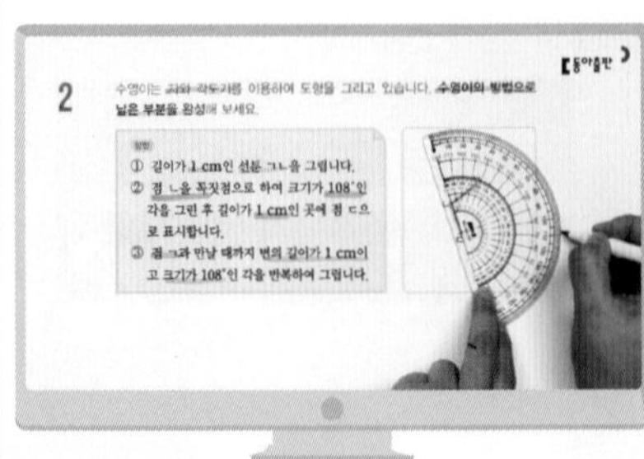

- 심화부터 경시까지 고난도 문제 정복
- 레벨UP공략법으로 문제 해결 능력 향상
- 경시대비북 제공

큐브 수학 심화

5·2

진도북

구성과 특징

진도북

큐브수학S 심화

레벨UP공략법 60개로
상위 1%에 도전하세요.

개념 넓히기

핵심 개념, 응용 개념, 선행 개념으로 개념을 확장하여 문제 적용력을 키웁니다.

응용 개념 문제에 직접 적용되는 개념입니다.

선행 개념 학습 흐름에서 다음에 배울 개념입니다.

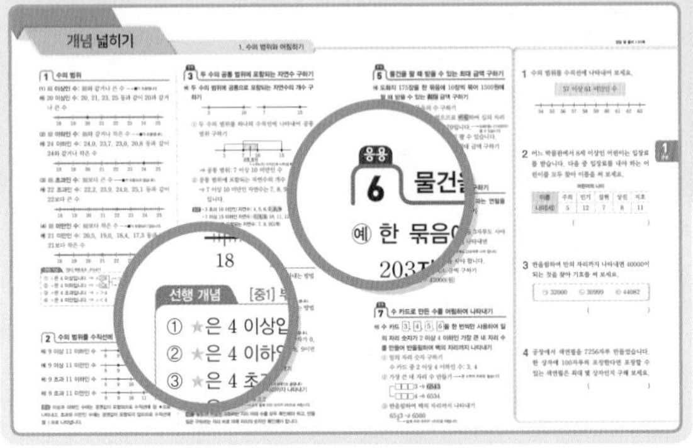

상위권 TEST

자신의 실력을 최종적으로 점검하여 최고수준을 완성합니다.

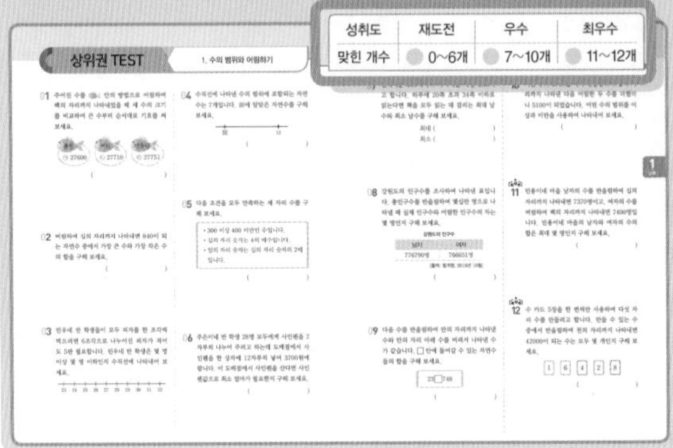

성취도	재도전	우수	최우수
맞힌 개수	0~6개	7~10개	11~12개

경시대비북

경시대회 예상 문제

수학경시대회에서 자주 출제되는 문제들을 단원별로 2회씩 풀어 보고, 수학경시대회를 대비합니다.

실전! 경시대회 모의고사

수학경시대회에서 출제될 수 있는 신유형 문제, 사고력 문제들을 통해 실전에 더욱 강해집니다.

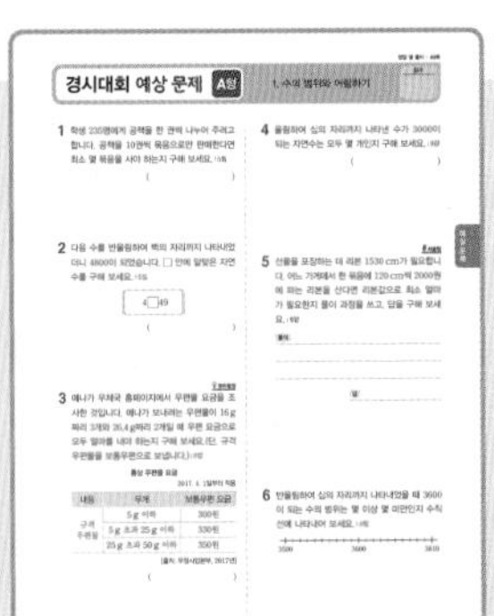

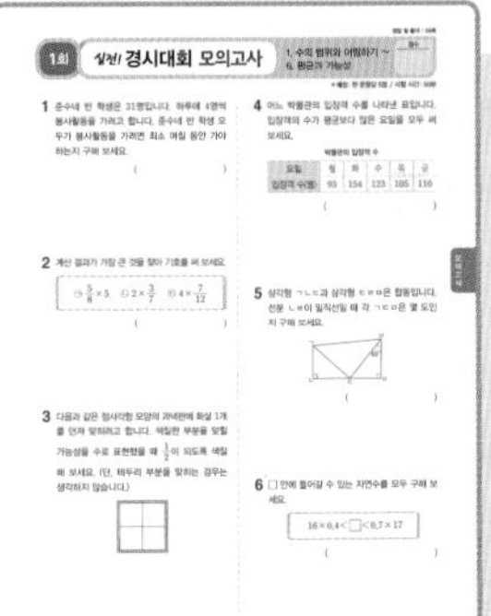

큐브수학S 심화의 특징

❶ **레벨UP공략법**을 통해 **상위권에 도전하는 3단계 학습**

❷ 교과 응용 문제부터 최상위 문제까지 **다양한 고난도 문제 유형을 통해 사고력 UP!**

❸ 수학경시대회에 완벽하게 대비할 수 있는 **경시대비북 제공**

STEP 1 응용 공략하기

교과 응용 문제부터 심화 문제까지 다양한 대표 응용 유형에 **레벨UP공략법**을 적용하여 문제 해결 능력을 키웁니다.

(레벨UP공략) 유형별 문제 해결 전략입니다.

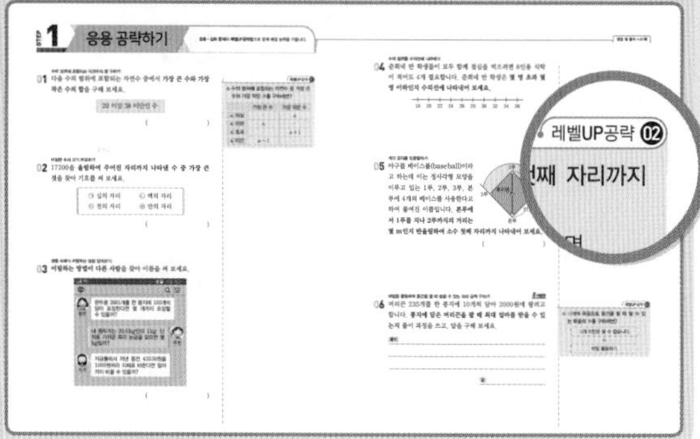

STEP 2 심화 해결하기

레벨UP공략법을 활용한 **난이도 높은 문제를 스스로 해결**하여 실력을 레벨UP합니다.

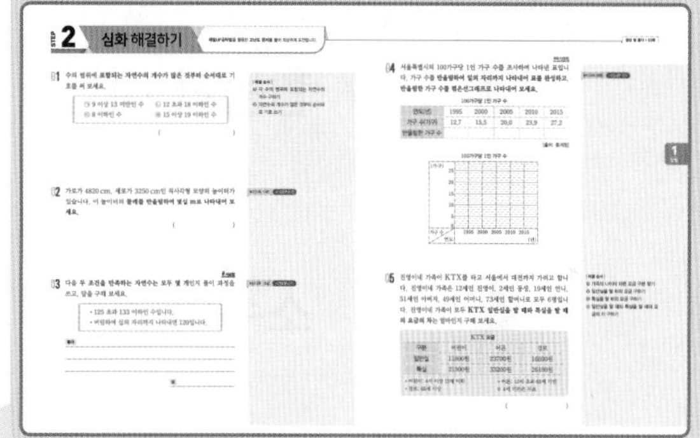

STEP 3 최상위 도전하기

경시 수준의 **최상위 문제**에 도전하여 사고력을 키우고, **1% 도전 문제**를 통해 상위권을 정복합니다.

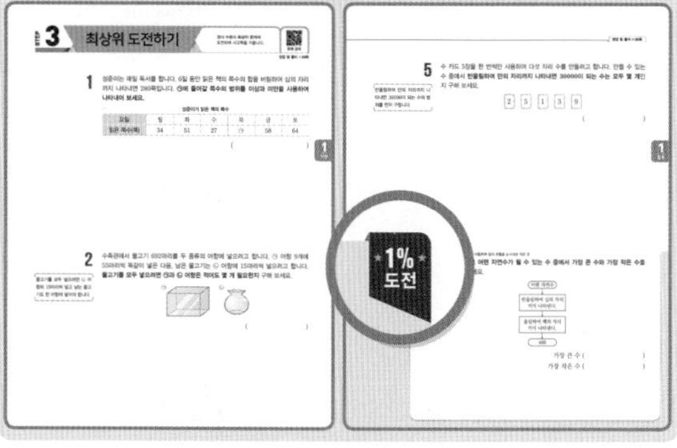

정답 및 풀이

- 친절하고 자세하게 모든 문항의 풀이를 제공
- 해결 순서, 레벨UP공략법, 선행 개념을 이용한 풀이, 문제 분석과 친절한 보충 설명을 통해 고난도 문제를 쉽게 해결
- 모바일 빠른 정답 서비스 제공

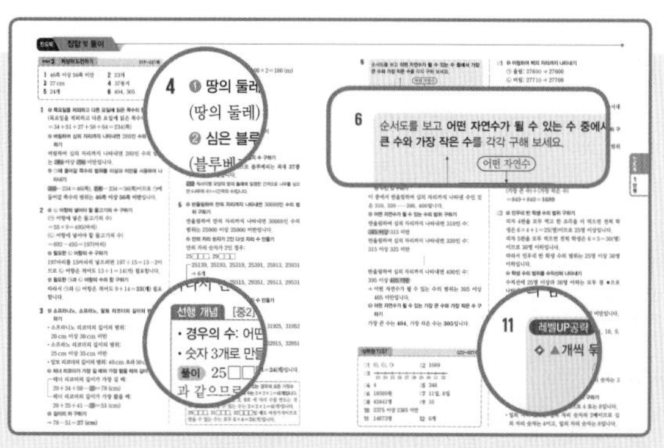

차례

수의 범위와 어림하기

개념 넓히기

1 수의 범위

(1) ■ 이상인 수: ■와 같거나 큰 수 → ■가 포함됩니다.

예 20 이상인 수: 20, 21, 23, 25 등과 같이 20과 같거나 큰 수

(2) ■ 이하인 수: ■와 같거나 작은 수 → ■가 포함됩니다.

예 24 이하인 수: 24.0, 23.7, 23.0, 20.8 등과 같이 24와 같거나 작은 수

(3) ■ 초과인 수: ■보다 큰 수 → ■가 포함되지 않습니다.

예 22 초과인 수: 22.2, 23.9, 24.0, 25.1 등과 같이 22보다 큰 수

(4) ■ 미만인 수: ■보다 작은 수 → ■가 포함되지 않습니다.

예 21 미만인 수: 20.5, 19.0, 18.4, 17.3 등과 같이 21보다 작은 수

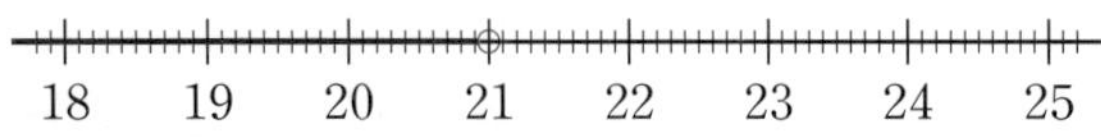

선행 개념 [중1] 부등호로 나타내기

① ★은 4 이상입니다. → ★≥4
② ★은 4 이하입니다. → ★≤4
③ ★은 4 초과입니다. → ★>4
④ ★은 4 미만입니다. → ★<4

• ≥ → > 또는 =
• ≤ → < 또는 =

2 수의 범위를 수직선에 나타내기

예 9 이상 11 이하인 수

예 9 이상 11 미만인 수

예 9 초과 11 이하인 수

예 9 초과 11 미만인 수

중요 이상과 이하인 수에는 경곗값이 포함되므로 수직선에 점 ●으로 나타내고, 초과와 미만인 수에는 경곗값이 포함되지 않으므로 수직선에 점 ○으로 나타냅니다.

응용 3 두 수의 공통 범위에 포함되는 자연수 구하기

예 두 수의 범위에 공통으로 포함되는 자연수의 개수 구하기

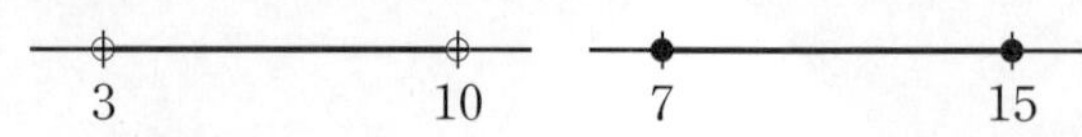

① 두 수의 범위를 하나의 수직선에 나타내어 공통 범위 구하기

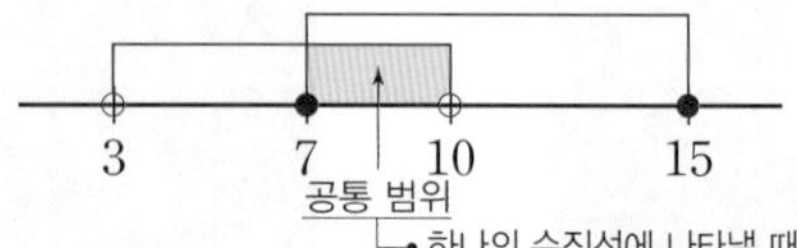

→ 공통 범위: 7 이상 10 미만인 수

② 공통 범위에 포함되는 자연수의 개수 구하기

→ 7 이상 10 미만인 자연수는 7, 8, 9로 모두 3개입니다.

참고 • 3 초과 10 미만인 자연수: 4, 5, 6, 7, 8, 9
• 7 이상 15 이하인 자연수: 7, 8, 9, 10, 11, 12, 13, 14, 15
→ 공통으로 포함되는 자연수: 7, 8, 9(3개)

4 수를 어림하기

(1) 올림: 구하려는 자리 아래 수를 올려서 나타내는 방법

예 538을 올림하여 십의 자리까지 나타내기

538 → 540 (십의 자리 아래 수인 8을 10으로 봅니다.)

(2) 버림: 구하려는 자리 아래 수를 버려서 나타내는 방법

예 538을 버림하여 백의 자리까지 나타내기

538 → 500 (백의 자리 아래 수인 38을 0으로 봅니다.)

(3) 반올림: 구하려는 자리 바로 아래 자리의 숫자가 0, 1, 2, 3, 4이면 버리고, 5, 6, 7, 8, 9이면 올리는 방법

예 • 538을 반올림하여 십의 자리까지 나타내기

538 → 540 (일의 자리 숫자가 8이므로 올립니다.)

• 3.249를 반올림하여 소수 첫째 자리까지 나타내기

3.249 → 3.2 (소수 둘째 자리 숫자가 4이므로 버립니다.)

참고 올림과 버림은 구하려는 자리 아래 수를 모두 확인해야 하고, 반올림은 구하려는 자리 바로 아래 자리의 숫자만 확인해야 합니다.

응용

5 물건을 팔 때 받을 수 있는 최대 금액 구하기

예 도화지 175장을 한 묶음에 10장씩 묶어 1500원에 팔 때 받을 수 있는 최대 금액 구하기

① 팔 수 있는 묶음의 수 구하기

10장 미만은 팔 수 없으므로 버림하여 십의 자리까지 나타내면 175 → 170입니다. → 도화지는 170장까지 팔 수 있습니다.

→ 170÷10=17(묶음)까지 팔 수 있습니다.

② 도화지를 팔 때 받을 수 있는 최대 금액 구하기

→ 1500×17=25500(원)

응용

6 물건을 살 때 필요한 최소 금액 구하기

예 한 묶음에 10자루씩 묶어 2000원에 파는 연필을 203자루 살 때 필요한 최소 금액 구하기

① 사야 하는 묶음의 수 구하기

203÷10=20⋯3에서 남은 연필 3자루도 사야 하므로 올림하여 십의 자리까지 나타내면 203 → 210입니다. → 연필은 적어도 210자루 사야 합니다.

→ 210÷10=21(묶음)을 사야 합니다.

② 연필값으로 필요한 최소 금액 구하기

→ 2000×21=42000(원)

응용

7 수 카드로 만든 수를 어림하여 나타내기

예 수 카드 3, 4, 5, 6을 한 번씩만 사용하여 일의 자리 숫자가 2 이상 4 이하인 가장 큰 네 자리 수를 만들어 반올림하여 백의 자리까지 나타내기

① 일의 자리 숫자 구하기

수 카드 중 2 이상 4 이하인 수: 3, 4

② 가장 큰 네 자리 수 만들기 → 큰 수부터 차례로 놓습니다.

□□□3 → 6543

□□□4 → 6534

③ 반올림하여 백의 자리까지 나타내기

6543 → 6500

→ 십의 자리 숫자가 4이므로 버립니다.

1 수의 범위를 수직선에 나타내어 보세요.

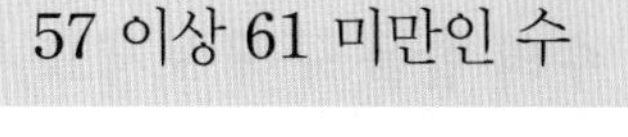
57 이상 61 미만인 수

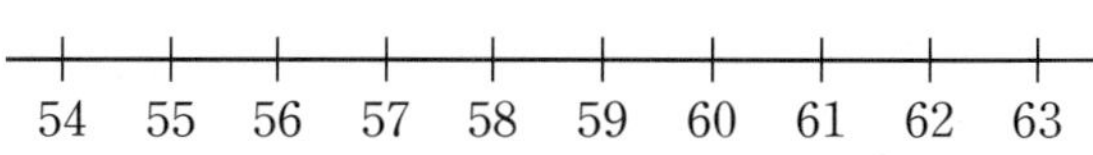

2 어느 박물관에서 8세 이상인 어린이는 입장료를 받습니다. 다음 중 입장료를 내야 하는 어린이를 모두 찾아 이름을 써 보세요.

어린이의 나이

이름	주희	민기	설현	상진	지호
나이(세)	5	12	7	8	11

(　　　　　　)

3 반올림하여 만의 자리까지 나타내면 40000이 되는 것을 찾아 기호를 써 보세요.

㉠ 32000　㉡ 30999　㉢ 44082

(　　　　　　)

4 공장에서 색연필을 7256자루 만들었습니다. 한 상자에 100자루씩 포장한다면 포장할 수 있는 색연필은 최대 몇 상자인지 구해 보세요.

(　　　　　　)

1 단원

STEP 1 응용 공략하기

응용 · 심화 문제와 레벨UP공략법으로 문제 해결 능력을 키웁니다.

수의 범위에 포함되는 자연수의 합 구하기

01 다음 수의 범위에 포함되는 자연수 중에서 **가장 큰 수와 가장 작은 수의 합**을 구해 보세요.

20 이상 38 미만인 수

( )

레벨UP공략 01

◇ 수의 범위에 포함되는 자연수 중 가장 큰 수와 가장 작은 수를 구하려면?

	가장 큰 수	가장 작은 수
▲ 이상	·	▲
▲ 이하	▲	·
▲ 초과	·	▲+1
▲ 미만	▲−1	·

어림한 수의 크기 비교하기

02 17200을 **올림하여 주어진 자리까지 나타낸 수 중 가장 큰 것**을 찾아 기호를 써 보세요.

㉠ 십의 자리　　㉡ 백의 자리
㉢ 천의 자리　　㉣ 만의 자리

( )

생활 속에서 어림하는 방법 알아보기

03 **어림하는 방법이 다른 사람**을 찾아 이름을 써 보세요.

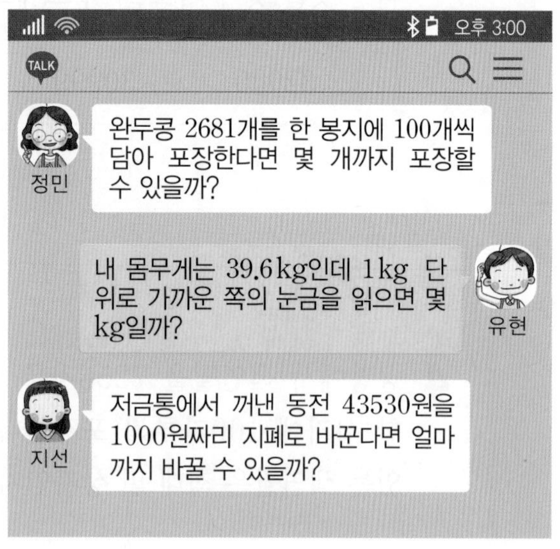

( )

수의 범위를 수직선에 나타내기

04 준희네 반 학생들이 모두 함께 점심을 먹으려면 8인용 식탁이 적어도 4개 필요합니다. 준희네 반 학생은 **몇 명 초과 몇 명 이하인지 수직선에 나타내어 보세요.**

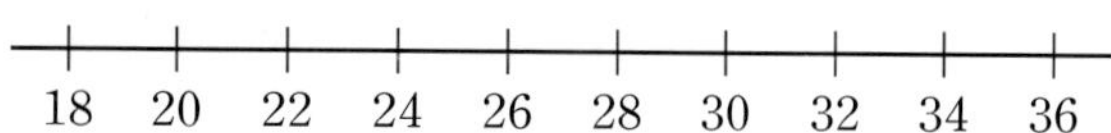

계산 결과를 반올림하기 창의융합

05 야구를 베이스볼(baseball)이라고 하는데 이는 정사각형 모양을 이루고 있는 1루, 2루, 3루, 본루에 4개의 베이스를 사용한다고 하여 붙여진 이름입니다. **본루에서 1루를 지나 2루까지의 거리는 몇 m인지 반올림하여 소수 첫째 자리까지 나타내어 보세요.**

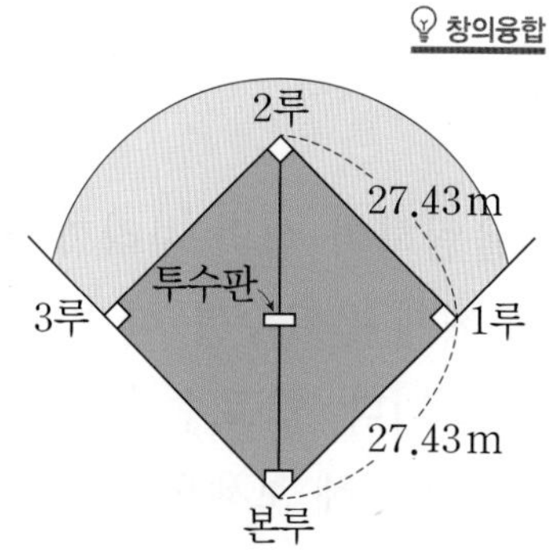

( )

버림을 활용하여 물건을 팔 때 받을 수 있는 최대 금액 구하기 서술형

06 머리끈 235개를 한 봉지에 10개씩 담아 2000원에 팔려고 합니다. **봉지에 담은 머리끈을 팔 때 최대 얼마를 받을 수 있는지** 풀이 과정을 쓰고, 답을 구해 보세요.

풀이

답

레벨UP공략 02

◆ 소수를 반올림하여 소수 첫째 자리까지 나타내려면?

소수 두 자리 수를 ㉠.㉡㉢이라 하면

㉢이 0, 1, 2, 3, 4 → ㉠.㉡㉢ (버립니다.)

㉢이 5, 6, 7, 8, 9 → ㉠.㉡㉢ (올립니다.)

레벨UP공략 03

◆ ■개씩 묶음으로 물건을 팔 때 팔 수 있는 묶음의 수를 구하려면?

■개 미만은 팔 수 없습니다.

↓

버림 활용하기

두 수의 공통 범위에 포함되는 자연수 구하기

07 두 수의 범위에 **공통으로 포함되는 자연수는 모두 몇 개**인지 구해 보세요.

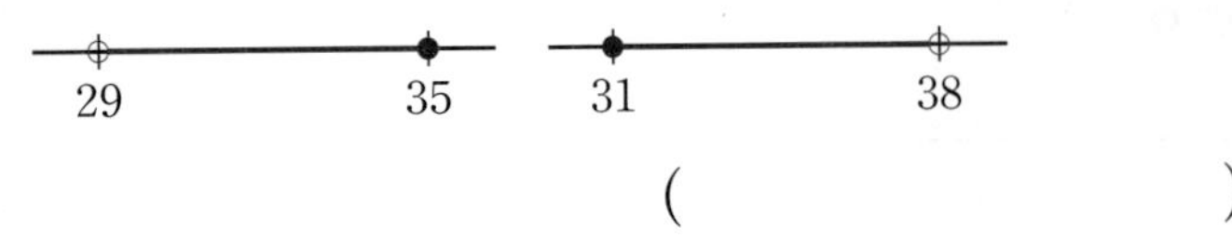

( )

레벨UP공략 04

◆ 두 수직선에 나타낸 수의 범위를 하나의 수직선에 나타내려면?

㉠<㉡<㉢<㉣일 때

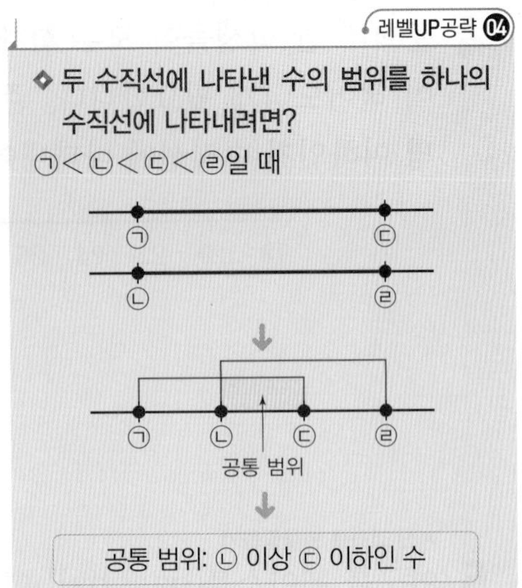

어림한 수를 이용하여 남는 물건의 개수 구하기

08 운동회에 참석한 학부모의 수를 반올림하여 십의 자리까지 나타내면 640명입니다. 이 학부모들에게 음료수를 한 병씩 모두 나누어 주려고 650병을 준비했습니다. **음료수가 가장 많이 남는 경우 남는 음료수는 몇 병**인지 구해 보세요.

( )

올림을 활용하여 물건을 살 때 필요한 최소 금액 구하기

09 지완이네 반 학생 22명 모두에게 공책을 3권씩 나누어 주려고 하는데 문구점에서 공책을 한 묶음에 10권씩 묶어 4500원에 팝니다. 이 문구점에서 **공책을 산다면 공책값으로 최소 얼마가 필요한지** 구해 보세요.

( )

레벨UP공략 05

◆ ▲개씩 묶음으로 파는 물건을 부족하지 않게 사려면?

▲개 미만의 물건도 사야 합니다.

↓

올림 활용하기

1묶음을 더 사야 합니다.

두 가지 방법으로 어림한 수 비교하기 서술형

10 **올림하여 소수 첫째 자리까지 나타낸 수와 반올림하여 소수 첫째 자리까지 나타낸 수가 서로 같은 것**을 찾아 기호를 쓰려고 합니다. 풀이 과정을 쓰고, 답을 구해 보세요.

㉠ 37.23　㉡ 37.15　㉢ 37.206

풀이

답

1 단원

수 카드로 만든 수를 어림하여 나타내기

11 수 카드 3, 5, 8, 1을 한 번씩만 사용하여 백의 자리 숫자가 3 이상 6 이하인 가장 큰 네 자리 수를 만들려고 합니다. **만든 네 자리 수를 반올림하여 십의 자리까지 나타내어 보세요.**

(　　　　　　　)

이상, 이하, 초과, 미만을 사용하여 무게의 범위 나타내기 new 신유형

12 태호가 양팔 저울의 한쪽 접시에 320 g인 사과와 추 1개를, 다른 쪽 접시에 560 g인 배를 올려 놓았더니 사과와 추가 놓인 접시 쪽으로 기울어졌습니다. **추의 무게의 범위를 이상, 이하, 초과, 미만 중 하나를 사용하여 나타내어 보세요.**

(　　　　　　　)

레벨UP공략 06

◆ 양팔 저울로 잰 물건의 무게를 부등호를 사용하여 식으로 나타내려면?

(사과의 무게) + (추의 무게) > (배의 무게)

어림한 수의 범위 나타내기 창의융합

13 '천 리 길도 한 걸음부터'라는 속담은 무슨 일이든지 그 일의 시작이 중요하다는 뜻입니다. 여기서 '리'는 거리를 나타내는 단위 중 하나로 1리를 km 단위로 나타낸 후 올림하여 소수 첫째 자리까지 나타내면 0.4 km입니다. 이 속담에 나오는 **'천 리'의 범위를 초과와 이하를 사용하여 km로 나타내어 보세요.**

( )

반올림을 활용하여 인구수를 몇만으로 나타내기 서술형

14 제주특별자치도의 인구수를 조사하여 나타낸 표입니다. 총인구수를 반올림하여 몇만 명으로 나타낼 때 **실제 인구수와 어림한 인구수의 차는 몇 명**인지 풀이 과정을 쓰고, 답을 구해 보세요.

제주특별자치도의 인구수

남자	여자
335519명	331167명

[출처: 통계청, 2018년 10월]

풀이

답

레벨UP공략 07

◆ 수를 반올림하여 몇만으로 나타내려면?

반올림하여 몇만으로 나타내기

반올림하여 만의 자리까지 나타내기

만의 자리 바로 아래 자리의 숫자를 버리거나 올립니다.

조건을 만족하는 수 구하기

15 다음 **세 조건을 만족하는 자연수를 모두** 구해 보세요.

㉠ 올림하여 십의 자리까지 나타내면 280입니다.
㉡ 버림하여 십의 자리까지 나타내면 270입니다.
㉢ 반올림하여 십의 자리까지 나타내면 270입니다.

( )

레벨UP공략 08

◆ 어림하여 십의 자리까지 나타내면 ▲가 되는 자연수의 범위를 구하려면?

① 올림: (▲−10) 초과 ▲ 이하인 수
② 버림: ▲ 이상 (▲+10) 미만인 수
③ 반올림: (▲−5) 이상 (▲+5) 미만인 수

어림한 수와 공배수를 이용하여 개수 구하기

16 어느 제과점에서 만든 초콜릿의 수를 버림하여 십의 자리까지 나타내면 170개입니다. 만든 초콜릿을 똑같이 5명이 나누어 먹으면 2개가 부족하고, 7명이 나누어 먹으면 3개가 남습니다. 이 제과점에서 만든 **초콜릿은 모두 몇 개**인지 구해 보세요.

( )

어림하기 전의 처음 수 구하기

17 다음 다섯 자리 수를 반올림하여 천의 자리까지 나타낸 수와 천의 자리 아래 수를 올려서 나타낸 수가 같습니다. □ **안에 들어갈 수 있는 자연수들의 합**을 구해 보세요.

86□32

( )

공통 부분에 포함되는 학생 수의 범위 구하기

18 종학이네 반 학생 33명 중에서 체육을 좋아하는 학생은 24명, 음악을 좋아하는 학생은 21명입니다. **체육과 음악을 모두 좋아하는 학생은 몇 명 이상 몇 명 이하**인지 구해 보세요.

( )

레벨UP공략 09

◆ 체육과 음악을 모두 좋아하는 학생 수를 구하려면?

① 가장 적을 때: 체육 또는 음악을 한 가지 이상 좋아하는 학생이 33명인 경우

② 가장 많을 때: 음악을 좋아하는 학생이 모두 체육도 좋아하는 경우

STEP 2 심화 해결하기

레벨UP공략법을 활용한 고난도 문제를 풀어 최상위에 도전합니다.

01 수의 범위에 **포함되는 자연수의 개수가 많은 것부터 순서대로** 기호를 써 보세요.

㉠ 9 이상 13 미만인 수	㉡ 12 초과 18 이하인 수
㉢ 8 이하인 수	㉣ 15 이상 19 이하인 수

( )

| 해결 순서 |
❶ 각 수의 범위에 포함되는 자연수의 개수 구하기
❷ 자연수의 개수가 많은 것부터 순서대로 기호 쓰기

02 가로가 4820 cm, 세로가 3250 cm인 직사각형 모양의 놀이터가 있습니다. 이 놀이터의 **둘레를 반올림하여 몇십 m로 나타내어 보세요.**

( )

«012쪽 14번 레벨UP공략

서술형

03 다음 **두 조건을 만족하는 자연수는 모두 몇 개**인지 풀이 과정을 쓰고, 답을 구해 보세요.

- 125 초과 133 이하인 수입니다.
- 버림하여 십의 자리까지 나타내면 120입니다.

«012쪽 15번 레벨UP공략

풀이

답

new 신유형

04 서울특별시의 100가구당 1인 가구 수를 조사하여 나타낸 표입니다. 가구 수를 **반올림하여 일의 자리까지 나타내어 표를 완성하고, 반올림한 가구 수를 꺾은선그래프로 나타내어 보세요.**

100가구당 1인 가구 수

연도(년)	1995	2000	2005	2010	2015
가구 수(가구)	12.7	15.5	20.0	23.9	27.2
반올림한 가구 수					

[출처: 통계청]

100가구당 1인 가구 수

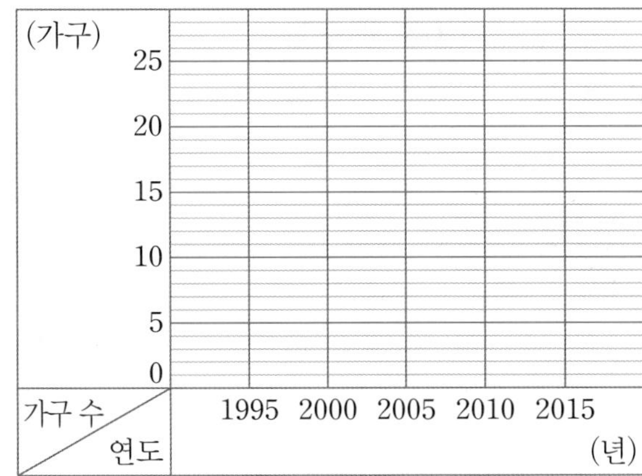

≪009쪽 05번 레벨UP공략

05 진영이네 가족이 KTX를 타고 서울에서 대전까지 가려고 합니다. 진영이네 가족은 12세인 진영이, 2세인 동생, 19세인 언니, 51세인 아버지, 49세인 어머니, 73세인 할머니로 모두 6명입니다. 진영이네 가족이 모두 **KTX 일반실을 탈 때와 특실을 탈 때의 요금의 차**는 얼마인지 구해 보세요.

KTX 요금

구분	어린이	어른	경로
일반실	11800원	23700원	16600원
특실	21300원	33200원	26100원

- 어린이: 4세 이상 12세 이하
- 어른: 12세 초과 65세 미만
- 경로: 65세 이상
- ※ 4세 미만은 무료

( )

| 해결 순서 |
❶ 가족의 나이에 따른 요금 구분 찾기
❷ 일반실을 탈 때의 요금 구하기
❸ 특실을 탈 때의 요금 구하기
❹ 일반실을 탈 때와 특실을 탈 때의 요금의 차 구하기

1 단원

06 준수는 358쪽짜리 소설책을 매일 읽으려고 합니다. 하루에 18쪽 초과 24쪽 이하로 읽는다면 **책을 모두 읽는 데 걸리는 최대 날수와 최소 날수**를 구해 보세요.

최대 (　　　　　　　)
최소 (　　　　　　　)

서술형

07 수직선에 나타낸 수의 범위에 포함되는 자연수 중에서 6의 배수는 5개입니다. **㉠이 될 수 있는 자연수는 모두 몇 개**인지 풀이 과정을 쓰고, 답을 구해 보세요.

24　　　㉠

풀이

답

주변에 딸려있는 섬을 말합니다.
창의융합

08 독도는 2개의 큰 섬인 동도와 서도, 주변 89개의 부속도서로 구성되어 있습니다. 독도의 전체 넓이를 올림하여 만의 자리까지 나타낼 때 **실제 넓이와 어림한 넓이의 차는 몇 m^2**인지 구해 보세요.

독도의 넓이

동도	서도	부속도서
73297 m^2	88740 m^2	25517 m^2

[출처: 울릉군 홈페이지]

(　　　　　　　)

잠깐!
독도에 대해 알아볼까요?
독도는 우리나라 동쪽 제일 끝에 위치한 섬으로 천연기념물 제336호로 지정되면서 명칭이 독도천연보호구역으로 바뀌었습니다.

정답 및 풀이 > 03쪽

09 혜리네 집 현관문 비밀번호는 다음 조건을 모두 만족하는 자연수 중에서 가장 큰 수입니다. **혜리네 집 현관문 비밀번호**를 구해 보세요.

㉠ 63000 이상 64000 미만인 수입니다.
㉡ 백의 자리 숫자는 4 이상 9 이하입니다.
㉢ 십의 자리 숫자는 8의 약수입니다.
㉣ 일의 자리 숫자는 2 초과 6 미만입니다.

( )

10 어떤 수와 1367을 각각 반올림하여 백의 자리까지 나타낸 다음 어림한 두 수를 더했더니 6000이 되었습니다. **어떤 수의 범위를 이상과 미만을 사용하여 나타내어 보세요.**

( )

해결 순서
❶ 1367을 반올림하여 백의 자리까지 나타내기
❷ 어떤 수를 반올림하여 백의 자리까지 나타낸 수 구하기
❸ 어떤 수의 범위를 이상과 미만을 사용하여 나타내기

11 지호네 학교의 남학생은 359명, 여학생은 293명입니다. 개교기념일을 맞이하여 전교생에게 모두 스케치북을 한 권씩 선물로 나누어 주려고 합니다. ㉮ 마트와 ㉯ 마트에서 각각 다음과 같이 스케치북을 팔 때 **부족하지 않게 최소 가격으로 사려면 어느 마트에서 사는 것이 더 유리한지** 구해 보세요.

≪010쪽 09번 레벨UP공략

	한 묶음의 수	한 묶음의 가격
㉮ 마트	15권	9000원
㉯ 마트	24권	13000원

( )

정답 및 풀이 > 03쪽

12 어느 자동차 회사의 지난달 판매량을 올림하여 십의 자리까지 나타내면 9670대이고, 이번 달 판매량을 반올림하여 백의 자리까지 나타내면 9100대입니다. **지난달과 이번 달의 자동차 판매량의 합은 최대 몇 대**인지 구해 보세요.

( )

13 수 카드 [2], [3], [0], [5], [7]을 한 번씩만 사용하여 십의 자리 숫자가 4 초과 8 이하인 다섯 자리 수를 만들려고 합니다. **만들 수 있는 가장 큰 수와 가장 작은 수의 차를 구한 다음 반올림하여 천의 자리까지 나타내어 보세요.**

( )

창의융합

14 '갓'과 '두름'은 생선의 수를 세는 순우리말 단위입니다. 조기 10마리를 한 줄로 엮은 것을 한 갓, 10마리씩 두 줄로 엮은 20마리를 한 두름이라고 합니다. 어느 생선 가게에서 조기 917마리를 한 두름에 22000원씩 받고 팔았습니다. 그 다음 남은 조기를 5마리씩 묶어서 한 묶음에 5000원씩 받고 팔았습니다. 이 생선 가게에서 **조기를 팔아서 최대 얼마를 받을 수 있는지** 구해 보세요.

( )

≪009쪽 06번 레벨UP공략

STEP 3 최상위 도전하기

경시 수준의 최상위 문제에 도전하여 사고력을 키웁니다.

정답 및 풀이 > 06쪽

1 성준이는 매일 독서를 합니다. 6일 동안 읽은 책의 쪽수의 합을 버림하여 십의 자리까지 나타내면 280쪽입니다. **㉠에 들어갈 쪽수의 범위를 이상과 미만을 사용하여 나타내어 보세요.**

성준이가 읽은 책의 쪽수

요일	월	화	수	목	금	토
읽은 쪽수(쪽)	34	51	27	㉠	58	64

(　　　　　　　　　　)

1 단원

2 수족관에서 물고기 692마리를 두 종류의 어항에 넣으려고 합니다. ㉠ 어항 9개에 55마리씩 똑같이 넣은 다음, 남은 물고기는 ㉡ 어항에 15마리씩 넣으려고 합니다. **물고기를 모두 넣으려면 ㉠과 ㉡ 어항은 적어도 몇 개 필요한지** 구해 보세요.

물고기를 모두 넣으려면 ㉡ 어항에 15마리씩 넣고 남는 물고기도 한 어항에 넣어야 합니다.

㉠
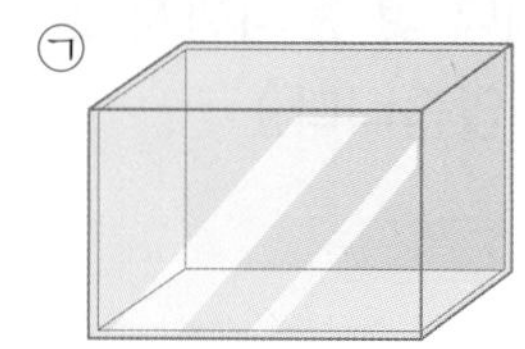
㉡
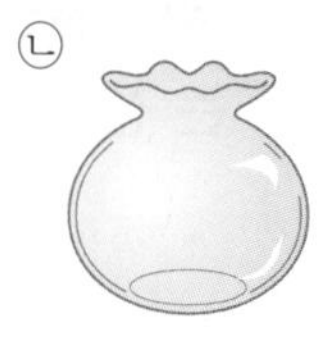

(　　　　　　　　　　)

창의융합

3 다음은 리코더의 길이에 대하여 설명한 것입니다. 테너 리코더의 길이가 **가장 길 때와 가장 짧을 때의 길이의 차는 몇 cm**인지 구해 보세요. (단, 리코더의 길이는 모두 자연수입니다.)

어림한 길이를 이용하여 소프라니노, 소프라노, 알토 리코더의 길이의 범위를 먼저 구합니다.

- 소프라니노 리코더의 길이를 버림하여 십의 자리까지 나타내면 20 cm입니다.
- 소프라노 리코더의 길이를 반올림하여 십의 자리까지 나타내면 30 cm입니다.
- 알토 리코더의 길이를 올림하여 십의 자리까지 나타내면 50 cm입니다.
- 테너 리코더의 길이는 소프라니노, 소프라노, 알토 리코더의 길이의 합보다 35 cm 짧습니다.

( )

4 직사각형 모양의 땅의 둘레에 6 m 간격으로 블루베리 나무를 심었고, 모든 나무에 열린 블루베리를 한 그루에 100알씩 땄습니다. **딴 블루베리를 한 봉지에 80알씩 담아 팔면 최대 몇 봉지까지 팔 수 있는지** 구해 보세요. (단, 블루베리 나무의 두께는 생각하지 않습니다.)

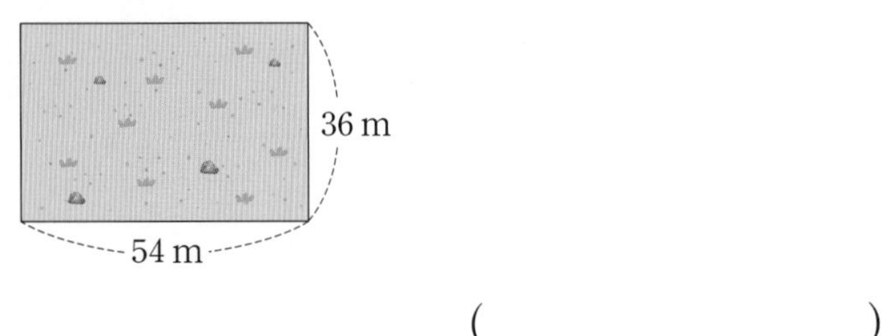

( )

5 수 카드 5장을 한 번씩만 사용하여 다섯 자리 수를 만들려고 합니다. 만들 수 있는 수 중에서 **반올림하여 만의 자리까지 나타내면 30000이 되는 수는 모두 몇 개**인지 구해 보세요.

반올림하여 만의 자리까지 나타내면 30000이 되는 수의 범위를 먼저 구합니다.

2	5	1	3	9

(　　　　　　　　)

1% 도전

6 순서도를 보고 **어떤 자연수가 될 수 있는 수 중에서 가장 큰 수와 가장 작은 수**를 각각 구해 보세요.

순서도: 기호와 도형을 이용하여 일의 흐름을 순서대로 적은 것

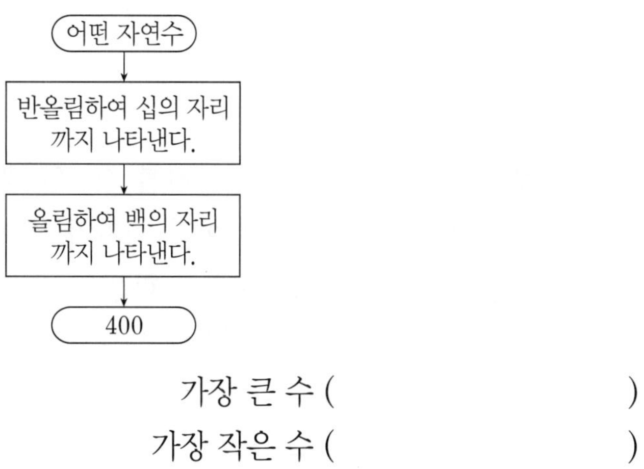

가장 큰 수 (　　　　　　　　)

가장 작은 수 (　　　　　　　　)

01 주어진 수를 (물고기) 안의 방법으로 어림하여 백의 자리까지 나타내었을 때 세 수의 크기를 비교하여 큰 수부터 순서대로 기호를 써 보세요.

(　　　　　　　　　　)

02 버림하여 십의 자리까지 나타내면 840이 되는 자연수 중에서 가장 큰 수와 가장 작은 수의 합을 구해 보세요.

(　　　　　　　　　　)

03 민우네 반 학생들이 모두 피자를 한 조각씩 먹으려면 6조각으로 나누어진 피자가 적어도 5판 필요합니다. 민우네 반 학생은 몇 명 이상 몇 명 이하인지 수직선에 나타내어 보세요.

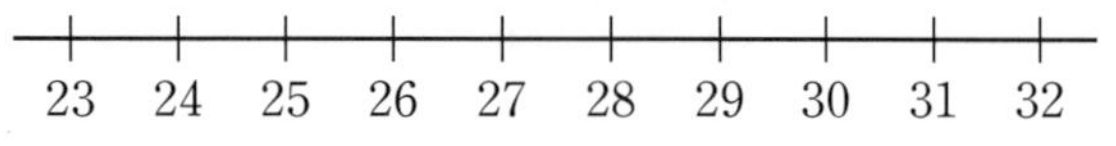

04 수직선에 나타낸 수의 범위에 포함되는 자연수는 7개입니다. ■에 알맞은 자연수를 구해 보세요.

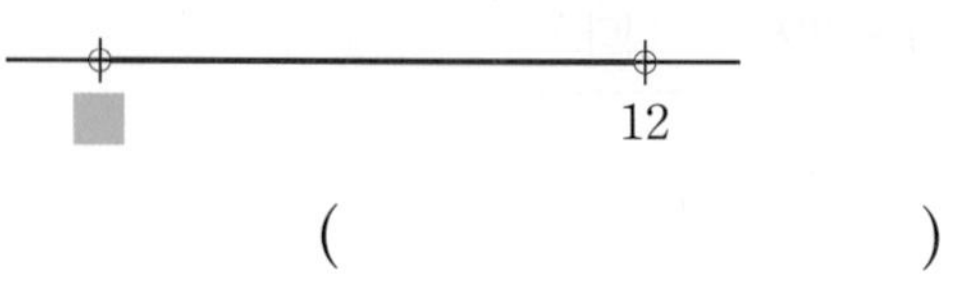

(　　　　　　　　　　)

05 다음 조건을 모두 만족하는 세 자리 수를 구해 보세요.

- 300 이상 400 미만인 수입니다.
- 십의 자리 숫자는 4의 배수입니다.
- 일의 자리 숫자는 십의 자리 숫자의 2배입니다.

(　　　　　　　　　　)

06 주은이네 반 학생 28명 모두에게 사인펜을 2자루씩 나누어 주려고 하는데 도매점에서 사인펜을 한 상자에 12자루씩 넣어 3700원에 팝니다. 이 도매점에서 사인펜을 산다면 사인펜값으로 최소 얼마가 필요한지 구해 보세요.

(　　　　　　　　　　)

07 인혁이는 240쪽짜리 과학책을 매일 읽으려고 합니다. 하루에 20쪽 초과 31쪽 이하로 읽는다면 책을 모두 읽는 데 걸리는 최대 날수와 최소 날수를 구해 보세요.

최대 (　　　　　　　　)
최소 (　　　　　　　　)

08 강원도의 인구수를 조사하여 나타낸 표입니다. 총인구수를 반올림하여 몇십만 명으로 나타낼 때 실제 인구수와 어림한 인구수의 차는 몇 명인지 구해 보세요.

강원도의 인구수

남자	여자
776790명	766651명

[출처: 통계청, 2018년 10월]

(　　　　　　　　)

09 다음 수를 반올림하여 만의 자리까지 나타낸 수와 만의 자리 아래 수를 버려서 나타낸 수가 같습니다. □ 안에 들어갈 수 있는 자연수들의 합을 구해 보세요.

23□748

(　　　　　　　　)

10 어떤 수와 2715를 각각 반올림하여 십의 자리까지 나타낸 다음 어림한 두 수를 더했더니 5100이 되었습니다. 어떤 수의 범위를 이상과 미만을 사용하여 나타내어 보세요.

(　　　　　　　　)

최상위

11 민용이네 마을 남자의 수를 반올림하여 십의 자리까지 나타내면 7370명이고, 여자의 수를 버림하여 백의 자리까지 나타내면 7400명입니다. 민용이네 마을의 남자와 여자의 수의 합은 최대 몇 명인지 구해 보세요.

(　　　　　　　　)

최상위

12 수 카드 5장을 한 번씩만 사용하여 다섯 자리 수를 만들려고 합니다. 만들 수 있는 수 중에서 반올림하여 천의 자리까지 나타내면 42000이 되는 수는 모두 몇 개인지 구해 보세요.

1　6　4　2　8

(　　　　　　　　)

쉬어가기

사자성어

와신상담

臥 薪 嘗 膽

누울 와　섶 신　맛볼 상　쓸개 담

바로 뜻 장작더미 위에서 잠을 자고 쓰디쓴 쓸개를 먹는다는 뜻.

깊은 뜻 마음먹은 일을 이루기 위해서는 어떤 어려움도 참고 견딘다는 말이에요.

세계적인 피겨스케이팅 선수 김소녀는 대단한 노력파예요.
올림픽을 앞두고는 아침부터 저녁까지 힘든 내색 없이 강도 높은 훈련을 이어갔어요.
사람들은 김소녀를 가리켜 독종이라고 부를 정도였어요.
김소녀 선수는 흔들리지 않고 최선을 다해 연습했어요.
"지난 올림픽에서 금메달을 놓친 것이 정말 아쉬웠습니다.
지난 4년간 □□□□하며 노력했으니까 이번 올림픽에서는 반드시 금메달을 따도록 하겠습니다."
김소녀 선수의 노력은 빛을 발하여 마침내 올림픽에서 금메달을 딸 수 있었어요.

잠깐! Quiz

Q □□□□에 들어갈 말은?

A 왼쪽 한자와 오른쪽 음을 알맞은 것끼리 선으로 이어 봅니다.

臥 ·	· 신
薪 ·	· 상
嘗 ·	· 와
膽 ·	· 담

2

분수의 곱셈

개념 넓히기

1 (분수)×(자연수), (자연수)×(분수)

(1) (분수)×(자연수)

예 $\frac{3}{4}\times10$의 계산

방법 ❶ $\frac{3}{4}\times10=\frac{3\times10}{4}=\frac{\overset{15}{\cancel{30}}}{\underset{2}{\cancel{4}}}=\frac{15}{2}=7\frac{1}{2}$ → 곱셈을 한 다음 약분합니다.

방법 ❷ $\frac{3}{\underset{2}{\cancel{4}}}\times\overset{5}{\cancel{10}}=\frac{3\times5}{2}=\frac{15}{2}=7\frac{1}{2}$ → 약분한 다음 곱셈을 합니다.

예 $2\frac{5}{6}\times9$의 계산

$2\frac{5}{6}\times9=\frac{17}{\underset{2}{\cancel{6}}}\times\overset{3}{\cancel{9}}=\frac{51}{2}=25\frac{1}{2}$

대분수를 가분수로 바꿉니다.

(2) (자연수)×(분수) → (분수)×(자연수)와 같은 방법으로 계산할 수 있습니다.

예 $24\times\frac{5}{12}$의 계산 → 자연수가 분모의 배수인 경우

$24\times\frac{5}{12}=\frac{\overset{2}{\cancel{24}}\times5}{\underset{1}{\cancel{12}}}=10$

예 $6\times1\frac{3}{4}$의 계산 → 자연수가 분모의 배수가 아닌 경우

$6\times1\frac{3}{4}=\overset{3}{\cancel{6}}\times\frac{7}{\underset{2}{\cancel{4}}}=\frac{21}{2}=10\frac{1}{2}$

응용 2 튀어 오른 공의 높이 구하기

예 떨어진 높이의 $\frac{2}{3}$만큼 튀어 오르는 공을 36 cm 높이에서 떨어뜨릴 때 두 번째로 튀어 오른 높이 구하기

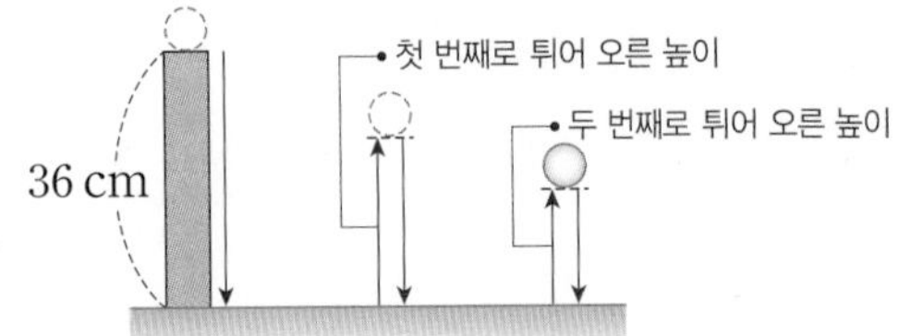

① (첫 번째로 튀어 오른 높이)

$=\overset{12}{\cancel{36}}\times\frac{2}{\underset{1}{\cancel{3}}}=24$ (cm) → (떨어뜨린 높이)×$\frac{2}{3}$

② (두 번째로 튀어 오른 높이)

$=\overset{8}{\cancel{24}}\times\frac{2}{\underset{1}{\cancel{3}}}=16$ (cm) → (두 번째로 떨어진 높이)×$\frac{2}{3}$ =(첫 번째로 튀어 오른 높이)×$\frac{2}{3}$

3 (진분수)×(진분수), (대분수)×(대분수)

(1) (진분수)×(진분수)

예 $\frac{3}{5}\times\frac{4}{9}$의 계산 → 분자는 분자끼리, 분모는 분모끼리 곱합니다.

방법 ❶ $\frac{3}{5}\times\frac{4}{9}=\frac{3\times4}{5\times9}=\frac{\overset{4}{\cancel{12}}}{\underset{15}{\cancel{45}}}=\frac{4}{15}$ → 곱셈을 한 다음 약분합니다.

방법 ❷ $\frac{3}{5}\times\frac{4}{9}=\frac{\overset{1}{\cancel{3}}\times4}{5\times\underset{3}{\cancel{9}}}=\frac{4}{15}$ → 곱하는 과정에서 약분합니다.

방법 ❸ $\frac{\overset{1}{\cancel{3}}}{5}\times\frac{4}{\underset{3}{\cancel{9}}}=\frac{1\times4}{5\times3}=\frac{4}{15}$ → 약분한 다음 곱셈을 합니다.

참고 $\frac{3}{5}$에 1보다 작은 수를 곱하면 $\frac{3}{5}$보다 작은 값이 나옵니다.

(2) (대분수)×(대분수)

예 $3\frac{1}{4}\times2\frac{1}{2}$의 계산

$3\frac{1}{4}\times2\frac{1}{2}=\frac{13}{4}\times\frac{5}{2}=\frac{65}{8}=8\frac{1}{8}$

대분수를 가분수로 바꿉니다.

주의 대분수끼리 곱셈을 할 때 대분수를 가분수로 바꾸지 않고 대분수 상태에서 약분하지 않도록 주의합니다.

예 $2\frac{5}{\underset{3}{\cancel{6}}}\times1\frac{\overset{1}{\cancel{2}}}{3}$ (×)

응용 4 주어진 시간에 이동한 거리 구하기

예 한 시간에 $2\frac{5}{8}$ km를 걷는 사람이 같은 빠르기로 2시간 20분 동안 걸은 거리 구하기

① 2시간 20분 → $2\frac{20}{60}$시간$=2\frac{1}{3}$시간

② (2시간 20분 동안 걸은 거리)

$=2\frac{5}{8}\times2\frac{1}{3}=\frac{\overset{7}{\cancel{21}}}{8}\times\frac{7}{\underset{1}{\cancel{3}}}=\frac{49}{8}=6\frac{1}{8}$ (km)

→ (이동한 거리)=(한 시간에 가는 거리)×(이동한 시간)

5 세 분수의 곱셈

예 $\frac{3}{5}\times\frac{5}{8}\times\frac{2}{9}$의 계산

방법 ❶ $\left(\frac{3}{\cancel{5}_1}\times\frac{\cancel{5}^1}{8}\right)\times\frac{2}{9}=\frac{\cancel{3}^1}{\cancel{8}_4}\times\frac{\cancel{2}^1}{\cancel{9}_3}=\frac{1}{12}$ — 앞에서부터 두 분수씩 계산합니다.

방법 ❷ $\frac{3}{5}\times\frac{5}{8}\times\frac{2}{9}=\frac{\cancel{3}^1\times\cancel{5}^1\times\cancel{2}^1}{\cancel{5}_1\times\cancel{8}_4\times\cancel{9}_3}=\frac{1}{12}$ — 세 분수를 한꺼번에 곱하여 계산합니다.

선행 개념 [중1] 곱셈의 결합법칙

결합법칙: 세 수의 곱셈에서 어느 두 수를 먼저 곱한 후 나머지 수를 곱하여도 그 결과는 같습니다.
→ (■×▲)×●=■×(▲×●)

응용
6 남은 것이 전체의 몇 분의 몇인지 구하기

예 수박을 어제 전체의 $\frac{3}{8}$을 먹고, 오늘은 남은 수박의 $\frac{2}{5}$를 먹었을 때 오늘 먹고 남은 수박은 전체 수박의 몇 분의 몇인지 구하기

① 어제 먹고 남은 수박: 전체 수박의 $1-\frac{3}{8}=\frac{5}{8}$

② 오늘 먹고 남은 수박:

어제 먹고 남은 수박의 $1-\frac{2}{5}=\frac{3}{5}$

→ 전체 수박의 $\frac{\cancel{5}^1}{8}\times\frac{3}{\cancel{5}_1}=\frac{3}{8}$

응용
7 늦어지는 시계가 가리키는 시각 구하기

예 하루에 $5\frac{2}{3}$분씩 늦어지는 시계를 오늘 오전 9시에 정확히 맞추어 놓았을 때 3일 후 오전 9시에 이 시계가 가리키는 시각 구하기

① (시계가 3일 동안 늦어지는 시간)
$=5\frac{2}{3}\times3=\frac{17}{\cancel{3}_1}\times\cancel{3}^1=17$(분)

② (3일 후 오전 9시에 시계가 가리키는 시각)
=9시−17분=8시 43분

1 빈칸에 알맞은 분수를 써넣으세요.

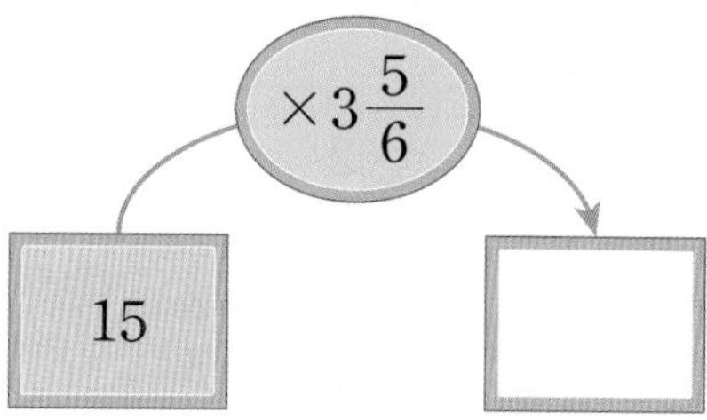

2 두 수의 곱을 구해 보세요.

$2\frac{11}{12}$ $3\frac{5}{9}$

(   )

3 크기를 비교하여 ○ 안에 >, =, <를 알맞게 써넣으세요.

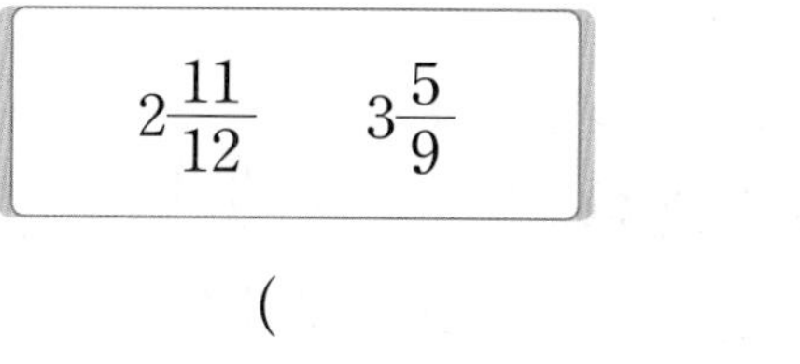

4 한 명이 사과 파이 한 판의 $\frac{2}{5}$씩 먹으려고 합니다. 25명이 먹으려면 사과 파이는 모두 몇 판 필요한지 구해 보세요.

(   )

2 단원

STEP 1

응용 공략하기

응용 · 심화 문제와 레벨UP공략법으로 문제 해결 능력을 키웁니다.

계산 결과의 크기 비교하기

01 **계산 결과가 큰 것부터 순서대로** 기호를 써 보세요.

㉠ $\frac{2}{5}$	㉡ $\frac{2}{5}\times\frac{5}{9}$
㉢ $\frac{2}{5}\times1\frac{2}{3}$	㉣ $\frac{2}{5}\times\frac{5}{9}\times\frac{3}{8}$

(　　　　　　　　　　)

레벨UP공략 01

◆ 1보다 작은 수 또는 1보다 큰 수를 곱할 때 계산 결과를 예상하면?

- ■×(1보다 작은 수)
  → ■보다 작아집니다.
- ■×(1보다 큰 수)
  → ■보다 커집니다.

전체 중 일부의 양 구하기　　창의융합

02 공기 중에는 여러 가지 기체가 섞여 있습니다. 대부분은 질소와 산소로 이루어져 있는데 이 중 질소는 전체 공기의 $\frac{39}{50}$를 차지합니다. **10 L의 공기 중에는 질소가 몇 L** 있는지 구해 보세요.

(　　　　　　　　　　)

부분은 전체의 몇 분의 몇인지 구하기

03 어느 어항에 살고 있는 전체 열대어의 $\frac{5}{7}$가 수컷입니다. 수컷의 $\frac{7}{10}$은 노란색 꼬리지느러미를 가지고 있고, 그중 $\frac{4}{35}$는 줄무늬가 있습니다. **줄무늬가 있고 노란색 꼬리지느러미를 가진 수컷은 전체 열대어의 몇 분의 몇**인지 구해 보세요.

(　　　　　　　　　　)

레벨UP공략 02

◆ 전체의 몇 분의 몇인지 구하려면?

전체의 $\frac{㉡}{㉠}$의 $\frac{㉣}{㉢}$, 그중 $\frac{㉥}{㉤}$

→ 전체의 $\frac{㉡}{㉠}\times\frac{㉣}{㉢}\times\frac{㉥}{㉤}$

□ 안에 들어갈 수 있는 자연수의 개수 구하기

서술형

04 **□ 안에 들어갈 수 있는 자연수는 모두 몇 개**인지 풀이 과정을 쓰고, 답을 구해 보세요.

$2\frac{3}{5}\times4>\square$

풀이

답

단위 사이의 관계를 이용하여 계산하기

05 정우가 미술 작품을 만드는 데 재료를 다음과 같이 사용했습니다. **정우가 사용한 노끈은 몇 cm이고, 찰흙은 몇 g**인지 구해 보세요.

노끈	3 m의 $\frac{5}{6}$
찰흙	2 kg의 $\frac{3}{8}$

노끈 (　　　　)
찰흙 (　　　　)

레벨UP공략 03

◇ 길이와 무게의 몇 분의 몇을 구하려면?

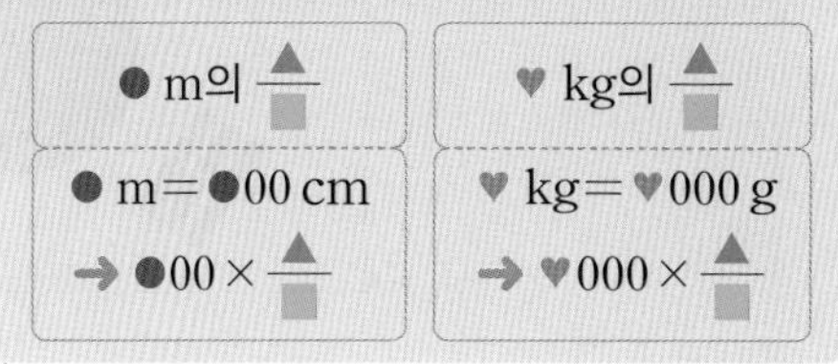

어떤 수 구하기

06 어떤 수를 $2\frac{5}{6}$로 나누었더니 $3\frac{3}{8}$이 되었습니다. **어떤 수의 2배**는 얼마인지 구해 보세요.

(　　　　)

레벨UP공략 04

◇ 어떤 수를 구하려면?
어떤 수를 ▲로 나누었더니 ■가 될 때
(어떤 수)÷▲=■ → (어떤 수)=■×▲

2 단원

주어진 시간에 이동한 거리 구하기

07 재영이는 자전거를 한 시간에 $3\frac{5}{7}$ km 탔습니다. 재영이가 같은 빠르기로 **3시간 15분 동안 자전거를 탄 거리는 몇 km**인지 구해 보세요.

( )

레벨UP공략 05

◆ 몇 시간 몇 분을 분수로 나타내려면?

1시간=60분

↓

●시간 ■분
$=$●시간$+\frac{■}{60}$시간
$=$●$\frac{■}{60}$시간

도형에서 길이와 넓이 구하기 창의융합

08 우리나라 국기인 태극기는 흰색 바탕에 한가운데 태극 문양과 네 모서리의 건곤감리 4괘로 구성되어 있습니다. 태극기의 세로는 가로의 $\frac{2}{3}$입니다. 태극기의 가로가 $3\frac{3}{5}$ m일 때 **태극기의 넓이는 몇 m^2**인지 구해 보세요.

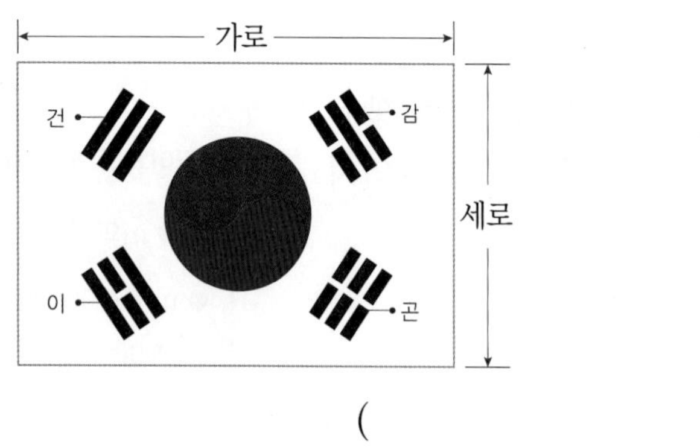

( )

정다각형의 둘레 구하기

09 한 변의 길이가 $\frac{4}{15}$ m인 정팔각형과 한 변의 길이가 $\frac{7}{9}$ m인 정삼각형이 있습니다. **두 도형의 둘레의 합은 몇 m**인지 구해 보세요.

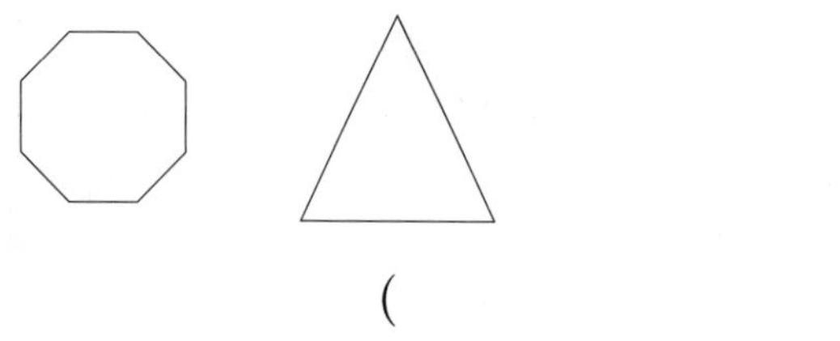

( )

레벨UP공략 06

◆ 정■각형의 둘레를 구하려면?

정■각형의 변의 수가 ■개이므로
(정■각형의 둘레)=(한 변의 길이)×■

분수의 곱셈을 순서대로 계산하기 new 신유형

10 어느 동물원에 있는 코끼리 한 마리가 하루에 먹는 양을 조사하여 나타낸 것입니다. 이 코끼리가 **하루에 먹는 배합사료의 양은 몇 kg**인지 구해 보세요.

건초	75 kg
과일과 채소	건초의 $\frac{8}{25}$
배합사료	과일과 채소의 $\frac{1}{11}$

(　　　　　　　　)

남은 것이 전체의 몇 분의 몇인지 구하기 서술형

11 피자를 혜영이가 전체의 $\frac{5}{12}$를 먹었고, 동생은 혜영이가 먹고 난 나머지의 $\frac{2}{7}$를 먹었습니다. **동생이 먹고 남은 피자는 전체 피자의 몇 분의 몇**인지 풀이 과정을 쓰고, 답을 구해 보세요.

풀이

답

공을 떨어뜨릴 때 튀어 오른 높이 구하기

12 떨어진 높이의 $\frac{2}{5}$만큼 튀어 오르는 공이 있습니다. 소미가 이 공을 90 cm 높이에서 떨어뜨렸을 때 **공이 두 번째로 튀어 오른 높이는 몇 cm**인지 구해 보세요.

(　　　　　　　　)

레벨UP공략 07

◇ 공을 떨어뜨릴 때 튀어 오른 높이를 구하려면?

공이 떨어진 높이의 $\frac{▲}{■}$만큼 튀어 오를 때

(튀어 오른 높이)=(떨어진 높이)×$\frac{▲}{■}$

2 단원

약속에 따라 계산하기

13 기호 ◎를 다음과 같이 약속할 때 $1\frac{7}{10}$◎$2\frac{11}{12}$**의 값**을 구해 보세요.

가◎나=가×4+6×나

(　　　　　　　　　)

주어진 계산 순서에 따라 계산하기　　창의융합

14 하루에 권장되는 물 섭취량을 계산하는 방법은 다음과 같습니다. 도영이의 키는 151 cm, 몸무게는 39 kg입니다. 도영이가 오늘 마신 물이 $1\frac{1}{2}$ L일 때 몇 L를 더 마시면 **하루 권장 물 섭취량이 되는지** 구해 보세요.

〈하루 권장 물 섭취량(L) 계산 방법〉
① 키와 몸무게를 더합니다.
② ①에서 구한 값을 $\frac{1}{100}$배 합니다.

(　　　　　　　　　)

수직선에서 등분한 점의 값 구하기

15 수직선에서 $\frac{1}{12}$과 $\frac{1}{8}$ 사이를 5등분한 것입니다. **㉠에 알맞은 분수**를 구해 보세요.

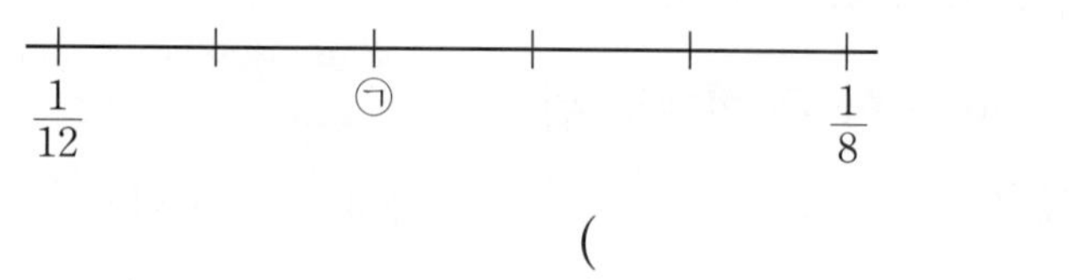

(　　　　　　　　　)

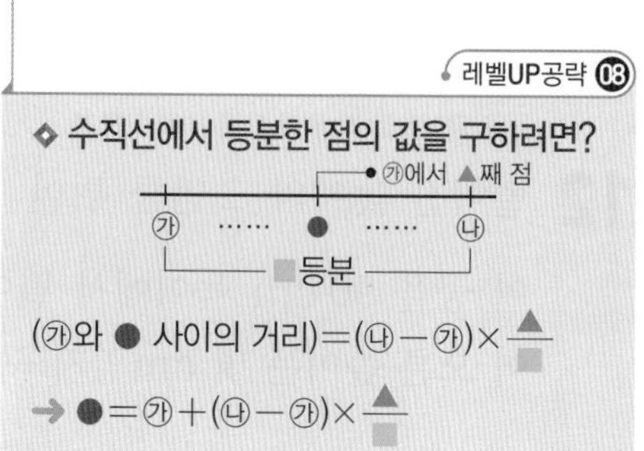

수 카드로 분수를 만들어 곱셈하기 서술형

16 수 카드 [2], [3], [8]을 한 번씩만 사용하여 만들 수 있는 **가장 큰 대분수와 가장 작은 대분수의 곱**은 얼마인지 풀이 과정을 쓰고, 답을 구해 보세요.

풀이

답

레벨UP공략 09

◆ 3개의 수로 가장 큰 대분수와 가장 작은 대분수를 만들려면?

수의 크기가 ㉠>㉡>㉢일 때

가장 큰 대분수: ㉠$\frac{㉢}{㉡}$

가장 작은 대분수: ㉢$\frac{㉡}{㉠}$

물이 일정하게 나오는 수도로 받은 물의 양 구하기

17 물이 일정하게 1분에 $11\frac{5}{8}$ L씩 나오는 가 수도와 $12\frac{4}{9}$ L씩 나오는 나 수도가 있습니다. 비어 있는 두 욕조에 물을 각각 가 수도로 8분, 나 수도로 6분 동안 받았습니다. 가**와** 나 **중 어느 수도로 받은 물의 양이 몇 L 더 많은지** 구해 보세요.

(,)

분수의 곱셈에서 모르는 수 구하기

18 다음 식의 계산 결과가 자연수가 되도록 □ **안에 들어갈 수 있는 자연수**를 모두 구해 보세요. (단, $\frac{4}{\square}$는 진분수입니다.)

$$2\frac{5}{8}\times2\frac{2}{3}\times\frac{4}{\square}$$

( )

레벨UP공략 10

◆ 분수를 자연수가 되도록 하려면?

$\frac{(분자)}{(분모)}$ → 분모는 분자의 약수 / 분자는 분모의 배수

2 단원

정답 및 풀이 > 09쪽

늦어지는 시계가 가리키는 시각 구하기

19 하루에 $2\frac{3}{4}$분씩 늦어지는 시계가 있습니다. 이 시계를 오늘 오전 11시에 정확히 맞추어 놓았습니다. **4주일 후 오전 11시에 이 시계가 가리키는 시각은 몇 시 몇 분**인지 구해 보세요.

(   )

레벨UP공략 ⑪

◇ 일정하게 늦어지는 시계의 시각을 구하려면?

(늦어지는 시계의 시각)
=(정확한 시각)−(늦어지는 시간)

도형에서 규칙을 찾아 계산하기

20 다음은 정삼각형을 4등분한 후 가운데 정삼각형을 제외하고 나머지 정삼각형을 각각 4등분해 나간 것입니다. 셋째 그림에서 **색칠한 부분은 전체의 몇 분의 몇**인지 구해 보세요.

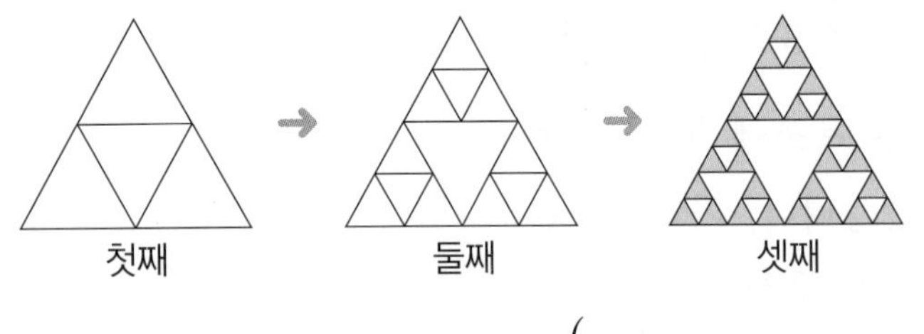

(   )

레벨UP공략 ⑫

◇ 도형을 규칙적으로 ▲등분한 것 중 하나가 전체의 몇 분의 몇인지 구하려면?

전체 도형을 ▲등분한 것 중 하나
전체의 $\frac{1}{▲}$
↓
▲등분한 것을 다시 ▲등분한 것 중 하나
전체의 $\frac{1}{▲}\times\frac{1}{▲}$

규칙을 찾아 분수의 곱셈하기

21 규칙에 따라 분수를 늘어놓은 것입니다. **처음부터 13째까지의 분수를 모두 곱하면** 얼마인지 구해 보세요.

$\frac{1}{5}$, $\frac{3}{7}$, $\frac{5}{9}$, $\frac{7}{11}$, $\frac{9}{13}$, $\frac{11}{15}$ ......

(   )

STEP 2 심화 해결하기

레벨UP공략법을 활용한 **고난도 문제**를 풀어 최상위에 도전합니다.

정답 및 풀이 ▶ 11쪽

01 **가장 큰 분수와 가장 작은 분수의 곱**을 구해 보세요.

$\frac{1}{4}$ $\frac{1}{9}$ $\frac{1}{12}$ $\frac{1}{8}$

( )

02 수 카드 [1], [5], [8]을 한 번씩만 사용하여 만들 수 있는 **두 번째로 큰 대분수와 6의 곱**을 구해 보세요.

( )

≪033쪽 16번 레벨UP공략

창의융합

03 북쪽 하늘에 있는 W 모양의 별자리인 카시오페이아를 이용하여 북극성을 찾을 수 있습니다. 다음은 종현이가 그린 별자리 그림입니다. 카시오페이아의 별 ㉡으로부터 ㉠과 ㉡ 사이 거리의 5배만큼 떨어진 곳에 북극성이 있습니다. 그림에서 ㉠과 북극성 사이의 거리가 $66\frac{1}{2}$ cm일 때 **㉠과 ㉡ 사이의 거리는 몇 cm**인지 구해 보세요.

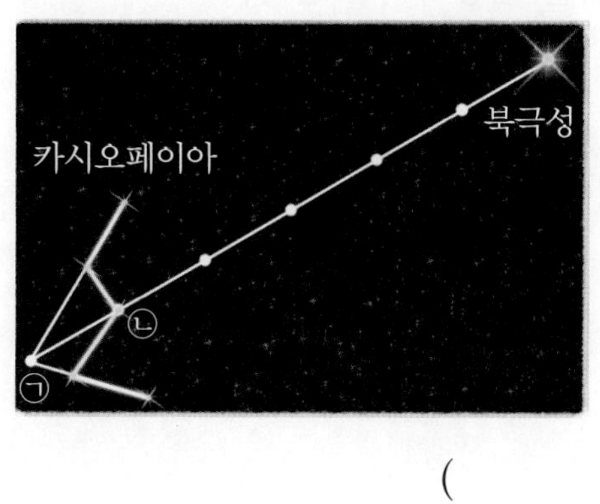

( )

| 해결 순서 |

❶ ㉠과 ㉡ 사이의 거리는 전체의 몇 분의 몇인지 구하기

❷ ㉠과 ㉡ 사이의 거리 구하기

2 단원

서술형

04 한 시간에 $70\frac{1}{2}$ km를 달리는 자동차가 있습니다. 이 자동차가 같은 빠르기로 **1시간 45분 동안 달린다면 몇 km**를 달릴 수 있는지 풀이 과정을 쓰고, 답을 구해 보세요.

«030쪽 07번 레벨UP공략

풀이

답

05 **□ 안에 들어갈 수 있는 자연수 중 가장 큰 수**를 구해 보세요.

$$5\times1\frac{2}{5}<\square<4\times3\frac{1}{6}$$

(　　　　　　　)

new 신유형

06 온도를 나타낼 때 우리나라는 섭씨온도(℃)를 사용하고, 미국은 화씨온도(℉)를 사용합니다. 섭씨온도 계산 방법을 이용하여 **오늘 미국 뉴욕의 최저 기온을 섭씨온도로 바꾸면 몇 ℃**인지 구해 보세요.

〈섭씨온도 계산 방법〉

(섭씨온도)

$=\{(\text{화씨온도})-32\}\times\frac{5}{9}$

오늘 뉴욕의 날씨
최저 59 ℉
최고 77 ℉

(　　　　　　　)

07 오른쪽과 같이 한 변의 길이가 $\frac{7}{8}$ m인 정사각형 모양의 벽지가 있습니다. 이 벽지의 가로를 처음의 $\frac{5}{7}$로 줄이고, 세로를 처음의 $\frac{4}{5}$로 줄여서 직사각형 모양으로 만들었습니다. 만든 **직사각형 모양 벽지의 넓이는 몇 m^2** 인지 구해 보세요.

$\frac{7}{8}$ m

(　　　　　　　　)

| 해결 순서 |

❶ 직사각형 모양 벽지의 가로와 세로 구하기

❷ 직사각형 모양 벽지의 넓이 구하기

08 어떤 수에 $1\frac{2}{3}$를 곱해야 할 것을 잘못하여 뺐더니 $1\frac{1}{12}$이 되었습니다. **바르게 계산하면 얼마인지** 구해 보세요.

(　　　　　　　　)

«029쪽 06번 레벨UP공략

창의융합

09 하프는 현의 길이로 음계가 정해지는 악기입니다. '낮은 도'의 현의 길이를 처음의 $\frac{2}{3}$로 줄이면 '솔' 소리가 나고, $\frac{1}{2}$로 줄이면 '높은 도' 소리가 납니다. '낮은 도'의 현의 길이가 $36\frac{3}{4}$ cm일 때 **'솔'과 '높은 도'의 현의 길이의 합은 몇 cm**인지 구해 보세요.

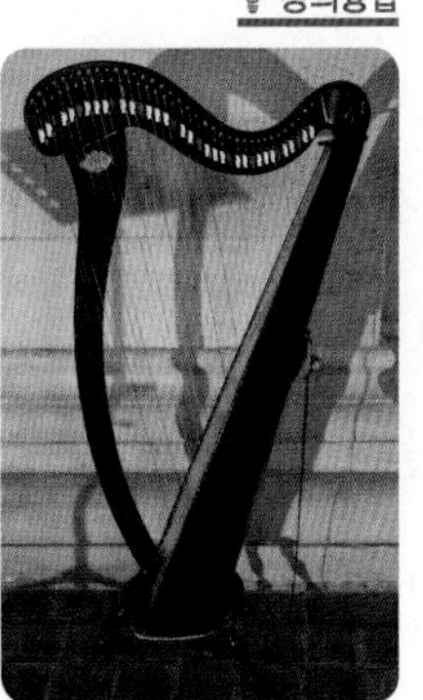

(　　　　　　　　)

잠깐!

하프의 현의 길이와 음계의 관계를 알아볼까요?

고대 그리스의 수학자 피타고라스는 하프의 현의 길이가 짧을수록 높은 음이 난다는 사실을 발견했습니다. '낮은 도'의 현의 길이를 ▲ cm라 하면 다른 음의 현의 길이는 다음과 같습니다.

← 한 옥타브 →

낮은 도	레	미	파	솔	라	시	높은 도

- 낮은 도: ▲ cm
- 파: $\left(▲\times\frac{3}{4}\right)$ cm
- 솔: $\left(▲\times\frac{2}{3}\right)$ cm
- 높은 도: $\left(▲\times\frac{1}{2}\right)$ cm

2 단원

10 오른쪽 평행사변형에서 **색칠한 부분의 넓이는 몇 cm^2인지 구해 보세요.**

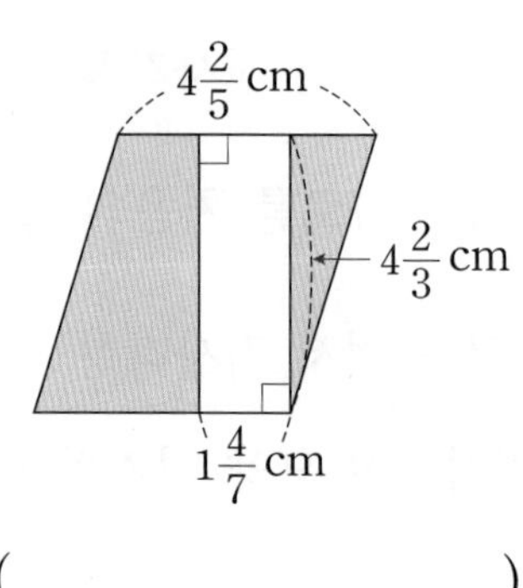

( )

창의융합

11 조선 시대에는 길이를 나타낼 때 걸음을 뜻하는 보(步)를 사용했습니다. **1보를 1 m로 생각하여 다음 문제의 답을 구해 보세요.**

> 가로가 $70\frac{2}{3}$보, 세로가 $48\frac{3}{4}$보인 직전(直田)의 $\frac{1}{5}$에 배추를 심었다면 **배추를 심은 부분의 넓이는 몇 m^2인가요?**
>
> (직전(直田): 직사각형 모양의 밭)

( )

서술형

12 물이 일정하게 1분에 $2\frac{7}{8}$ L씩 나오는 가 수도와 $3\frac{3}{4}$ L씩 나오는 나 수도를 동시에 틀어서 3분 45초 동안 물을 받았습니다. **받은 물은 모두 몇 L인지 풀이 과정을 쓰고, 답을 구해 보세요.**

풀이

답

| 해결 순서 |
❶ 1분 동안 받은 물의 양 구하기
❷ 3분 45초 동안 받은 물의 양 구하기

13 교실의 학급 문고를 정리하는 일을 하려고 합니다. 현이는 전체 일의 $\frac{1}{2}$을 하는 데 4일이 걸리고, 효정이는 전체 일의 $\frac{1}{6}$을 하는 데 4일이 걸립니다. **두 사람이 함께 쉬지 않고 일한다면 전체 일을 하는 데 며칠이 걸리는지** 구해 보세요. (단, 각각 하루에 하는 일의 양은 같습니다.)

( )

| 해결 순서 |

❶ 현이와 효정이가 각각 하루에 하는 일의 양을 분수로 나타내기

❷ 두 사람이 하루에 하는 일의 양의 합 구하기

❸ 두 사람이 함께 전체 일을 하는 데 걸리는 날수 구하기

2 단원

14 수 막대에서 $\frac{1}{15}$과 $\frac{1}{6}$ 사이를 6등분한 것입니다. **㉠에 알맞은 수의 3배**는 얼마인지 구해 보세요.

«032쪽 15번 레벨UP공략

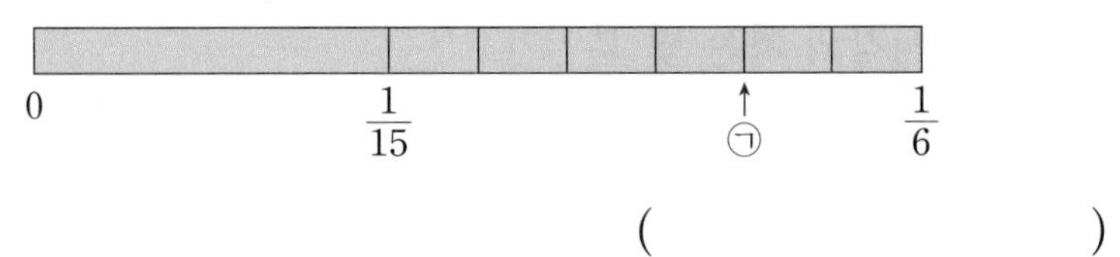

( )

15 280쪽짜리 소설책이 있습니다. 준서가 이 소설책을 월요일에 전체의 $\frac{3}{7}$을, 화요일에 남은 쪽수의 $\frac{5}{8}$를 읽고, 수요일에는 화요일까지 읽고 남은 쪽수의 반을 읽었습니다. 준서가 **이 소설책을 다 읽으려면 몇 쪽을 더 읽어야 하는지** 구해 보세요.

( )

정답 및 풀이 > 12쪽

16 둥글고 납작한 돌을 물 위로 비스듬히 던지면 돌이 여러 번 튕겨 오르며 날아갑니다. 돌을 떨어진 높이의 $\frac{3}{4}$만큼 튀어 오르도록 하여 처음에 20 cm 높이에서 던졌다면 **돌이 세 번째로 튀어 오른 높이는 몇 cm**인지 구해 보세요. (단, 옆으로 이동한 거리는 생각하지 않습니다.)

≪031쪽 12번 레벨UP공략

( )

17 한 시간에 가 시계는 $2\frac{2}{3}$분씩 빨라지고, 나 시계는 $1\frac{4}{5}$분씩 늦어집니다. 오늘 오후 4시에 두 시계를 정확히 맞추어 놓았습니다. **내일 오전 3시 30분에 두 시계가 가리키는 시각의 차는 몇 분**인가요?

≪034쪽 19번 레벨UP공략

( )

18 오른쪽은 한 변의 길이가 $6\frac{2}{3}$ cm인 정사각형의 각 변의 한가운데 점을 이어서 정사각형을 계속 그린 것입니다. **색칠한 정사각형의 넓이는 몇 cm^2**인지 구해 보세요.

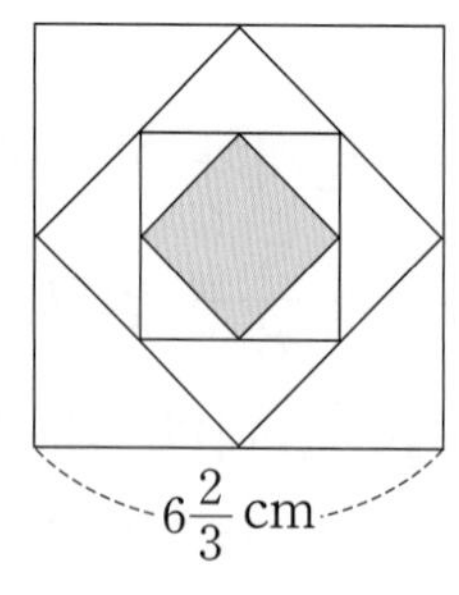

≪034쪽 20번 레벨UP공략

( )

STEP 3 최상위 도전하기

경시 수준의 최상위 문제에 도전하여 사고력을 키웁니다.

정답 및 풀이 > 15쪽

1 전체 밭의 $\frac{5}{9}$에 상추를 심었습니다. 상추를 심고 난 나머지의 $\frac{2}{5}$에 감자를, 상추와 감자를 심고 난 나머지의 $\frac{3}{4}$에 토마토를 심었습니다. 아무것도 심지 않은 밭의 넓이가 25 m^2일 때 **전체 밭의 넓이는 몇 m^2인지** 구해 보세요.

( )

창의융합

2 귀뚜라미는 양 날개를 비벼서 소리를 내는데 주변 온도가 높을수록 소리를 더 많이 냅니다. 미국의 물리학자 아모스 돌베어는 귀뚜라미가 우는 횟수를 이용하여 기온을 계산하는 방법을 찾아냈습니다. 돌베어의 법칙과 화씨온도 계산 방법을 이용하여 **귀뚜라미가 5분 동안 648번 울었을 때의 화씨온도는 몇 °F인지** 구해 보세요.

먼저 돌베어의 법칙으로 섭씨온도(℃)를 구한 다음 화씨온도(°F)를 계산합니다.

〈돌베어의 법칙〉

℃ — (섭씨온도) = (25초 동안 귀뚜라미가 우는 횟수) $\times \frac{1}{3} + 4$

〈화씨온도 계산 방법〉

°F — (화씨온도) = (섭씨온도) $\times 1\frac{4}{5} + 32$

( )

3 한 시간 동안 자전거를 타고 상민이는 $4\frac{2}{9}$ km를, 유리는 $3\frac{5}{8}$ km를 갔습니다. 상민이는 가 지점, 유리는 나 지점에서 서로 마주 보고 동시에 출발하여 2시간 24분 후에 만났다면 가**와** 나 **사이의 거리는 몇 km**인지 구해 보세요.

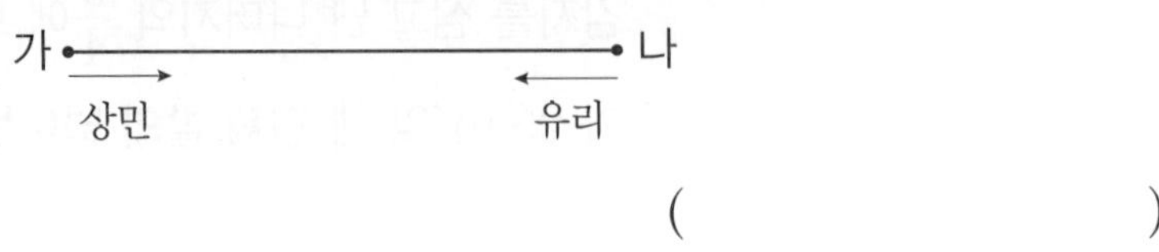

(　　　　　　　　)

4 다음 식에서 **규칙을 찾아서 계산해 보세요.**

$$\left(1-\frac{3}{4}\right)\times\left(1-\frac{3}{5}\right)\times\left(1-\frac{3}{6}\right)\times\cdots\cdots\times\left(1-\frac{3}{49}\right)\times\left(1-\frac{3}{50}\right)$$

(　　　　　　　　)

5 어떤 대나무를 매일 같은 시각에 관찰했더니 전날 잰 키의 $\frac{1}{5}$만큼 더 자라고 있습니다. 관찰을 시작한 첫날 키가 30 cm였는데 며칠이 지난 후 키를 재어 보니 첫날보다 $21\frac{21}{25}$ cm 더 자랐습니다. **관찰을 시작한 후 며칠이 지난 것인지** 구해 보세요.

- 어느 날 잰 키: ■ cm
- 다음 날에 잰 키: $\left(■+■\times\frac{1}{5}\right)$ cm

(　　　　　　　　　　)

2 단원

★1%★ 도전

6 길이가 $\frac{19}{50}$ km인 기차가 한 시간에 180 km를 달리는 빠르기로 터널을 완전히 통과하는 데 $3\frac{5}{6}$분이 걸렸습니다. **이 터널의 길이는 몇 km인지** 구해 보세요.

터널

(　　　　　　　　　　)

01 잘못 계산한 것을 찾아 기호를 쓰고, 바르게 계산하면 얼마인지 구해 보세요.

㉠ $\frac{11}{18}\times\frac{9}{11}=\frac{1}{2}$

㉡ $\frac{4}{9}\times\frac{3}{14}=\frac{3}{21}$

(,)

02 정사각형의 둘레와 넓이를 각각 구해 보세요.

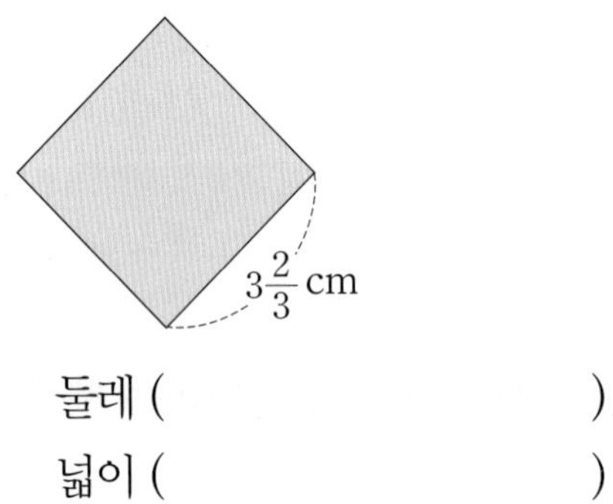

둘레 ( )

넓이 ( )

03 한 시간에 98 km를 달리는 오토바이가 있습니다. 이 오토바이가 같은 빠르기로 2시간 30분 동안 달린다면 몇 km를 달릴 수 있는지 구해 보세요.

( )

04 ㉯에 알맞은 수를 구해 보세요.

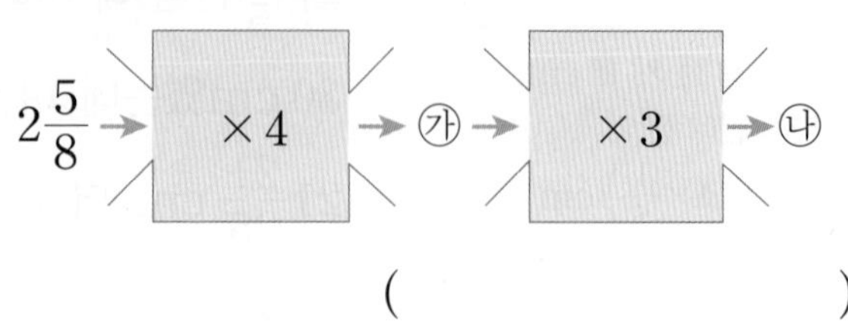

( )

05 한 변의 길이가 $\frac{15}{16}$ m인 정사각형 모양의 유리가 있습니다. 이 유리의 가로를 처음의 $\frac{4}{5}$로 줄이고, 세로를 처음의 $\frac{9}{10}$로 줄여서 직사각형 모양으로 만들었습니다. 만든 직사각형 모양 유리의 넓이는 몇 m^2인지 구해 보세요.

( )

06 한 변의 길이가 $\frac{5}{9}$ m인 정십이각형과 한 변의 길이가 $\frac{3}{10}$ m인 정팔각형이 있습니다. 두 도형의 둘레의 차는 몇 m인지 구해 보세요.

( )

07 기호 ◆를 다음과 같이 약속할 때 $1\frac{3}{14}$ ◆ $3\frac{4}{5}$의 값을 구해 보세요.

가◆나=가×8+10×나

(　　　　　　　　)

08 어떤 수에 $2\frac{1}{4}$을 곱해야 할 것을 잘못하여 뺐더니 $3\frac{2}{9}$가 되었습니다. 바르게 계산하면 얼마인지 구해 보세요.

(　　　　　　　　)

09 4장의 수 카드 중에서 3장을 골라 한 번씩만 사용하여 만들 수 있는 가장 큰 대분수와 가장 작은 대분수의 곱을 구해 보세요.

4　3　7　9

(　　　　　　　　)

10 물이 일정하게 1분에 $3\frac{4}{5}$ L씩 나오는 가 수도와 $4\frac{2}{7}$ L씩 나오는 나 수도를 동시에 틀어서 5분 15초 동안 물을 받았습니다. 받은 물은 모두 몇 L인지 구해 보세요.

(　　　　　　　　)

최상위 **11** 한 시간에 가 시계는 $1\frac{1}{2}$분씩 빨라지고, 나 시계는 $3\frac{5}{12}$분씩 늦어집니다. 어제 오후 8시에 두 시계를 정확히 맞추어 놓았습니다. 오늘 오전 6시 24분에 두 시계가 가리키는 시각의 차는 몇 분인지 구해 보세요.

(　　　　　　　　)

최상위 **12** 다음 식에서 규칙을 찾아서 계산해 보세요.

$$\left(1+\frac{2}{3}\right)\times\left(1+\frac{2}{4}\right)\times\cdots\cdots\times\left(1+\frac{2}{50}\right)$$

(　　　　　　　　)

2 단원

쉬어가기

사자성어

용두사미

龍 頭 蛇 尾

용 용 | 머리 두 | 긴 뱀 사 | 꼬리 미

바로 뜻 머리는 용이고 꼬리는 뱀이라는 뜻.

깊은 뜻 시작은 그럴듯하지만 끝이 좋지 않다는 말이에요.

옛날 중국에 **진존숙**이라는 스님이 있었어요.

어느 날 진존숙은 한 스님과 함께 **불교**의 **깨달음**을 얻었는지 알아보는 질문과 답을 하게 되었어요. 진존숙이 **질문**을 건네자 그 스님이 갑자기 "으악!"하며 **소리**를 질렀어요.

진존숙은 '호흡이 깊은 걸 보니 도를 아주 많이 닦은 **스님**이신가 보구나.'하고 생각했어요.

잠시 후 그 스님은 또다시 **다짜고짜** 소리를 질렀어요.

'겉보기에는 용의 **머리**처럼 훌륭해 보이지만 실제로는 뱀의 **꼬리**처럼 형편없는 □□□□ 같은 사람이구나.'라고 생각한 진존숙이 "큰소리만 치고 답은 어떻게 **마무리**할 셈입니까?"라고 묻자 상대 스님은 슬그머니 자리를 피했어요.

잠깐! Quiz

Q □□□□에 들어갈 말은?

A 위의 글을 읽고 파란색 글자들을 아래에서 모두 찾아 /표로 지웁니다.

진		다	짜	고	짜
존	머	깨	달	음	질
숙	리	스	님		문
마		용	두	사	미
무	불	교	소		
리			리	꼬	리

3

합동과 대칭

1 도형의 합동

(1) **합동**: 모양과 크기가 같아서 포개었을 때 완전히 겹치는 두 도형

(2) **합동인 도형의 성질**

서로 합동인 두 도형을 포개었을 때

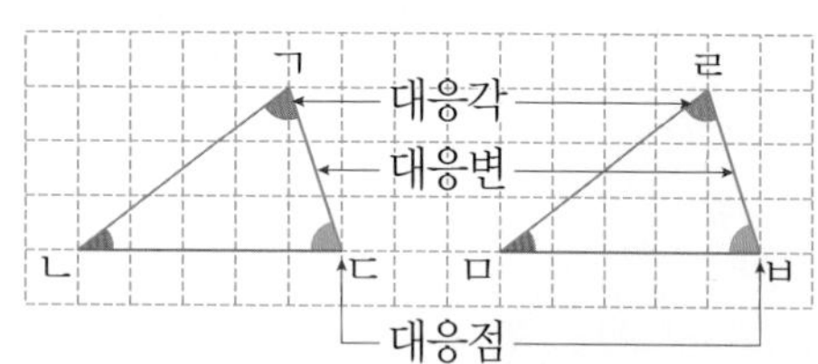

- 대응점: 겹치는 점 → 점 ㄱ과 점 ㄹ, 점 ㄴ과 점 ㅁ, 점 ㄷ과 점 ㅂ
- 대응변: 겹치는 변 → 변 ㄱㄴ과 변 ㄹㅁ, 변 ㄴㄷ과 변 ㅁㅂ, 변 ㄱㄷ과 변 ㄹㅂ
- 대응각: 겹치는 각 → 각 ㄱㄴㄷ과 각 ㄹㅁㅂ, 각 ㄱㄷㄴ과 각 ㄹㅂㅁ, 각 ㄴㄱㄷ과 각 ㅁㄹㅂ

① 각각의 대응변의 길이가 서로 같습니다.

② 각각의 대응각의 크기가 서로 같습니다.

참고 합동인 두 삼각형에서 대응점, 대응변, 대응각은 각각 3쌍입니다.

선행 개념 [중1] 합동을 나타내는 기호

삼각형 ㄱㄴㄷ과 삼각형 ㄹㅁㅂ은 서로 합동입니다.
→ △ㄱㄴㄷ≡△ㄹㅁㅂ
(두 도형의 꼭짓점을 대응하는 순서대로 씁니다.)

응용

2 접은 모양을 보고 처음 종이의 넓이 구하기

예 삼각형 ㄱㄴㅁ과 삼각형 ㄷㅂㅁ이 서로 합동이 되도록 직사각형 모양의 종이를 접은 모양을 보고 처음 종이의 넓이 구하기

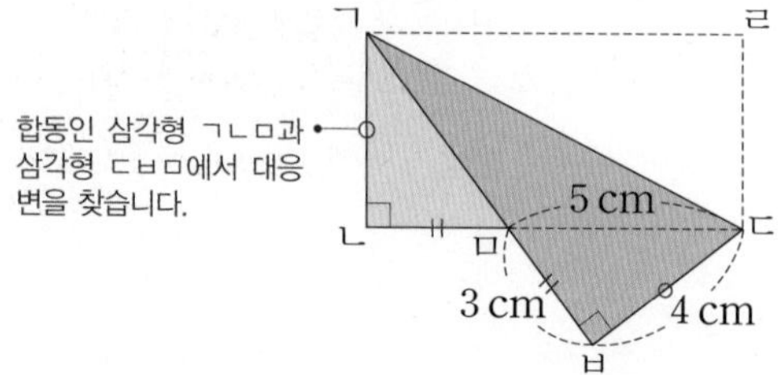

① 합동인 도형의 성질 이용하기
→ (선분 ㄴㅁ)=(선분 ㅂㅁ)=3 cm
(변 ㄱㄴ)=(변 ㄷㅂ)=4 cm → 처음 종이의 세로

② (선분 ㄴㄷ)=3+5=8 (cm) → 처음 종이의 가로

③ (직사각형 ㄱㄴㄷㄹ의 넓이)=$8\times4=32$ (cm^2) → 처음 종이의 넓이

3 선대칭도형

(1) • **선대칭도형**: 한 직선을 따라 접어서 완전히 겹치는 도형
• **대칭축**: 도형이 완전히 겹치도록 접을 수 있는 직선

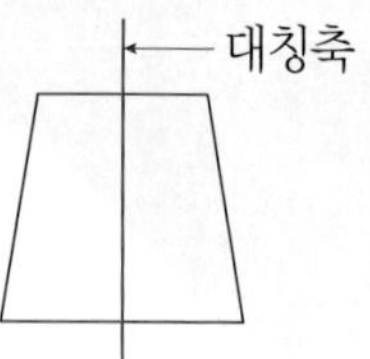

(2) **선대칭도형의 성질**

대칭축을 따라 포개었을 때 → 직선 ㅅㅇ

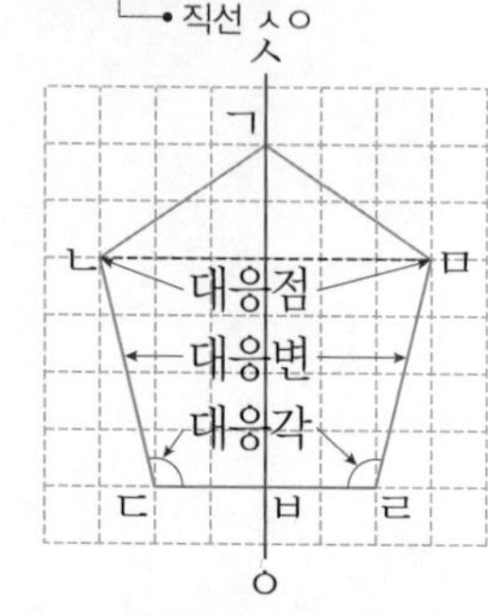

- 대응점: 겹치는 점 → 점 ㄴ과 점 ㅁ, 점 ㄷ과 점 ㄹ
- 대응변: 겹치는 변 → 변 ㄱㄴ과 변 ㄱㅁ, 변 ㄴㄷ과 변 ㅁㄹ, 변 ㄷㅂ과 변 ㄹㅂ
- 대응각: 겹치는 각 → 각 ㄱㄴㄷ과 각 ㄱㅁㄹ, 각 ㄴㄷㅂ과 각 ㅁㄹㅂ, 각 ㄴㄱㅂ과 각 ㅁㄱㅂ

① 선대칭도형에서 각각의 대응변의 길이가 서로 같고, 대응각의 크기가 서로 같습니다.

② 선대칭도형의 대응점끼리 이은 선분은 대칭축과 수직으로 만납니다.

③ 선대칭도형에서 대칭축은 대응점끼리 이은 선분을 둘로 똑같이 나눕니다.

응용

4 선대칭도형에서 변의 길이 구하기

예 직선 ㅈㅊ을 대칭축으로 하는 선대칭도형의 둘레가 20 cm일 때 변 ㅁㄹ은 몇 cm인지 구하기

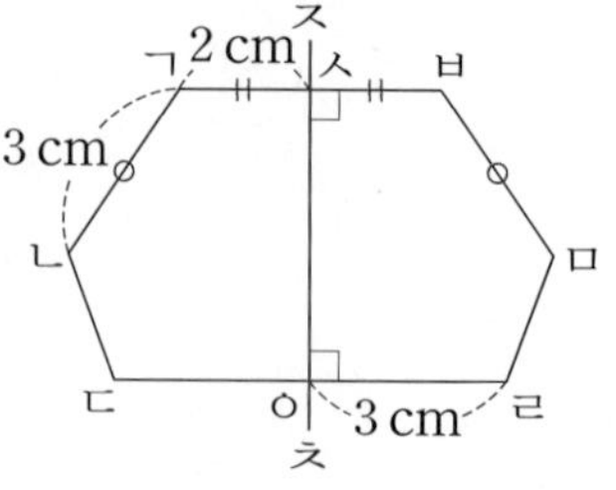

① 선대칭도형의 성질 이용하기
→ (변 ㅅㅂ)=(변 ㅅㄱ)=2 cm
(변 ㅂㅁ)=(변 ㄱㄴ)=3 cm

② (변 ㅅㅂ)+(변 ㅂㅁ)+(변 ㅁㄹ)+(변 ㅇㄹ)
$=20\div2=10$ (cm)

③ (변 ㅁㄹ)$=10-2-3-3=2$ (cm)

5 점대칭도형

(1) • **점대칭도형**: 한 도형을 어떤 점을 중심으로 180° 돌렸을 때 처음 도형과 완전히 겹치는 도형

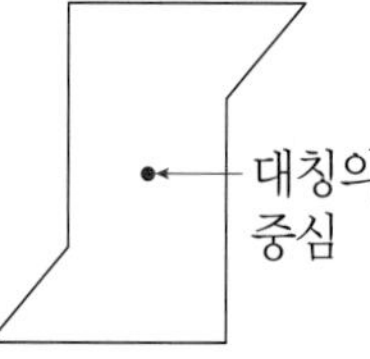

• **대칭의 중심**: 한 도형을 180° 돌릴 때 처음 도형과 완전히 겹치게 하는 중심이 되는 점

(2) **점대칭도형의 성질**

대칭의 중심을 중심으로 180° 돌렸을 때
└ 점 ㅇ

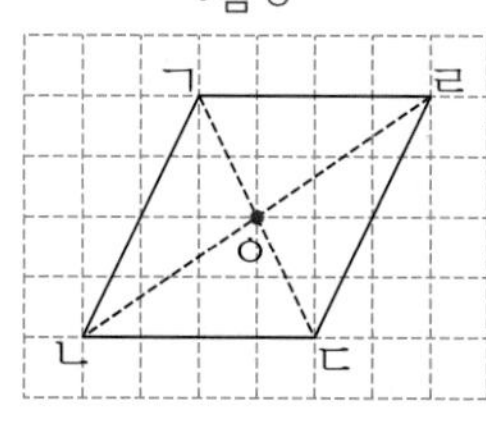

• 대응점: 겹치는 점
└ 점 ㄱ과 점 ㄷ, 점 ㄴ과 점 ㄹ

• 대응변: 겹치는 변
└ 변 ㄱㄹ과 변 ㄷㄴ, 변 ㄱㄴ과 변 ㄷㄹ

• 대응각: 겹치는 각
└ 각 ㄱㄴㄷ과 각 ㄷㄹㄱ, 각 ㄹㄱㄴ과 각 ㄴㄷㄹ

① 점대칭도형에서 각각의 대응변의 길이가 서로 같고, 대응각의 크기가 서로 같습니다.

② 점대칭도형에서 대칭의 중심은 대응점끼리 이은 선분을 둘로 똑같이 나눕니다.

중요 점대칭도형에서 대칭의 중심은 항상 1개입니다.

응용
6 점대칭도형에서 각의 크기 구하기

예 점 ㅇ을 대칭의 중심으로 하는 점대칭도형에서 각 ㄴㄱㅂ은 몇 도인지 구하기

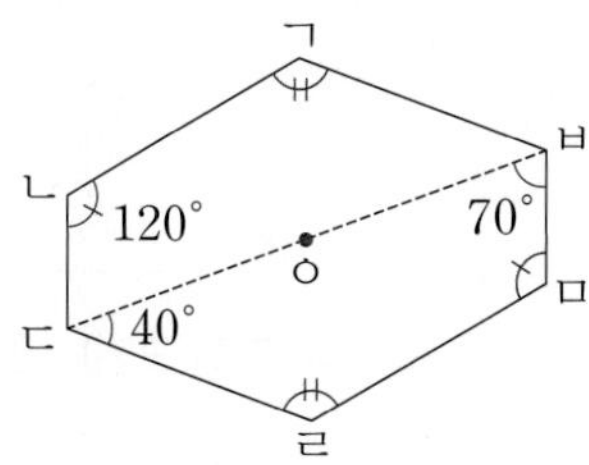

① 점대칭도형의 성질 이용하기
→ (각 ㄱㄴㄷ)=(각 ㄹㅁㅂ)=120°
(각 ㄴㄱㅂ)=(각 ㅁㄹㄷ)

② (각 ㅁㄹㄷ)=360°−70°−120°−40°
└ 사각형 ㄷㄹㅁㅂ의 네 각의 크기의 합
=130°

③ (각 ㄴㄱㅂ)=(각 ㅁㄹㄷ)=130°

1 선대칭도형의 대칭축을 모두 그려 보세요.

(1)
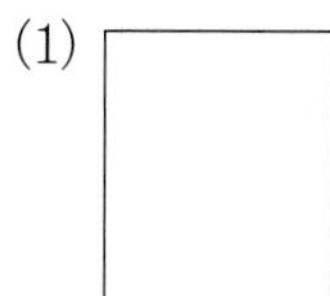

(2)
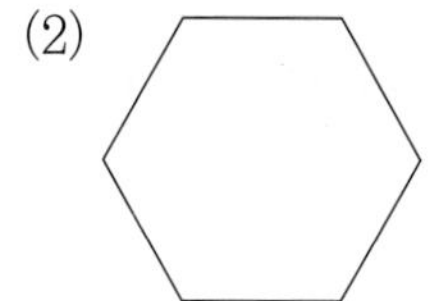

2 두 사각형은 서로 합동입니다. 변 ㄹㄷ은 몇 cm인지 구해 보세요.

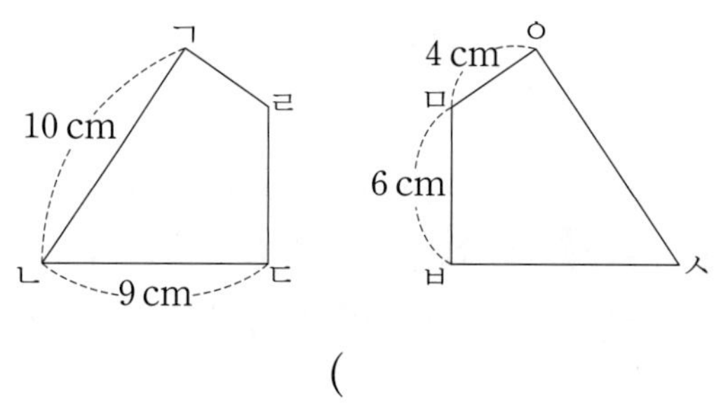

( )

3 오른쪽은 직선 ㅁㅂ을 대칭축으로 하는 선대칭도형입니다. 변 ㄴㄷ은 몇 cm인가요?

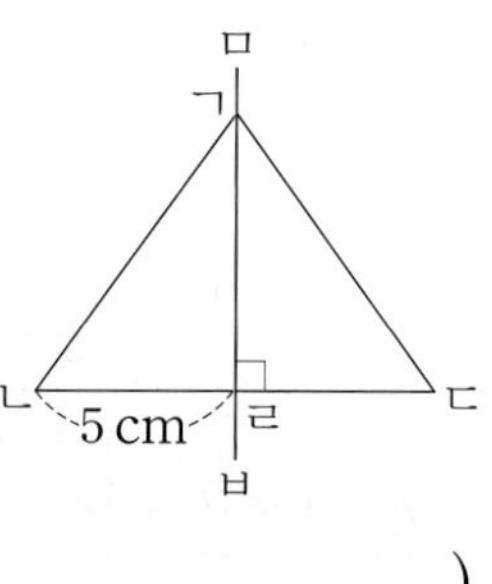

( )

4 점 ㅇ을 대칭의 중심으로 하는 점대칭도형이 되도록 나머지 부분을 완성해 보세요.

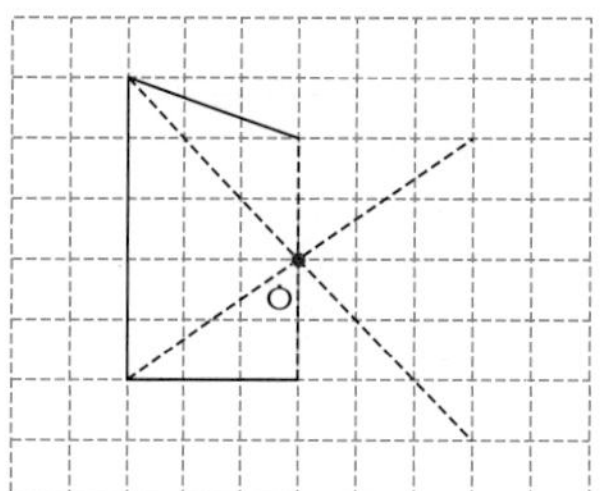

STEP 1 응용 공략하기

응용 · 심화 문제와 레벨UP공략법으로 문제 해결 능력을 키웁니다.

점대칭도형의 둘레 구하기

01 점 ㅇ을 대칭의 중심으로 하는 점대칭도형입니다. **점대칭도형의 둘레는 몇 cm**인지 구해 보세요.

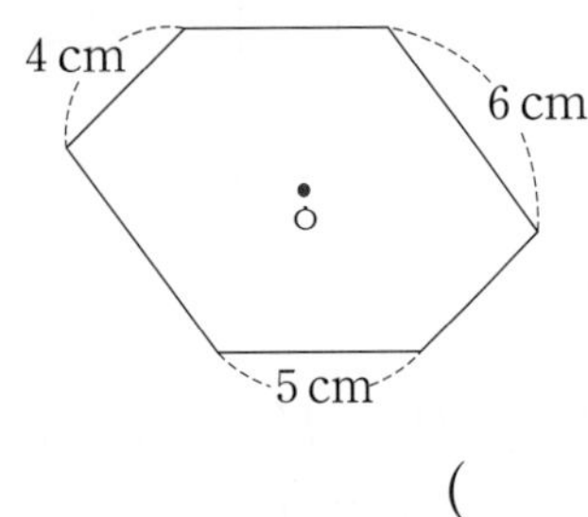

( )

대칭축이 여러 개인 선대칭도형에서 대응각 찾기

02 오른쪽은 선대칭도형입니다. **각 ㄱㄴㄷ의 대응각이 될 수 있는 각**을 모두 찾아 써 보세요.

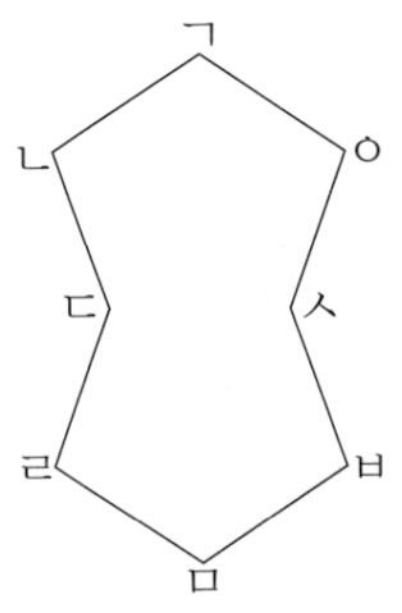

( )

삼각형에서 대응각의 크기를 이용하여 한 각의 크기 구하기

서술형

03 두 삼각형은 서로 합동입니다. **각 ㄹㅂㅁ은 몇 도**인지 풀이 과정을 쓰고, 답을 구해 보세요.

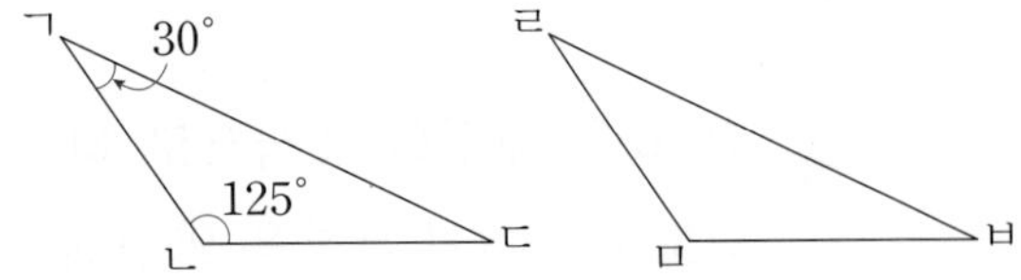

풀이

답

레벨UP공략 01

◇ 삼각형에서 두 각의 크기를 알 때 나머지 각의 크기를 구하려면?

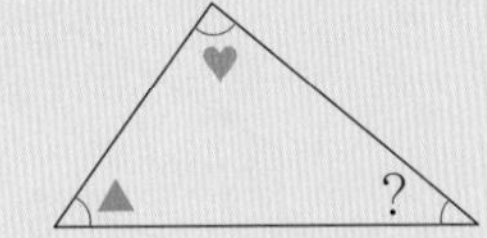

→ (나머지 각의 크기)=180°−♥−▲

선대칭이면서 점대칭인 것 찾기 창의융합

04 지도를 그릴 때에는 지형, 건물, 시설 등을 간단하게 표시하기 위하여 여러 가지 기호를 사용합니다. 다음 지도 기호를 보고 **선대칭이면서 점대칭인 것**을 찾아 기호를 써 보세요.

(　　　　　　　　)

대응변의 길이를 이용하여 도형의 넓이 구하기

05 삼각형 ㄱㄴㄷ과 삼각형 ㄹㅁㄷ은 서로 합동입니다. **삼각형 ㄱㄴㄷ의 넓이는 몇 cm^2**인지 구해 보세요.

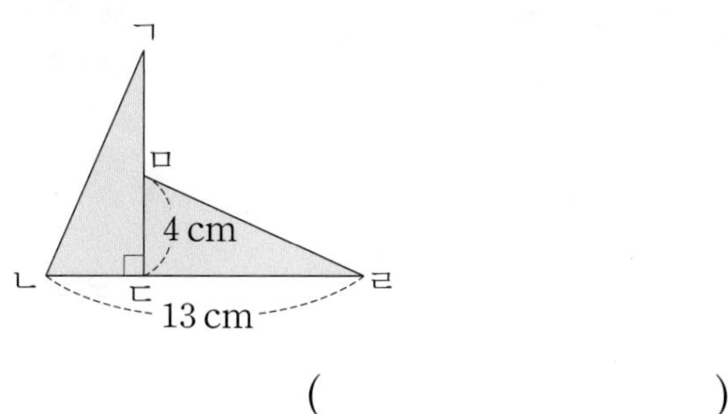

(　　　　　　　　)

레벨UP공략 02

◆ 서로 합동인 도형의 넓이를 구하려면?

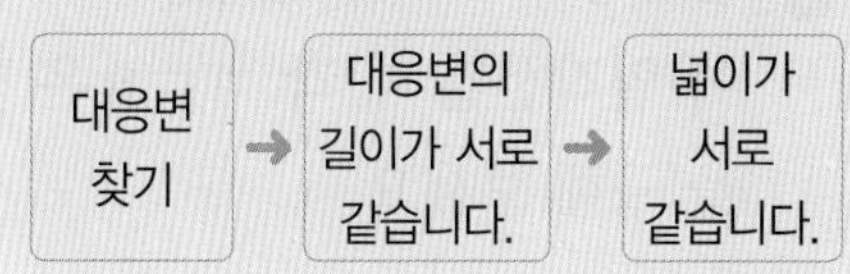

선대칭도형에서 각의 크기 구하기

06 직선 ㅅㅇ을 대칭축으로 하는 선대칭도형입니다. **각 ㅁㄱㄴ은 몇 도**인지 구해 보세요.

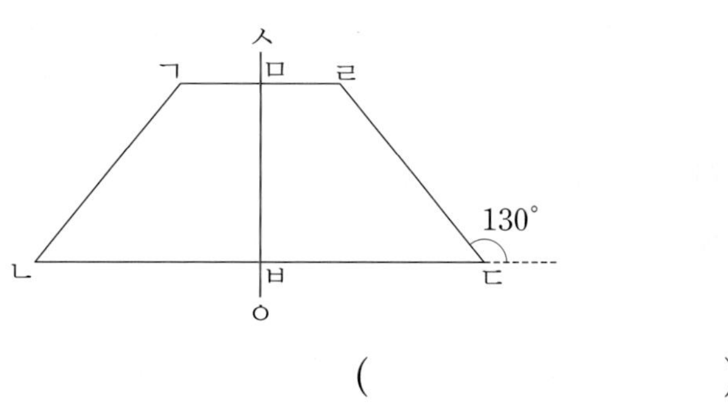

(　　　　　　　　)

레벨UP공략 03

◆ 사각형에서 세 각의 크기를 알 때 나머지 각의 크기를 구하려면?

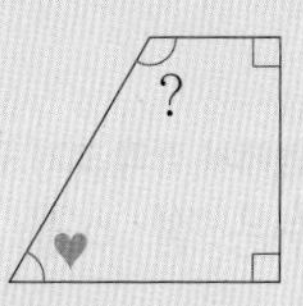

→ (나머지 각의 크기)
$=360^\circ-$ ♥ $-90^\circ-90^\circ$

3 단원

선대칭도형의 성질을 이용하여 모르는 변의 길이 구하기

07 예지는 직선 ㅈㅊ을 대칭축으로 하는 선대칭도형이 되도록 색종이로 매미를 접었습니다. 접은 매미를 둘러싼 굵은 선의 길이가 34 cm일 때 **변 ㄴㄷ은 몇 cm**인지 구해 보세요.

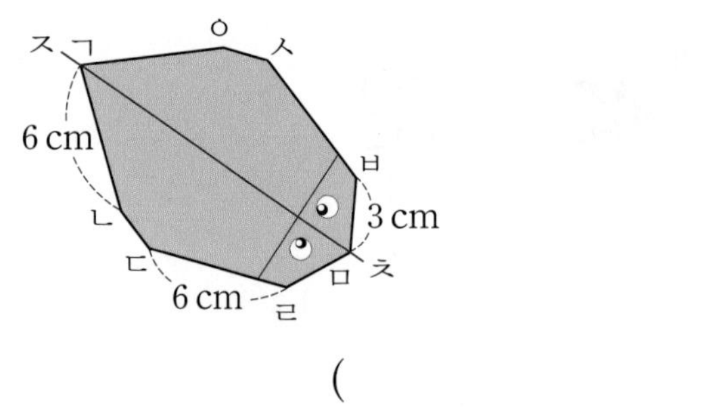

( )

레벨UP공략 04

◆ 선대칭도형에서 둘레를 알 때 모르는 변의 길이를 알려면?

대응변 찾기
↓
대응변의 길이가 서로 같습니다.
↓
둘레에서 알고 있는 변의 길이를 모두 뺍니다.

대응각의 크기를 이용하여 모르는 각의 크기 구하기 서술형

08 삼각형 ㄱㄴㄷ과 삼각형 ㅁㄹㄷ은 서로 합동입니다. 선분 ㄴㄹ이 일직선일 때 **각 ㄱㄷㅁ은 몇 도**인지 풀이 과정을 쓰고, 답을 구해 보세요.

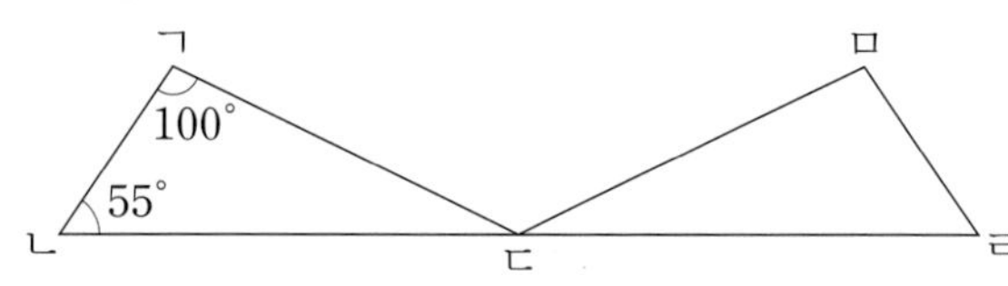

풀이

답

레벨UP공략 05

◆ 세 각이 일직선을 이룰 때 모르는 각의 크기를 구하려면?

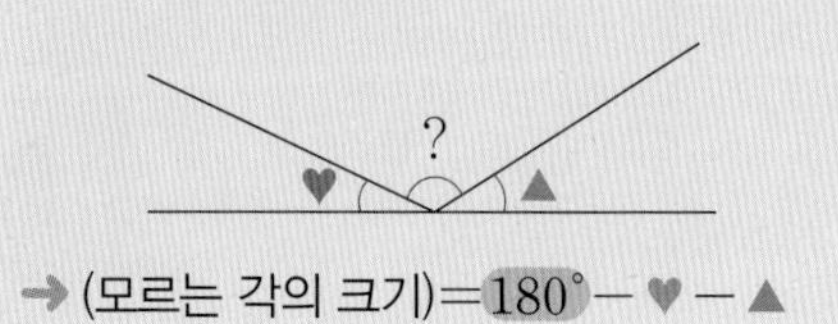

→ (모르는 각의 크기)=180°−♥−▲

점대칭도형에서 각의 크기 구하기

09 오른쪽은 점 ㅇ을 대칭의 중심으로 하는 점대칭도형입니다. **각 ㄱㅂㅁ은 몇 도**인지 구해 보세요.

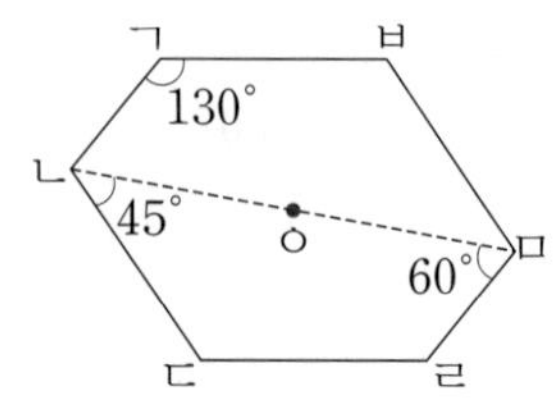

( )

점대칭도형의 일부가 합동임을 이용하여 둘레 구하기

10 오른쪽은 점 ㅇ을 대칭의 중심으로 하는 점대칭도형입니다. 삼각형 ㄱㄴㅂ의 둘레가 24 cm일 때 **점대칭도형의 둘레는 몇 cm**인지 구해 보세요.

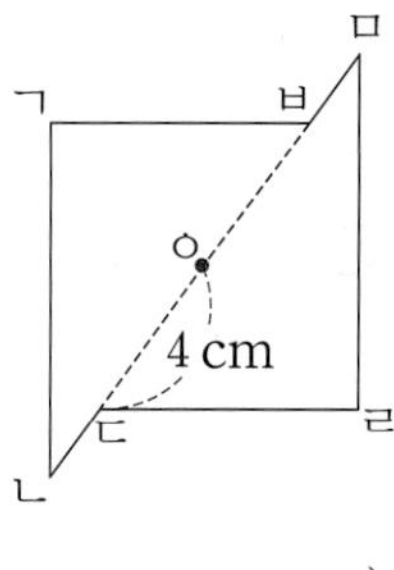

(　　　　　　　　)

합동인 도형의 성질을 이용하여 둘레 구하기

11 오른쪽과 같이 삼각형 ㄱㄴㄷ을 합동인 삼각형 4개로 나누었습니다. 삼각형 ㅂㅁㄷ의 둘레가 32 cm일 때 **삼각형 ㄱㄴㄷ의 둘레는 몇 cm**인지 구해 보세요.

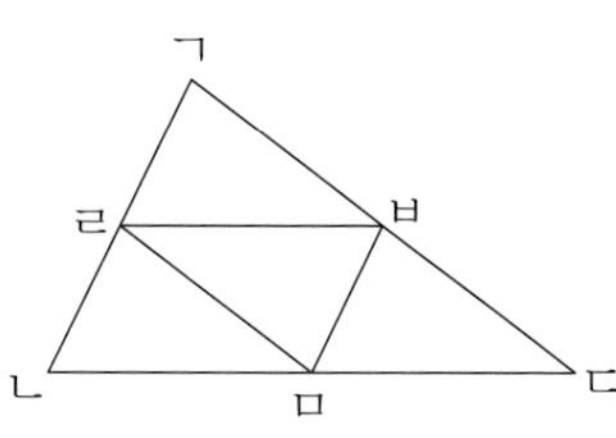

(　　　　　　　　)

레벨UP공략 06

◆ 큰 삼각형을 합동인 작은 삼각형 여러 개로 나누었을 때 큰 삼각형의 둘레를 구하려면?

합동인 작은 삼각형에서 대응변끼리 같은 모양(□, △, ○, × 등)으로 표시하여 길이가 같은 변이 몇 개씩 있는지 알아봅니다.

점대칭이 되는 글자 만들기 　　　창의융합

12 한글은 자음과 모음을 조합하여 글자를 만들 수 있습니다. 서로 다른 자음 2개와 모음 1개를 사용하여 받침이 있는 글자 한 개를 만들려고 합니다. 만들 수 있는 글자 중에서 **점대칭이 되는 글자는 모두 몇 개**인지 구해 보세요.

자음	ㄱ	ㄴ	ㄷ	ㅁ
모음	ㅏ	ㅠ	ㅡ	

(　　　　　　　　)

합동인 도형의 성질을 이용하여 각의 크기 구하기

13 오른쪽 사각형 ㄱㄴㄷㄹ은 평행사변형입니다. 삼각형 ㄱㅁㄹ과 삼각형 ㄷㅁㄴ이 서로 합동일 때 **각 ㄹㅁㄷ은 몇 도**인지 구해 보세요.

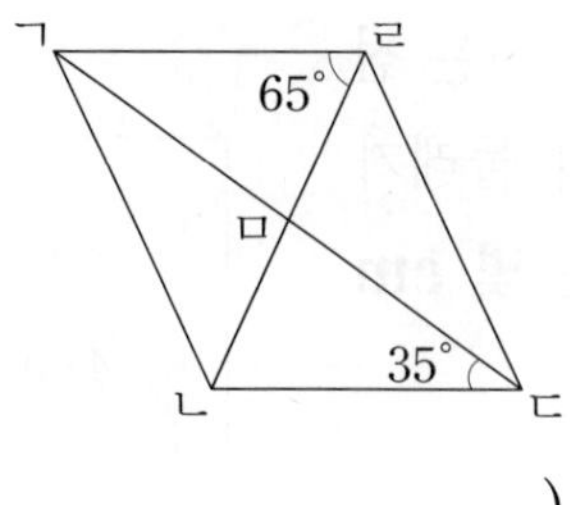

(　　　　　　　　)

선대칭도형을 완성하고 넓이 구하기

14 직선 ㄱㄴ을 대칭축으로 하는 **선대칭도형을 완성하고, 완성한 선대칭도형의 넓이는 몇 cm^2**인지 구해 보세요.

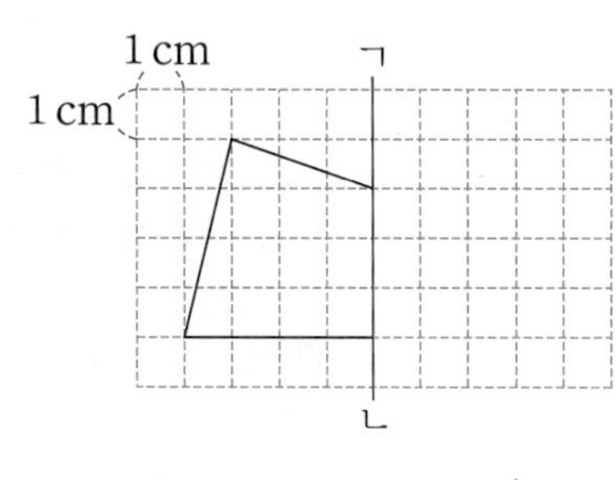

(　　　　　　　　)

대칭을 이용하여 모르는 길이 구하기

창의융합

15 고대 그리스의 수학자인 탈레스는 다음의 방법으로 자신이 서 있는 곳에서부터 섬까지의 거리를 알아냈다고 합니다. 오른쪽 그림에서 **탈레스가 서 있는 곳에서부터 섬까지의 거리는 몇 km**인지 구해 보세요.

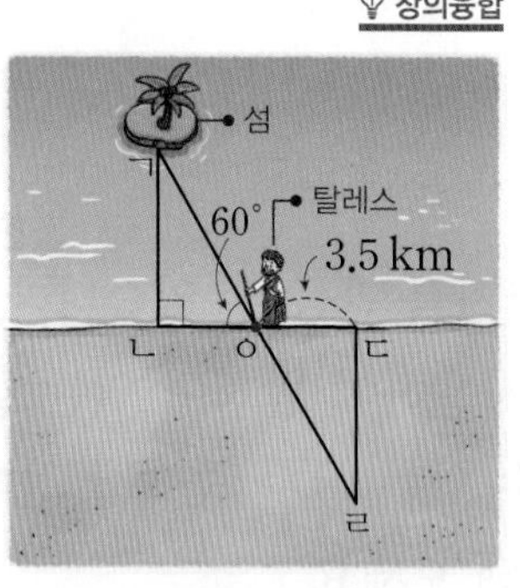

① 탈레스가 서 있는 곳을 점 ㅇ, 섬이 있는 곳을 점 ㄱ이라 하여 직각삼각형 ㄱㄴㅇ을 그립니다.
② 점 ㅇ을 대칭의 중심으로 하여 점대칭도형을 그립니다.
③ 탈레스가 서 있는 곳에서부터 섬까지의 거리는 변 ㅇㄹ의 길이와 같습니다.

(　　　　　　　　)

레벨UP공략 07

◆ 선대칭도형을 그리려면?
① 각 점에서 대칭축에 수선을 긋고, 이 수선에 각각 대응점을 찾아 표시합니다.
② 자를 사용하여 대응점을 차례로 이어 선대칭도형이 되도록 그립니다.

레벨UP공략 08

◆ 한 각의 크기가 60°인 직각삼각형의 모르는 변의 길이를 구하려면?

ㄱ ■ ㄷ, 60°, ?, ㄴ → ㄱ ■ ㄷ ㄹ, 60°, 60°, ?, 60°, ㄴ

선대칭도형 그리기
↓
삼각형 ㄱㄴㄹ은 정삼각형
↓
(모르는 변의 길이)=■×2

점대칭도형에서 합동을 이용하여 각의 크기 구하기

16 오른쪽은 점 ㅇ을 대칭의 중심으로 하는 점대칭도형입니다. 변 ㄱㄴ과 선분 ㅇㄹ의 길이가 같을 때 **각 ㅇㄷㄹ은 몇 도**인지 구해 보세요.

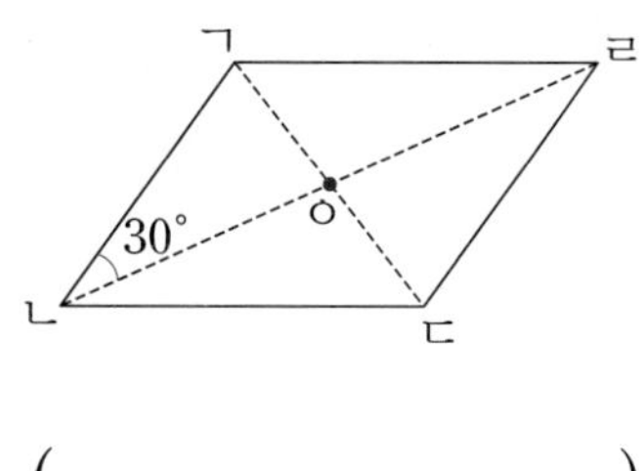

( )

합동인 도형의 성질을 이용하여 넓이 구하기

서술형

17 오른쪽 삼각형 ㄱㄴㅁ과 삼각형 ㄹㅁㄷ은 서로 합동입니다. **사각형 ㄱㄴㄷㄹ의 넓이는 몇 $\mathbf{cm^2}$**인지 풀이 과정을 쓰고, 답을 구해 보세요.

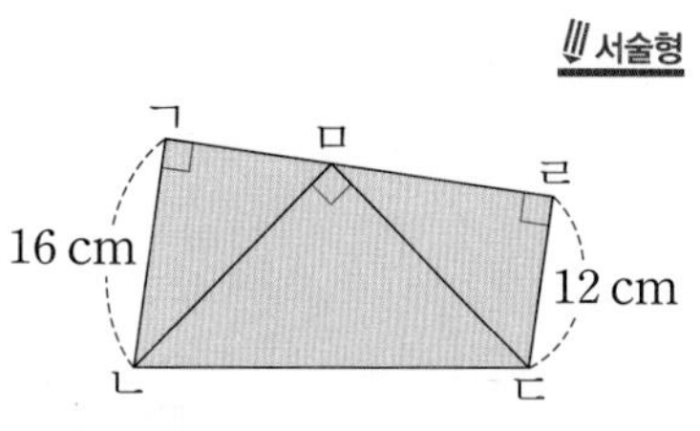

풀이

답

접은 모양을 보고 처음 종이의 넓이 구하기

18 오른쪽과 같이 삼각형 ㄱㄴㅁ과 삼각형 ㄷㅂㅁ이 서로 합동이 되도록 직사각형 모양의 종이를 접었습니다. **처음 종이의 넓이는 몇 $\mathbf{cm^2}$**인지 구해 보세요.

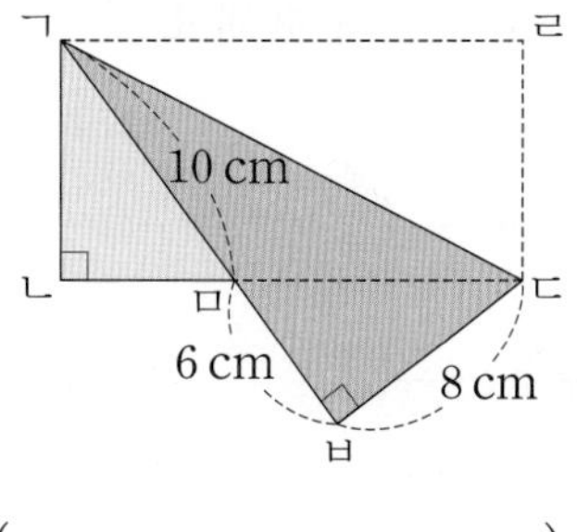

( )

레벨UP공략 09

◆ 접은 모양을 보고 처음 직사각형 모양 종이의 가로를 구하려면?

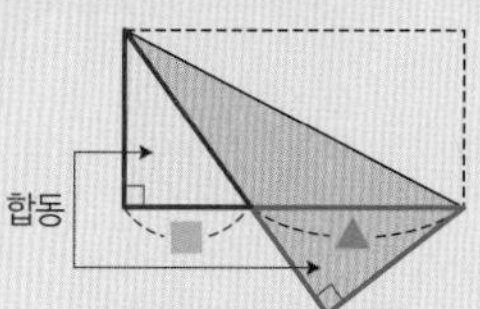

합동인 두 삼각형에서 대응변을 찾아 (■+▲)를 구합니다.

3 단원

정답 및 풀이 > 18쪽

점대칭도형의 일부를 보고 전체 넓이 구하기

19 점 ㅇ을 대칭의 중심으로 하는 점대칭도형의 일부분입니다. **완성한 점대칭도형의 전체 넓이는 몇 cm²인지** 구해 보세요.

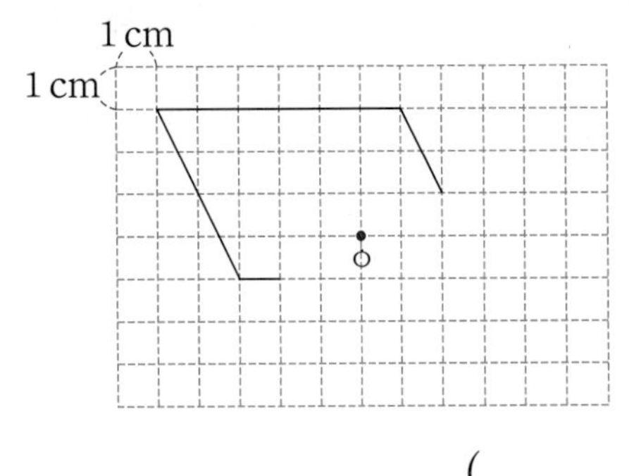

( )

레벨UP공략 10

◆ 점대칭도형을 그리려면?

① 각 점에서 대칭의 중심을 지나는 직선을 긋고, 이 직선에 각각 대응점을 찾아 표시합니다.

② 자를 사용하여 대응점을 차례로 이어 점대칭도형이 되도록 그립니다.

선대칭도형의 전체 넓이를 이용하여 부분의 넓이 구하기 — new 신유형

20 오른쪽 그림에서 직선 ㄱㄴ을 대칭축으로 하는 선대칭도형을 완성하면 전체 넓이가 384 cm²인 정다각형 모양이 됩니다. 오른쪽 **색칠한 부분의 넓이는 몇 cm²인지** 구해 보세요.

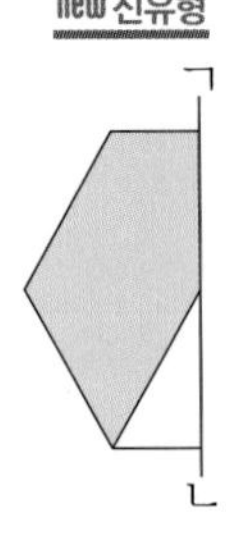

( )

접은 모양을 보고 각의 크기 구하기

21 다음과 같이 선분 ㅌㄹ이 일직선이 되도록 직사각형 모양의 종이를 접었습니다. **각 ㄷㅇㅁ은 몇 도**인지 구해 보세요.

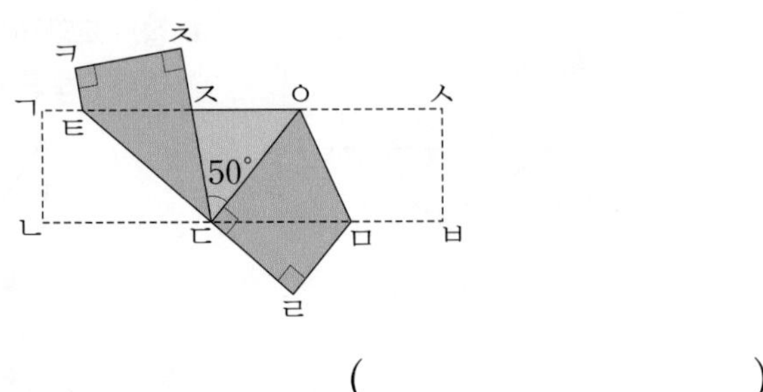

( )

레벨UP공략 11

◆ 접은 모양을 보고 각의 크기를 구하려면?

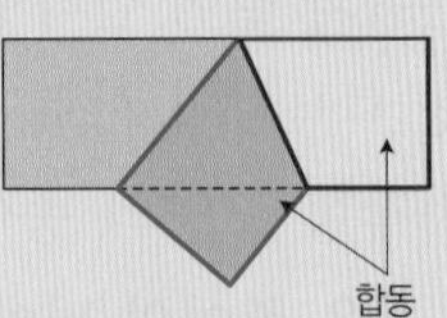

접힌 부분과 접히기 전의 부분이 서로 합동임을 이용합니다.

STEP 2 심화 해결하기

레벨UP공략법을 활용한 고난도 문제를 풀어 최상위에 도전합니다.

정답 및 풀이 > 20쪽

01 삼각형 ㄱㄴㄷ과 삼각형 ㅁㄹㄷ은 서로 합동입니다. 선분 ㄴㄹ이 일직선일 때 **각 ㄱㄷㄴ은 몇 도**인지 구해 보세요.

«052쪽 08번 레벨UP공략

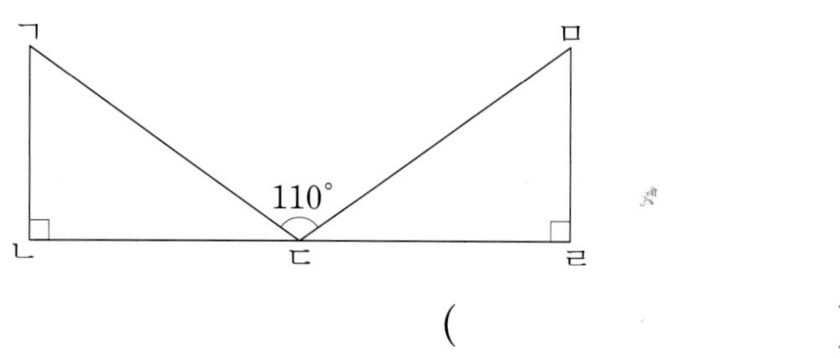

( )

02 오른쪽은 원의 중심 ㅇ을 대칭의 중심으로 하는 점대칭도형입니다. **각 ㅇㄹㄷ은 몇 도**인지 구해 보세요.

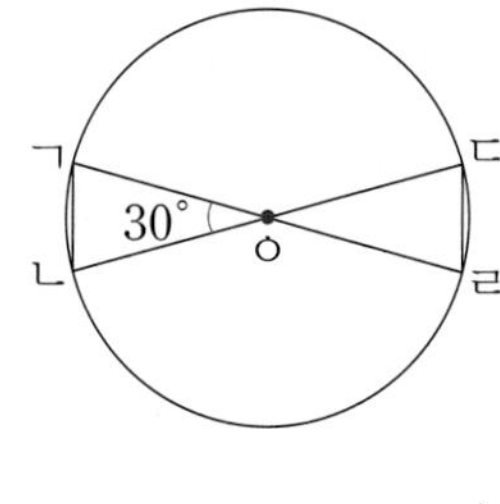

( )

창의융합

03 다음 중 **선대칭이면서 점대칭인 국기는 모두 몇 개**인지 구해 보세요.

라오스 베트남 그리스 터키 스위스

( )

| 해결 순서 |
❶ 선대칭, 점대칭인 국기 찾기
❷ 선대칭이면서 점대칭인 국기의 개수 구하기

3 단원

04 선대칭도형 중 **대칭축이 가장 많은 것**을 찾아 기호를 써 보세요.

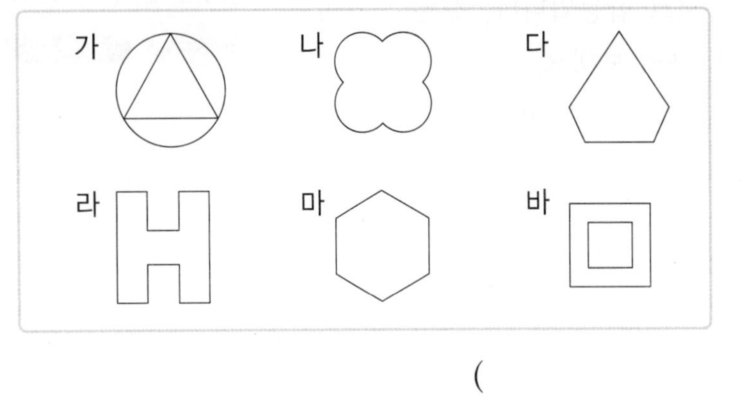

(　　　　　　　　)

05 오른쪽 사각형 ㄱㄴㄷㄹ은 직선 ㅂㅅ을 대칭축으로 하는 선대칭도형입니다. **선분 ㄴㄹ은 몇 cm**인가요?

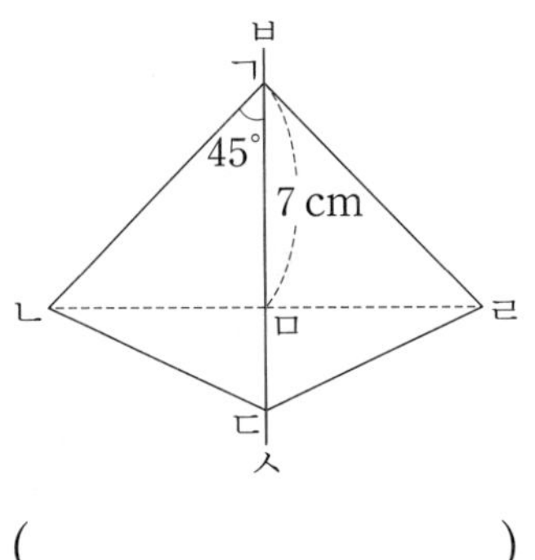

(　　　　　　　　)

| 해결 순서 |

❶ 각 ㄱㄴㅁ의 크기 구하기

❷ 선분 ㄴㅁ의 길이 구하기

❸ 선분 ㄴㄹ의 길이 구하기

창의융합

06 강화도 특산물인 화문석 문양의 일부를 그린 것입니다. 이 문양은 점 ㅍ을 대칭의 중심으로 하는 점대칭도형이고 선분 ㄱㅅ의 길이는 선분 ㄱㅌ의 길이의 3배입니다. 선분 ㄱㅌ이 10 cm일 때 **선분 ㄱㅍ은 몇 cm**인지 구해 보세요. (단, 선분의 두께는 생각하지 않습니다.)

특산물: 한 지역에서 특별하게 생산되는 물건

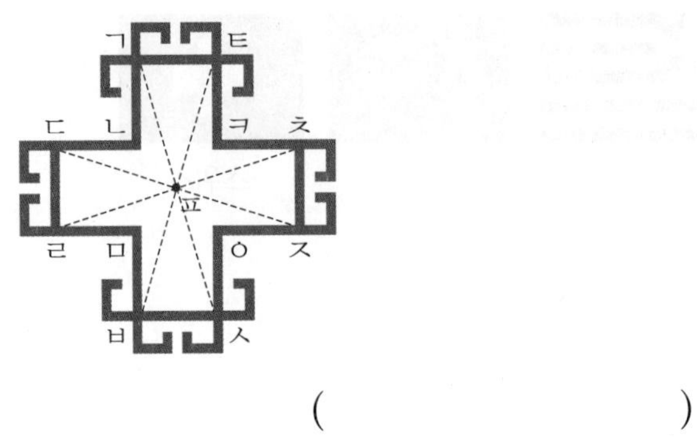

(　　　　　　　　)

잠깐!

화문석에 대해 알아볼까요?

화문석은 꽃의 모양을 수놓아 짠 돗자리입니다. 품질 좋은 대나무가 많은 강화도의 특산물입니다.

서술형

07 점 ㅈ을 대칭의 중심으로 하는 점대칭도형입니다. **각 ㄱㅇㅅ은 몇 도**인지 풀이 과정을 쓰고, 답을 구해 보세요.

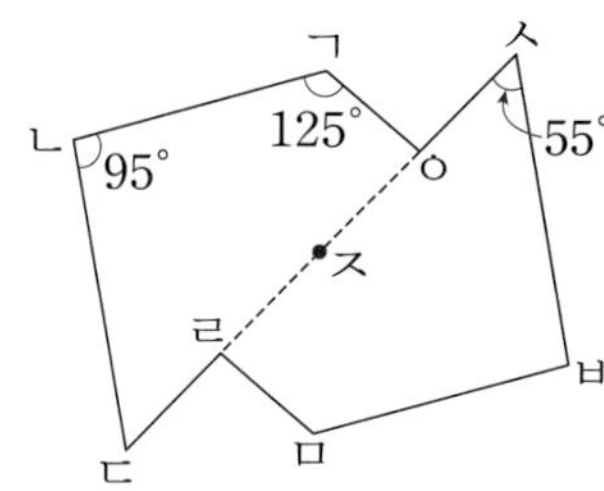

풀이

답

08 8228은 점대칭이 되는 네 자리 수입니다. 다음 수 카드를 사용하여 만들 수 있는 점대칭이 되는 네 자리 수 중 8228보다 작은 수는 모두 몇 개인지 구해 보세요. (단, 같은 수를 여러 번 사용할 수 있습니다.)

0 3 5 7 8

( )

09 오른쪽은 삼각형 ㄱㄴㅈ을 시계 반대 방향으로 90°만큼씩 돌려가며 이어 붙여서 만든 모양입니다. 삼각형 ㄱㄴㅈ의 둘레가 30 cm일 때 **도형 전체의 둘레는 몇 cm**인지 구해 보세요.

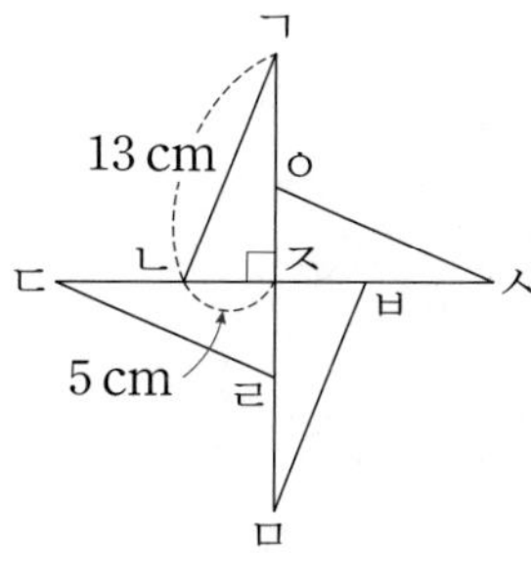

( )

≪051쪽 06번 레벨UP공략

| 해결 순서 |

❶ 변 ㄱㅈ의 길이 구하기

❷ 각각의 변의 길이 구하기

❸ 도형 전체의 둘레 구하기

3 단원

10 점 ㅇ을 대칭의 중심으로 하는 **점대칭도형을 완성했을 때 점대칭도형의 전체 넓이는 몇 $\mathbf{cm^2}$**인지 구해 보세요.

«056쪽 19번 레벨UP공략

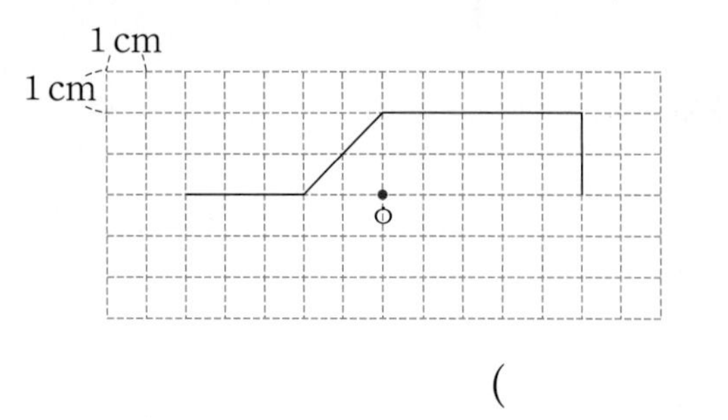

(　　　　　　　　)

서술형

11 오른쪽 그림에서 삼각형 ㄱㄹㅁ과 삼각형 ㄷㅂㅁ은 서로 합동입니다. **각 ㄴㄹㄷ은 몇 도**인지 풀이 과정을 쓰고, 답을 구해 보세요.

«050쪽 03번 레벨UP공략

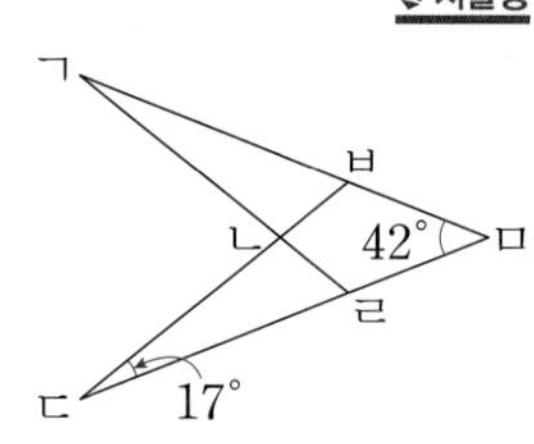

풀이

답

12 사각형 ㄱㄴㄷㄹ은 정사각형입니다. 삼각형 ㄴㅂㄷ과 삼각형 ㄹㅂㄷ은 서로 합동이고 선분 ㄴㅁ과 선분 ㅁㄷ이 일직선일 때 **각 ㅂㅁㄹ은 몇 도**인지 구해 보세요.

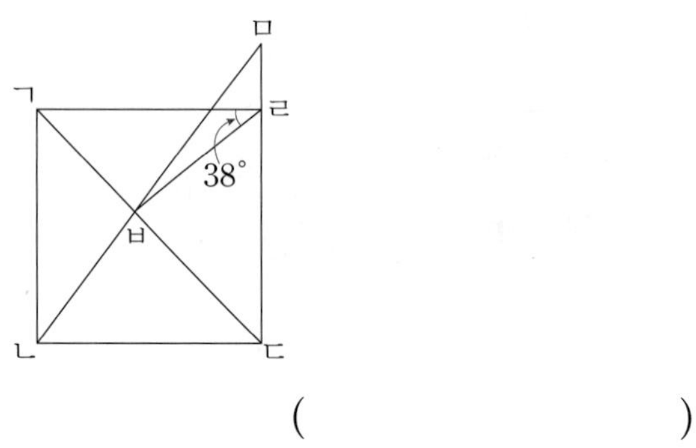

(　　　　　　　　)

13 다음과 같이 사각형 ㄱㄴㄷㅇ이 정사각형이 되도록 직사각형 모양의 종이를 접었습니다. **처음 종이의 넓이는 몇 cm^2인지 구해 보세요.**

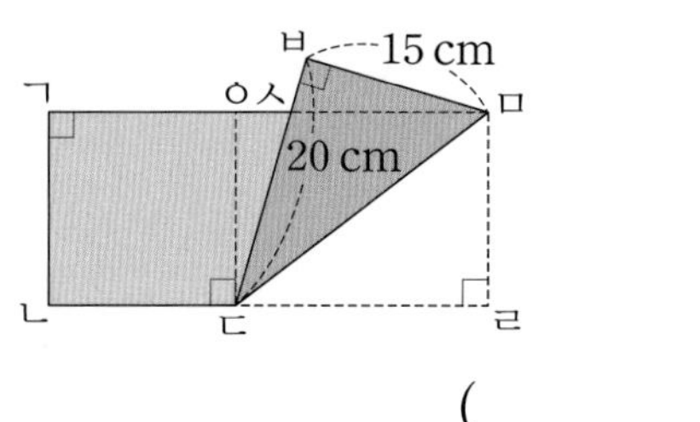

( )

«055쪽 18번 레벨UP공략

14 점 ㅇ을 대칭의 중심으로 하는 점대칭도형의 일부분입니다. 완성한 점대칭도형의 둘레가 44 cm일 때 **변 ㄹㅁ은 몇 cm인지 구해 보세요.**

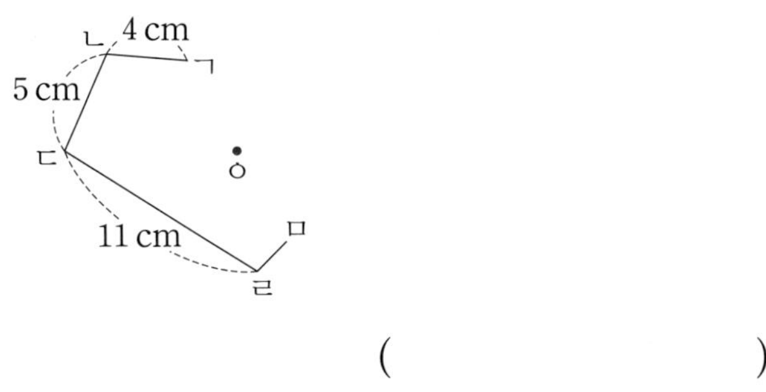

( )

15 오른쪽과 같이 한 변의 길이가 10 cm인 정사각형 2개를 겹쳐 놓았습니다. 삼각형 ㅈㄴㄷ과 삼각형 ㅈㅊㅅ이 서로 합동일 때 **색칠한 부분의 넓이는 몇 cm^2인지 구해 보세요.**

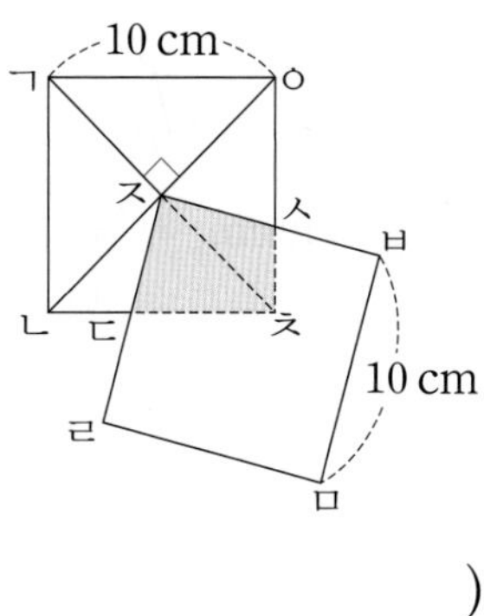

( )

3 단원

정답 및 풀이 > 20쪽

16 다음과 같이 삼각형 모양의 종이를 접었습니다. **각 ㄱㅂㄹ은 몇 도**인지 구해 보세요.

«056쪽 21번 레벨UP공략

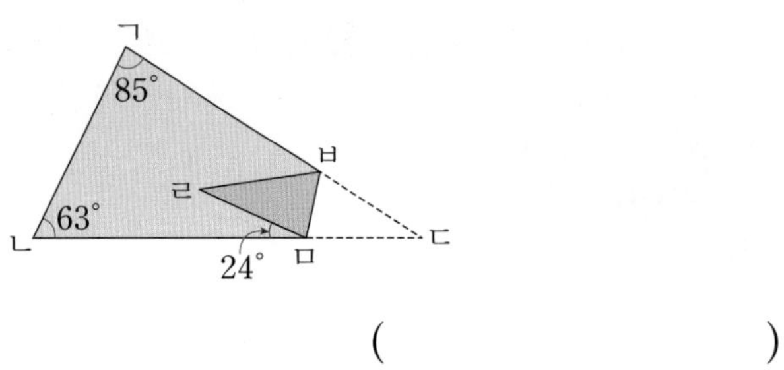

( )

17 오른쪽 삼각형 ㄱㄴㄹ과 삼각형 ㅂㄷㅁ은 서로 합동입니다. **직사각형 ㄱㄹㅁㅂ의 넓이는 몇 cm^2**인지 구해 보세요.

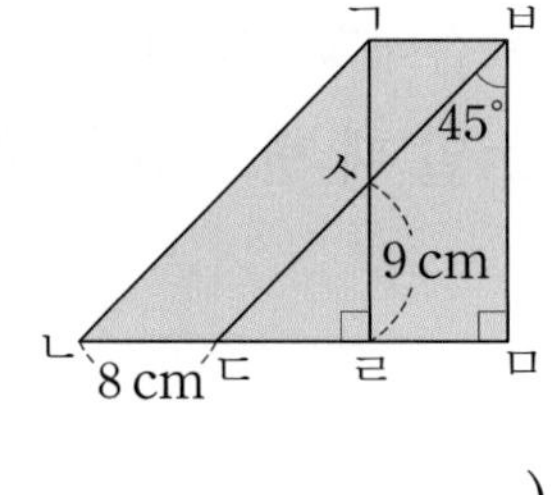

( )

| 해결 순서 |

❶ 선분 ㄷㄹ의 길이 구하기

❷ 선분 ㄹㅁ, 변 ㅂㅁ의 길이 구하기

❸ 직사각형 ㄱㄹㅁㅂ의 넓이 구하기

new 신유형

18 지윤이는 상자에 색종이를 붙여 보석함을 만들고 있습니다. 마지막 한 면만 색종이를 붙이면 완성될 때 지윤이에게 앞으로 **필요한 색종이의 넓이는 적어도 몇 cm^2**인지 구해 보세요.

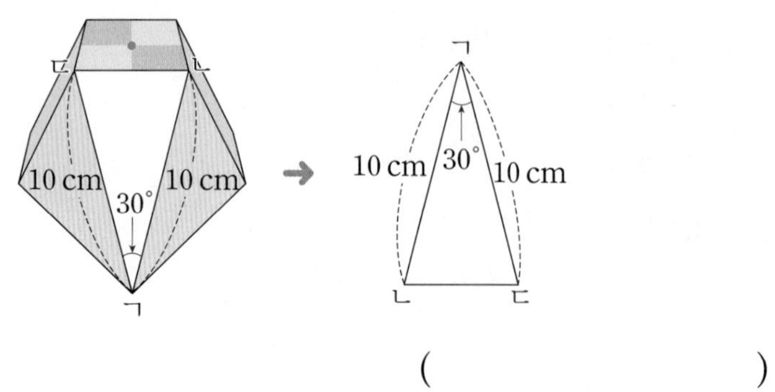

( )

STEP 3 최상위 도전하기

경시 수준의 최상위 문제에 도전하여 사고력을 키웁니다.

정답 및 풀이 » 23쪽

창의융합

1 크기가 같은 정사각형 5개를 변끼리 이어 붙여 만든 도형을 펜토미노라고 합니다. 펜토미노 중에서 **선대칭이면서 점대칭인 것을 모두 찾아 대칭축 수의 합이 몇 개**인지 구해 보세요.

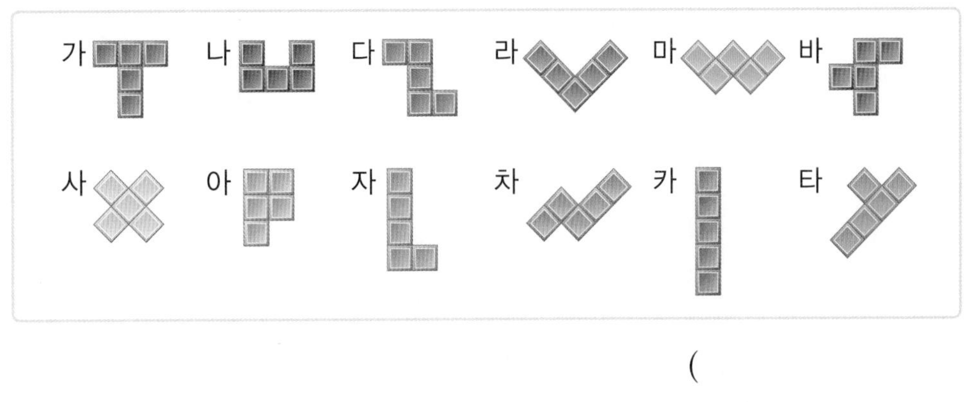

(   )

2 삼각형 ㄱㄷㅁ은 직선 ㅅㅇ을 대칭축으로 하는 선대칭도형이고, 삼각형 ㄱㄴㅁ은 직선 ㅈㅊ을 대칭축으로 하는 선대칭도형입니다. **각 ㄴㅁㄹ은 몇 도**인지 구해 보세요.

삼각형 ㄱㄷㅁ과 삼각형 ㄱㄴㅁ은 선대칭도형이므로 두 변의 길이가 같은 이등변삼각형입니다.

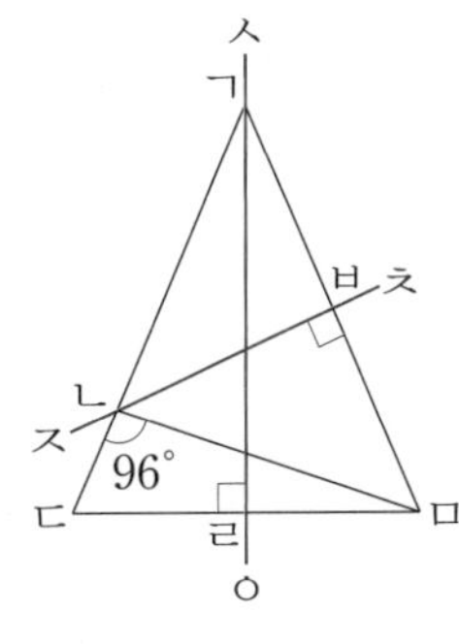

(   )

3 단원

3 사각형 ㄱㄴㄹㅂ은 정사각형입니다. 삼각형 ㄱㄴㄷ과 삼각형 ㄴㄹㅁ이 서로 합동일 때 **각 ㄱㅅㅁ은 몇 도**인지 구해 보세요.

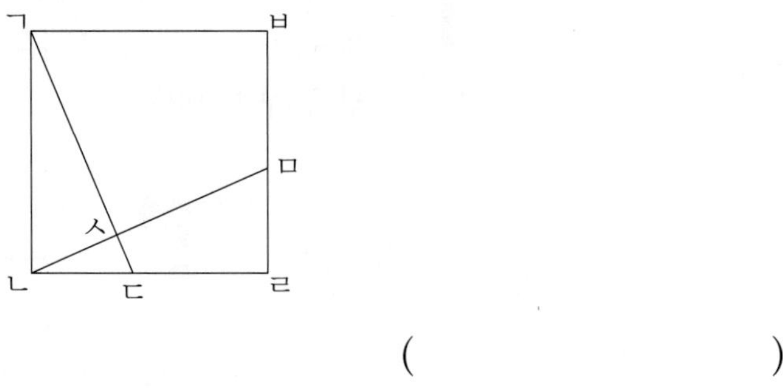

(　　　　　　　)

4 직선 ㅁㅂ을 대칭축으로 하는 선대칭도형의 일부분입니다. 각 ㄴㄱㄹ의 크기가 각 ㄱㄴㄷ의 크기의 2배일 때 **완성한 선대칭도형의 둘레는 몇 cm**인지 구해 보세요.

선분 ㄱㄷ을 그어 삼각형 ㄱㄴㄷ과 삼각형 ㄱㄷㄹ로 나누어 여러 각의 크기를 구해 봅니다.

(　　　　　　　)

5 점 ㅇ을 대칭의 중심으로 하는 점대칭도형입니다. 직사각형 ㄱㄴㄷㄹ에서 선분 ㅁㅇ의 길이가 선분 ㄱㅁ의 길이의 2배일 때 **색칠한 부분의 넓이는 몇 cm^2**인지 구해 보세요.

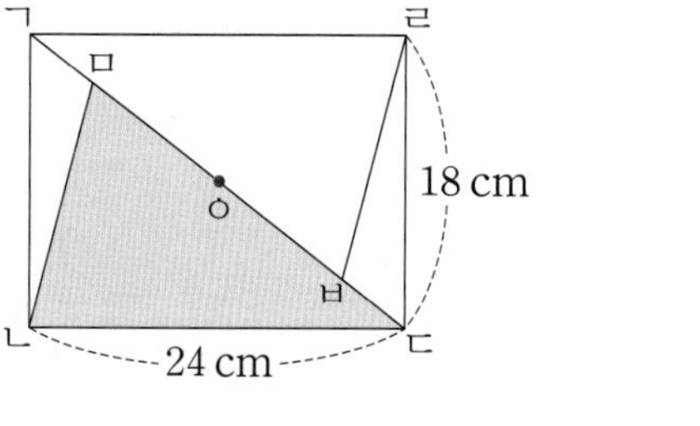

(　　　　　　　)

★1%★
도전

6 직선 가와 직선 나를 모두 대칭축으로 하는 선대칭도형입니다. **㉠은 몇 도**인지 구해 보세요.

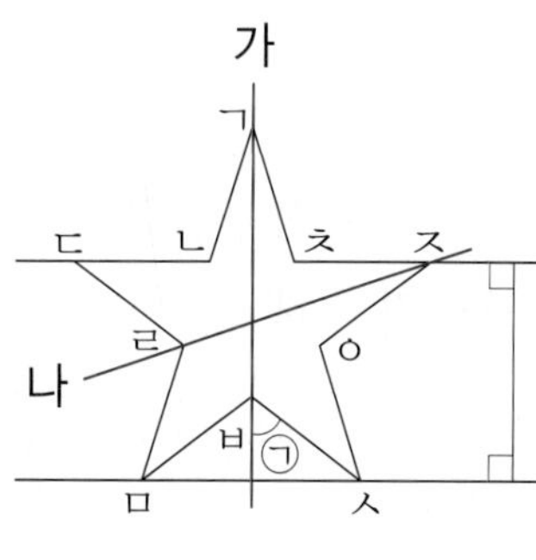

(　　　　　　　)

상위권 TEST

01 두 삼각형은 서로 합동입니다. 각 ㄱㄴㄷ은 몇 도인지 구해 보세요.

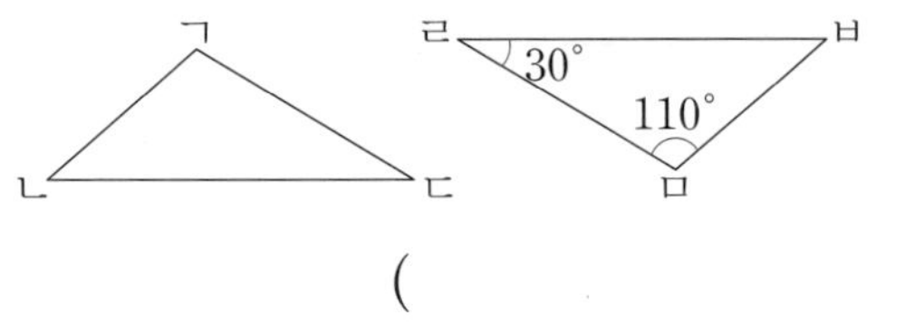

(　　　　　　　　)

02 삼각형 ㄱㄴㄷ과 삼각형 ㄹㄷㄴ은 서로 합동입니다. 삼각형 ㄹㄷㄴ의 둘레가 31 cm일 때 변 ㄱㄷ은 몇 cm인지 구해 보세요.

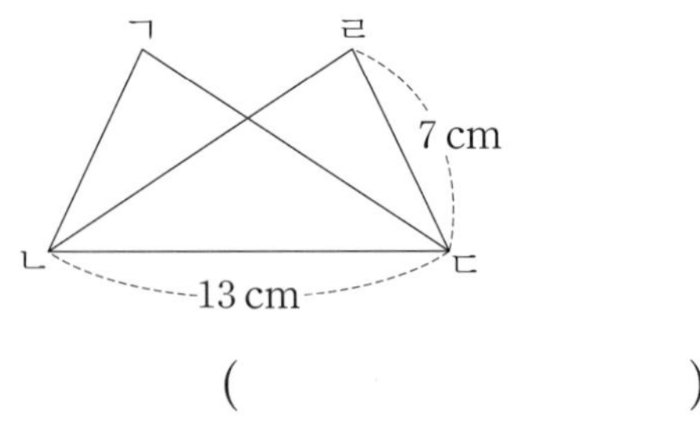

(　　　　　　　　)

03 점 ㅇ을 대칭의 중심으로 하는 점대칭도형입니다. 각 ㄴㄷㄹ은 몇 도인지 구해 보세요.

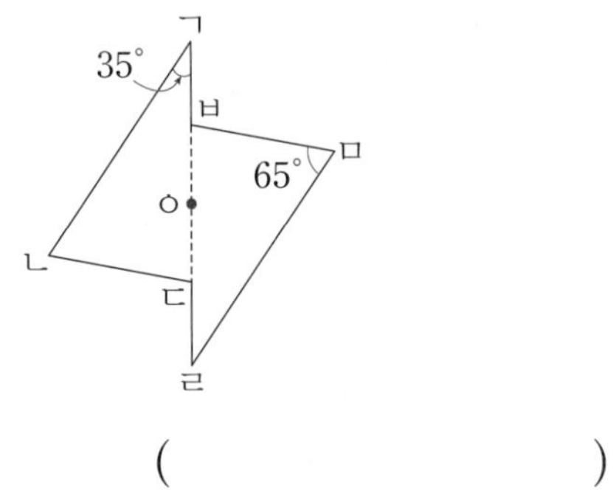

(　　　　　　　　)

04 직선 ㅈㅊ을 대칭축으로 하는 선대칭도형입니다. 선대칭도형의 둘레가 38 cm일 때 변 ㄷㄹ은 몇 cm인지 구해 보세요.

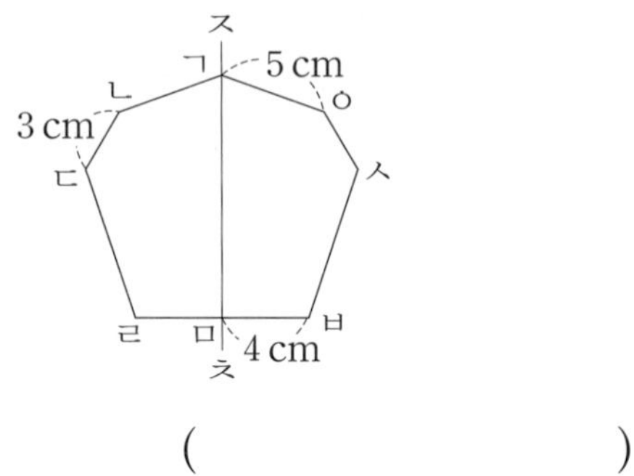

(　　　　　　　　)

05 사각형 ㄱㄴㄷㄹ은 직선 ㅂㅅ을 대칭축으로 하는 선대칭도형입니다. 선분 ㄴㄹ은 몇 cm인지 구해 보세요.

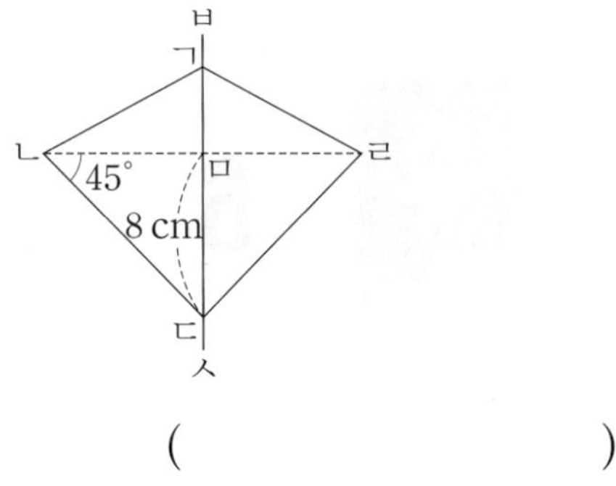

(　　　　　　　　)

06 다음 수 카드를 사용하여 만들 수 있는 점대칭이 되는 가장 큰 네 자리 수를 구해 보세요. (단, 같은 수를 여러 번 사용할 수 있습니다.)

(　　　　　　　　)

07 직선 ㄱㄴ을 대칭축으로 하는 선대칭도형을 완성했을 때 선대칭도형의 전체 넓이는 몇 cm^2인지 구해 보세요.

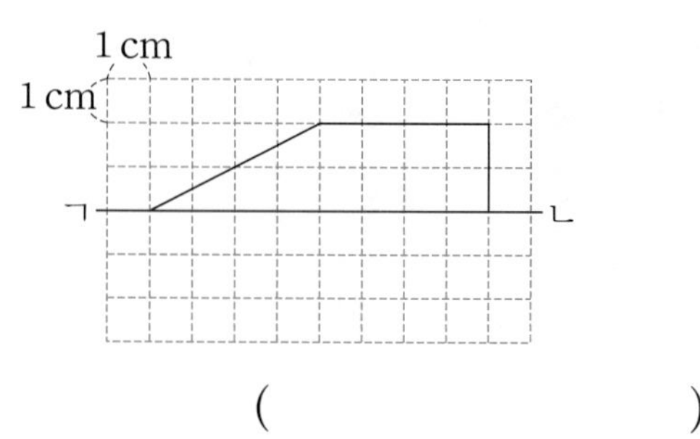

( )

08 사각형 ㄱㄴㄷㄹ은 평행사변형입니다. 삼각형 ㄱㅁㄹ과 삼각형 ㄷㅁㄴ이 서로 합동일 때 각 ㄹㅁㄷ은 몇 도인지 구해 보세요.

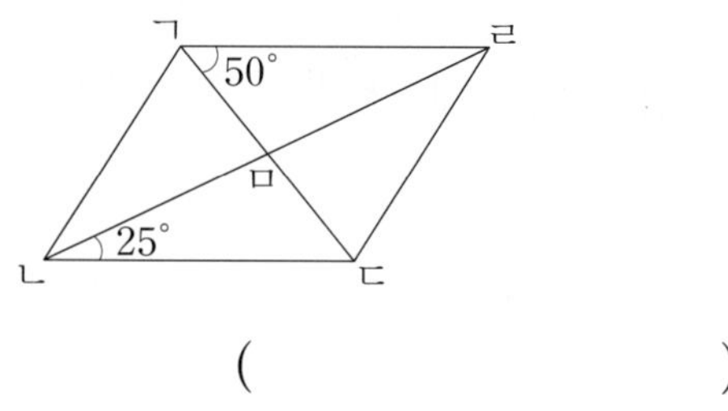

( )

09 점 ㅇ을 대칭의 중심으로 하는 점대칭도형을 완성하고, 완성한 점대칭도형의 넓이는 몇 cm^2인지 구해 보세요.

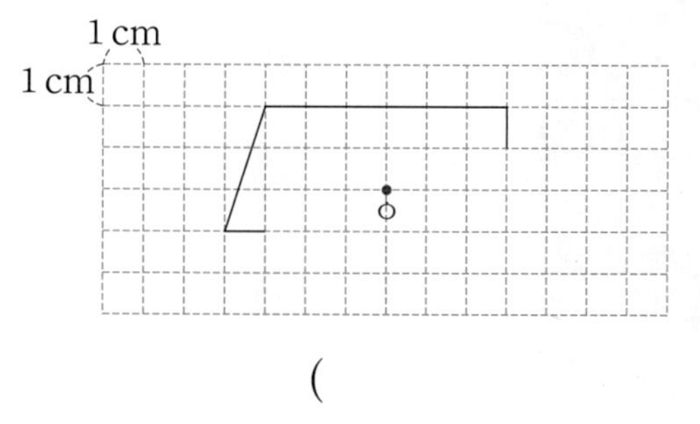

( )

10 오른쪽 그림에서 정사각형 ㄱㄴㄷㅅ과 정사각형 ㅁㅂㄷㄹ은 서로 합동입니다. 선분 ㅂㅅ이 7 cm일 때 정사각형 한 개의 둘레는 몇 cm인지 구해 보세요.

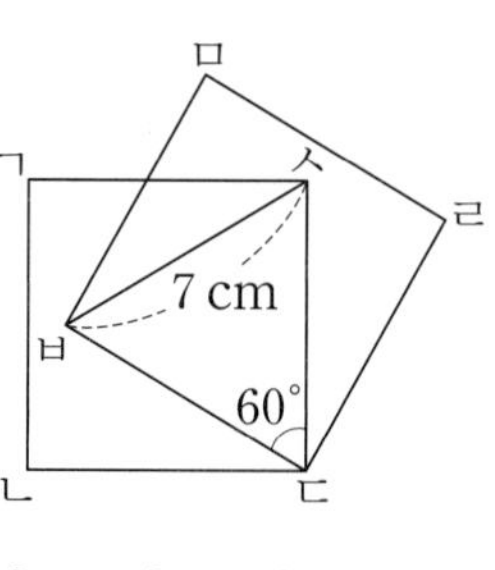

( )

최상위

11 오른쪽 삼각형 ㄱㄴㄹ과 삼각형 ㅂㄷㅁ은 서로 합동입니다. 직사각형 ㄱㄴㄷㅂ의 넓이는 몇 cm^2인가요?

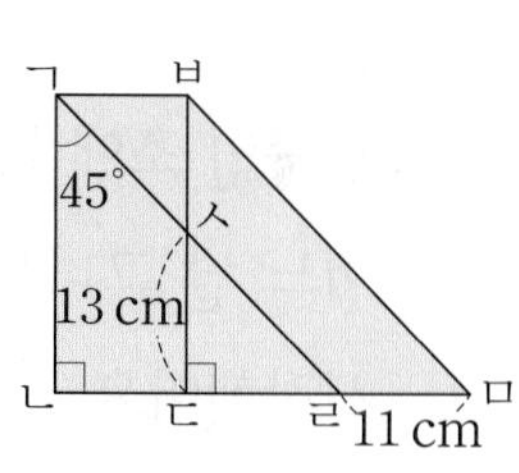

( )

최상위

12 점 ㅇ을 대칭의 중심으로 하는 점대칭도형입니다. 직사각형 ㄱㄴㄷㄹ에서 선분 ㄱㅁ의 길이와 선분 ㅁㅇ의 길이가 같을 때 색칠한 부분의 넓이는 몇 cm^2인지 구해 보세요.

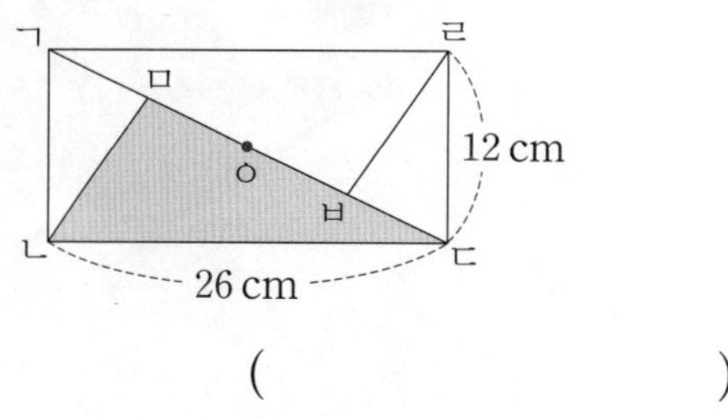

( )

3 단원

쉬어가기

사자성어

전화위복

轉 禍 爲 福

구를 전 재앙 화 할 위 복 복

바로 뜻 화가 바뀌어 오히려 복이 된다는 뜻.

깊은 뜻 불행한 일이나 실패라도 끊임없는 노력과 강한 의지로 힘쓰면 행복으로 바꿀 수 있다는 뜻이에요.

영국인 조앤 K.롤링은 끼니를 챙기기 어려울 정도로 가난한 작가였어요.
어느 날 그녀는 궁지에 몰렸다는 생각이 들어 한 카페에 자리를 잡고 앉아 글을 써 내려가기 시작했어요.
자신이 마법사라는 사실을 모르고 살다가 우연히 마법사 학교에 가게 된 한 소년의 이야기였어요.
그렇게 쓴 소설의 원고는 12번을 거절당한 끝에 겨우 작은 출판사에서 받아 주었어요.
이 소설이 바로 전세계적으로 유명한 "해리포터와 마법사의 돌"이에요.
가난이 □□□□이 되어 작가는 세계적인 명성을 얻게 되었어요.

잠깐! Quiz

Q □□□□에 들어갈 말은?

A 왼쪽 한자와 오른쪽 음을 알맞은 것끼리 선으로 이어 봅니다.

轉 ·	· 위
禍 ·	· 복
爲 ·	· 전
福 ·	· 화

4

소수의 곱셈

개념 넓히기

1 (소수)×(자연수)

예) 1.4×7의 계산

방법 ❶ 덧셈식으로 나타내어 계산하기

1.4×7 ➜ 1.4를 7번 더한 것과 같습니다.

➜ $1.4+1.4+1.4+1.4+1.4+1.4+1.4=9.8$

방법 ❷ 0.1의 개수로 계산하기

$1.4\times7=0.1\times(14\times7)$ ← 14개씩 7묶음=98개

$=0.1\times98$

0.1이 모두 98개 ➜ $1.4\times7=9.8$

방법 ❸ 분수의 곱셈으로 계산하기

$1.4\times7=\frac{14}{10}\times7=\frac{14\times7}{10}=\frac{98}{10}=9.8$

소수를 분수로 나타냅니다. / 계산 결과를 소수로 나타냅니다.

방법 ❹ 자연수의 곱셈으로 계산하기

$14\times7=98$

$\frac{1}{10}$배 ↓ ↓ $\frac{1}{10}$배 ← 곱해지는 수가 $\frac{1}{10}$배가 되면 계산 결과도 $\frac{1}{10}$배가 됩니다.

$1.4\times7=9.8$

참고 상황에 맞게 다양한 방법으로 소수의 곱셈을 해결해 봅니다.

2 (자연수)×(소수)

예) 9×1.5의 계산

방법 ❶ 분수의 곱셈으로 계산하기

$9\times1.5=9\times\frac{15}{10}=\frac{9\times15}{10}=\frac{135}{10}=13.5$

소수를 분수로 나타냅니다. / 계산 결과를 소수로 나타냅니다.

방법 ❷ 자연수의 곱셈으로 계산하기

$9\times15=135$

$\frac{1}{10}$배 ↓ ↓ $\frac{1}{10}$배 ← 곱하는 수가 $\frac{1}{10}$배가 되면 계산 결과도 $\frac{1}{10}$배가 됩니다.

$9\times1.5=13.5$

중요 • (자연수)×(1보다 작은 소수)<(자연수)
• (자연수)×(1보다 큰 소수)>(자연수)

선행 개념 [중1] 분배법칙

세 수 ㉠, ㉡, ㉢에 대하여 덧셈에 대한 곱셈의 **분배법칙**이 성립합니다.

• ㉠×(㉡+㉢)=㉠×㉡+㉠×㉢

• (㉠+㉡)×㉢=㉠×㉢+㉡×㉢

응용 3 시간을 소수로 나타내어 이동한 거리 구하기

예) 한 시간에 83 km를 달리는 자동차가 같은 빠르기로 2시간 15분 동안 달리는 거리 구하기

① 2시간 15분을 소수로 나타내기

➜ 2시간 15분$=2\frac{15}{60}$시간$=2\frac{1}{4}$시간

$=2\frac{25}{100}$시간

$=2.25$시간

② (2시간 15분 동안 달리는 거리)

$=83\times2.25=186.75$ (km) ← (이동한 거리)=(한 시간에 가는 거리)×(이동한 시간)

4 (소수)×(소수)

예) 1.8×0.4의 계산

방법 ❶ 분수의 곱셈으로 계산하기

$1.8\times0.4=\frac{18}{10}\times\frac{4}{10}=\frac{18\times4}{10\times10}=\frac{72}{100}=0.72$

방법 ❷ 자연수의 곱셈으로 계산하기

$18\times4=72$

$\frac{1}{10}$배 ↓ $\frac{1}{10}$배 ↓ $\frac{1}{100}$배 ↓ ← 곱해지는 수와 곱하는 수가 각각 $\frac{1}{10}$배가 되면 계산 결과는 $\frac{1}{100}$배가 됩니다.

$1.8\times0.4=0.72$

방법 ❸ 소수의 크기를 생각하여 계산하기

자연수의 곱셈 결과에 소수의 크기를 생각하여 소수점을 찍습니다.

$18\times4=72$인데 1.8에 0.4를 곱하면 1.8의 반인 0.9보다 작아야 하므로 계산 결과는 0.72입니다.

응용 5 바르게 계산한 값 구하기

예) 어떤 수에 2.9를 곱해야 할 것을 잘못하여 더했더니 6.71이 되었을 때 바르게 계산한 값 구하기 ← (어떤 수)×2.9

① 어떤 수를 □라 하고 어떤 수 구하기

➜ □$+2.9=6.71$, □$=6.71-2.9=3.81$

② (바르게 계산한 값)

$=3.81\times2.9=11.049$ ← $381\times29=11049$

6 곱의 소수점 위치

(1)

소수에 10, 100, 1000을 곱하기	자연수에 0.1, 0.01, 0.001을 곱하기
곱의 소수점을 오른쪽으로 한 칸씩 옮깁니다. 예 7.38×10=73.8 7.38×100=738	곱의 소수점을 왼쪽으로 한 칸씩 옮깁니다. 예 215×0.1=21.5 215×0.01=2.15

(2) (소수)×(소수)

곱하는 두 소수의 소수점 아래 자리 수를 더한 값과 곱의 소수점 아래 자리 수가 같습니다.

예 4.2×0.06=0.252 → (소수 한 자리 수)×(소수 두 자리 수) =(소수 세 자리 수)

응용

7 수 카드로 만든 두 소수의 곱 구하기

예 수 카드 6, 1, 4를 한 번씩만 사용하여 만들 수 있는 가장 큰 소수 두 자리 수와 가장 작은 소수 한 자리 수의 곱 구하기

① 가장 큰 소수 두 자리 수 만들기

→ 6.41 → 큰 수부터 차례로 놓습니다.

② 가장 작은 소수 한 자리 수 만들기

→ 14.6 → 작은 수부터 차례로 놓습니다.

③ (두 소수의 곱)=6.41×14.6=93.586

응용

8 이어 붙인 색 테이프 전체의 길이 구하기

예 길이가 9.6 cm인 색 테이프 8장을 2.4 cm씩 겹치게 한 줄로 길게 이어 붙였을 때 이어 붙인 색 테이프 전체의 길이 구하기

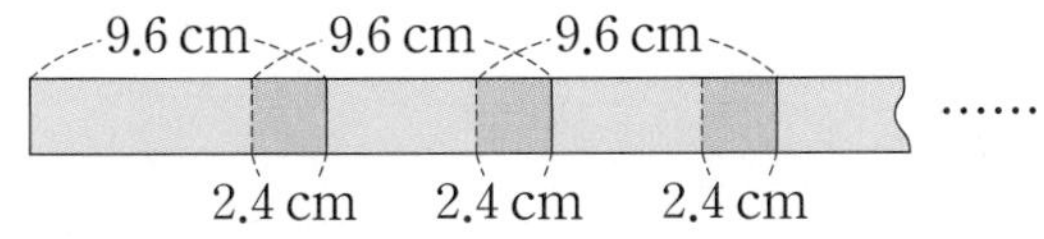

① (길이가 9.6 cm인 색 테이프 8장의 길이의 합)
=9.6×8=76.8 (cm)

② (겹친 부분의 길이의 합)=2.4×7=16.8 (cm) → 겹친 부분은 8−1=7(군데)입니다.

③ (이어 붙인 색 테이프 전체의 길이)
=76.8−16.8=60 (cm)

1 |보기|와 같은 방법으로 계산해 보세요.

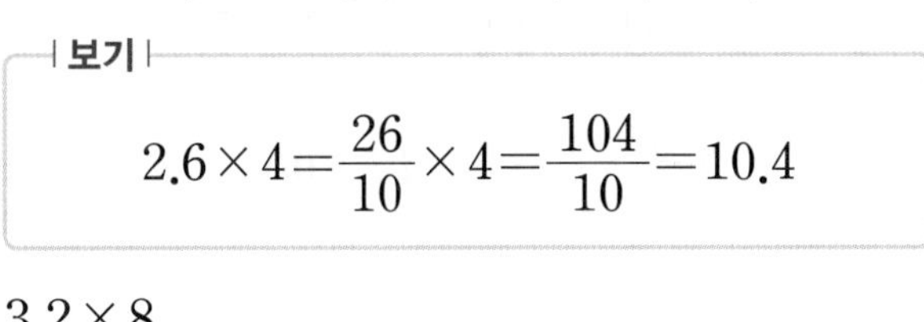

3.2×8 ______

2 빈칸에 알맞은 수를 써넣으세요.

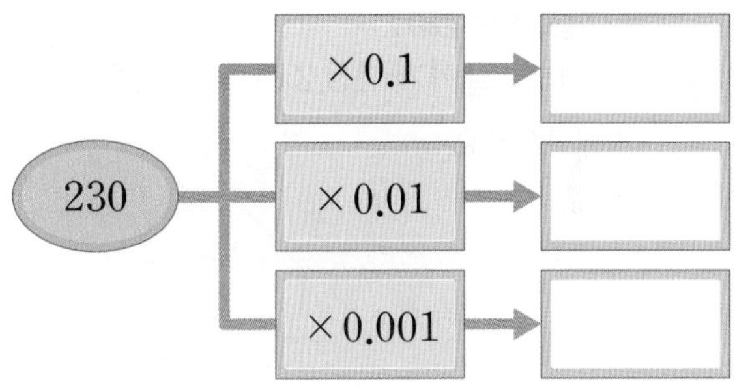

3 빈칸에 알맞은 수를 써넣으세요.

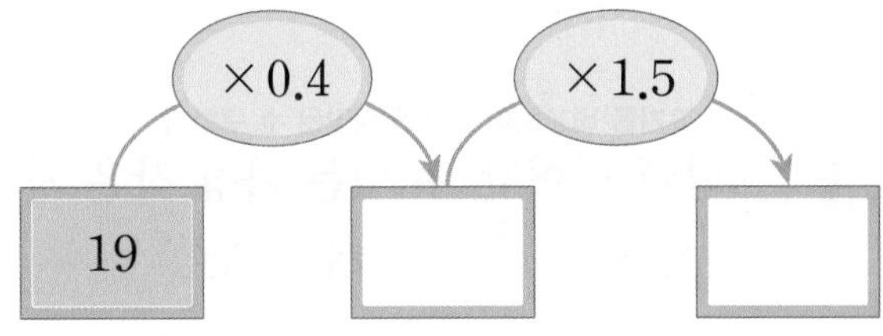

4 지훈이의 몸무게는 45 kg입니다. 영란이의 몸무게는 지훈이 몸무게의 0.94배입니다. 영란이의 몸무게는 몇 kg인지 구해 보세요.

(　　　　　　　)

4 단원

응용 · 심화 문제와 레벨UP공략법으로 문제 해결 능력을 키웁니다.

곱의 소수점 위치 찾기

01 **계산 결과가 가장 작은 것**을 찾아 기호를 써 보세요.

㉠ 9.24×100	㉡ 0.924×10
㉢ 924×0.1	㉣ 9240×0.01

(　　　　　　　　)

정다각형의 둘레 구하기

02 한 변의 길이가 15.2 cm인 **정팔각형의 둘레는 몇 cm**인지 구해 보세요.

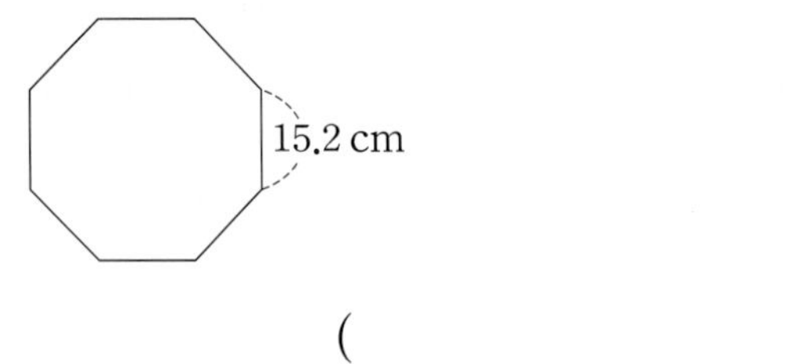

(　　　　　　　　)

레벨UP공략 01

◆ 한 변의 길이가 ▲ cm인 정■각형의 둘레를 구하려면?
정■각형의 변은 ■개이고, 변의 길이가 모두 같습니다.
→ (정■각형의 둘레)=(▲×■) cm

소수의 크기를 비교하여 조건에 알맞은 수 구하기

서술형

03 **□ 안에 들어갈 수 있는 가장 작은 자연수**는 얼마인지 풀이 과정을 쓰고, 답을 구해 보세요.

$15.4\times5.1<\square$

풀이

답

정답 및 풀이 > 26쪽

환전한 금액 구하기 | 창의융합

04 태국의 화폐 단위는 바트(THB)입니다. 수민이가 은행에 가서 태국 돈으로 5000바트만큼 환전하려고 합니다. 이날 1바트의 가격이 33.93원일 때 **우리나라 돈으로 얼마를 내야 하는지** 구해 보세요. (단, 환전할 때 생기는 수수료는 생각하지 않습니다.)

환전: 서로 다른 화폐끼리 교환하는 것

(　　　　　　　　　　)

레벨UP공략 02

◇ 태국 돈 1바트의 가격이 ■원일 때 ▲바트만큼 환전하려면?

태국 돈	1바트	▲바트
우리나라 돈	■원	(■×▲)원

소수의 곱셈을 하여 계산 결과의 합 구하기

05 계산 결과가 **가장 큰 곱과 가장 작은 곱의 합**을 구해 보세요.

34×1.26　　4.8×9.8　　4.42×15

(　　　　　　　　　　)

곱의 소수점 위치를 이용하여 물건의 무게 구하기

06 성훈이에게 줄 생일 선물로 서원이는 31.44 g짜리 마카롱 10개를, 정민이는 6.3 g짜리 초콜릿 100개를 사서 각각 같은 상자에 포장하였습니다. **누가 포장한 선물이 몇 g 더 무거운지** 구해 보세요.

마카롱은 계란 흰자, 설탕으로 만드는 프랑스 과자입니다.

(　　　　　　,　　　　　　)

레벨UP공략 03

◇ 곱의 소수점 위치를 옮기는 규칙은?

$1.23\times10=12.3$

$1.23\times100=123$

곱하는 수의 0이 하나씩 늘어날 때마다 곱의 소수점을 오른쪽으로 한 칸씩 옮깁니다.

시간을 소수로 나타내어 이동한 거리 구하기

07 한 시간에 88.3 km를 달리는 자동차가 있습니다. 이 자동차가 **같은 빠르기로 3시간 45분 동안 달린다면 몇 km**를 달릴 수 있는지 구해 보세요.

( )

레벨UP공략 04

◇ 몇 시간 몇 분을 소수로 나타내려면?

$$●\text{시간 }■\text{분}=●\text{시간}+\frac{■}{60}\text{시간}$$
$$=●\frac{■}{60}\text{시간}$$

↓

분모를 10, 100, 1000……으로 고쳐서 소수로 나타냅니다.

곱셈을 이용하여 남은 양 구하기

08 물탱크에 물이 500 L 들어 있었습니다. 이 물을 들이가 9.5 L인 빈 물통 27개에 가득 차도록 나누어 담았습니다. **물탱크에 남아 있는 물의 양은 몇 L**인지 구해 보세요.

( )

바르게 계산한 값 구하기

서술형

09 어떤 수에 0.2를 곱해야 할 것을 잘못하여 더했더니 2.45가 되었습니다. **바르게 계산한 값**은 얼마인지 풀이 과정을 쓰고, 답을 구해 보세요.

풀이

답

레벨UP공략 05

◇ 잘못 계산한 값에서 어떤 수를 구하려면?

- "잘못하여 더했더니"
  → 뺄셈(−)으로 구합니다.
- "잘못하여 뺐더니"
  → 덧셈(+)으로 구합니다.

몇 배를 계산하여 몸무게 구하기

10 하윤이의 몸무게는 이모 몸무게의 0.8배이고, 삼촌의 몸무게는 하윤이 몸무게의 1.5배보다 5 kg 더 무겁습니다. 이모의 몸무게가 51 kg이라면 **삼촌의 몸무게는 몇 kg**인지 구해 보세요.

( )

공을 떨어뜨릴 때 튀어 오른 높이 구하기

11 떨어진 높이의 0.6만큼 튀어 오르는 공이 있습니다. 이 공을 150 cm 높이에서 떨어뜨렸을 때 **공이 세 번째로 튀어 오른 높이는 몇 cm**인지 구해 보세요.

( )

레벨UP공략 06

◆ 공을 떨어뜨릴 때 튀어 오른 높이를 구하려면?

공이 떨어진 높이의 ▲만큼 튀어 오를 때

• (첫 번째로 튀어 오른 높이)
=(떨어진 높이)×▲

• (두 번째로 튀어 오른 높이)
=(떨어진 높이)×▲×▲

두 도형의 넓이의 차 구하기 창의융합

12 배드민턴 코트는 가로가 13.4 m인 직사각형 모양입니다. 세로는 복식 경기의 경우 6.1 m, 단식 경기의 경우 5.18 m일 때 복식 경기와 단식 경기에 사용하는 **배드민턴 코트의 넓이의 차는 몇 m^2**인지 구해 보세요.

단식: 양팀 각 1명씩 하는 경기
복식: 양팀 각 2명씩 조를 이루어 하는 경기

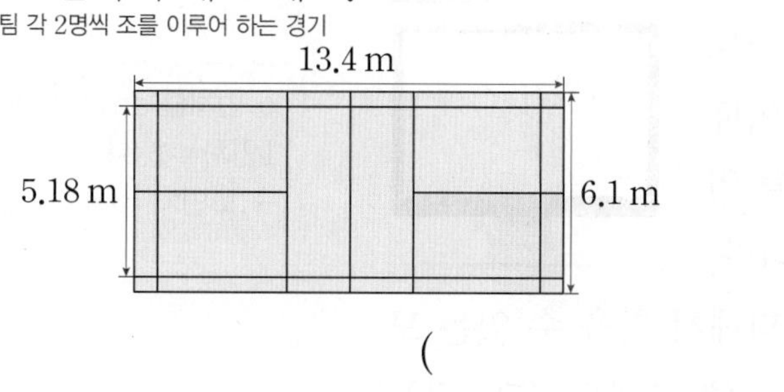

( )

4 단원

수 카드를 사용하여 만든 두 소수의 곱 구하기 서술형

13 수 카드 [5], [8], [7]을 한 번씩만 사용하여 소수를 만들려고 합니다. **만들 수 있는 가장 큰 소수 한 자리 수와 가장 작은 소수 두 자리 수의 곱**은 얼마인지 풀이 과정을 쓰고, 답을 구해 보세요.

풀이

답

레벨UP공략 07

◆ 수 카드 3장으로 소수 한 자리 수와 소수 두 자리 수를 만들려면?

소수 한 자리 수	소수 두 자리 수
□□.□	□.□□

도형의 둘레 구하기 창의융합

14 태극기를 그릴 때 태극 모양인 원의 지름에 따라 가로와 세로가 정해집니다. 원의 반지름을 4.3 cm로 하여 태극기를 그리면 **태극기의 둘레는 몇 cm**가 되는지 구해 보세요.

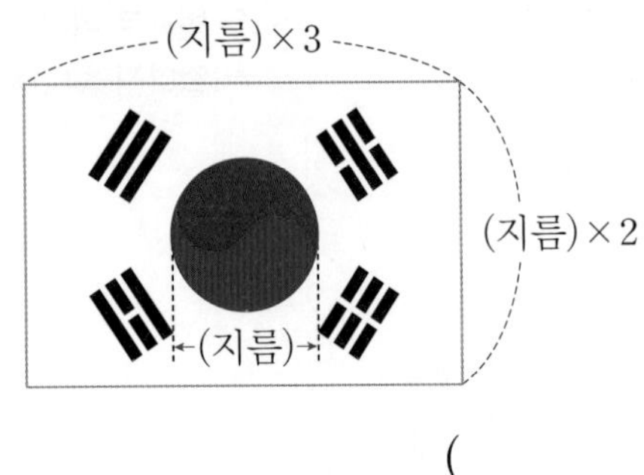

( )

길이의 단위 변환하기 new 신유형

15 컴퓨터 모니터의 크기를 표시할 때 길이의 단위인 인치(inch)를 사용합니다. 이때 컴퓨터 모니터 화면의 대각선의 길이를 인치로 나타내고, 1인치는 2.54 cm입니다.

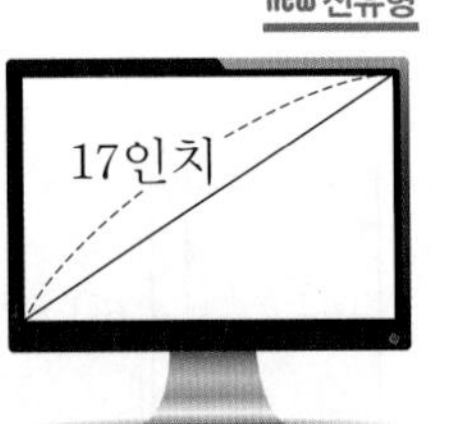

직사각형 모양의 17인치 컴퓨터 모니터에서 찾을 수 있는 **모든 대각선의 길이의 합은 몇 cm**인지 구해 보세요. (단, 컴퓨터 모니터의 테두리는 생각하지 않습니다.)

( )

레벨UP공략 08

◆ 인치를 cm로 나타내려면?

1인치=2.54 cm

→ ■인치=(■×2.54) cm

정답 및 풀이 > 26쪽

이어 붙인 색 테이프 전체의 길이 구하기

16 길이가 11.7 cm인 색 테이프 9장을 3.3 cm씩 겹치게 한 줄로 길게 이어 붙였습니다. **이어 붙인 색 테이프 전체의 길이는 몇 cm**인지 구해 보세요.

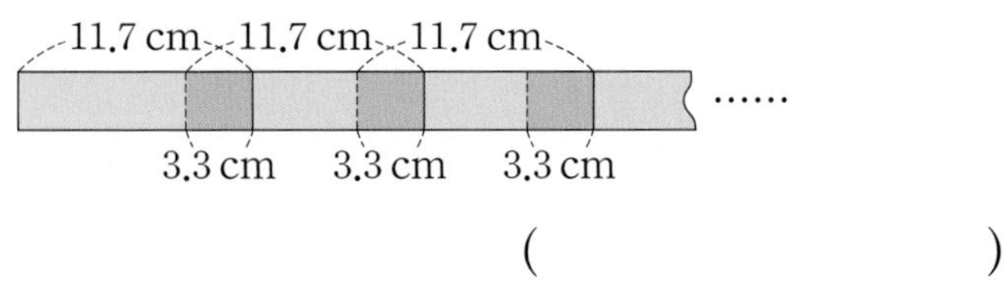

( )

레벨UP공략 09

◆ 이어 붙인 색 테이프 전체의 길이를 구하려면?

색 테이프 ■장을 이어 붙이면 겹친 부분은 (■−1)군데입니다.

↓

(이어 붙인 색 테이프 전체의 길이)
=(색 테이프 ■장의 길이의 합)
−(겹친 부분의 길이의 합)

규칙을 찾아 소수점 아래 끝자리 숫자 구하기

17 다음을 보고 0.3을 30번 곱했을 때 **곱의 소수 30째 자리 숫자**를 구해 보세요.

$$0.3$$
$$0.3\times0.3=0.09$$
$$0.3\times0.3\times0.3=0.027$$
$$0.3\times0.3\times0.3\times0.3=0.0081$$
$$0.3\times0.3\times0.3\times0.3\times0.3=0.00243$$
⋮

( )

빈 병의 무게 구하기

18 식용유 2.6 L가 들어 있는 병의 무게를 재어 보니 3.47 kg이었습니다. 이 중 식용유 250 mL를 사용한 후 무게를 재었더니 3.24 kg이 되었습니다. **빈 병의 무게는 몇 kg**인지 구해 보세요.

( )

4 단원

STEP 2 심화 해결하기

레벨UP공략법을 활용한 고난도 문제를 풀어 최상위에 도전합니다.

01 **계산 결과가 큰 것부터 순서대로** 기호를 써 보세요.

㉠ 4.64×0.8	㉡ 3.7×1.3
㉢ 0.92×7.6	㉣ 2.02×2.9

( )

02 다음을 계산하여 **㉠과 ㉡의 합**을 구해 보세요.

㉠ 4.7×3 ㉡ 6×2.9

( )

창의융합

03 소리는 공기 중에서 1초에 0.34 km를 갑니다. 번개가 번쩍인 후 천둥소리가 뒤늦게 들리는 것은 빛이 소리보다 약 90만 배 빠르게 이동하기 때문입니다. 어느 날 번개를 보고 나서 8초 후에 천둥소리를 들었다면 **천둥소리를 들은 곳은 번개가 친 곳에서 몇 m 떨어져 있는지** 구해 보세요.

( )

해결 순서
1. 소리가 8초 동안 이동한 거리 구하기
2. 소리가 이동한 거리를 m로 나타내기

04 ◆는 ★**의 몇 배**인지 구해 보세요.

750×◆=7.5
★×3.07=30.7

(　　　　　　　　)

≪073쪽 06번 레벨UP공략

서술형

05 도형 가는 정사각형이고, 도형 나는 직사각형입니다. 가와 나 중 **어느 것의 넓이가 몇 m^2 더 넓은지** 풀이 과정을 쓰고, 답을 구해 보세요.

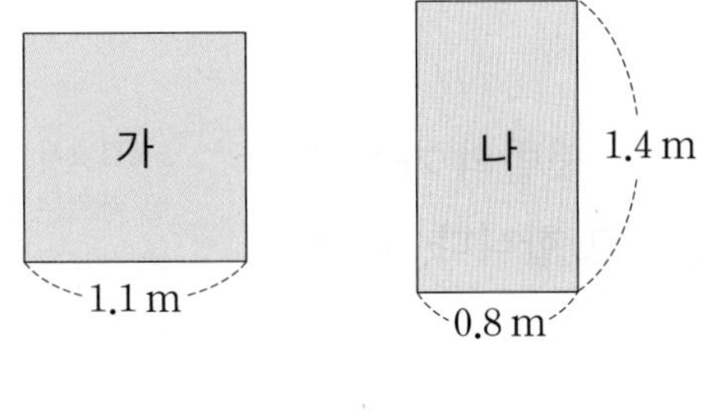

풀이

답 　　　　,

06 다음 정오각형의 둘레를 한 변의 길이로 하는 정십이각형이 있습니다. 이 **정십이각형의 둘레는 몇 cm**인지 구해 보세요.

≪072쪽 02번 레벨UP공략

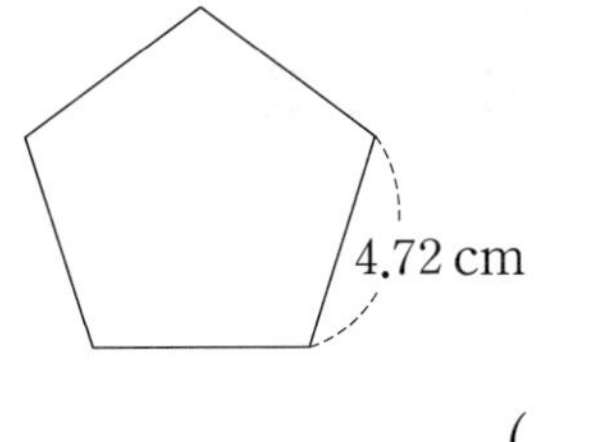

(　　　　　　　　)

서술형

07 용희는 올해 들어 지금까지 작년 저금액의 0.75배를 저금했습니다. 용희의 올해 목표 저금액은 작년 저금액의 1.3배입니다. 작년 저금액이 127000원일 때 **올해 목표 저금액을 채우려면 얼마를 더 저금해야 하는지** 풀이 과정을 쓰고, 답을 구해 보세요.

풀이

답

08 다음과 같은 직사각형 모양의 텃밭이 있습니다. 이 텃밭의 가로와 세로를 각각 2.5배씩 늘려 새로운 텃밭을 만들려고 합니다. **새로운 텃밭의 넓이는 몇 m^2인지** 구해 보세요.

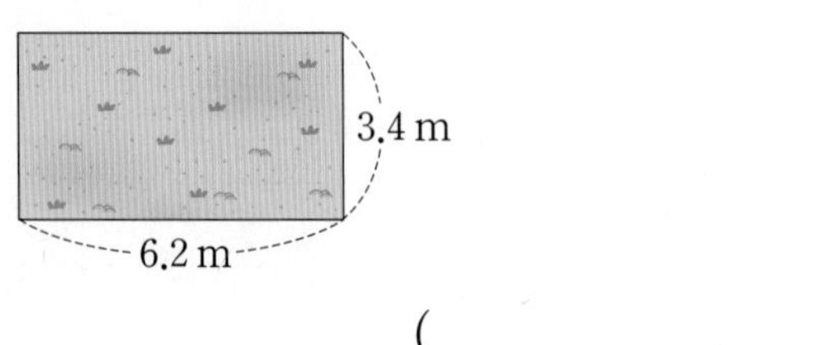

(　　　　　)

| 해결 순서 |
❶ 새로운 텃밭의 가로 구하기
❷ 새로운 텃밭의 세로 구하기
❸ 새로운 텃밭의 넓이 구하기

09 5 L의 물이 들어 있는 통이 있습니다. 이 통에 물이 일정하게 1분에 8.7 L씩 나오는 수도로 물을 받는데 통에 구멍이 나서 1분에 2.6 L씩 물이 샌다고 합니다. **5분 30초 후 통에 담겨 있는 물은 몇 L인지** 구해 보세요.

(　　　　　)

«074쪽 07번 레벨UP공략

new 신유형

10 하수 처리장에서는 생활 하수를 깨끗하게 정화하기 위해 생활 하수보다 더 많은 양의 물을 사용합니다. 다음은 각 식품 1 mL만큼을 정화하는 데 필요한 물의 양을 나타낸 것입니다. 우유 0.5 mL, 식용유 0.33 mL, 간장 0.4 mL를 정화하는 데 **필요한 물의 양의 합은 몇 L**인지 구해 보세요.

우유	식용유	간장
24 L	30 L	21 L

( )

11 미국의 화폐 단위는 달러(USD)이고, 일본의 화폐 단위는 엔(JPY)입니다. 어느 날 1달러의 가격이 1000.24원이고, 1엔의 가격이 950.15원입니다. 이날 미국 돈 500달러와 일본 돈 400엔을 각각 **우리나라 돈으로 환전했을 때 그 금액의 차**는 얼마인지 구해 보세요. (단, 환전할 때 생기는 수수료는 생각하지 않습니다.)

달러 엔

( )

창의융합

12 길이가 1.94 mm인 물벼룩을 현미경으로 각각 ×40, ×60, ×100인 대물렌즈를 사용하여 관찰하였습니다. 각각의 대물렌즈를 통해 보이는 물벼룩의 길이 중 **곱의 소수점 아래 자리 수가 다른 하나는 어느 대물렌즈로 본 것**인지 구해 보세요. (단, ×▲의 대물렌즈는 사물의 크기를 ▲배 확대합니다.)

( )

잠깐!

현미경에 대해 알아볼까요?

현미경은 눈으로는 볼 수 없을 만큼 작은 물체나 미생물을 확대하여 관찰하는 기구입니다.

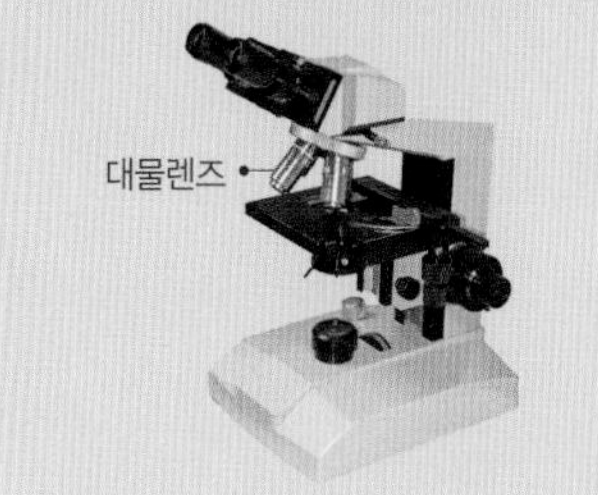

4 단원

정답 및 풀이 > 28쪽

13 가★나=가×나−나×2.5와 같이 약속할 때 **㉠에 알맞은 수**를 구해 보세요.

5.2★(6.5★0.3)=㉠

(　　　　　　　　)

14 길이가 같은 색 테이프 10장을 0.05 m씩 겹치게 한 줄로 길게 이어 붙였더니 이어 붙인 색 테이프 전체의 길이는 2.75 m가 되었습니다. **색 테이프 한 장의 길이는 몇 m**인지 구해 보세요.

«077쪽 16번 레벨UP공략

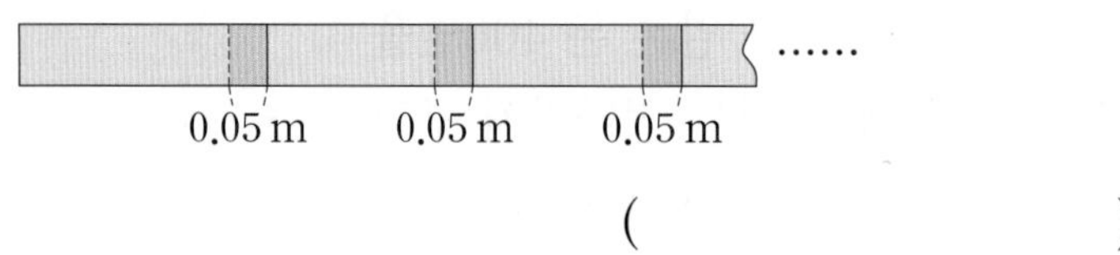

(　　　　　　　　)

15 1분에 1.04 km를 달리는 트럭이 터널을 완전히 통과하는 데 1분 30초가 걸렸습니다. 트럭의 길이가 8 m일 때 **터널의 길이는 몇 km**인지 구해 보세요.

(　　　　　　　　)

| 해결 순서 |
❶ 1분 30초를 소수로 나타내기
❷ 트럭이 1분 30초 동안 이동한 거리 구하기
❸ 터널의 길이 구하기

STEP 3 최상위 도전하기

경시 수준의 최상위 문제에 도전하여 사고력을 키웁니다.

정답 및 풀이 ▶ 30쪽

1 소민이와 주호가 각자 가지고 있는 수 카드를 □ 안에 한 번씩만 넣어 두 소수의 **곱을 가장 크게 만들려고 합니다. 더 큰 곱을 만들 수 있는 사람**의 이름을 써 보세요.

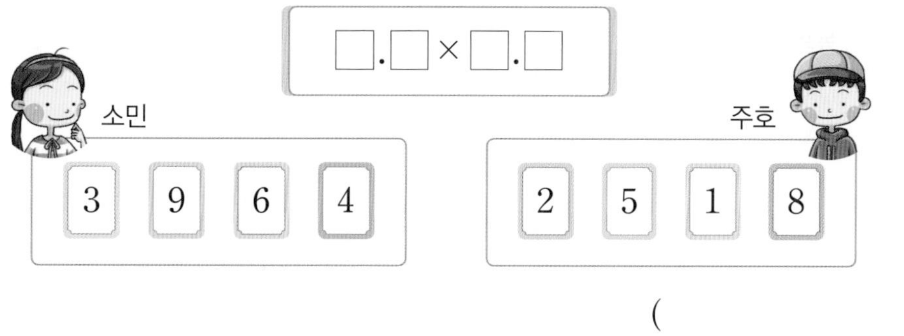

( )

창의융합

2 이스라엘과 요르단에 걸쳐 있는 소금 호수인 사해는 세계에서 염분이 가장 높은 곳입니다. 보통의 바닷물에는 500 mL 당 17.5 g의 소금이 녹아 있는데 비하여 사해에는 100 mL 당 20.5 g의 소금이 녹아 있습니다. **보통의 바닷물 300 L와 사해 200 L에 녹아 있는 소금 무게의 차는 몇 kg**인지 구해 보세요.

( )

4 단원

3 떨어진 높이의 0.5만큼 튀어 오르는 공이 있습니다. 이 공을 다음과 같은 계단 위 5.8 m 높이에서 떨어뜨렸을 때 공이 세 번째로 튀어 올랐습니다. **공이 세 번째로 튀어 오른 높이는 몇 m**인지 구해 보세요. (단, 옆으로 이동한 거리는 생각하지 않습니다.)

공이 첫 번째로 튀어 오른 후 떨어진 높이는 튀어 오른 높이보다 1 m 더 높습니다.

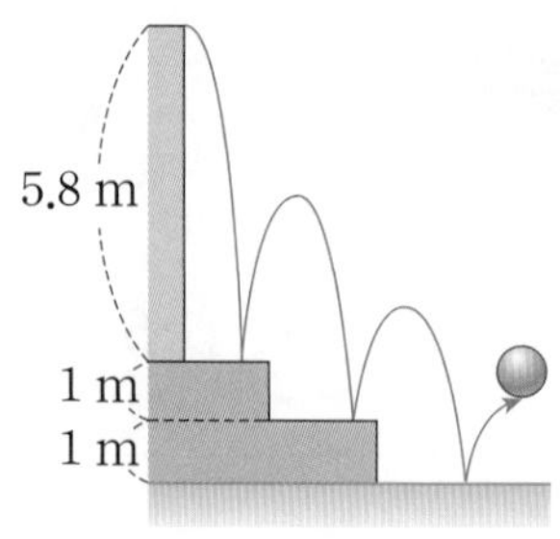

(　　　　　　　　　　)

4 경호네 학교 학생 600명 중에서 여학생은 전체의 0.46만큼이고, 체육을 좋아하는 학생은 전체의 0.62만큼입니다. 체육을 좋아하는 남학생은 전체 남학생의 0.75만큼일 때 **체육을 좋아하는 여학생은 몇 명**인지 구해 보세요.

(　　　　　　　　　　)

5 다음과 같이 규칙에 따라 늘어놓은 **소수 16개를 모두 더했을 때 합의 소수 둘째 자리 숫자**를 구해 보세요.

소수 첫째 자리 숫자인 4는 모두 16번 더합니다.

$0.4+0.44+0.444+0.4444+0.44444\cdots\cdots$

(　　　　　　　)

4 단원

★1%★ 도전

6 철인3종경기는 수영, 사이클, 마라톤의 세 종목을 휴식 없이 연이어 실시하는 경기입니다. 철인3종경기에 참가한 한 선수의 종목간 이동 기록을 제외한 총 기록이 1시간 6분이었습니다. 이 선수의 다음 기록을 보고 **수영, 사이클, 마라톤을 한 거리는 모두 몇 km**인지 구해 보세요.

종목	수영	사이클	마라톤
한 시간 동안 간 거리(km)	3.75	40	12.5
걸린 시간(분)	12	□	24

(　　　　　　　)

01 다음을 계산하여 ㉠과 ㉡의 차를 구해 보세요.

㉠ 0.46×33 ㉡ 57×0.29

(   )

02 ●는 ▲의 몇 배인지 구해 보세요.

$19.2\times$●$=1920$
$83\times$▲$=8.3$

(   )

03 필리핀의 화폐 단위는 페소(PHP)입니다. 어느 날 1페소의 가격이 21.12원일 때 필리핀 돈으로 7000페소만큼 환전하려면 우리나라 돈으로 얼마를 내야 하는지 구해 보세요. (단, 환전할 때 생기는 수수료는 생각하지 않습니다.)

(   )

04 75.5 g짜리 감자 100개와 121.65 g짜리 고구마 10개가 있습니다. 감자와 고구마의 무게는 모두 몇 g인지 구해 보세요.

(   )

05 □ 안에 들어갈 수 있는 자연수는 모두 몇 개인지 구해 보세요.

$7\times0.92<\square<1.4\times6.35$

(   )

06 어떤 수의 0.01배는 67.2입니다. 어떤 수의 0.75배보다 500만큼 작은 수는 얼마인가요?

(   )

07 도형에서 색칠한 부분의 넓이는 몇 cm^2인지 구해 보세요.

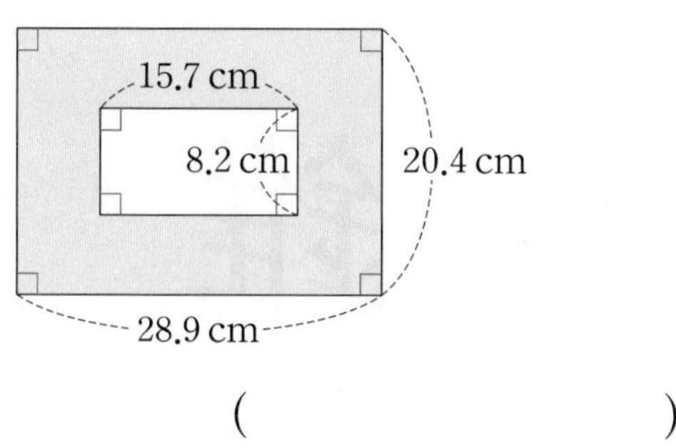

( )

08 8 L의 물이 들어 있는 통이 있습니다. 이 통에 물이 일정하게 1분에 9.1 L씩 나오는 수도로 물을 받는데 통에 구멍이 나서 1분에 1.5 L씩 물이 샌다고 합니다. 10분 15초 후 통에 담겨 있는 물은 몇 L인지 구해 보세요.

( )

09 길이가 16.2 cm인 종이 테이프 10장을 2.5 cm씩 겹치게 한 줄로 길게 이어 붙였습니다. 이어 붙인 종이 테이프 전체의 길이는 몇 cm인지 구해 보세요.

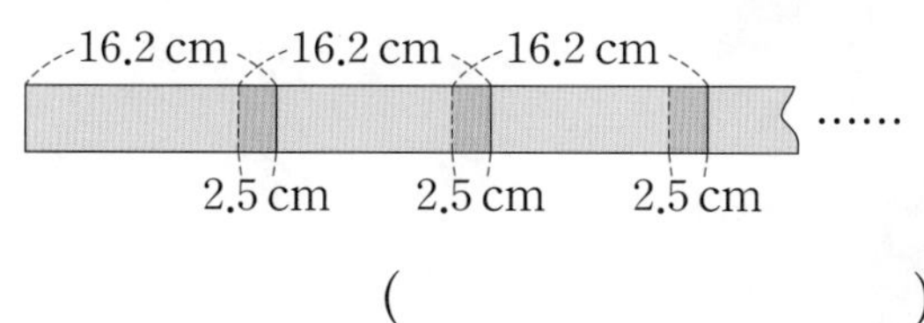

( )

10 0.7을 25번 곱했을 때 곱의 소수 25째 자리 숫자를 구해 보세요.

( )

최상위

11 가▲나=가×나+가×3.5와 같이 약속할 때 ㉠에 알맞은 수를 구해 보세요.

0.6▲(2.8▲4.5)=㉠

( )

최상위

12 현지네 학교 학생 500명 중에서 남학생은 전체의 0.52만큼이고, 수학을 좋아하는 학생은 전체의 0.27만큼입니다. 수학을 좋아하는 여학생은 전체 여학생의 0.35만큼일 때 수학을 좋아하는 남학생은 몇 명인지 구해 보세요.

( )

쉬어가기

사자성어

낭중지추

囊 中 之 錐

주머니 낭 | 가운데 중 | 갈 지 | 송곳 추

바로 뜻 주머니 속에 든 송곳이라는 뜻.

깊은 뜻 재주가 뛰어난 사람은 저절로 드러나기 마련이라는 뜻이에요.

미현이의 오빠는 **연극** 배우예요.

아직은 유명하지 않지만 큰 무대에 서게 될 날을 꿈꾸며 노력하고 있어요.

아무리 작은 **배역**을 맡더라도 최선을 다해서 매일 **연습**을 했어요.

연기 연습을 얼마나 했던지 다른 배역의 **대사**까지 모조리 외워 버릴 정도였어요.

그러던 어느 날, 연극에서 **주인공**을 맡은 배우가 심한 **감기**에 걸려 **무대**에 설 수 없게 되었어요.

미현이의 오빠는 **기회**를 놓치지 않고 주인공을 뽑는 오디션에서 1등을 하여 주인공 **역할**을 맡게 되었어요.

그 동안 갈고 닦은 **실력**을 마음껏 뽐내며 □□□□의 **연기**를 보여 주었어요!

잠깐! Quiz

Q □□□□에 들어갈 말은?

A 위의 글을 읽고 파란색 글자들을 아래에서 모두 찾아 /표로 지웁니다.

역		실	연	극	
할	낭	력		기	회
	중		주	감	기
연	지	연	인	배	역
기	추	습	공	무	
대	사			대	

5

직육면체

개념 넓히기

1 직육면체와 정육면체

(1) **직육면체**: 직사각형 6개로 둘러싸인 도형

(2) **정육면체**: 정사각형 6개로 둘러싸인 도형

(3) **직육면체와 정육면체의 구성 요소**

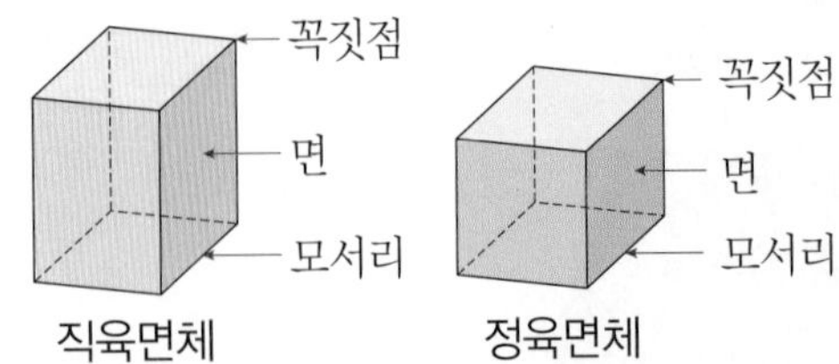

① **면**: 선분으로 둘러싸인 부분

② **모서리**: 면과 면이 만나는 선분

③ **꼭짓점**: 모서리와 모서리가 만나는 점

면의 수	모서리의 수	꼭짓점의 수
6	12	8

중요 직육면체의 특징

① 모양과 크기가 같은 면이 2개씩 3쌍 있습니다.

② 길이가 같은 모서리가 4개씩 3쌍 있습니다.

2 직육면체의 성질과 겨냥도

(1) **직육면체의 성질**

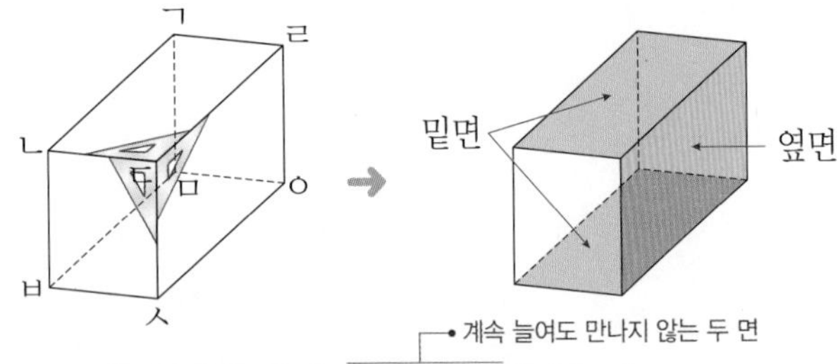

① 직육면체의 **밑면**: 서로 평행한 두 면 (계속 늘여도 만나지 않는 두 면)

→ 평행한 면이 3쌍 있고 이 평행한 면은 각각 밑면이 될 수 있습니다.

② 직육면체의 **옆면**: 밑면과 수직인 면

→ 면 ㄱㄴㄷㄹ과 면 ㄷㅅㅇㄹ,
면 ㄴㅂㅅㄷ과 면 ㄷㅅㅇㄹ,
면 ㄱㄴㄷㄹ과 면 ㄴㅂㅅㄷ은 수직입니다.

(2) **직육면체의 겨냥도**: 직육면체 모양을 잘 알 수 있도록 나타낸 그림

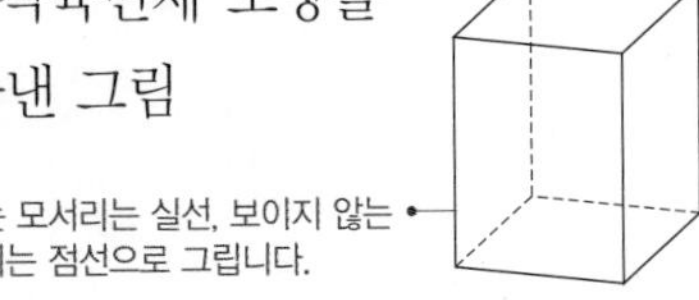

보이는 모서리는 실선, 보이지 않는 모서리는 점선으로 그립니다.

응용

3 직육면체의 한 모서리의 길이 구하기

예 **오른쪽 직육면체의 모든 모서리 길이의 합이 72 cm일 때 ㉠의 길이 구하기**

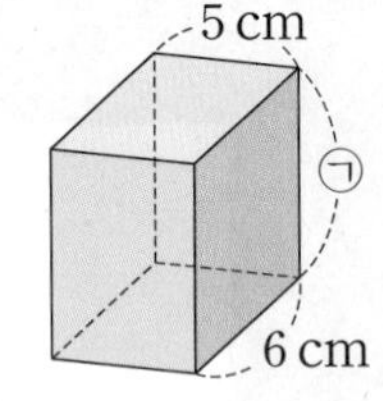

① 직육면체에서 길이가 같은 모서리는 4개씩 3쌍입니다.

② (모든 모서리 길이의 합)
$=(5+㉠+6)\times 4=72$, (서로 다른 세 모서리의 길이의 합)×4
$5+㉠+6=18$, $㉠+11=18$ → $㉠=7$

참고 (모든 모서리 길이의 합)$=5\times 4+㉠\times 4+6\times 4$
$=(5+㉠+6)\times 4$

4 정육면체와 직육면체의 전개도

(1) **정육면체의 전개도**: 정육면체의 모서리를 잘라서 펼친 그림

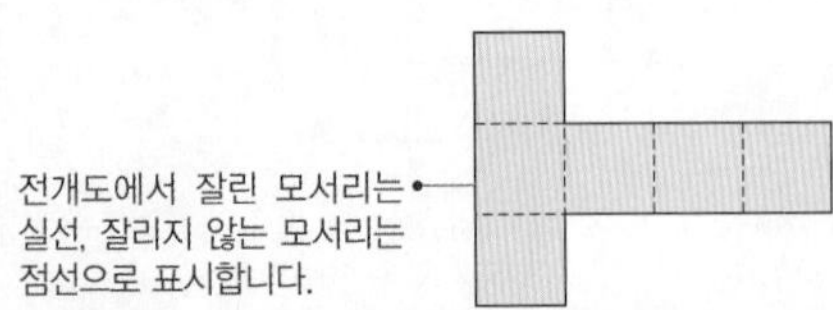

전개도에서 잘린 모서리는 실선, 잘리지 않는 모서리는 점선으로 표시합니다.

(2) **직육면체의 전개도**

펼쳐지기 위해 모서리를 7군데 잘라야 하고 직육면체가 되기 위해 접히는 부분은 5군데 있습니다.

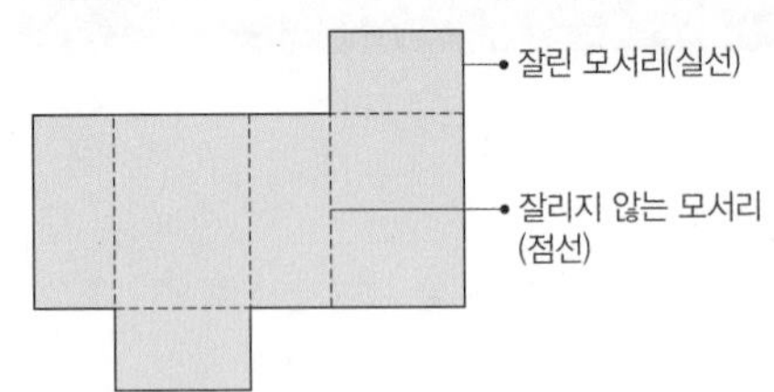

주의 6개의 면이 붙어 있도록 모서리를 잘라야 하고, 면을 자르지 않도록 주의합니다.

선행 개념 [6-1] 직육면체에서 두 꼭짓점을 잇는 가장 짧은 거리

직육면체에서 꼭짓점 ㄱ과 꼭짓점 ㅅ을 잇는 가장 짧은 거리는 전개도에서 두 점을 잇는 선분의 길이와 같습니다.

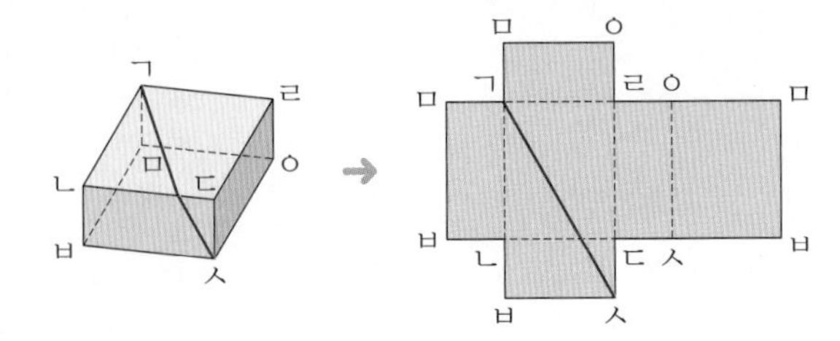

응용

5 주사위의 전개도 완성하기

예 서로 평행한 두 면의 눈의 수의 합이 7이 되도록 오른쪽 주사위의 전개도 완성하기

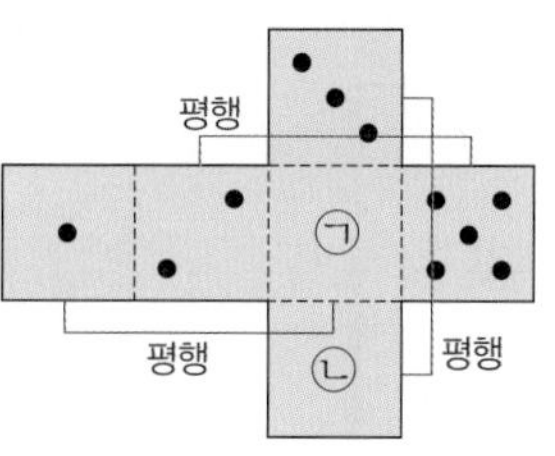

① 서로 평행한 면은 ㉠과 1, ㉡과 3입니다. • 마주 보는 면

② • ㉠+1=7 ➔ 7−1=6 ➔ ㉠: ⚅

• ㉡+3=7 ➔ 7−3=4 ➔ ㉡: ⚃

응용

6 직육면체의 전개도의 둘레 구하기

예 직육면체의 전개도의 둘레 구하기

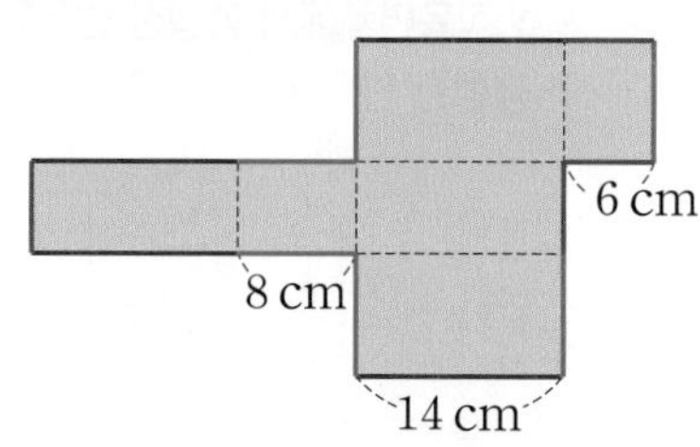

① 길이가 같은 선분의 수를 세어 봅니다. • 14 cm가 4개, 8 cm가 6개, 6 cm가 4개입니다.

② (전개도의 둘레)

=(실선으로 그려진 부분의 길이의 합)

=14×4+8×6+6×4

=128 (cm)

응용

7 직육면체를 묶는 데 사용한 끈의 길이 구하기

예 매듭의 길이가 30 cm일 때 오른쪽 직육면체 모양의 상자를 묶는 데 사용한 끈의 길이 구하기

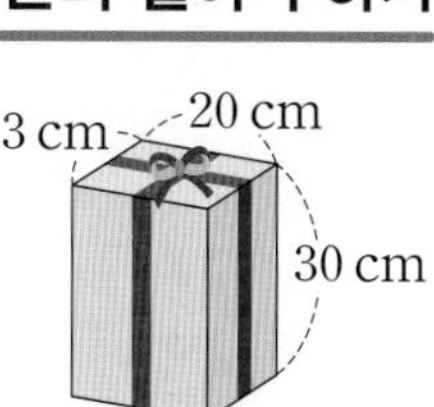

• 13 cm가 2군데, 20 cm가 2군데, 30 cm가 4군데입니다.

① 길이가 같은 부분이 몇 군데인지 알아봅니다.

② (사용한 끈의 길이)

=13×2+20×2+30×4+30 • 매듭의 길이를 더해 줍니다.

=26+40+120+30

=216 (cm)

1 정육면체에서 서로 평행한 면은 모두 몇 쌍인가요?

(　　　　　　　　)

[2~3] 직육면체의 전개도를 보고 물음에 답하세요.

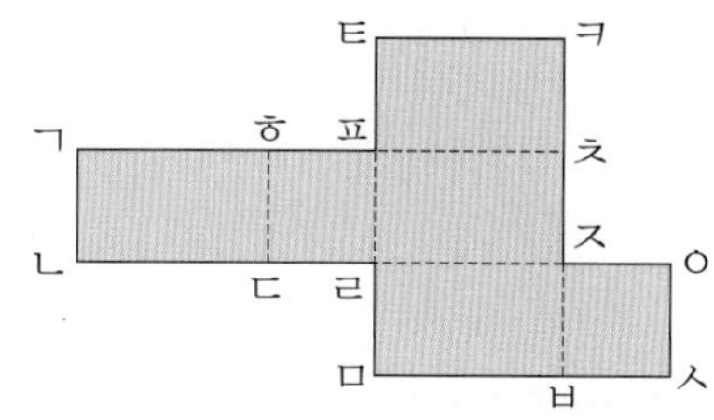

2 전개도를 접었을 때 점 ㄴ과 만나는 점을 찾아 써 보세요.

(　　　　　　　　)

3 전개도를 접었을 때 선분 ㄱㅎ과 겹치는 선분을 찾아 써 보세요.

(　　　　　　　　)

4 직육면체에서 모든 모서리 길이의 합은 몇 cm인지 구해 보세요.

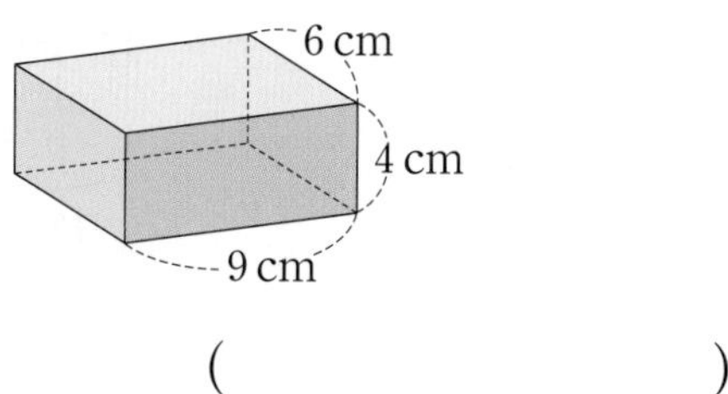

(　　　　　　　　)

5 단원

STEP 1 # 응용 공략하기

응용 · 심화 문제와 레벨UP공략법으로 문제 해결 능력을 키웁니다.

직육면체와 정육면체의 설명 중 틀린 것 찾기

01 다음 **설명 중 틀린 것을 찾아** 기호를 써 보세요.

㉠ 정육면체의 면은 모두 정사각형입니다.
㉡ 직육면체와 정육면체는 면의 수가 같습니다.
㉢ 직육면체는 정육면체라고 말할 수 있습니다.

(　　　　　　　　)

직육면체에서 평행한 면 찾기

02 직육면체에서 **면 ㅁㅂㅅㅇ과 평행한 면의 넓이는 몇 cm^2**인지 구해 보세요.

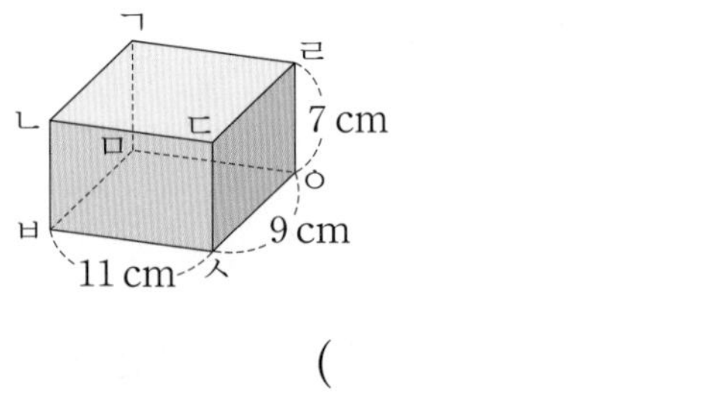

(　　　　　　　　)

레벨UP공략 01

◆ 직육면체에서 평행한 면은?

(평행한 면)=(서로 마주 보는 면)=(밑면)

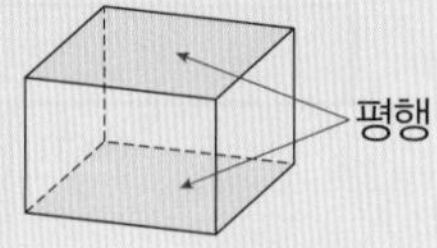

→ 평행한 면은 모두 3쌍입니다.

직육면체의 보이는 모서리의 길이의 합 구하기

03 직육면체의 겨냥도에서 **보이는 모서리의 길이의 합은 몇 cm**인지 구해 보세요.

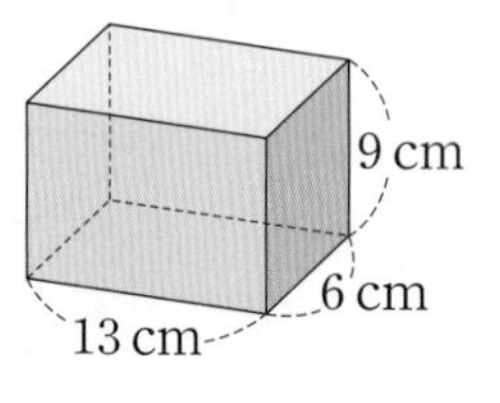

(　　　　　　　　)

정육면체의 한 모서리의 길이 구하기

04 오른쪽 정육면체의 모든 모서리 길이의 합은 96 cm입니다. 이 정육면체의 **한 모서리의 길이는 몇 cm**인지 구해 보세요.

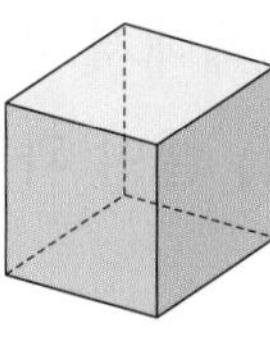

(　　　　　　　　　　)

레벨UP공략 02

◇ 정육면체의 한 모서리의 길이를 구하려면?

정육면체는 모든 모서리의 길이가 같습니다.

→ (한 모서리의 길이)
=(모든 모서리 길이의 합)
÷(모서리의 수)

직육면체의 면, 모서리, 꼭짓점의 수 구하기 　서술형

05 오른쪽 **직육면체의 면, 모서리, 꼭짓점의 수의 합**은 얼마인지 풀이 과정을 쓰고, 답을 구해 보세요.

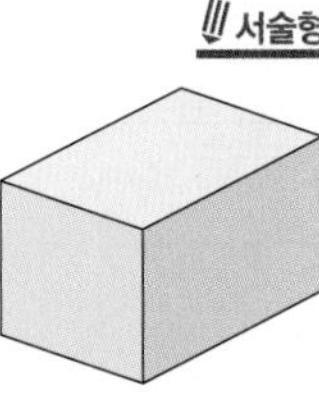

풀이

답

정육면체 모양의 주사위에서 눈의 수 구하기

06 주사위에서 서로 평행한 두 면의 눈의 수의 합은 7입니다. ㉠**에 올 수 있는 눈의 수의 곱**을 구해 보세요.

(　　　　　　　　　　)

레벨UP공략 03

◇ 주사위에서 보이지 않는 면의 눈의 수를 구하려면?

주사위에서 서로 평행한 두 면의 눈의 수의 합은 7입니다.

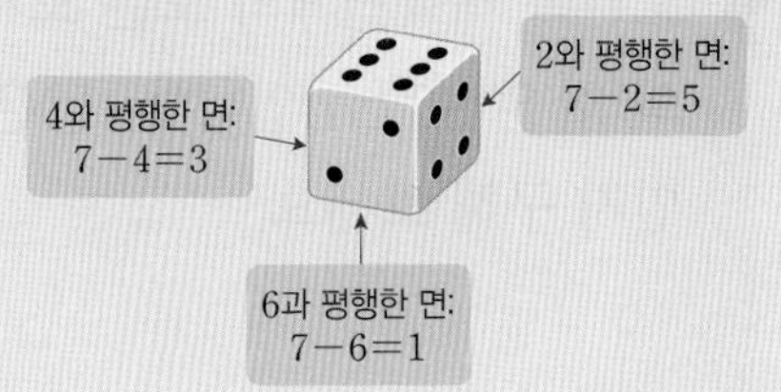

5 단원

STEP 1 응용 공략하기

정육면체의 전개도에서 밑면과 옆면 찾기 — 서술형

07 다음 전개도를 접어서 만든 정육면체에서 면 나를 밑면으로 할 때 **옆면을 모두 찾으려고 합니다.** 풀이 과정을 쓰고, 답을 구해 보세요.

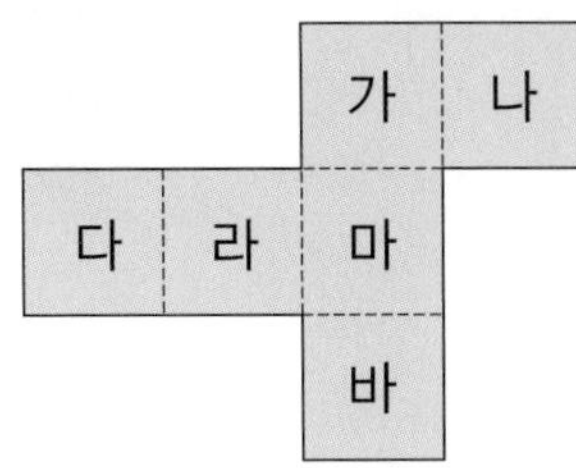

풀이

답

레벨UP공략 04

◆ 정육면체에서 옆면을 찾으려면?

밑면

(옆면)=(밑면과 수직인 면)
=(두 밑면을 제외한 면)

직육면체의 모든 모서리 길이의 합 구하기 — 창의융합

08 화물을 수송하는 데 주로 쓰는 직육면체 모양의 상자를 컨테이너라고 합니다. 오른쪽은 컨테이너 6개를 이어 붙여서 만든 것입니다. **모든 모서리 길이의 합은 몇 m**인지 구해 보세요.

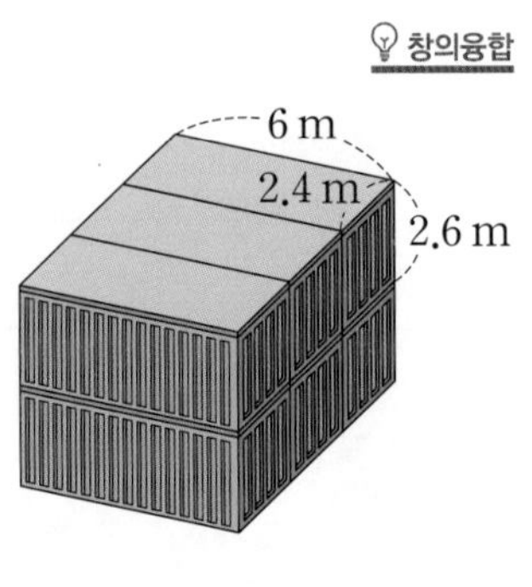

(　　　　　　　　)

레벨UP공략 05

◆ 직육면체에서 모든 모서리 길이의 합을 구하려면?

직육면체에서 길이가 같은 모서리는 4개씩 3쌍입니다.

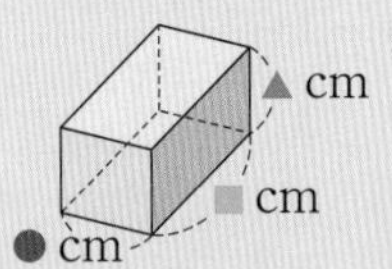

→ (모든 모서리 길이의 합)
=(●+■+▲)×4
└ 서로 다른 세 모서리 길이의 합

직육면체의 한 모서리의 길이 구하기

09 오른쪽 직육면체의 모든 모서리 길이의 합은 80 cm입니다. **㉠은 몇 cm**인지 구해 보세요.

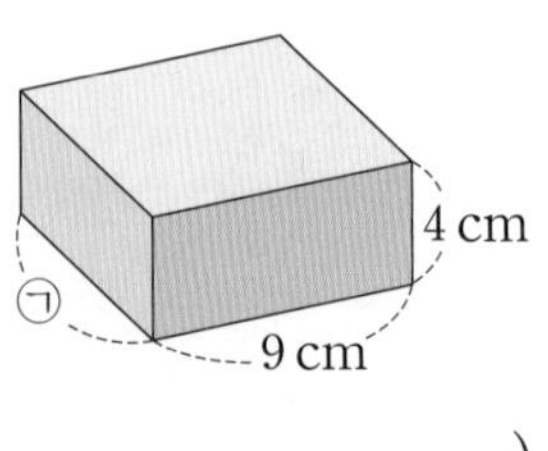

(　　　　　　　　)

정답 및 풀이 > 33쪽

정육면체에서 평행한 면 찾기 new 신유형

10 큐브 퍼즐은 여러 개의 작은 정육면체로 이루어진 큰 정육면체를 한 줄씩 돌려서 면마다 같은 색깔이 되도록 맞추는 퍼즐입니다. 다음은 다 맞춘 큐브 퍼즐을 세 방향에서 본 것입니다. **주황색 면과 평행한 면은 무슨 색깔**인지 구해 보세요.

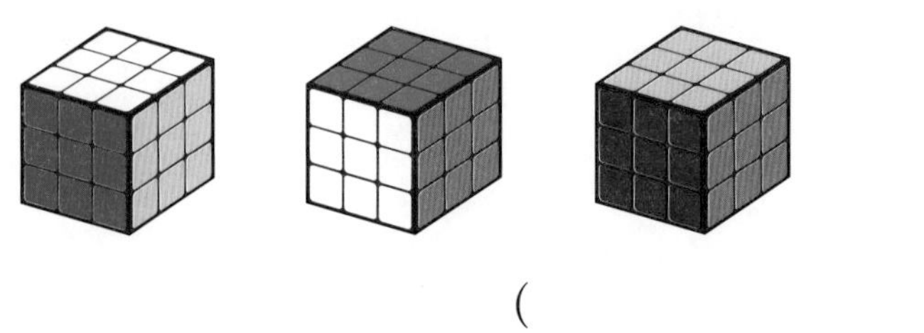

( )

주사위의 전개도 완성하기

11 전개도를 접어 주사위를 만들려고 합니다. 서로 평행한 두 면의 눈의 수의 합이 7이 되도록 **전개도의 빈 곳에 주사위의 눈을 알맞게 그려 넣으세요.**

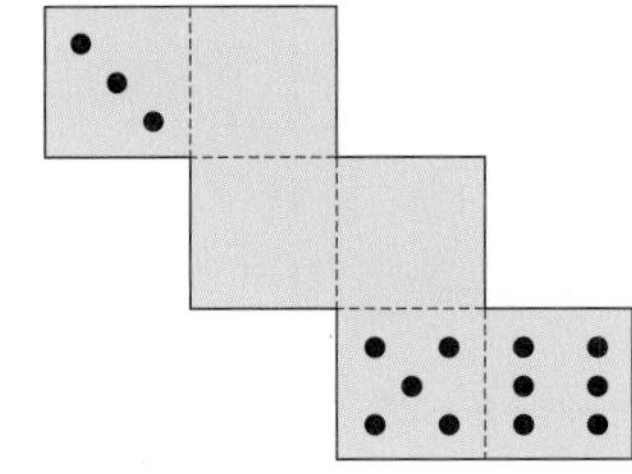

레벨UP공략 06

◇ 서로 평행한 두 면의 눈의 수의 합이 7이 되도록 주사위의 전개도를 완성하려면?

서로 평행한 면을 찾습니다.

↓

와 평행한 면에 (7 − ■)인 눈을 그립니다.

직육면체를 이용하여 정육면체의 한 모서리의 길이 구하기

12 어떤 정육면체의 모든 모서리 길이의 합은 다음 직육면체에서 보이는 모서리의 길이의 합과 같습니다. **이 정육면체의 한 모서리의 길이는 몇 cm**인지 구해 보세요.

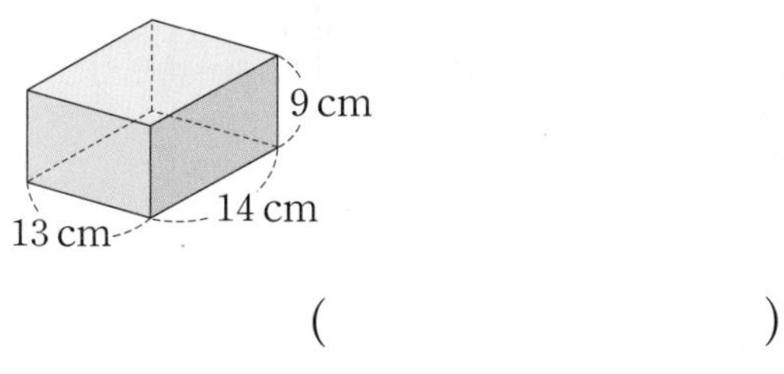

( )

5 단원

정육면체에서 수직인 면 찾기

13 오른쪽 정육면체의 각 면에는 12의 약수가 쓰여 있습니다. 마주 보는 두 면에 쓰인 수의 곱이 12일 때 **2가 쓰인 면과 수직인 면에 쓰인 수의 합**을 구해 보세요.

(　　　　　　　　　　)

직육면체의 전개도의 둘레 구하기

서술형

14 직육면체의 전개도의 둘레는 174 cm입니다. **선분 ㄱㄴ의 길이는 몇 cm인지** 풀이 과정을 쓰고, 답을 구해 보세요.

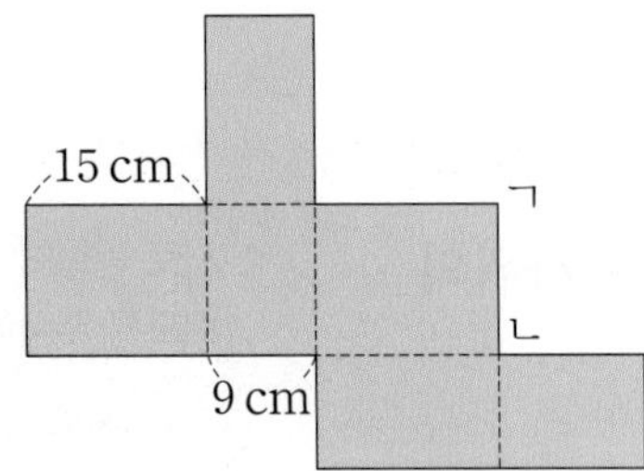

풀이

답

레벨UP공략 07

◆ 전개도에서 길이가 같은 선분을 찾으려면?

전개도를 접었을 때

① 만나는 모서리의 길이는 같습니다.

② 서로 평행한 모서리의 길이는 같습니다.

색칠된 정육면체의 개수 구하기

15 크기가 같은 정육면체 75개를 붙여 오른쪽과 같은 직육면체 모양을 만들었습니다. 이 직육면체의 바닥에 닿는 면을 포함한 겉면에 모두 색칠했을 때 **두 면에만 색칠된 정육면체는 모두 몇 개**인지 구해 보세요.

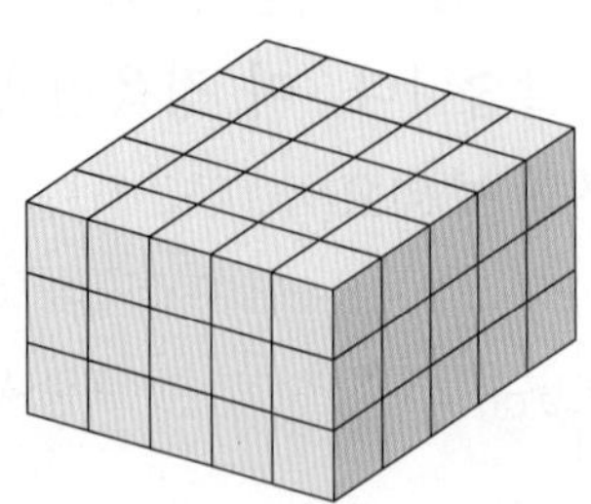

(　　　　　　　　　　)

정답 및 풀이 > 33쪽

직육면체를 묶는 데 사용한 끈의 길이 구하기

창의융합

16 조선 시대에는 얼음장수라는 직업이 있었습니다. 겨울이 되면 얼음장수는 한강에서 얼음을 잘라 얼음 창고에 보관하였습니다. 다음과 같이 자른 직육면체 모양의 얼음을 새끼줄로 묶을 때 묶은 매듭의 길이가 16 cm라면 **사용한 새끼줄의 길이는 모두 몇 cm**인지 구해 보세요.

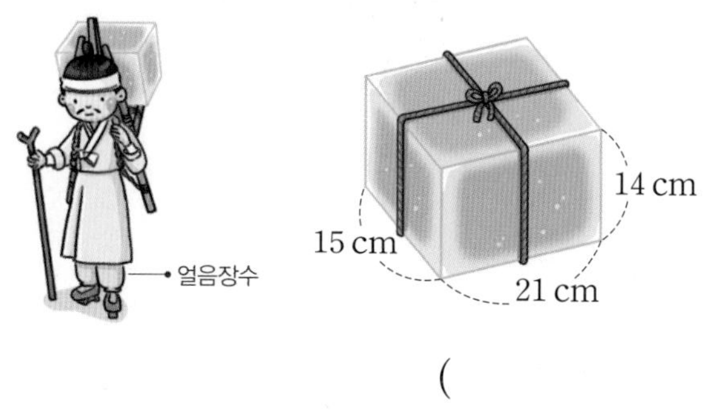

(　　　　　　　　)

레벨UP공략 08

◆ 직육면체를 묶은 끈의 길이가 같은 부분을 찾아보면?

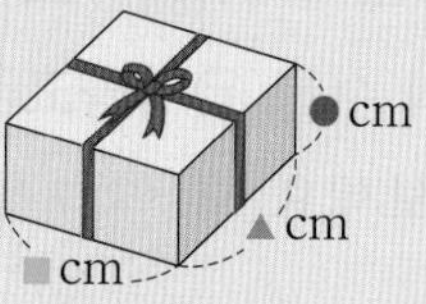

■ cm가 2군데, ▲ cm가 2군데, ● cm가 4군데입니다.

직육면체의 전개도에 선이 지나간 자리 표시하기

17 왼쪽과 같이 직육면체의 면에 선을 그었습니다. 오른쪽 **직육면체의 전개도에 선이 지나간 자리를 표시**해 보세요.

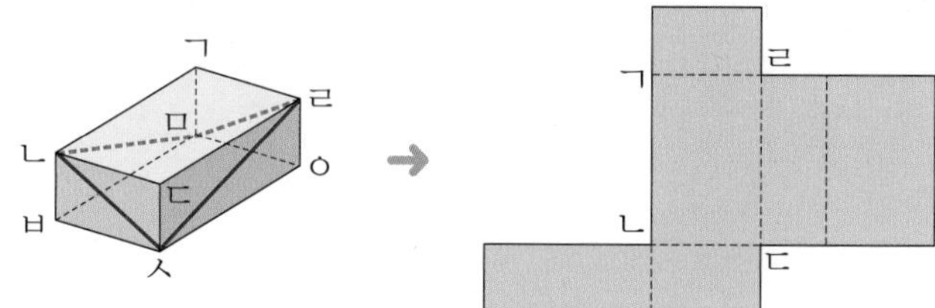

레벨UP공략 09

◆ 겨냥도를 보고 전개도에 선이 지나간 자리를 표시하려면?

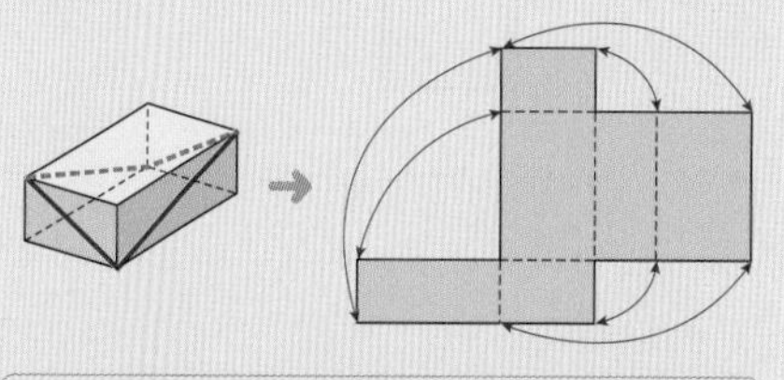

전개도를 접었을 때 만나는 점을 전개도에 같은 기호로 표시하기

↓

선분 긋기

직육면체를 쌓아 정육면체를 만들었을 때의 개수 구하기

18 오른쪽 직육면체 모양의 벽돌을 여러 장 쌓아서 만들 수 있는 가장 작은 정육면체를 만들려고 합니다. 이때 **벽돌은 모두 몇 장 필요한지** 구해 보세요.

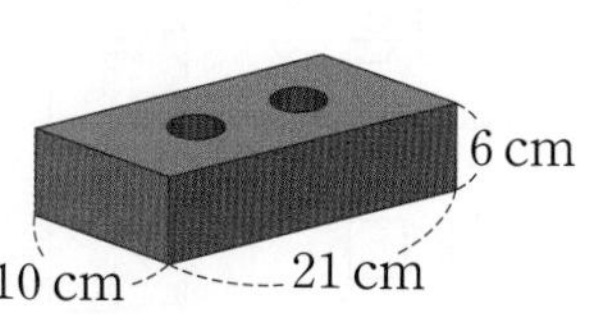

(　　　　　　　　)

5 단원

STEP 2 심화 해결하기

레벨UP공략법을 활용한 **고난도 문제**를 풀어 최상위에 도전합니다.

01 오른쪽 직육면체의 겨냥도에서 보이는 면의 수를 ㉠, 보이지 않는 모서리의 수를 ㉡, 보이는 꼭짓점의 수를 ㉢이라고 할 때 **㉠+㉡+㉢의 값**을 구해 보세요.

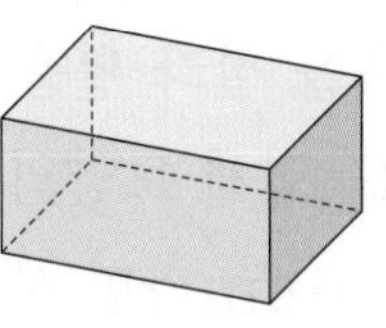

(　　　　　　　　)

02 **왼쪽 전개도에서 면 1개만 옮겨 정육면체의 전개도**가 될 수 있도록 오른쪽에 고쳐 보세요.

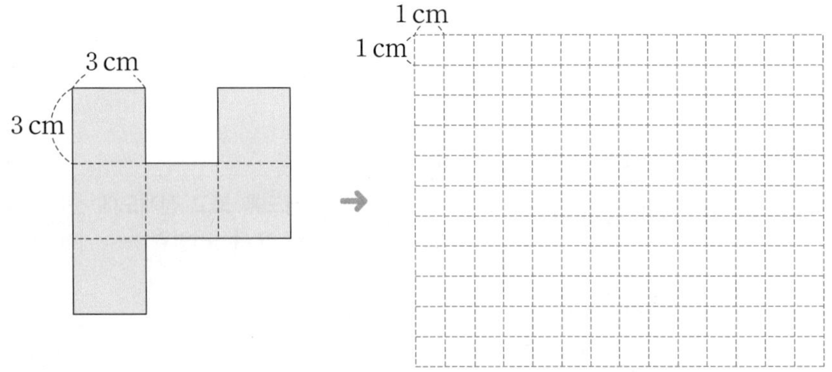

창의융합

03 1992년에 발사된 우리나라 최초의 소형 과학 실험위성인 우리별 1호는 오른쪽과 같은 직육면체 모양입니다. 오른쪽 직육면체의 모든 모서리 길이의 합이 548 cm일 때 □ **안에 알맞은 수**를 구해 보세요.

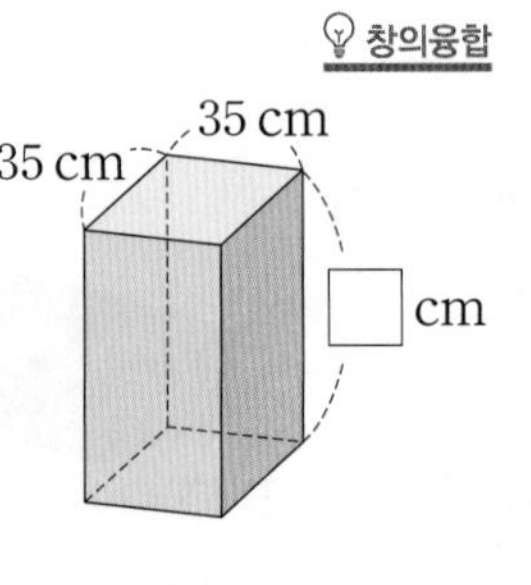

(　　　　　　　　)

«094쪽 08번 레벨UP공략

04 오른쪽과 같이 정육면체 5개를 쌓았습니다. 바닥에 닿는 면을 포함한 모든 겉면에 색종이를 한 면에 한 장씩 붙이려면 **필요한 색종이는 모두 몇 장**인지 구해 보세요.

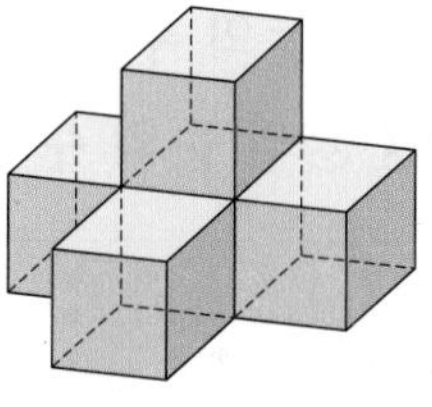

( )

| 해결 순서 |
❶ 서로 맞닿는 부분의 수 구하기
❷ 겉면의 수 구하기
❸ 필요한 색종이의 수 구하기

서술형

05 철사를 겹치지 않게 사용하여 오른쪽 직육면체를 만들었습니다. 이 철사와 같은 길이의 철사로 가장 큰 정육면체를 한 개 만들었다면 **만든 정육면체의 한 모서리의 길이는 몇 cm**인지 풀이 과정을 쓰고, 답을 구해 보세요.

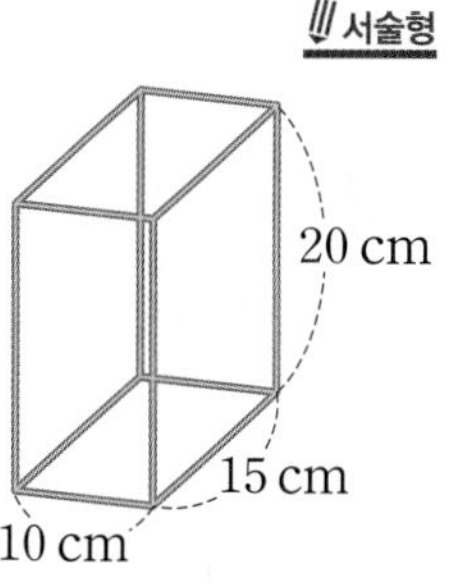

«093쪽 04번 레벨UP공략

풀이

답

06 | **보기** | 와 같이 3개의 면에 무늬가 그려져 있는 정육면체를 만들 수 있도록 오른쪽 **전개도에 빠진 무늬를 각각 그려 넣으세요.**

| 보기 |

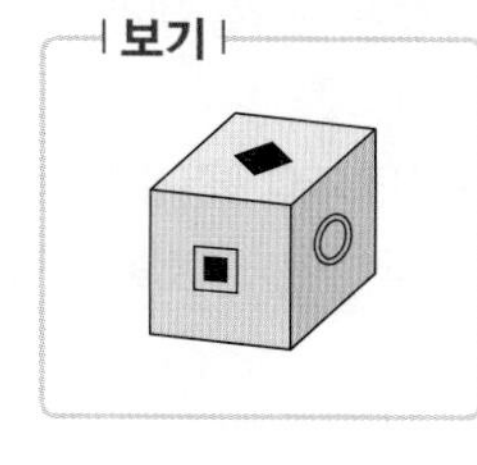

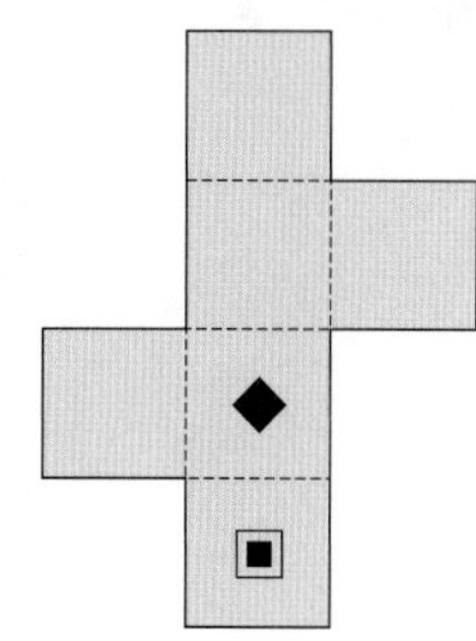

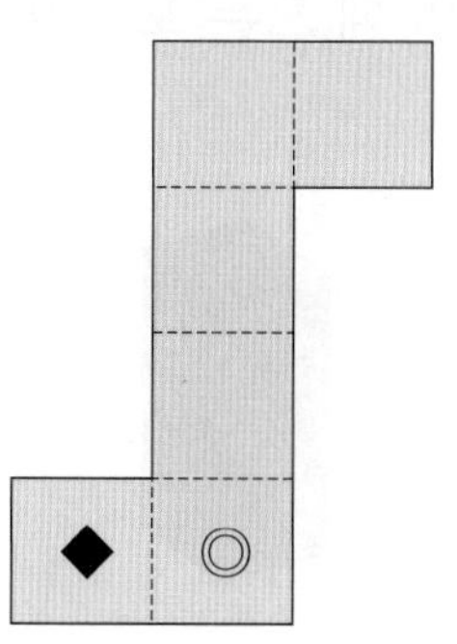

5 단원

07 주사위에서 서로 평행한 두 면의 눈의 수의 합은 7입니다. 주사위의 전개도에서 **면 ㉠, 면 ㉡, 면 ㉢의 눈의 수의 합**을 구해 보세요.

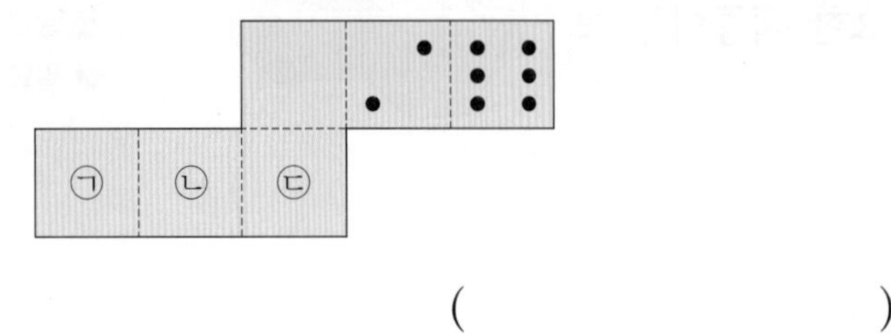

(   )

08 왼쪽 직육면체에서 면 ㉮를 밑면으로 할 때 옆면을 모두 찾아 오른쪽 전개도에 색칠하려고 합니다. **색칠한 부분의 넓이는 몇 cm^2** 인지 구해 보세요.

≪094쪽 07번 레벨UP공략

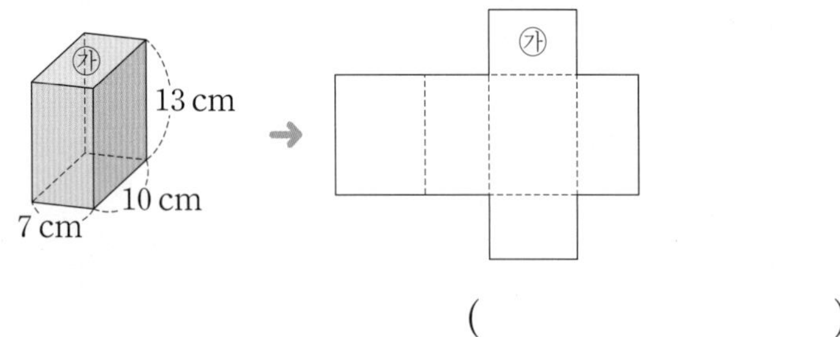

(   )

창의융합

09 재현이는 잎에서 만들어지는 물질을 확인하는 실험을 하려고 식물 모종 2개와 직육면체 모양의 어둠상자를 준비한 후 식물 모종 하나를 어둠상자로 덮고 햇빛에 놓아두었습니다. 어둠상자의 보이는 모서리의 길이의 합이 54 cm일 때 **모든 모서리 길이의 합은 몇 cm**인지 구해 보세요.

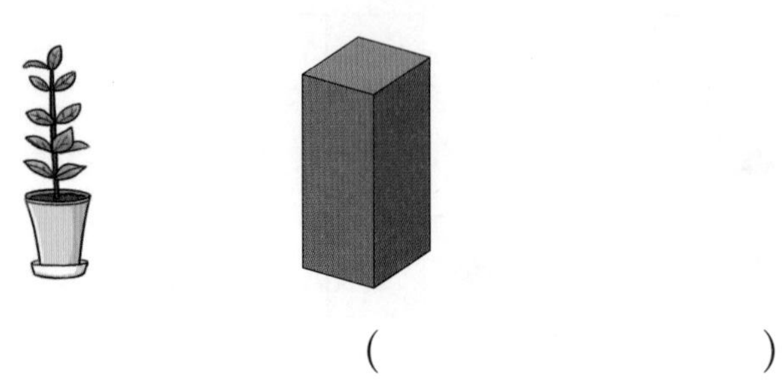

(   )

잠깐!

잎에서 만들어지는 물질을 확인하는 실험을 알아볼까요?

두 식물의 잎을 중탕한 후 〈아이오딘-아이오딘화 칼륨〉 용액을 떨어뜨리기

↓

햇빛 받은 식물의 잎	어둠상자 속 식물의 잎
청람색으로 변함	색깔 변화 없음

↓

햇빛 받은 식물의 잎에만 녹말이 만들어진다는 것을 알 수 있음

서술형

10 여러 개의 직육면체가 있습니다. 모든 직육면체의 꼭짓점의 수와 면의 수의 합이 196일 때 **모든 직육면체의 모서리 수의 합은** 얼마인지 풀이 과정을 쓰고, 답을 구해 보세요.

풀이

답

11 왼쪽 전개도를 접어 오른쪽 직육면체를 만들었습니다. **전개도에 그려진 선을 직육면체의 겨냥도에 그려 넣으세요.**

«097쪽 17번 레벨UP공략

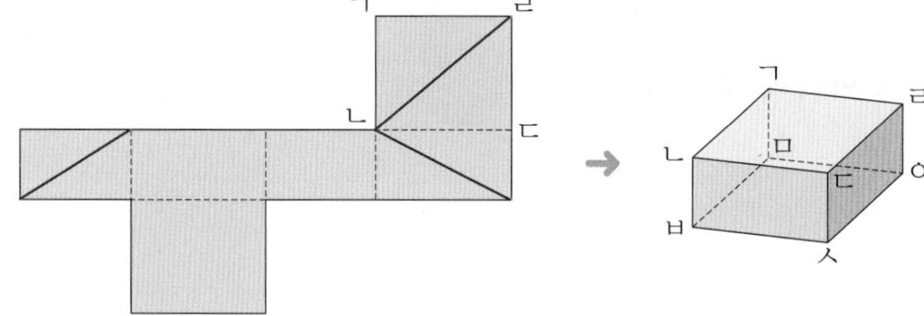

12 오른쪽과 같이 큰 정육면체의 바닥에 닿는 면을 포함한 겉면에 모두 색칠을 한 후 크기가 같은 정육면체 64개로 잘랐습니다. 잘린 **작은 정육면체 중에서 한 면이라도 색칠된 것은 모두 몇 개**인지 구해 보세요.

( )

| 해결 순서 |

❶ 한 면도 색칠되지 않은 정육면체의 수 구하기

❷ 한 면이라도 색칠된 정육면체의 수 구하기

5 단원

정답 및 풀이 > 35쪽

13 왼쪽 전개도 5장으로 정육면체 5개를 만들어 오른쪽과 같이 쌓았습니다. 쌓은 모양의 앞쪽에서 보이는 면과 평행한 면에 쓰인 5개의 수의 합이 94일 때 **㉠에 알맞은 수**를 구해 보세요.

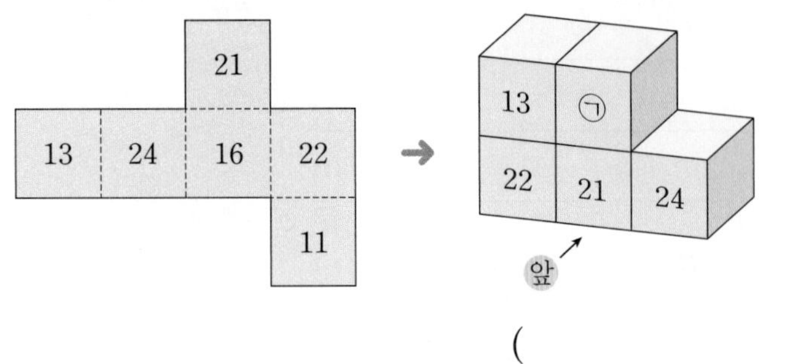

(   )

| 해결 순서 |
❶ 전개도를 접어서 만든 정육면체에서 서로 평행한 두 면에 쓰인 수 알기
❷ 쌓은 모양의 앞쪽에서 보이는 면과 평행한 면에 쓰인 수 알기
❸ ㉠에 알맞은 수 구하기

new 신유형

14 오른쪽과 같이 주호는 서로 평행한 두 면의 눈의 수의 합이 7인 주사위를 3개 쌓았습니다. 쌓은 모양에서 서로 맞닿는 두 면의 눈의 수의 합이 8일 때 **바닥에 닿는 면의 눈의 수**는 얼마인지 구해 보세요.

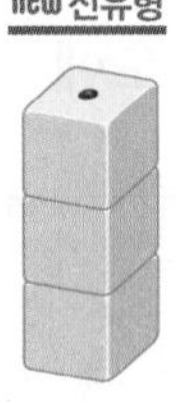

(   )

«093쪽 06번 레벨UP공략

15 한 변의 길이가 40 cm인 정사각형 모양의 종이에서 오른쪽과 같이 색칠한 부분을 잘라낸 후 남은 종이를 접어 직육면체를 만들었습니다. **만든 직육면체의 모든 모서리 길이의 합은 몇 cm**인지 구해 보세요.

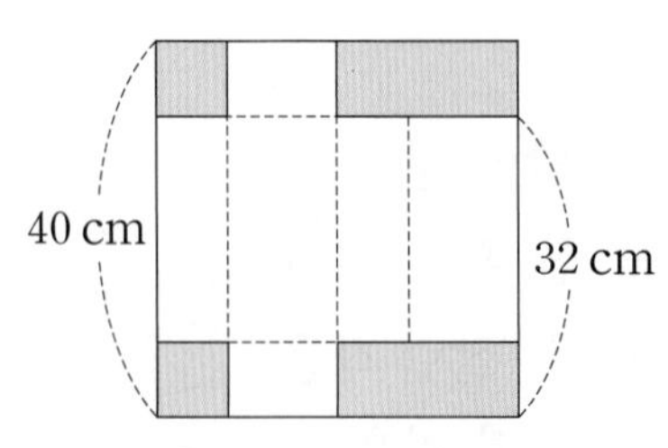

(   )

최상위 도전하기

경시 수준의 **최상위 문제**에
도전하여 사고력을 키웁니다.

정답 및 풀이 > 37쪽

1 직육면체의 전개도에 13, 15, 17, 19, 21, 23의 수를 써넣어 전개도를 접었을 때 서로 평행한 두 면에 쓰인 수의 합이 같도록 하려고 합니다. **면** 가**와 면** 나**에 써야 할 수의 합**을 구해 보세요.

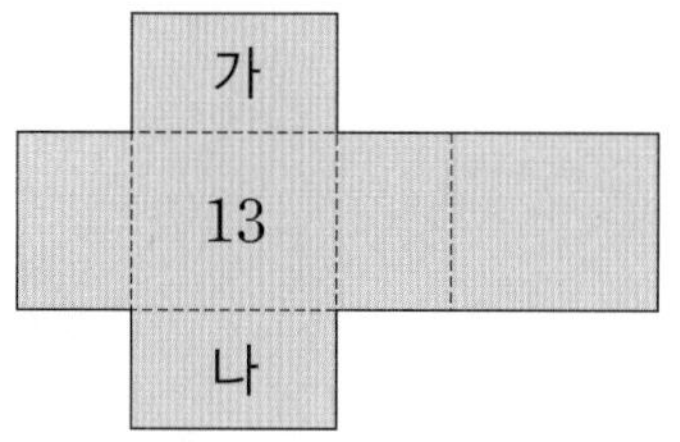

(　　　　　　　　　　)

2 다음과 같이 직육면체 모양의 상자를 끈으로 묶었습니다. 사용한 전체 끈의 길이가 450 cm일 때 **매듭을 묶는 데 사용한 끈의 길이는 몇 cm**인지 구해 보세요.

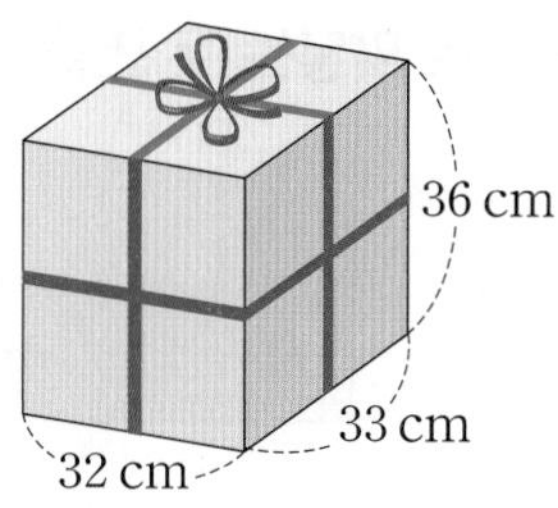

(　　　　　　　　　　)

창의융합

3 젠가(Jenga)는 직육면체 모양의 블록을 한 층에 3개씩 18층으로 쌓은 다음 맨 위층을 제외한 나머지 층의 블록을 하나씩 빼서 다시 맨 위층에 쌓아 올리는 놀이입니다. 젠가 놀이를 하려고 왼쪽 블록을 쌓아 오른쪽 큰 직육면체를 만들었을 때 **블록 한 개의 모든 모서리 길이의 합은 몇 cm**인지 구해 보세요.

큰 직육면체의 서로 다른 세 모서리의 길이를 mm 단위로 바꾸어 계산해 봅니다.

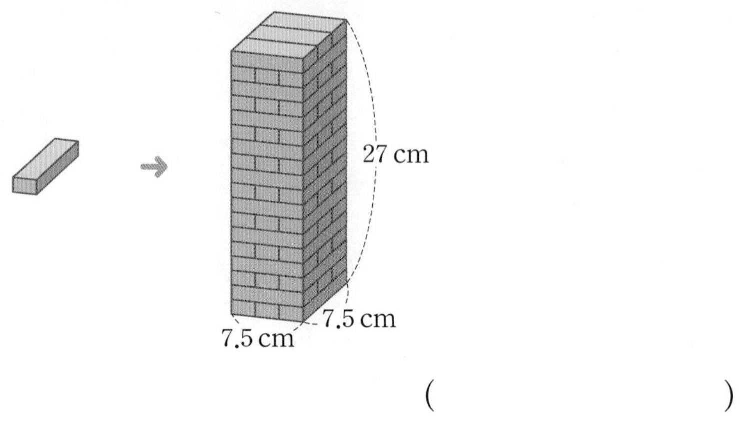

(　　　　　　　　)

4 다음은 크기가 같은 2개의 정육면체의 전개도를 붙여 놓은 것입니다. 이 전개도를 면 바와 면 사가 앞쪽에서 나란히 보이도록 오른쪽과 같이 접었을 때 **두 정육면체가 서로 맞닿는 두 면**을 써 보세요. (단, 글자의 방향은 생각하지 않습니다.)

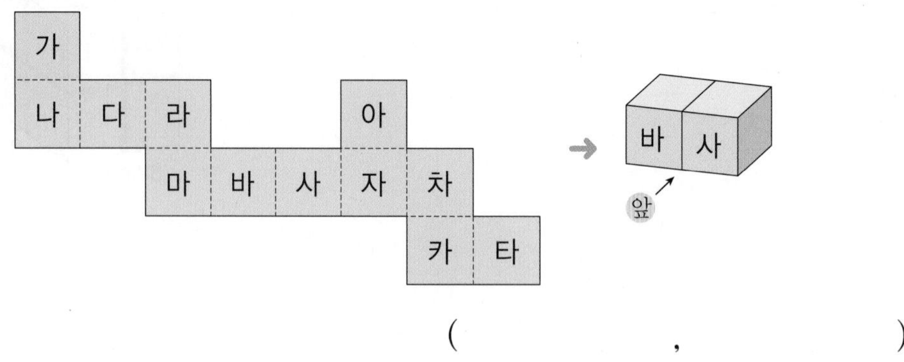

(　　　　　,　　　　　)

정답 및 풀이 > 37쪽

5 직육면체 모양의 상자를 기울인 후 페인트를 부었더니 왼쪽과 같이 상자의 일부에 페인트가 묻었습니다. 오른쪽 전개도에 페인트가 묻은 부분을 색칠했을 때 **색칠한 부분의 넓이는 몇 $\mathbf{cm^2}$**인지 구해 보세요. (단, 상자의 두께는 생각하지 않습니다.)

전개도를 접었을 때 만나는 점을 전개도에 같은 기호로 표시하여 페인트가 묻은 부분을 알아봅니다.

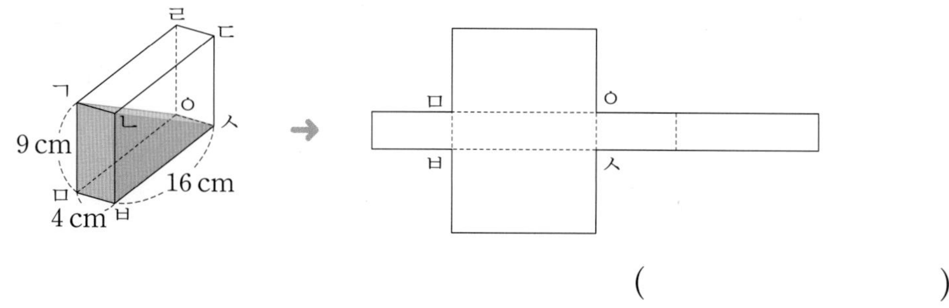

(　　　　　　　　)

5 단원

1% 도전

6 다음은 크기가 같은 정육면체 30개로 만든 모양입니다. 서로 맞닿는 면 중 한 면에만 양면테이프를 한 조각씩 붙였을 때 **사용한 양면테이프는 모두 몇 조각**인지 구해 보세요.

(　　　　　　　　)

01 직육면체에서 보이는 모서리 수와 보이지 않는 모서리 수의 차는 얼마인지 구해 보세요.

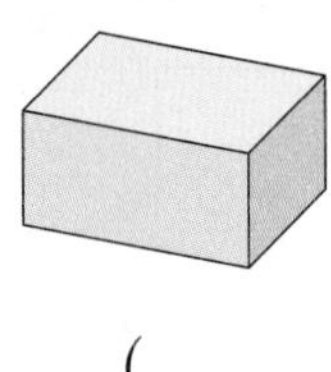

(   )

02 오른쪽 직육면체의 겨냥도를 보고 전개도를 그려 보세요.

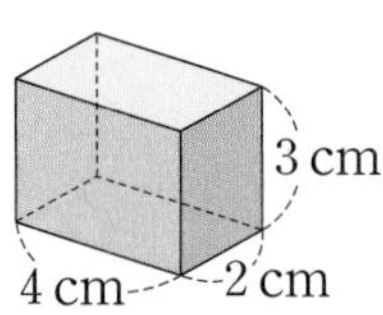

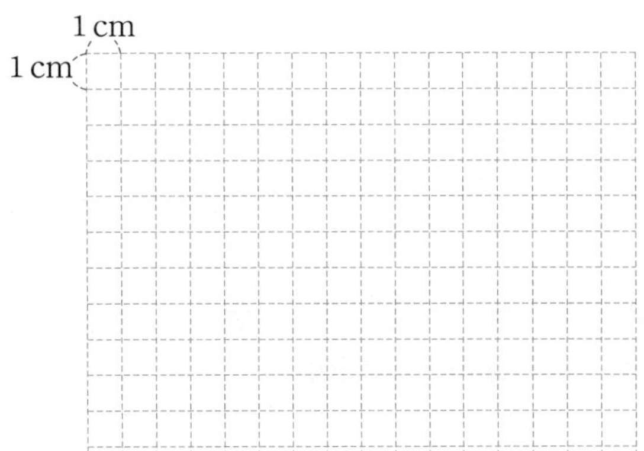

03 오른쪽 정육면체의 겨냥도에서 보이지 않는 한 모서리의 길이가 8 cm입니다. 보이는 모서리의 길이의 합은 몇 cm인지 구해 보세요.

(   )

04 오른쪽 주사위에서 서로 평행한 두 면의 눈의 수의 합은 7입니다. ㉠에 올 수 있는 눈의 수의 곱을 구해 보세요.

(   )

05 다음과 같은 직육면체의 모든 모서리 길이의 합이 100 cm일 때 □ 안에 알맞은 수를 구해 보세요.

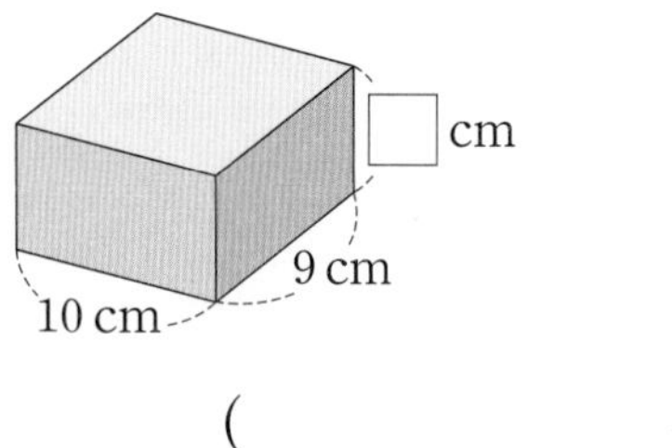

(   )

06 주사위에서 서로 평행한 두 면의 눈의 수의 합은 7입니다. 주사위의 전개도에서 면 ㉠, 면 ㉡, 면 ㉢의 눈의 수의 합을 구해 보세요.

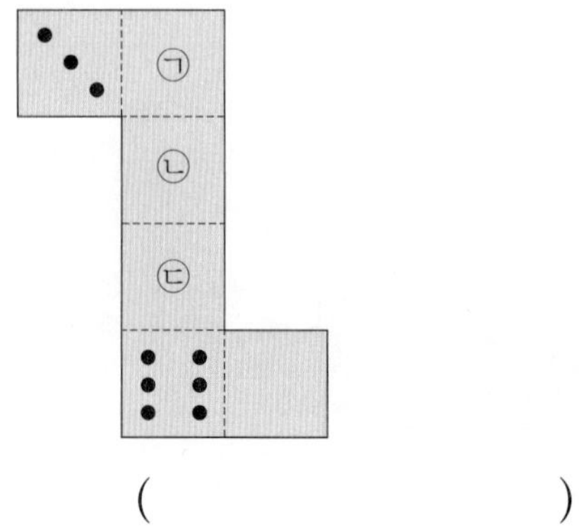

(   )

07 어떤 정육면체의 모든 모서리 길이의 합은 오른쪽 직육면체에서 보이는 모서리의 길이의 합과 같습니다. 이 정육면체의 한 모서리의 길이는 몇 cm인지 구해 보세요.

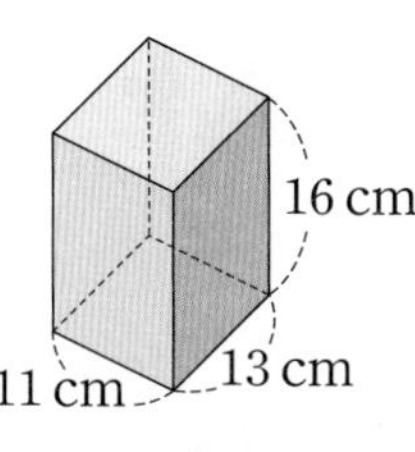

(   )

08 직육면체의 전개도의 둘레는 몇 cm인지 구해 보세요.

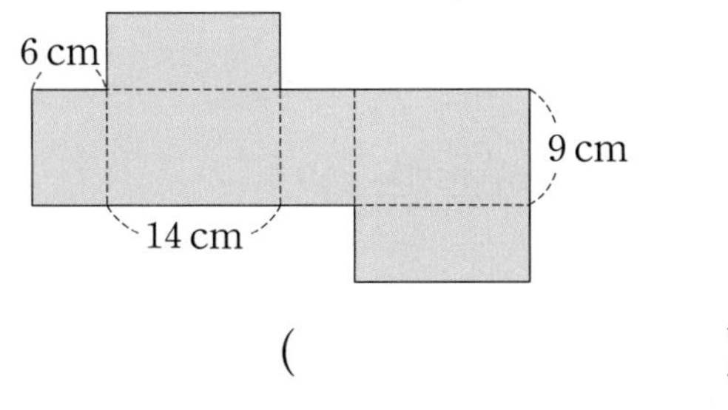

(   )

09 왼쪽과 같이 직육면체의 면에 선을 그었습니다. 오른쪽 직육면체의 전개도에 선이 지나간 자리를 표시해 보세요.

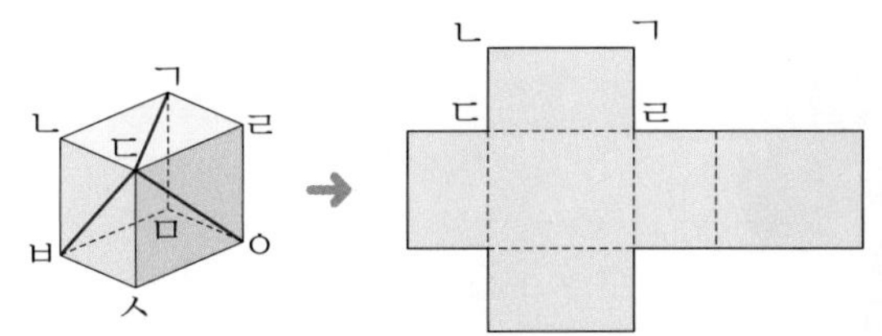

10 여러 개의 정육면체가 있습니다. 모든 정육면체의 꼭짓점의 수와 면의 수의 합이 266일 때 모든 정육면체의 모서리 수의 합은 얼마인지 구해 보세요.

(   )

최상위

11 한 변의 길이가 50 cm인 정사각형 모양의 종이에서 다음과 같이 색칠한 부분을 잘라낸 후 남은 종이를 접어 직육면체를 만들었습니다. 만든 직육면체의 모든 모서리 길이의 합은 몇 cm인지 구해 보세요.

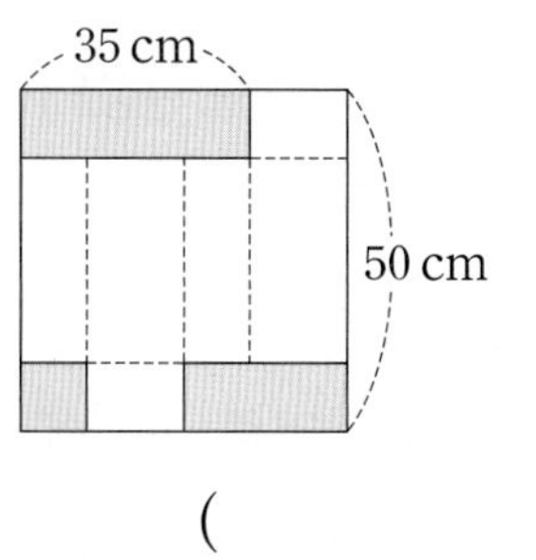

(   )

최상위

12 오른쪽과 같이 직육면체 모양의 상자를 끈으로 묶었습니다. 사용한 전체 끈의 길이가 693 cm일 때 매듭을 묶는 데 사용한 끈의 길이는 몇 cm인지 구해 보세요.

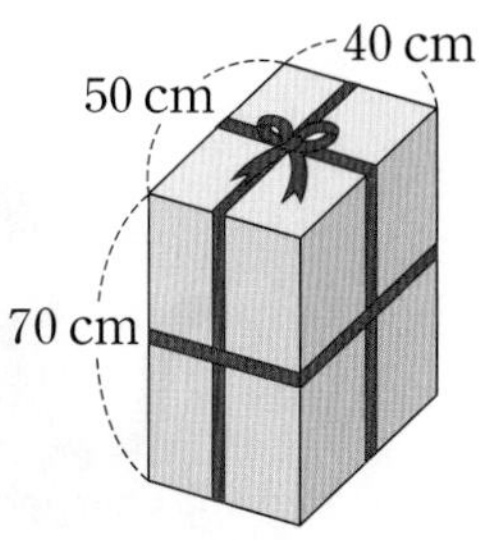

(   )

5 단원

쉬어가기

사자성어

조삼모사

바로 뜻 아침에 세 개, 저녁에 네 개라는 뜻.

깊은 뜻 눈앞에 있는 차이만 알고 결과가 같음을 모르는 어리석음을 뜻하는 말이에요.

송나라의 저공은 원숭이를 좋아해 정성껏 기르고 있었어요.
기르는 원숭이의 수가 점점 늘어나자 먹이를 구하는 것이 힘들어졌어요.
고민 끝에 저공은 원숭이들에게 말했어요.
"이제 도토리를 아침에 세 개, 저녁에 네 개씩 주려고 한다. 어떻겠느냐?"
그러자 원숭이들은 너무 적다면서 펄펄 뛰며 화를 냈어요.
"그러면 도토리를 아침에 네 개, 저녁에 세 개를 주면 어떻겠니?"라고 다시 물으니 원숭이들은 모두 기뻐하며 박수를 쳤어요.
□□□□는 당장 눈앞에 보이는 차이만 알고 그 결과가 같음을 모르는 어리석은 상황을 비유하는 말이에요.

잠깐! Quiz

Q □□□□에 들어갈 말은?

A 왼쪽 한자와 오른쪽 음을 알맞은 것끼리 선으로 이어 봅니다.

朝 ·	· 모
三 ·	· 사
暮 ·	· 조
四 ·	· 삼

6

평균과 가능성

1 평균 구하기

(1) 평균: 자료의 값을 모두 더해 자료의 수로 나눈 수를 모든 자료를 대표하는 값으로 정한 것

$$(\text{평균})=\frac{(\text{자료의 값을 모두 더한 수})}{(\text{자료의 수})}$$

(2) 여러 가지 방법으로 평균 구하기

멀리 던지기 기록

회	1회	2회	3회	4회
기록 (m)	29	31	32	28

방법❶ 각 자료의 값을 고르게 하여 구하기 → 기준보다 많은 것을 부족한 쪽으로 채우기

평균을 30 m로 예상한 후 (29, 31), (32, 28)로 수를 옮기고 짝 지어 자료의 값을 고르게 하여 구한 공 던지기 기록의 평균은 30 m입니다.

방법❷ 자료의 값을 모두 더해 자료의 수로 나누기

$$(\text{평균})=\frac{29+31+32+28}{4}=\frac{120}{4}=30\,(\text{m})$$

참고 평균: 平均(평평할 평, 고를 균) ➜ 평평하게 고른 값

(3) 평균을 이용하여 자료 값을 모두 더한 수 구하기

(자료의 값을 모두 더한 수)=(평균)×(자료의 수)

예 학생 3명의 독서 시간의 평균이 85분일 때 (학생 3명의 독서 시간의 합)=85×3=255(분)입니다.

응용

2 모르는 자료의 값 구하기

예 5개 반의 학생 수의 평균이 31명일 때 예반의 학생 수 구하기

학급별 학생 수

학급(반)	인	의	예	지	신
학생 수(명)	31	30		29	32

① (자료의 값을 모두 더한 수)=(평균)×(자료의 수)
➜ (5개 반의 학생 수의 합)=31×5=155(명)

② (예반을 제외한 4개 반의 학생 수의 합)
=31+30+29+32=122(명)

③ (예반의 학생 수)=155−122=33(명)

3 일이 일어날 가능성

(1) 가능성: 어떠한 상황에서 특정한 일이 일어나길 기대할 수 있는 정도

(2) 일이 일어날 가능성을 말로 표현하기 → 가능성의 정도를 표현하기

← 일이 일어날 가능성이 낮습니다. | 일이 일어날 가능성이 높습니다. →

~아닐 것 같다	~일 것 같다

불가능하다 — 반반이다 — 확실하다

- 일주일이 5일일 가능성 ➜ 불가능하다
- 동전을 던졌을 때 숫자 면이 나올 가능성 ➜ 반반이다 → 숫자 면 또는 그림 면이 나옵니다.
- 아침에 해가 동쪽에서 뜰 가능성 ➜ 확실하다

(3) 일이 일어날 가능성을 수로 표현하기

불가능하다	반반이다	확실하다
0	$\frac{1}{2}$	1

예 흰색 구슬이 들어 있는 통에서 구슬 1개를 꺼낼 때
- 구슬이 흰색일 가능성 ➜ 확실하다 ➜ 1
- 구슬이 검은색일 가능성 ➜ 불가능하다 ➜ 0

선행 개념 [중2] 확률
- **경우의 수**: 어떤 일이 일어날 수 있는 경우의 모든 가짓수
- **확률**: 하나의 일이 일어날 수 있는 가능성을 수로 나타낸 것

$$(\text{확률})=\frac{(\text{하나의 일이 일어나는 경우의 수})}{(\text{모든 경우의 수})}$$

응용

4 일이 일어날 가능성을 나타내기

예 오른쪽 상자에서 첫 번째로 보라색 공 1개를 꺼냈을 때 두 번째로 꺼낸 공 1개가 초록색일 가능성을 나타내기

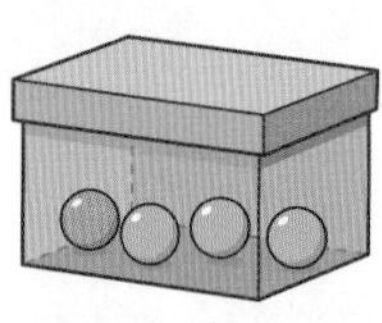

① 보라색 공 1개를 꺼내고 나면 초록색 공 3개가 남습니다. ➜ 초록색 공을 꺼낼 가능성: 확실하다

② 가능성을 나타내면 다음과 같습니다.

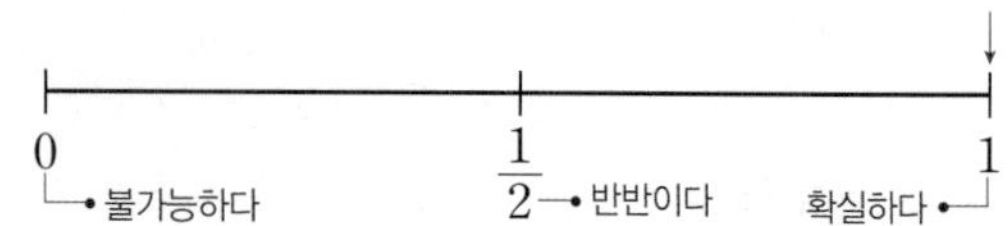

응용

5 평균을 높이려고 할 때 자료의 값 구하기

예 1단원부터 5단원까지 시험 점수의 평균보다 전체 평균을 1점 이상 올리려고 할 때 6단원은 적어도 몇 점을 받아야 하는지 구하기

시험 점수

단원	1	2	3	4	5	6
점수(점)	82	85	88	90	80	

① (1단원부터 5단원까지 시험 점수의 평균)

$=\frac{82+85+88+90+80}{5}=\frac{425}{5}=85$(점)

② 1단원부터 6단원까지 시험 점수의 평균은 85+1=86(점) 이상이어야 합니다.
→ 1점 이상 올리려고 합니다.

③ 6단원 점수를 □점이라 하면

425+□=86×6, 425+□=516,
→ 1단원부터 5단원까지 시험 점수의 합

□=516−425=91입니다.

→ 6단원은 적어도 91점을 받아야 합니다.

중요 (전체 자료의 값을 모두 더한 수)
=(높아진 평균)×(전체 자료의 수)

6 두 자료의 전체 평균 구하기

예 남학생과 여학생이 방학 동안 읽은 책 수의 평균을 보고 전체 학생들이 읽은 책 수의 평균 구하기

방학 동안 읽은 책 수의 평균

남학생 8명	20권
여학생 12명	15권

① (남학생 8명이 읽은 책 수의 합)

=20×8=160(권)

② (여학생 12명이 읽은 책 수의 합)

=15×12=180(권)

→ (평균)×(자료의 수)

③ (전체 학생 수)=8+12=20(명)

→ (전체 학생들이 읽은 책 수의 평균)

$=\frac{160+180}{20}=\frac{340}{20}=17$(권)

주의 두 자료의 전체 평균을 구할 때는 분모에 전체 자료의 수를 써야 합니다. 두 자료라서 분모에 2를 쓰지 않도록 주의합니다.

1 다음을 보고 일이 일어날 가능성을 알맞게 표현한 곳에 ○표 해 보세요.

> 동전을 던지면 그림 면이 나올 것입니다.

불가능하다	~아닐 것 같다	반반이다	~일 것 같다	확실하다

2 소윤이가 발레를 한 시간을 나타낸 표입니다. 소윤이가 5일 동안 발레를 한 시간의 평균은 몇 분인지 구해 보세요.

발레를 한 시간

요일	월	화	수	목	금
시간(분)	45	35	50	40	55

( )

6 단원

3 오른쪽 회전판을 돌릴 때 화살이 노란색에 멈출 가능성을 수로 표현해 보세요.

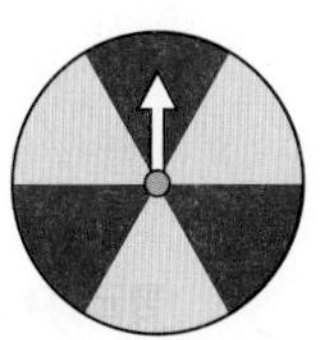

( )

4 호연이네 학교 5학년 학생들이 버스 한 대에 평균 42명씩 6대에 나누어 탔습니다. 5학년 학생은 모두 몇 명인지 구해 보세요.

( )

STEP 1 응용 공략하기

응용 · 심화 문제와 레벨UP공략법으로 문제 해결 능력을 키웁니다.

회전판에서 일이 일어날 가능성 비교하기

01 회전판을 돌릴 때 **화살이 빨간색에 멈출 가능성이 높은 순서대로** 기호를 써 보세요.

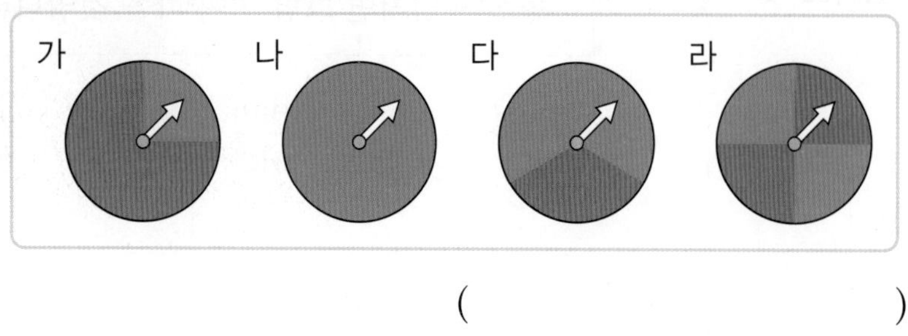

(　　　　　　　　　　　　)

자료를 보고 평균 구하기

02 연도별 야구 경기 관중 수를 나타낸 표입니다. 2015년부터 2018년까지 4년 동안의 **야구 경기 관중 수의 평균은 몇 만 명**인지 구해 보세요.

야구 경기 관중 수

연도	2015	2016	2017	2018
관중 수(만 명)	736	833	840	807

[출처: KBO, 2018년 10월]

(　　　　　　　　　　　　)

레벨UP공략 01

◆ 관중 수의 평균을 구하려면?

방법1 평균을 예상한 후 각 관중 수를 고르게 하여 구합니다.

방법2 관중 수를 모두 더해 4로 나누어 구합니다.

평균보다 큰 자료의 값 찾기

03 어느 해 마을별 양파 생산량을 나타낸 표입니다. 평균보다 많이 생산한 마을은 감사패를 받는다고 할 때 **감사패를 받는 마을을 모두 찾아 써 보세요.**

양파 생산량

마을	가	나	다	라	마
생산량 (t)	13	14	17	24	12

(　　　　　　　　　　　　)

정답 및 풀이 > 40쪽

일이 일어날 가능성을 수로 표현하기

서술형

04 주머니 속에 검은색 바둑돌 4개가 들어 있습니다. 주머니에서 바둑돌 1개를 꺼낼 때 **꺼낸 바둑돌이 흰색일 가능성을 수로 표현하면** 얼마인지 풀이 과정을 쓰고, 답을 구해 보세요.

풀이

답

레벨UP공략 02

◆ 일이 일어날 가능성을 수로 표현하면?

불가능하다	0
반반이다	$\frac{1}{2}$
확실하다	1

학생별 기록의 평균 구하기

05 호영이네 모둠 학생들의 팔굽혀매달리기 기록을 나타낸 표입니다. **학생별 팔굽혀매달리기 기록의 평균을 빈칸에 써넣고 누가 가장 잘했는지** 구해 보세요.

팔굽혀매달리기 기록

회 \ 이름	호영	재찬	민규	도영
1회	25초	23초	17초	21초
2회	9초	25초	22초	16초
3회	17초	18초	21초	20초
평균	초	초	초	초

(　　　　　　)

자료 값의 합을 구하기

06 가 케이블카와 나 케이블카에 탑승한 사람 수와 몸무게의 평균을 나타낸 표입니다. 케이블카에 탑승한 사람들의 **몸무게의 합은** 나**가** 가**보다 몇 kg 더 무거운지** 구해 보세요.

케이블카	가	나
탑승한 사람 수(명)	7	8
몸무게의 평균 (kg)	60.2	69.3

(　　　　　　)

레벨UP공략 03

◆ 평균과 자료의 수를 알 때 자료의 값을 모두 더한 수를 구하려면?

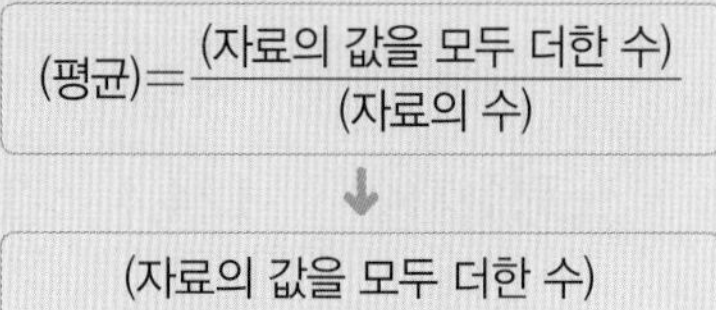

(평균)=(자료의 값을 모두 더한 수) / (자료의 수)

↓

(자료의 값을 모두 더한 수)
=(평균)×(자료의 수)

6 단원

각각의 평균을 구하여 비교하기

07 어느 마을의 2017년과 2018년의 밭별 감자 생산량을 나타낸 표입니다. 두 해 중 **감자 생산량의 평균은 어느 해가 몇 t 더 많은지** 구해 보세요.

감자 생산량

밭 / 연도	가	나	다	라	마
2017년	18 t	22 t	24 t	32 t	39 t
2018년	14 t	24 t	28 t	26 t	38 t

(,)

일이 일어날 가능성을 나타내기

08 바구니에서 첫 번째로 공 1개를 꺼냈더니 빨간색이었습니다. 두 번째로 공 1개를 꺼낼 때 **꺼낸 공이 노란색일 가능성을 ↓로 나타내어 보세요.**(단, 꺼낸 공은 다시 넣지 않습니다.)

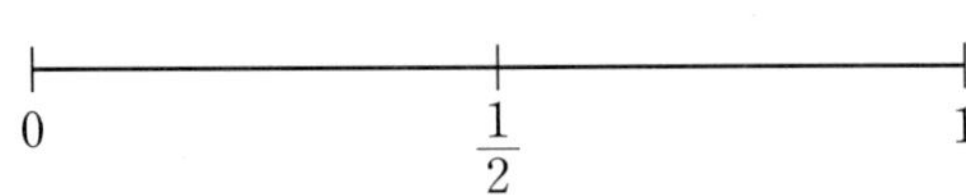

레벨UP공략 04

◆ 공 1개를 꺼낼 때 노란색일 가능성을 나타내려면?

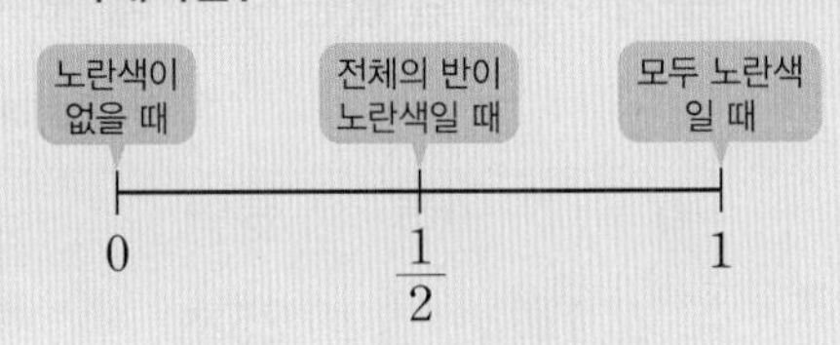

모르는 자료의 값 구하기

창의융합

09 15세 미만 인구 100명당 65세 이상 인구의 수를 나타내는 노령화지수가 점점 높아지고 있습니다. 다음은 지역별 노령화지수를 나타낸 표입니다. 5개 지역의 노령화지수의 평균이 104일 때 **인천의 노령화지수**는 얼마인지 구해 보세요.

노령화지수

지역	서울	부산	인천	대구	세종
노령화지수	124.4	147.4		114.9	43.6

[출처: 통계청, 2018년]

( )

레벨UP공략 05

◆ 모르는 자료의 값을 구하려면?

(자료의 값을 모두 더한 수)
=(평균)×(자료의 수)

↓

(모르는 자료의 값)
=(평균)×(자료의 수)
−(나머지 자료의 값을 모두 더한 수)

정답 및 풀이 > 40쪽

평균이 변했을 때 변한 자료의 값 구하기 서술형

10 어느 가게에서 파는 과일 1봉지의 가격을 나타낸 표입니다. 폭우로 인해 귤의 가격만 올라 과일 1봉지 가격의 평균이 300원 올랐다면 **오른 귤 1봉지의 가격**은 얼마인지 풀이 과정을 쓰고, 답을 구해 보세요.

과일 1봉지의 가격

과일	사과	감	배	귤
가격(원)	5000	4000	4500	3000

풀이

답

레벨UP공략 06

◆ 평균이 높아졌을 때 오른 자료의 값을 구하려면?

자료의 수가 ●개일 때 평균이 ■만큼 높아졌다면 자료의 값을 모두 더한 수는 (■×●)만큼 커진 것입니다.

각 자료의 값을 구한 후 평균 구하기

11 영지, 지혜, 병재 세 사람의 키를 재었더니 지혜는 영지보다 2.5 cm 더 작고, 병재는 지혜보다 9.2 cm 더 큽니다. 영지의 키가 149.6 cm라면 **세 사람의 키의 평균은 몇 cm**인지 구해 보세요.

(　　　　　　　　)

모르는 자료의 값을 구하여 막대그래프에 나타내기 new 신유형

12 지윤이네 모둠의 제기차기 기록을 나타낸 막대그래프입니다. 제기차기 기록의 평균이 15개일 때 **막대그래프를 완성해 보세요.**

제기차기 기록

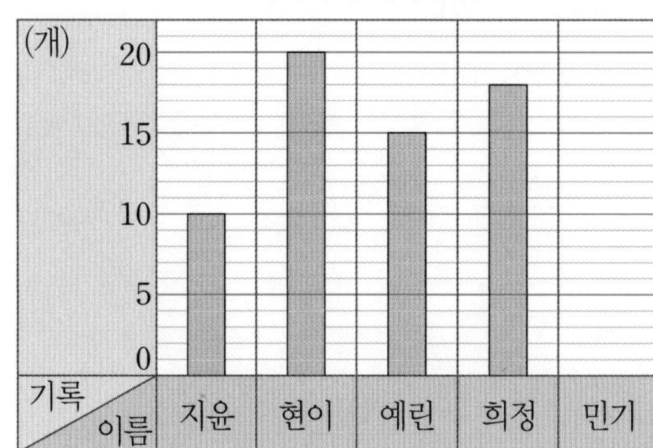

6 단원

STEP 1 응용 공략하기

평균을 높이려고 할 때 자료의 값 구하기

13 희경이가 매달 읽은 책 수를 나타낸 표입니다. 12월에 책을 더 많이 읽어서 7월부터 11월까지 읽은 책 수의 평균보다 전체 평균을 1권 이상 높이려고 합니다. 희경이는 **12월에 책을 적어도 몇 권 읽어야 하는지** 구해 보세요.

희경이가 읽은 책 수

월	7	8	9	10	11	12
책 수(권)	6	9	10	11	14	

(　　　　　　)

레벨UP공략 07

◆ 평균을 높이려고 할 때 모르는 자료의 값을 구하려면?

모르는 자료의 값을 □라 하면

(나머지 자료 값을 모두 더한 수)+□
=(높아진 평균)×(전체 자료의 수)

두 자료의 전체 평균 구하기

14 소영이네 반 남학생과 여학생의 몸무게의 평균을 각각 나타낸 표입니다. 소영이네 반 **전체 학생들의 몸무게의 평균은 몇 kg**인지 구해 보세요.

몸무게의 평균

남학생 18명	42.5 kg
여학생 15명	41.4 kg

(　　　　　　)

레벨UP공략 08

◆ 두 자료의 전체 평균을 구하려면?

자료 ①의 자료 값의 합을 ■, 자료 ②의 자료 값의 합을 ▲라 하면

$$(\text{전체 평균})=\frac{■+▲}{(\text{전체 자료의 수})}$$

운동 시간의 평균을 이용하여 시각 구하기　　서술형

15 현석이는 5일 동안 아침마다 하루 평균 36분씩 운동을 하였습니다. 표를 보고 현석이가 **목요일에 운동을 끝낸 시각은 몇 시 몇 분**인지 풀이 과정을 쓰고, 답을 구해 보세요.

현석이가 아침 운동을 한 시각

요일 / 시각	월	화	수	목	금
시작 시각	7:28	7:21	7:15	7:25	7:20
끝낸 시각	8:07	7:53	7:41		8:03

풀이

답

일이 일어날 가능성의 곱 구하기

16 ㉮, ㉯의 일이 일어날 가능성을 수로 표현했을 때 **㉮×㉯의 값**을 구해 보세요.

> ㉮ 1부터 6까지의 눈이 그려진 주사위를 한 번 굴릴 때 눈의 수가 4의 약수로 나올 가능성
> ㉯ 수 카드 3, 5, 9를 한 번씩만 사용하여 세 자리 수를 만들 때 만든 수가 홀수일 가능성

(　　　　　　　)

빠르기의 평균을 이용하여 걸린 시간 구하기

17 어느 자전거전용도로에서 자전거를 타고 5분에 800 m를 가는 빠르기로 달리면 출발점에서부터 도착점까지 30분이 걸립니다. 소미는 자전거를 타고 1분에 평균 180 m를 가는 빠르기로 출발점에서부터 15분을 달린 후 나머지는 1분에 평균 150 m를 가는 빠르기로 달려서 도착했습니다. 소미가 **자전거를 탄 시간은 모두 몇 분**인지 구해 보세요.

(　　　　　　　)

레벨UP공략 09

◆ ■분 동안 달린 거리의 평균을 구하려면?
(■분 동안 달린 거리)
=(1분 동안 달린 거리의 평균)×■

$1\ m^2$당 수확량의 평균 구하기　　창의융합

18 염전은 바닷물을 끌어 들여 논처럼 만든 곳으로 햇빛과 바람으로 바닷물을 증발시켜 소금을 만들어 냅니다. 다음은 같은 기간 동안 두 염전의 소금 수확량을 나타낸 것입니다. 가와 나 **중 $1\ m^2$당 소금 수확량의 평균은 어느 염전이 몇 kg 더 많은지** 구해 보세요.

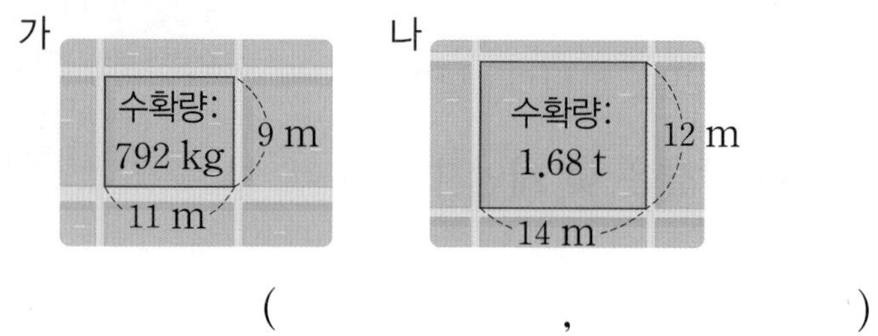

(　　　　　,　　　　　)

레벨UP공략 10

◆ 염전 $1\ m^2$당 소금 수확량의 평균을 구하려면?
(1 m²당 소금 수확량의 평균)
=(소금 수확량)/(염전의 넓이)

6 단원

STEP 2 심화 해결하기

레벨UP공략법을 활용한 **고난도 문제**를 풀어 최상위에 도전합니다.

01 지윤이가 8월부터 12월까지 매달 저금한 금액을 나타낸 표입니다. **저금한 금액이 평균보다 적은 달**을 모두 써 보세요.

지윤이가 저금한 금액

월	8	9	10	11	12
금액(원)	8500	9000	7400	8100	9300

(　　　　　　　　)

서술형

02 어느 휴양림에 입장한 사람 수를 조사하여 나타낸 표입니다. 6일 동안 휴양림에 입장한 사람 수의 평균이 250명일 때 **수요일에 입장한 사람은 몇 명**인지 풀이 과정을 쓰고, 답을 구해 보세요.

«114쪽 09번 레벨UP공략

휴양림에 입장한 사람 수

요일	화	수	목	금	토	일
사람 수(명)	208		196	265	300	340

풀이

답

창의융합

03 달걀을 소금물에 넣으면 상한 것은 물 위로 떠오르고, 신선한 것은 가라앉습니다. 예원이가 달걀 한 판을 소금물에 넣어 본 결과, 달걀 한 판에서 꺼낸 달걀 1개가 소금물에 떠오를 가능성은 $\frac{1}{2}$이라고 합니다. 달걀 한 판에 달걀이 30개 들어 있었다면 **신선한 달걀은 몇 개**인지 구해 보세요.

상한 달걀　신선한 달걀

(　　　　　　　　)

잠깐!

상한 달걀이 소금물에 뜨는 이유를 알아볼까요?

달걀을 오래 보관할수록 달걀 속에 있던 수분이 빠져나가고 부패하기 시작합니다. 이때 가스가 만들어지면서 더욱 가벼워지기 때문에 소금물에서 뜨게 됩니다.

정답 및 풀이 > 42쪽

04 어느 탁구 동아리 회원의 나이를 나타낸 표입니다. 새로운 회원 한 명이 더 들어와서 나이의 평균이 1세 많아졌습니다. **새로운 회원의 나이는 몇 세**인지 구해 보세요.

«116쪽 13번 레벨UP공략

탁구 동아리 회원의 나이

이름	영미	은정	예진	선미	문희
나이(세)	14	12	13	16	15

(　　　　　　　)

05 어느 공장에서 색연필을 한 시간에 평균 250자루씩 만드는데 불량품이 평균 5자루씩 나옵니다. 하루 종일 쉬지 않고 색연필을 만들어 한 자루에 400원씩 받고 모두 팔았다면 **색연필을 판매한 금액은 모두 얼마인지** 구해 보세요. (단, 불량품은 판매하지 않습니다.)

(　　　　　　　)

6 단원

06 넓이가 4050 m^2인 인삼밭이 있습니다. 이 밭에서 첫째 날에는 12명이 평균 2시간씩 일을 하고, 둘째 날에는 7명이 평균 3시간씩 일을 해서 인삼을 모두 수확하였습니다. **한 사람이 1시간 동안 수확한 밭의 넓이의 평균은 몇 m^2**인지 구해 보세요.

(　　　　　　　)

| 해결 순서 |
❶ 첫째 날 12명이 일한 시간의 합 구하기
❷ 둘째 날 7명이 일한 시간의 합 구하기
❸ 모두 수확하는 데 걸린 시간 구하기
❹ 한 사람이 1시간 동안 수확한 밭의 넓이의 평균 구하기

서술형

07 예지네 학교의 단체 줄넘기 대회에서 6회의 줄넘기 기록의 평균이 25번 이상 되어야 준결승에 올라갈 수 있습니다. 다음은 예지네 반의 6회의 줄넘기 기록입니다. 준결승에 올라가려면 **마지막에 적어도 몇 번 넘어야 하는지** 풀이 과정을 쓰고, 답을 구해 보세요.

25번, 28번, 27번, 15번, 28번, □번

풀이

답

08 오른쪽 주머니 속에 젤리가 노란색 2개, 주황색 1개, 초록색 2개가 들어 있습니다. 주혁이는 첫 번째로 노란색 젤리 1개를 꺼냈고, 두 번째로 주황색 젤리 1개를 꺼냈습니다. **주혁이가 세 번째로 젤리 1개를 꺼내려고 할 때 나올 가능성이 높은 색깔부터 순서대로** 써 보세요. (단, 꺼낸 젤리는 다시 넣지 않습니다.)

( )

09 가 농장과 나 농장의 귤나무 수와 한 그루에 열리는 귤 수의 평균을 나타낸 표입니다. 두 농장에서 열린 전체 귤을 한 상자에 80개씩 모두 담으려면 **상자는 적어도 몇 개 필요한지** 구해 보세요.

«113쪽 06번 레벨UP공략

농장	귤나무 수(그루)	한 그루에 열리는 귤 수의 평균(개)
가	72	40
나	72	35

( )

new 신유형

10 규빈이의 1학기 시험 점수를 나타낸 표를 보고 규빈이가 다음 시험에서 평균을 3점 올리려면 **총점은 몇 점 올려야 하는지** 구해 보세요. 또, **빈칸에 평균을 3점 올릴 수 있는 방법 2가지**를 써 보세요.

규빈이의 1학기 시험 점수

과목	국어	수학	사회	과학
점수(점)	78	90	85	82

다음 시험에서 평균을 올릴 수 있는 방법

방법 \ 과목	국어	수학	사회	과학	총점
①	점	점	점	점	점
②	점	점	점	점	점

( )

«115쪽 10번 레벨UP공략

창의융합

11 볼링은 오른쪽과 같은 공을 굴려서 마루 끝에 세워진 10개의 핀을 쓰러뜨리는 실내 경기입니다. 주희가 볼링을 하여 얻은 점수표의 일부분이 다음과 같이 찢어졌습니다. 5게임까지 점수의 평균이 121점일 때 **3게임과 4게임 점수는 각각 몇 점**인지 구해 보세요.

볼링 점수표

게임	1	2	3	4	5
점수(점)	88	114	15	7	126

3게임 ( ), 4게임 ( )

| 해결 순서 |

❶ 5게임까지의 점수의 합 구하기

❷ 3게임과 4게임 점수의 합 구하기

❸ 3게임과 4게임의 점수 구하기

12 형과 준하 키의 평균은 150 cm, 준하와 동생 키의 평균은 125 cm, 형과 동생 키의 평균은 145 cm입니다. **형, 준하, 동생 키의 평균은 몇 cm**인지 구해 보세요.

( )

6 단원

정답 및 풀이 > 42쪽

13 제비뽑기 상자에 제비 80개가 들어 있습니다. 이 중 제비 1개를 뽑을 때 당첨 제비를 뽑을 가능성은 $\frac{1}{2}$이라고 합니다. 제비 80개 중에서 당첨 제비가 아닌 것을 몇 개 없애서 당첨 제비 1개를 뽑을 가능성이 $\frac{1}{2}$보다 높아지도록 하려고 합니다. **없애야 할 제비는 몇 개 이상 몇 개 이하**인지 구해 보세요. (단, 당첨 제비만 있는 경우는 제외합니다.)

(　　　　　　　　)

«113쪽 04번 레벨UP공략

14 종민이가 본 시험 점수의 평균을 구하다가 97점인 한 과목의 점수를 79점으로 잘못 보고 계산했더니 평균이 82점이 되었습니다. 바르게 계산한 시험 점수의 평균이 85점일 때 **종민이가 본 시험은 몇 과목**인지 구해 보세요.

(　　　　　　　　)

15 어느 독서 모임의 학생들이 매달 읽은 책 수를 나타낸 표입니다. 5달 동안 한 학생이 읽은 책 수의 평균은 24권입니다. 6월 1일에 이 독서 모임에 4명이 더 들어와서 6월에 한 학생이 읽은 책 수의 평균이 5권이 되었습니다. **6월에 독서 모임의 학생들이 읽은 책은 모두 몇 권**인지 구해 보세요.

독서 모임의 학생들이 읽은 책 수

월	1	2	3	4	5	6
책 수(권)	38	29	36	37	28	

(　　　　　　　　)

| 해결 순서 |
❶ 처음에 있던 학생 수 구하기
❷ 6월의 학생 수 구하기
❸ 6월에 독서 모임의 학생들이 읽은 책 수 구하기

STEP 3 최상위 도전하기

경시 수준의 **최상위 문제**에 도전하여 사고력을 키웁니다.

정답 및 풀이 > 45쪽

1 ㉮▲㉯는 ㉮와 ㉯의 평균을 나타냅니다. □ **안에 알맞은 수**를 구해 보세요.

48▲(□▲62)=43

(　　　　　　　　　　)

2 **일이 일어날 가능성이 높은 순서대로** 기호를 써 보세요.

㉠ 복권 100장 중 당첨 복권이 5장 있을 때 복권 한 장을 사서 당첨될 가능성
㉡ 빨간색 공깃돌 1개와 파란색 공깃돌 3개가 들어 있는 주머니에서 공깃돌 1개를 꺼낼 때 파란색일 가능성
㉢ 15부터 40까지의 자연수가 쓰인 수 카드 중 한 장을 뽑을 때 2의 배수가 나올 가능성

(　　　　　　　　　　)

3 어머니와 지윤이 나이의 평균은 25.5세, 지윤이와 아버지 나이의 평균은 27세, 아버지와 어머니 나이의 평균은 40.5세입니다. **아버지, 어머니, 지윤이의 나이는 각각 몇 세**인지 구해 보세요.

아버지 (　　　　　　)
어머니 (　　　　　　)
지윤 (　　　　　　)

4 어느 지역의 과수원별 사과 수확량을 조사하여 나타낸 표입니다. 6개 과수원의 사과 수확량의 평균은 27 t입니다. 라 과수원에서 수확한 사과를 한 상자에 15 kg씩 담아 20000원에 팔려고 합니다. **상자에 담은 사과를 팔 때 최대 얼마를 받을 수 있는지** 구해 보세요.

라 과수원의 수확량을 구하여 kg 단위로 고칩니다.

사과 수확량

과수원	가	나	다	라	마	바
수확량(t)	29	26	31		15	24

(　　　　　　)

창의융합

5 선혜는 통계청에서 1인당 육류 소비량에 대한 자료를 찾아 꺾은선그래프로 나타내었습니다. 2011년부터 2016년까지의 소비량의 평균이 2012년부터 2015년까지의 소비량의 평균과 같을 때 **꺾은선그래프를 완성해 보세요.**

2012년부터 2015년까지의 평균을 이용하여 2016년의 1인당 육류 소비량을 구해 봅니다.

1인당 육류 소비량

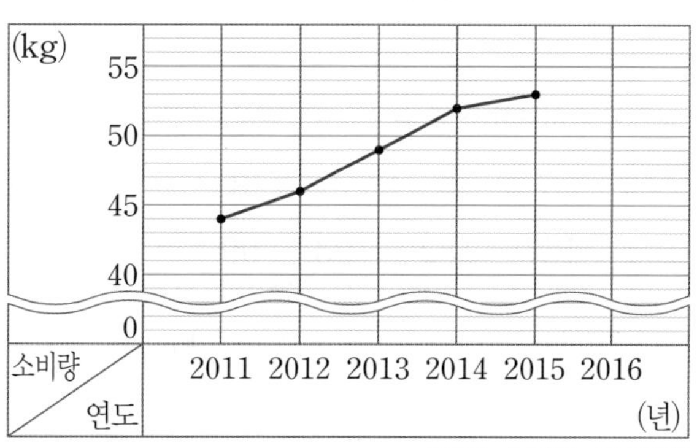

[출처: 통계청, 2018년]

1% 도전

6 퀴즈 대회에 100명의 사람들이 참가하여 모두 3문제를 풀었습니다. 1번은 20점, 2번은 30점, 3번은 50점이고, 전체 점수의 평균이 48점이었습니다. 3번 문제를 맞힌 사람이 47명이라면 **2번 문제를 맞힌 사람은 몇 명**인지 구해 보세요.

점수별 참가자 수

점수(점)	0	20	30	50	70	80	100
사람 수(명)		13	14	30		14	8

(　　　　　　　　)

6 단원

01 혜진이네 학교의 보건실을 이용한 학생 수를 나타낸 표입니다. 4월부터 8월까지 보건실을 이용한 학생 수의 평균은 몇 명인지 구해 보세요.

보건실을 이용한 학생 수

월	4	5	6	7	8
학생 수(명)	154	137	182	193	99

( )

02 어느 기차가 처음 한 시간에 120 km를 달린 다음 2시간에 267 km를 달렸습니다. 이 기차는 시간당 평균 몇 km를 가는 빠르기로 달린 것인지 구해 보세요.

( )

03 상자에서 첫 번째로 공 1개를 꺼냈더니 파란색이었습니다. 두 번째로 공 1개를 꺼낼 때 꺼낸 공이 노란색일 가능성을 ↓로 나타내어 보세요. (단, 꺼낸 공은 다시 넣지 않습니다.)

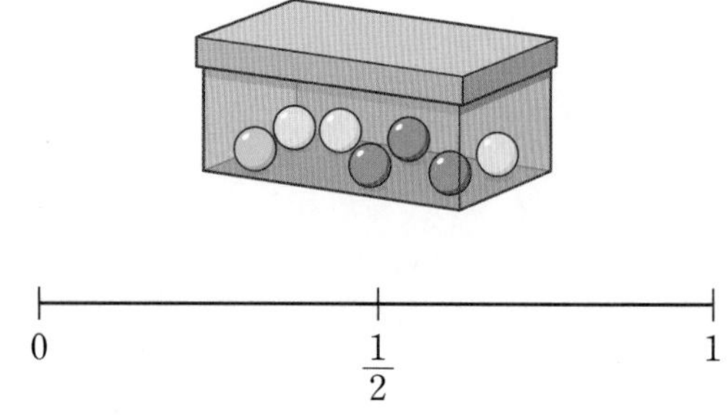

04 어느 날 혜수네 모둠 학생들의 독서 시간을 나타낸 표입니다. 독서 시간의 평균이 32분일 때 재준이가 독서한 시간은 몇 분인지 구해 보세요.

독서 시간

이름	혜수	민교	고은	윤석	승희	재준
시간(분)	43	16	31	50	20	

( )

05 제비뽑기 상자에 제비 48개가 들어 있습니다. 이 중 제비 1개를 뽑을 때 당첨 제비를 뽑을 가능성은 '~일 것 같다'라고 합니다. 상자 속에 당첨 제비는 몇 개 이상 들어 있는지 구해 보세요.

( )

06 효주네 모둠 학생들의 몸무게를 나타낸 표입니다. 모둠에 새로운 학생 한 명이 더 들어와서 몸무게의 평균이 1 kg 늘었습니다. 새로운 학생의 몸무게는 몇 kg인지 구해 보세요.

효주네 모둠 학생들의 몸무게

이름	효주	우빈	시은	효석
몸무게(kg)	42	39	48	43

( )

07 승주네 학교의 단체 줄넘기 대회 예선에서 6회의 줄넘기 기록의 평균이 34번 이상 되어야 본선에 올라갈 수 있습니다. 다음은 승주네 반의 6회의 줄넘기 기록입니다. 본선에 올라가려면 마지막에 적어도 몇 번 넘어야 하는지 구해 보세요.

40번, 13번, 29번, 32번, 58번, □번

(　　　　　　　　　)

08 웅석이네 과수원에서는 감나무 한 그루에 평균 385개의 감이 열립니다. 감나무 14그루에서 딴 감을 한 상자에 20개씩 담아 판다면 몇 상자까지 팔 수 있는지 구해 보세요.

(　　　　　　　　　)

09 ㉮, ㉯의 일이 일어날 가능성을 수로 표현했을 때 ㉮×㉯의 값을 구해 보세요.

㉮ 10부터 19까지의 자연수가 쓰인 수 카드 중 한 장을 뽑을 때 홀수가 나올 가능성
㉯ 동전 한 개와 주사위 한 개를 동시에 던졌을 때 동전의 숫자 면이 나올 가능성

(　　　　　　　　　)

10 다음은 같은 기간 동안 가와 나 밭의 콩 수확량을 나타낸 것입니다. $1\,m^2$당 콩 수확량의 평균은 어느 밭이 몇 kg 더 많은지 구해 보세요.

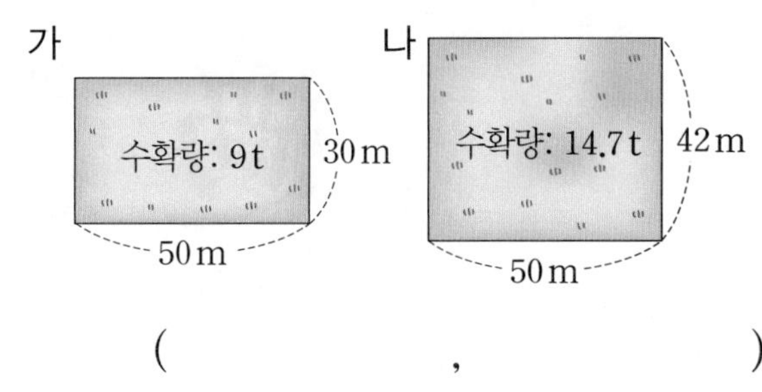

(　　　　　　,　　　　　　)

최상위

11 지용이가 시험 점수의 평균을 구하다가 94점인 한 과목의 점수를 49점으로 잘못 보고 계산했더니 평균이 74점이 되었습니다. 바르게 계산한 시험 점수의 평균이 83점일 때 지용이가 본 시험은 몇 과목인지 구해 보세요.

(　　　　　　　　　)

최상위

12 민재와 상아 몸무게의 평균은 43.5 kg, 상아와 수지 몸무게의 평균은 40.5 kg, 수지와 민재 몸무게의 평균은 42 kg입니다. 민재, 상아, 수지의 몸무게는 각각 몇 kg인가요?

민재 (　　　　　　　　　)
상아 (　　　　　　　　　)
수지 (　　　　　　　　　)

쉬어가기
사자성어

과유불급

過 猶 不 及

지날 과 오히려 유 아닐 불 미칠 급

바로 뜻 정도를 지나친 것은 미치지 못한 것과 같다라는 뜻.

깊은 뜻 무엇이든 지나친 것은 부족한 것만 못하다는 말이에요.

공자의 제자 중에 **성격**이 **정반대**인 자장과 자하가 있었어요.
하루는 **자공**이라는 **제자**가 공자에게 물었어요.
"선생님, 자장과 자하 중 누가 더 뛰어납니까?"
그러자 공자는 이렇게 말했어요.
"**자장**은 너무 **활달**해서 지나친 데가 있고, **자하**는 너무 **신중**해서 그에 미치지 못한다.
정도가 지나친 것은 모자람과 **마찬가지**이다."
여기서 생겨난 말인 □□□□은 너무 넘쳐서도 안 되고 너무 모자라서도 안 되니 어느 한쪽으로 치우치지 않는 것이 **중요**하다는 말이에요!

잠깐! Quiz

Q □□□□에 들어갈 말은?

A 위의 글을 읽고 파란색 글자들을 아래에서 모두 찾아 /표로 지웁니다.

자	장		활	달	자
마	찬	가	지	과	공
		자	하	유	
정	반	대	중	불	제
공	자	성	요	급	자
		격	신	중	

사고력을 키워 상위권을 공략하는

큐브 수학 심화

경시대비북

◆ 경시대회 예상 문제 | 실전! 경시대회 모의고사

5·2

동아출판

경시대비북 활용법

경시대회 예상 문제
- 수학경시대회에서 자주 출제되는 문제들을 단원별로 2회씩 제공하였습니다.
- 진도북의 한 단원이 끝난 후 〈응용 단원 평가〉로 활용할 수 있습니다.

경시대회 모의고사
수학경시대회에서 출제될 수 있는 실전 문제, 신유형 문제, 사고력 문제, 고난도 문제입니다.
시험 시간에 맞게 평가를 실시하여 실전 경시대회에 대비합니다.

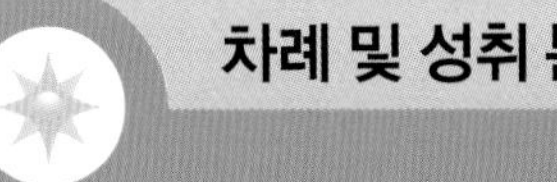

차례 및 성취 분석표

5·2

| **우수**인 경우는 진도북의 **〈응용 공략하기〉** 문제를 다시 한 번 풀어 보세요.
| **재도전**인 경우는 진도북의 **〈응용 개념〉**, **〈레벨UP공략법〉**을 다시 공부하세요.

경시대회 예상 문제 A형

1. 수의 범위와 어림하기

점수

1 학생 235명에게 공책을 한 권씩 나누어 주려고 합니다. 공책을 10권씩 묶음으로만 판매한다면 최소 몇 묶음을 사야 하는지 구해 보세요. | 5점

( )

2 다음 수를 반올림하여 백의 자리까지 나타내었더니 4800이 되었습니다. □ 안에 알맞은 자연수를 구해 보세요. | 5점

4□49

( )

창의융합

3 예나가 우체국 홈페이지에서 우편물 요금을 조사한 것입니다. 예나가 보내려는 우편물이 16 g짜리 3개와 26.4 g짜리 2개일 때 우편 요금으로 모두 얼마를 내야 하는지 구해 보세요.(단, 규격 우편물을 보통우편으로 보냅니다.) | 8점

통상 우편물 요금

2017. 4. 1일부터 적용

내용	무게	보통우편 요금
규격 우편물	5 g 이하	300원
	5 g 초과 25 g 이하	330원
	25 g 초과 50 g 이하	350원

[출처: 우정사업본부, 2017년]

( )

4 올림하여 십의 자리까지 나타낸 수가 30000이 되는 자연수는 모두 몇 개인지 구해 보세요. | 8점

( )

서술형

5 선물을 포장하는 데 리본 1530 cm가 필요합니다. 어느 가게에서 한 묶음에 120 cm씩 2000원에 파는 리본을 산다면 리본값으로 최소 얼마가 필요한지 풀이 과정을 쓰고, 답을 구해 보세요. | 8점

풀이

답

6 반올림하여 십의 자리까지 나타내었을 때 3600이 되는 수의 범위는 몇 이상 몇 미만인지 수직선에 나타내어 보세요. | 8점

3590 3600 3610

예상문제

7 수 카드 [0], [2], [4], [5]를 한 번씩만 사용하여 만들 수 있는 두 자리 수 중에서 39 이상 53 이하인 수는 모두 몇 개인지 구해 보세요. | 8점

(　　　　　　　　　　)

서술형

8 팔찌 1개를 만드는 데 56 cm의 털실이 필요합니다. 한 타래가 30 m인 털실 두 타래로는 팔찌를 몇 개까지 만들 수 있는지 풀이 과정을 쓰고, 답을 구해 보세요. | 10점

풀이

답

9 나영이네 학교 5학년 학생들이 버스에 모두 타려면 20인승 버스가 최소 10대 필요합니다. 나영이네 학교 5학년 학생은 몇 명 이상 몇 명 이하인지 구해 보세요. | 10점

(　　　　　　　　　　)

10 □ 안에 들어갈 수 있는 자연수 중에서 가장 큰 수를 올림하여 십의 자리까지 나타내면 얼마인지 구해 보세요. | 10점

$\square + 468 < 1000$

(　　　　　　　　　　)

11 어느 걷기 대회의 참가자 수를 버림하여 백의 자리까지 나타내면 10300명입니다. 걷기 대회 참가자 모두에게 물을 2병씩 나누어 주려고 21000병을 준비했습니다. 물이 가장 많이 남는 경우 남는 물은 몇 병인지 구해 보세요. | 10점

(　　　　　　　　　　)

12 세 조건을 만족하는 자연수는 모두 몇 개인지 구해 보세요. | 10점

- 44 초과 53 이하인 수
- 47 이상 56 미만인 수
- 45 초과 51 미만인 수

(　　　　　　　　　　)

경시대회 예상 문제 B형

1. 수의 범위와 어림하기

점수

1 어느 엘리베이터의 정원은 15명 미만입니다. 지금 타고 있는 사람은 8명이고 내린 사람이 없다면 앞으로 몇 명까지 더 탈 수 있는지 구해 보세요. | 5점

(　　　　　　　　　)

창의융합

2 태권도 선수들의 몸무게별 체급을 나타낸 표입니다. 영호의 몸무게가 38.5 kg일 때 영호가 속한 체급의 몸무게 범위를 수직선에 나타내어 보세요. | 5점

몸무게별 체급(초등학교 남학생용)

몸무게 (kg) 범위	체급
32 이하	핀급
32 초과 34 이하	플라이급
34 초과 36 이하	밴텀급
36 초과 39 이하	페더급
39 초과	라이트급

[출처: 대한 태권도 협회, 2019년]

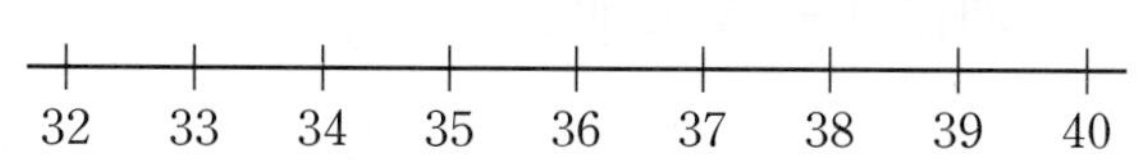

3 공원에 있는 긴 의자 1개에는 4명씩 앉을 수 있습니다. 진우네 반 학생 35명이 모두 앉으려면 긴 의자는 최소 몇 개 필요한지 구해 보세요. | 8점

(　　　　　　　　　)

4 수직선에 나타낸 수의 범위에 포함되는 수들을 반올림하여 백의 자리까지 나타낸 수를 구해 보세요. | 8점

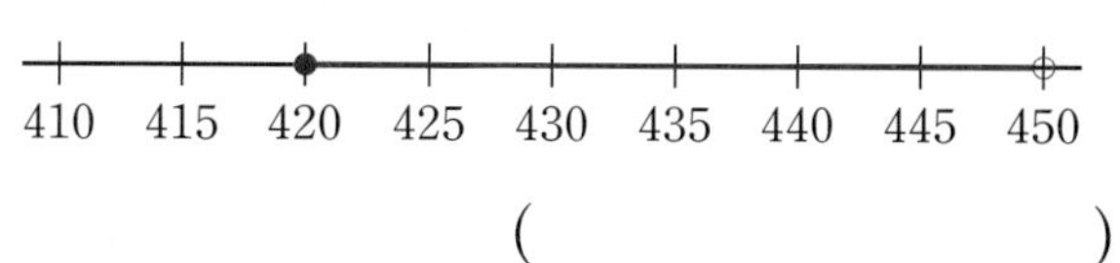

(　　　　　　　　　)

서술형

5 찬영이네 반 학생 수를 올림하여 십의 자리까지 나타내면 40명입니다. 이 학생들에게 초콜릿을 4개씩 나누어 주려면 최소 몇 개를 준비해야 하는지 풀이 과정을 쓰고, 답을 구해 보세요. | 8점

풀이

답

6 유라는 100원짜리 동전을 187개, 10원짜리 동전을 250개 모았습니다. 이 동전을 모두 1000원짜리 지폐로 바꾸려면 얼마까지 바꿀 수 있는지 구해 보세요. | 8점

(　　　　　　　　　)

예상 문제

7 과수원에서 복숭아 426개를 땄습니다. 15개씩 상자에 담아서 한 상자에 20000원에 판매한다면 판매한 금액은 최대 얼마인지 구해 보세요. | 8점

( )

8 세영이네 학교 5학년 학생들이 놀이기구를 타려고 합니다. 한 번에 14명까지 탈 수 있는 놀이기구가 최소 12번 운행해야 모두 탈 수 있다면 세영이네 학교 5학년 학생은 몇 명 이상 몇 명 이하인지 구해 보세요. | 10점

( )

서술형

9 재훈이네 학교의 3개 학년의 학생 수를 반올림하여 몇백 명으로 나타내었을 때 실제 학생 수와 어림한 학생 수의 차는 몇 명인지 풀이 과정을 쓰고, 답을 구해 보세요. | 10점

학년별 학생 수

학년	4학년	5학년	6학년
학생 수(명)	142	154	156

풀이

답

10 지호네 반 남학생 12명과 여학생 15명에게 연필을 2자루씩 나누어 주려고 합니다. 문구점에서 한 묶음에 10자루씩 6800원에 파는 연필을 살 때 연필값으로 최소 얼마가 필요한지 구해 보세요. | 10점

( )

11 수직선에 나타낸 수의 범위에 포함되는 3의 배수는 5개입니다. ㉠이 될 수 있는 자연수를 모두 구해 보세요. | 10점

㉠ ———————— 41

( )

12 다음 세 조건을 만족하는 세 자리 수는 모두 몇 개인지 구해 보세요. | 10점

㉠ 버림하여 십의 자리까지 나타내면 380입니다.
㉡ 올림하여 십의 자리까지 나타내면 390입니다.
㉢ 반올림하여 십의 자리까지 나타내면 380입니다.

( )

경시대회 예상 문제 A형

2. 분수의 곱셈

점수

1 크기를 비교하여 ○ 안에 >, =, <를 알맞게 써넣으세요. | 5점

$\frac{3}{10}\times4$ 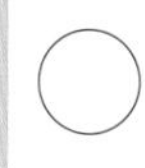 $\frac{9}{28}\times8$

2 계산 결과가 다른 하나를 찾아 기호를 써 보세요. | 5점

㉠ $1\frac{1}{8}\times7$ ㉡ $1\frac{5}{16}\times6$ ㉢ $1\frac{5}{24}\times4$

( )

창의융합

3 조조할인이란 영화관에서 오전 시간대, 주로 첫 회에 한해 입장하는 사람들에게 요금을 할인해 주는 것을 말합니다. 어느 영화관에서 조조할인을 받으면 영화 관람료의 $\frac{6}{9}$만큼 내면 됩니다. 영화 관람료가 9000원일 때 4명이 조조할인을 받아 영화를 보기 위해 내야 하는 금액은 모두 얼마인지 구해 보세요. | 8점

( )

서술형

4 지호는 전체 쪽수가 132쪽인 책을 어제는 전체의 $\frac{3}{11}$을 읽고, 오늘은 전체의 $\frac{1}{6}$을 읽었습니다. 어제와 오늘 읽은 책은 모두 몇 쪽인지 풀이 과정을 쓰고, 답을 구해 보세요. | 8점

풀이

답

5 다음 계산 결과보다 작은 자연수는 모두 몇 개인지 구해 보세요. | 8점

$3\times2\frac{5}{12}$

( )

6 길이가 40 cm인 철사로 겹치는 부분 없이 한 변의 길이가 $6\frac{2}{3}$ cm인 정사각형 한 개를 만들었습니다. 남은 철사의 길이는 몇 cm인지 구해 보세요. | 8점

( )

예상문제

서술형

7 간장 $4\frac{2}{7}$ L의 $\frac{1}{6}$을 어제 사용하고, 나머지의 $\frac{3}{10}$을 오늘 사용했습니다. 오늘 사용한 간장은 몇 L인지 풀이 과정을 쓰고, 답을 구해 보세요. | 8점

풀이

답

8 다음 수 카드를 한 번씩만 사용하여 만들 수 있는 가장 큰 대분수와 가장 작은 대분수의 곱을 구해 보세요. | 10점

2	3	4

(　　　　　　　　)

9 $2\frac{1}{4}$에 어떤 수를 곱해야 할 것을 잘못하여 더했더니 $3\frac{1}{3}$이 되었습니다. 바르게 계산한 값은 얼마인지 구해 보세요. | 10점

(　　　　　　　　)

10 1보다 큰 자연수 중에서 □ 안에 들어갈 수 있는 자연수를 모두 구해 보세요. | 10점

$$\frac{1}{23} < \frac{1}{4} \times \frac{1}{\square}$$

(　　　　　　　　)

11 길이가 20 cm인 양초에 불을 붙이면 일정한 빠르기로 탑니다. 이 양초에 불을 붙인 지 5분 후에 $\frac{7}{24}$ cm가 탔다면 30분 후 타고 남은 양초의 길이는 몇 cm가 되는지 구해 보세요. | 10점

(　　　　　　　　)

12 한 시간에 $1\frac{7}{15}$분씩 늦어지는 시계가 있습니다. 이 시계를 오늘 낮 12시에 정확히 맞추어 놓았습니다. 내일 낮 12시에 이 시계가 가리키는 시각은 몇 시 몇 분 몇 초인지 구해 보세요. | 10점

(　　　　　　　　)

정답 및 풀이 > 50쪽

경시대회 예상 문제 B형

2. 분수의 곱셈

점수

1 계산 결과가 가장 큰 것을 찾아 기호를 써 보세요. | 5점

㉠ $\frac{1}{5}\times\frac{1}{9}$　㉡ $\frac{1}{8}\times\frac{1}{2}$
㉢ $\frac{1}{7}\times\frac{1}{4}$　㉣ $\frac{1}{12}\times\frac{1}{3}$

(　　　　　　　)

2 지우는 우유를 하루에 $\frac{3}{8}$ L씩 2주일 동안 마셨습니다. 지우가 2주일 동안 마신 우유는 모두 몇 L인지 구해 보세요. | 5점

(　　　　　　　)

서술형

3 서은이의 몸무게는 30 kg입니다. 아버지의 몸무게가 서은이 몸무게의 $2\frac{7}{10}$배라면 아버지와 서은이의 몸무게의 합은 몇 kg인지 풀이 과정을 쓰고, 답을 구해 보세요. | 8점

풀이

답

4 가로가 $4\frac{3}{8}$ cm, 세로가 $4\frac{2}{5}$ cm인 직사각형 가와 한 변의 길이가 $4\frac{2}{3}$ cm인 정사각형 나가 있습니다. 가와 나 중 어느 도형이 더 넓은지 구해 보세요. | 8점

(　　　　　　　)

5 어떤 수의 $2\frac{3}{4}$은 얼마인지 구해 보세요. | 8점

어떤 수는 54의 $\frac{8}{9}$입니다.

(　　　　　　　)

6 지영이네 반 학생은 32명입니다. 그중 $\frac{3}{8}$이 안경을 쓰고 있습니다. 안경을 쓴 학생과 쓰지 않은 학생 수의 차는 몇 명인지 구해 보세요. | 8점

(　　　　　　　)

예상문제

서술형

7 □ 안에 들어갈 수 있는 자연수는 모두 몇 개인지 풀이 과정을 쓰고, 답을 구하시오. | 8점

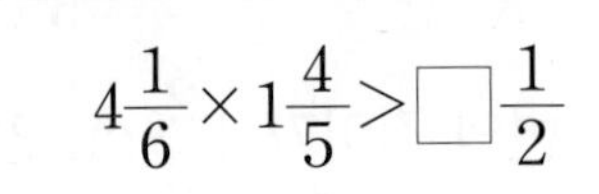
$4\frac{1}{6}\times1\frac{4}{5}>\square\frac{1}{2}$

풀이

답

8 다음 3장의 수 카드 중에서 2장을 뽑아 만들 수 있는 진분수를 모두 곱하면 얼마인지 구해 보세요. | 10점

1　3　8

(　　　　　　)

창의융합

9 자전거 타기는 걷기와 함께 대표적인 유산소 운동입니다. 몸무게가 40 kg인 사람이 자전거를 같은 빠르기로 1시간 동안 타면 200 kcal가 소모됩니다. 몸무게가 40 kg인 영호가 자전거를 같은 빠르기로 하루에 1시간 15분씩 일주일 동안 탔다면 소모된 열량은 모두 몇 kcal인지 구해 보세요. | 10점

열량의 단위로 킬로칼로리라고 합니다.

(　　　　　　)

10 다음 식의 계산 결과가 자연수가 되도록 □ 안에 들어갈 수 있는 자연수를 모두 구해 보세요. (단, $\frac{5}{\square}$는 진분수입니다.) | 10점

$\frac{5}{\square}\times7$

(　　　　　　)

11 물이 가득 들어 있는 물통의 무게가 $5\frac{1}{4}$ kg입니다. 이 물통에서 물을 전체의 $\frac{1}{4}$만큼 덜어 내고 다시 무게를 재었더니 $4\frac{3}{5}$ kg이었습니다. 처음 물통에는 몇 kg의 물이 들어 있었는지 구해 보세요. | 10점

(　　　　　　)

12 두 자동차가 1분에 각각 $1\frac{3}{5}$ km와 $1\frac{1}{2}$ km를 달립니다. 같은 지점에서 같은 방향으로 출발했을 때 1시간 40분 후에 두 자동차 사이의 거리는 몇 km인지 구해 보세요. | 10점

(　　　　　　)

경시대회 예상 문제 A형

3. 합동과 대칭

점수

1 두 사각형은 서로 합동입니다. 사각형 ㄱㄴㄷㄹ의 둘레는 몇 cm인지 구해 보세요. | 5점

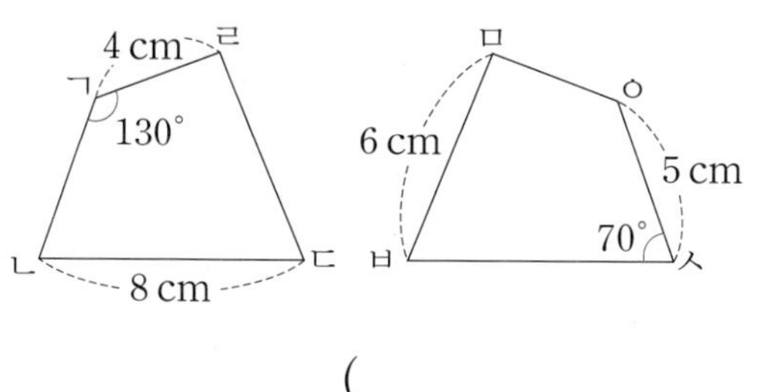

( )

2 직선 ㅅㅇ을 대칭축으로 하는 선대칭도형입니다. 각 ㅁㄹㄷ은 몇 도인지 구해 보세요. | 5점

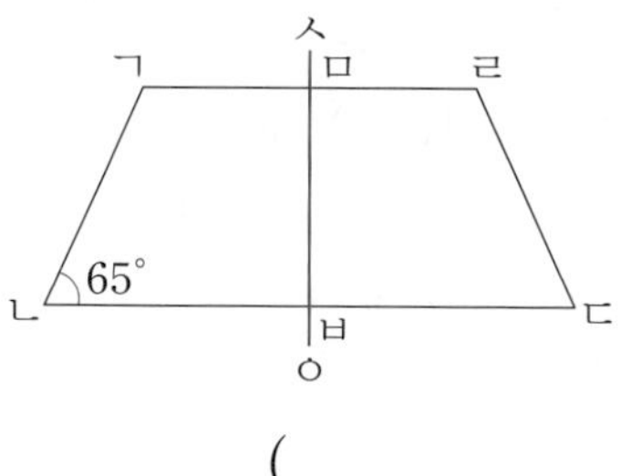

( )

서술형

3 점 ㅇ을 대칭의 중심으로 하는 점대칭도형입니다. 선분 ㄷㅂ은 몇 cm인지 풀이 과정을 쓰고, 답을 구해 보세요. | 8점

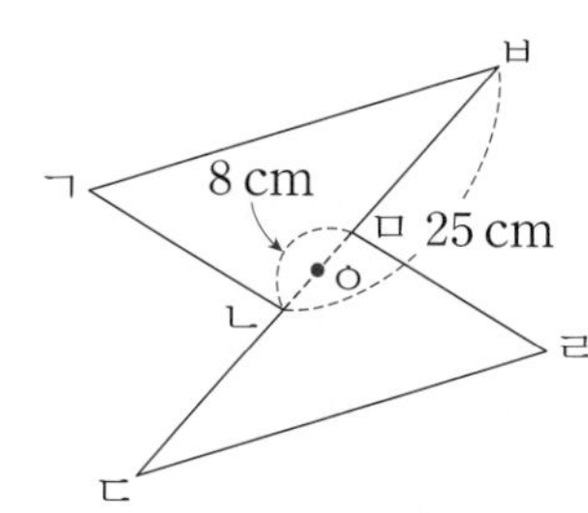

풀이

답

4 오른쪽은 원의 중심 ㅇ을 대칭의 중심으로 하는 점대칭도형입니다. 각 ㅇㄴㄷ은 몇 도인지 구해 보세요. | 8점

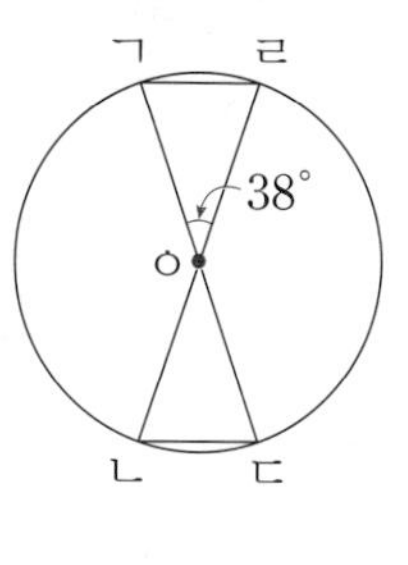

( )

창의융합

5 다음 중 선대칭이면서 점대칭인 국기를 찾아 나라 이름을 모두 써 보세요. | 8점

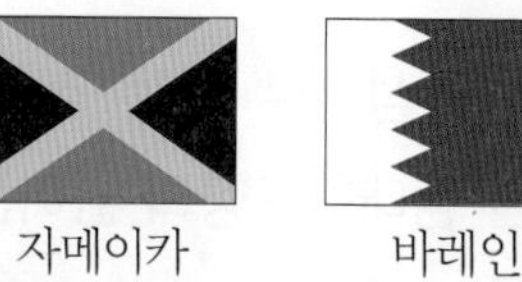

자메이카 바레인 트리니다드토바고

아랍에미리트 캐나다 이스라엘

( )

6 오른쪽 삼각형 ㄱㄴㄷ은 둘레가 44 cm인 이등변삼각형입니다. 삼각형 ㄱㄴㄹ과 삼각형 ㄱㄷㄹ이 서로 합동일 때 선분 ㄴㄹ은 몇 cm인가요? | 8점

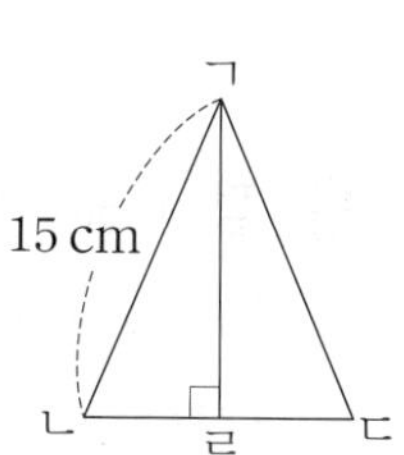

( )

예상 문제

서술형

7 다음 중 점대칭인 수 카드를 한 번씩만 사용하여 만들 수 있는 두 자리 수를 모두 더하면 얼마인지 풀이 과정을 쓰고, 답을 구해 보세요. | 8점

2 3 6 8

풀이

답

8 점 ㅇ을 대칭의 중심으로 하는 점대칭도형을 완성하고, 완성한 점대칭도형의 넓이는 몇 cm^2인지 구해 보세요. | 10점

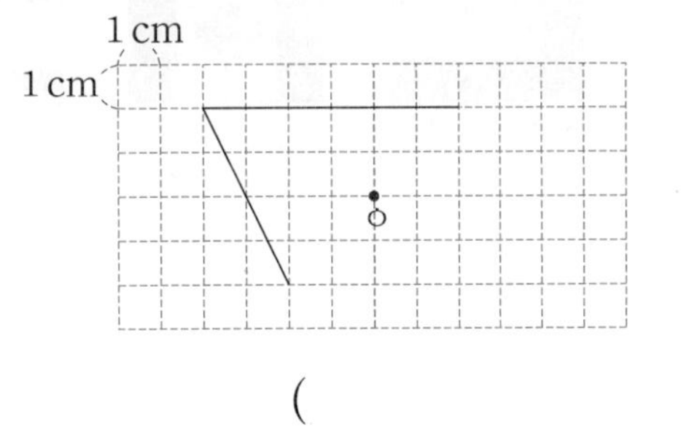

( )

9 점 ㅇ을 대칭의 중심으로 하는 점대칭도형의 일부분입니다. 완성한 점대칭도형의 둘레는 몇 cm인지 구해 보세요. | 10점

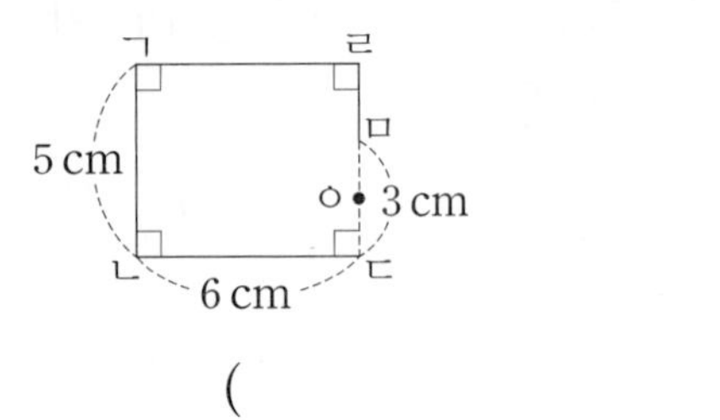

( )

10 그림과 같이 직사각형 모양의 종이를 접었습니다. 각 ㄱㅇㅅ은 몇 도인지 구해 보세요. | 10점

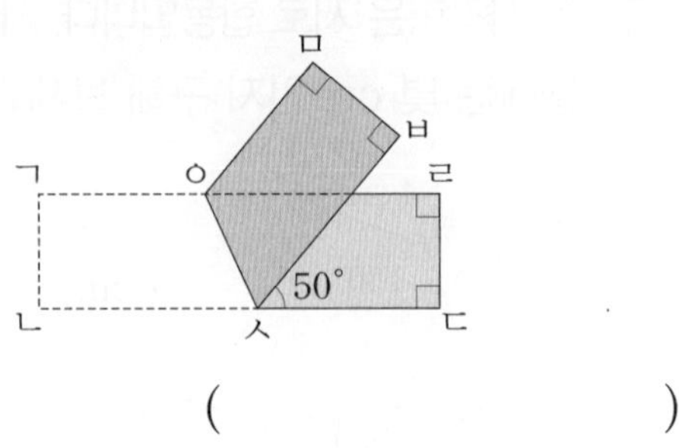

( )

11 오른쪽은 점 ㅅ을 대칭의 중심으로 하는 점대칭도형입니다. 각 ㄱㄴㄷ은 몇 도인가요? | 10점

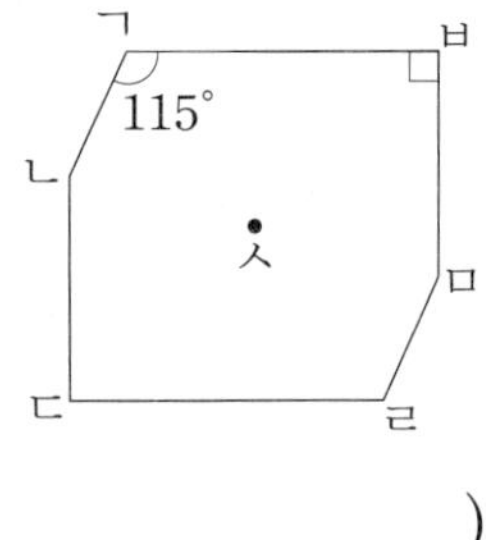

( )

12 오른쪽은 직선 ㅂㅅ을 대칭축으로 하는 선대칭도형입니다. 삼각형 ㄱㄴㄷ이 이등변삼각형일 때 삼각형 ㄱㄴㄷ의 넓이는 몇 cm^2인지 구해 보세요. | 10점

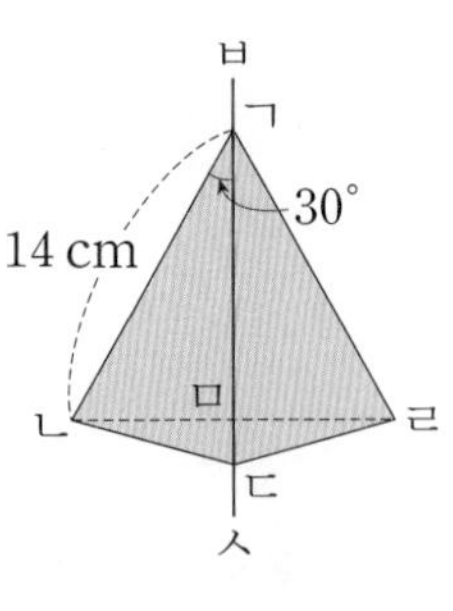

( )

경시대회 예상 문제 B형

3. 합동과 대칭

점수

1 다음 선대칭도형 중 대칭축의 개수가 가장 많은 것을 찾아 기호를 써 보세요. | 5점

㉠ 정삼각형	㉡ 정사각형
㉢ 원	㉣ 정육각형

( )

2 삼각형 ㄱㄴㄷ과 삼각형 ㅁㄹㄷ은 서로 합동입니다. 선분 ㄴㄹ이 일직선일 때 각 ㄱㄷㅁ은 몇 도인지 구해 보세요. | 5점

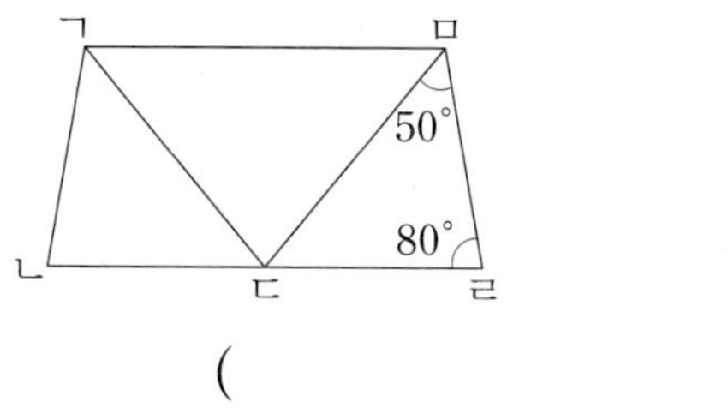

( )

서술형

3 오른쪽 사각형 ㄱㄴㅁㄹ은 직선 ㅂㅅ을 대칭축으로 하는 선대칭도형입니다. 각 ㄴㄷㄹ은 몇 도인지 풀이 과정을 쓰고, 답을 구해 보세요. | 8점

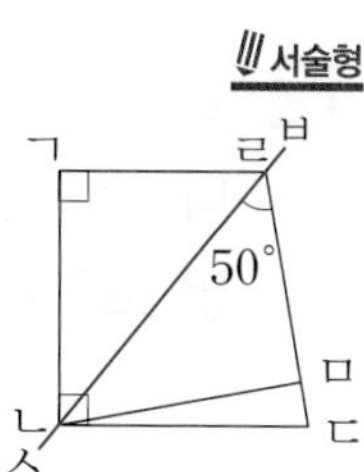
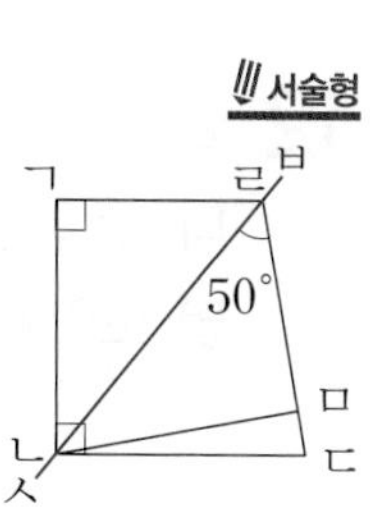

풀이

답

4 직선 ㅅㅇ을 대칭축으로 하는 선대칭도형입니다. 각 ㅁㄱㄴ은 몇 도인지 구해 보세요. | 8점

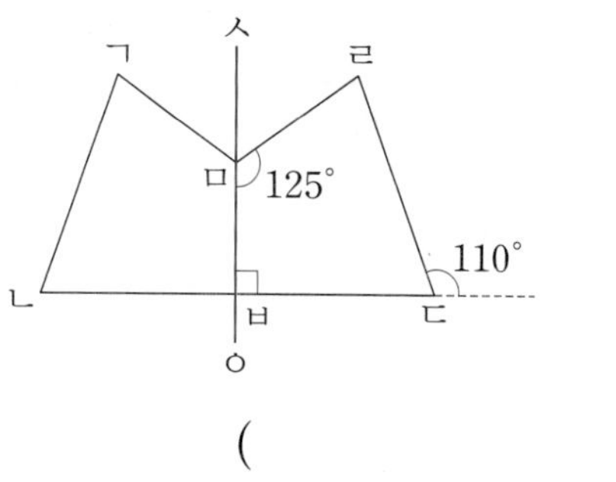

( )

5 점 ㅇ을 대칭의 중심으로 하는 점대칭도형입니다. 삼각형 ㄱㄴㅂ의 둘레가 50 cm일 때 점대칭도형의 둘레는 몇 cm인지 구해 보세요. | 8점

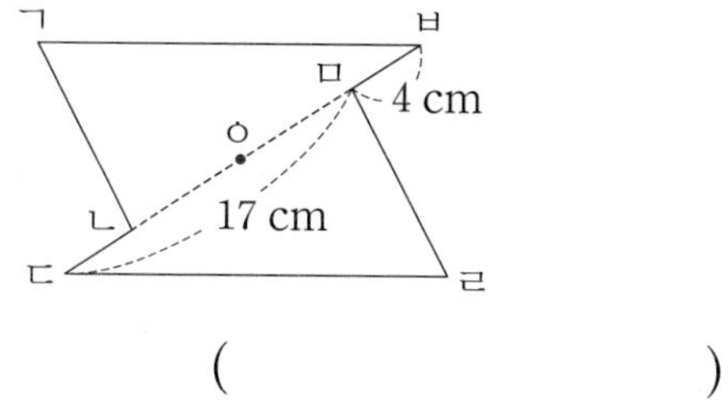

( )

6 삼각형 ㄱㄴㄷ과 삼각형 ㄹㄷㄴ은 서로 합동입니다. 각 ㄱㄷㄴ은 몇 도인지 구해 보세요. | 8점

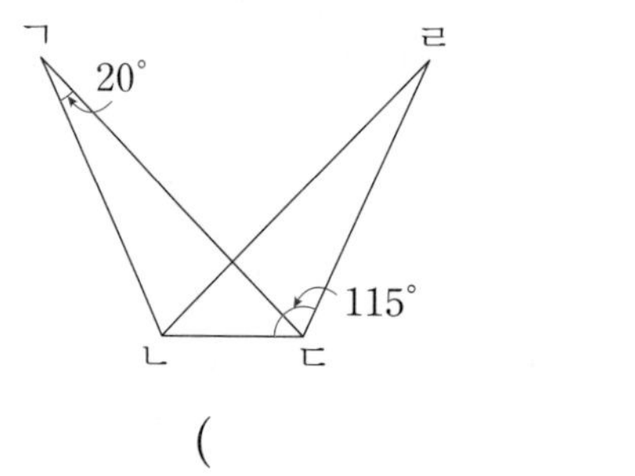

( )

예상 문제

창의융합

7 한글 자음 중에서 선대칭이면서 점대칭인 것을 모두 찾아 써 보세요. | 8점

ㄷ	ㄹ	ㅁ	ㅂ	ㅅ
ㅇ	ㅈ	ㅋ	ㅌ	ㅍ

( )

서술형

8 오른쪽과 같이 정오각형 모양의 종이를 접었습니다. 정오각형의 한 각의 크기는 108°일 때 각 ㄷㄴㅂ은 몇 도인지 풀이 과정을 쓰고, 답을 구해 보세요. | 10점

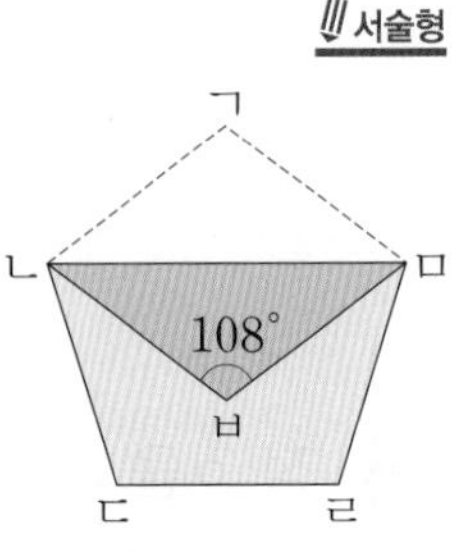

풀이

답

9 직선 ㄱㄴ을 대칭축으로 하는 선대칭도형을 완성하고, 완성한 선대칭도형의 넓이는 몇 cm^2인지 구해 보세요. | 10점

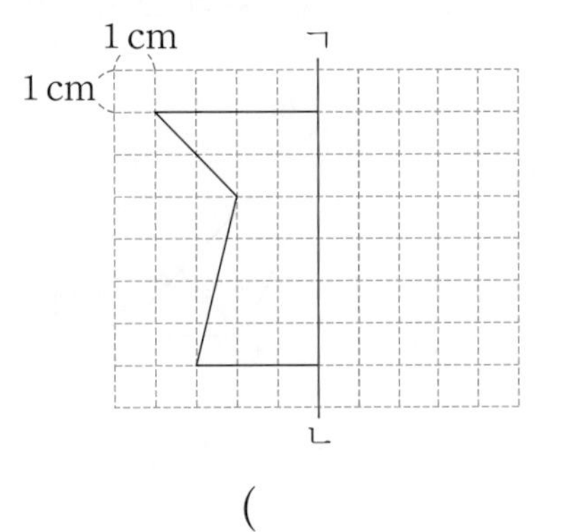

( )

10 오른쪽 삼각형 ㄱㄴㄷ과 삼각형 ㄹㄴㅁ은 서로 합동입니다. 각 ㄱㄹㅂ은 몇 도인지 구해 보세요. | 10점

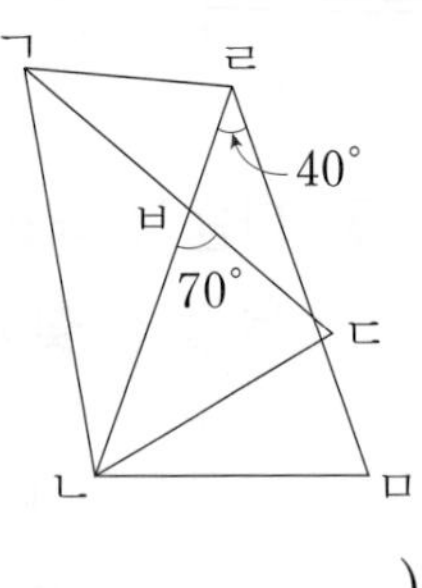

( )

11 오른쪽 그림에서 삼각형 ㄱㅁㄹ과 삼각형 ㄴㄷㄹ은 서로 합동입니다. 사각형 ㄱㄴㄷㄹ의 넓이는 몇 cm^2인지 구해 보세요. | 10점

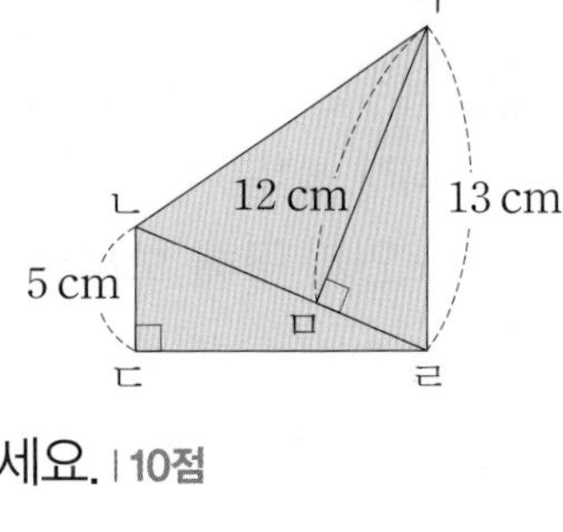

( )

12 점 ㅇ을 대칭의 중심으로 하는 점대칭도형입니다. ㉠이 ㉡보다 20°만큼 더 클 때 각 ㄱㅇㅂ은 몇 도인지 구해 보세요. | 10점

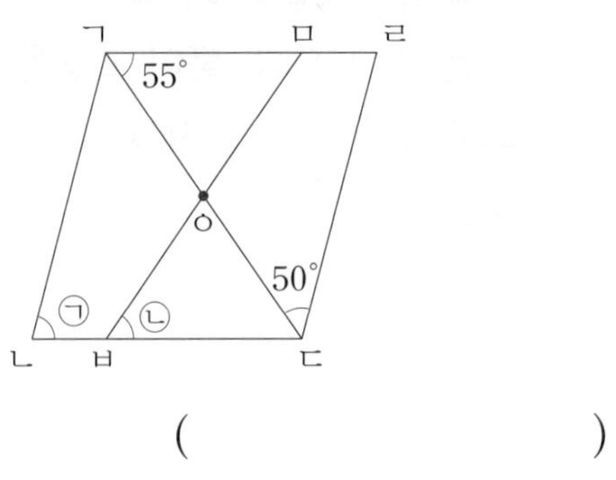

( )

경시대회 예상 문제 A형

4. 소수의 곱셈

점수

1 곱이 작은 것부터 순서대로 기호를 써 보세요. | 5점

㉠ 0.08×46　　㉡ 0.8×46
㉢ 0.008×46　　㉣ 8×46

(　　　　　　　　)

2 계산 결과의 합을 구해 보세요. | 5점

1.02×5　　4×5.28

(　　　　　　　　)

3 지우는 일주일 동안 운동장 1.2 km 달리기와 자전거 5.3 km 타기를 모두 4번 했습니다. 지우가 일주일 동안 운동한 거리는 모두 몇 km인지 구해 보세요. | 8점

(　　　　　　　　)

4 어떤 자동차는 1 km를 달리는 데 0.05 L의 휘발유를 사용합니다. 이 자동차가 980 m를 달린다면 필요한 휘발유는 몇 L인가요? | 8점

(　　　　　　　　)

5 □ 안에 들어갈 수 있는 자연수를 모두 구해 보세요. | 8점

$4.3 \times 3.5 < \square < 5.8 \times 3.24$

(　　　　　　　　)

서술형

6 가로가 1.8 m, 세로가 1.6 m인 직사각형 모양의 장판 7장 반을 겹치지 않게 놓아서 바닥을 빈틈없이 덮었습니다. 바닥의 넓이는 몇 m^2인지 풀이 과정을 쓰고, 답을 구해 보세요. | 8점

풀이

답

예상 문제

7 3장의 수 카드 [3], [5], [8]을 한 번씩만 사용하여 소수를 만들려고 합니다. 만들 수 있는 가장 큰 소수 두 자리 수와 가장 작은 소수 한 자리 수의 곱을 구해 보세요. | 8점

( )

창의융합 서술형

8 지구에서 잰 진우의 몸무게가 40 kg일 때 금성에서 잰 몸무게와 수성에서 잰 몸무게의 차는 몇 kg인지 풀이 과정을 쓰고, 답을 구해 보세요. | 10점

- 금성에서 잰 몸무게는 지구에서 잰 몸무게의 0.91배입니다.
- 수성에서 잰 몸무게는 지구에서 잰 몸무게의 0.38배입니다.

풀이

답

9 물이 일정하게 1분에 12 L씩 나오는 수도로 수조에 물을 받는데 수조 바닥에 구멍이 나서 1분에 1.5 L씩 물이 샌다고 합니다. 4분 45초 동안 수조에 받을 수 있는 물은 몇 L인지 구해 보세요. | 10점

( )

10 어떤 수를 0.25로 나눈 후 0.7을 더했더니 2.22가 되었습니다. 어떤 수와 1.9의 곱을 구해 보세요. | 10점

( )

11 떨어진 높이의 0.75만큼 튀어 오르는 공이 있습니다. 이 공을 160 cm 높이에서 떨어뜨렸을 때 공이 세 번째로 튀어 오른 높이는 몇 cm인지 구해 보세요. | 10점

( )

12 음료수 3.2 L가 들어 있는 병의 무게를 재어 보았더니 3.75 kg이었습니다. 그중에서 음료수 500 mL를 마시고 난 후 다시 무게를 재어 보았더니 3.3 kg이 되었습니다. 빈 병의 무게는 몇 kg인지 구해 보세요. | 10점

( )

정답 및 풀이 ▸ 54쪽

경시대회 예상 문제 B형

4. 소수의 곱셈

점수

1 다음을 계산하여 ㉠과 ㉡의 차를 구해 보세요. | 5점

㉠ 8×0.17 ㉡ 6×1.25

( )

2 바다에서 10분에 3.4 km를 헤엄쳐 갈 수 있는 바다거북이 있습니다. 이 바다거북이 같은 빠르기로 2시간 동안 헤엄친다면 몇 km를 갈 수 있는지 구해 보세요. | 5점

( )

3 어떤 수에 5.7을 곱해야 할 것을 잘못하여 0.057을 곱하였습니다. 바르게 계산한 값은 잘못 계산한 값의 몇 배인지 구해 보세요. | 8점

( )

4 길이가 2 m인 철사로 겹치는 부분 없이 한 변의 길이가 24.5 cm인 정육각형 1개를 만들었습니다. 남은 철사의 길이는 몇 m인지 구해 보세요. | 8점

( )

5 82.6과 2.95의 곱은 어떤 수의 $\frac{1}{100}$배와 같습니다. 어떤 수를 구해 보세요. | 8점

( )

서술형

6 직사각형 가와 평행사변형 나 중 어느 도형이 더 넓은지 풀이 과정을 쓰고, 답을 구해 보세요. | 8점

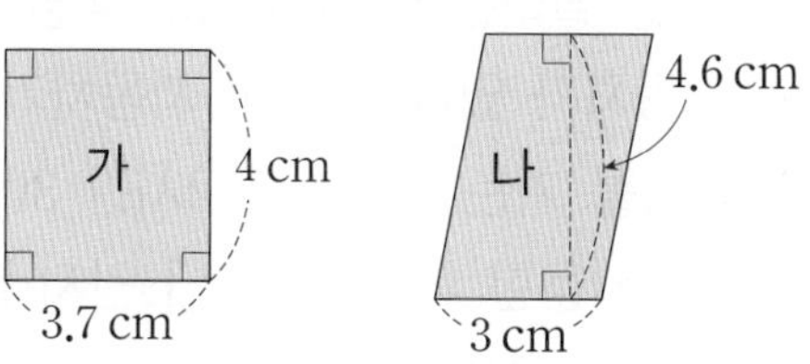

풀이

답

7 서진이의 키는 155 cm입니다. 유나의 키는 서진이의 키의 0.94배이고, 승훈이의 키는 서진이의 키의 0.88배입니다. 유나는 승훈이보다 몇 cm 더 큰지 구해 보세요. | 8점

(　　　　　　　　)

8 길이가 10 cm인 색 테이프 7장을 그림과 같이 1.5 cm씩 겹치게 한 줄로 길게 이어 붙였습니다. 이어 붙인 색 테이프 전체의 길이는 몇 cm인지 구해 보세요. | 10점

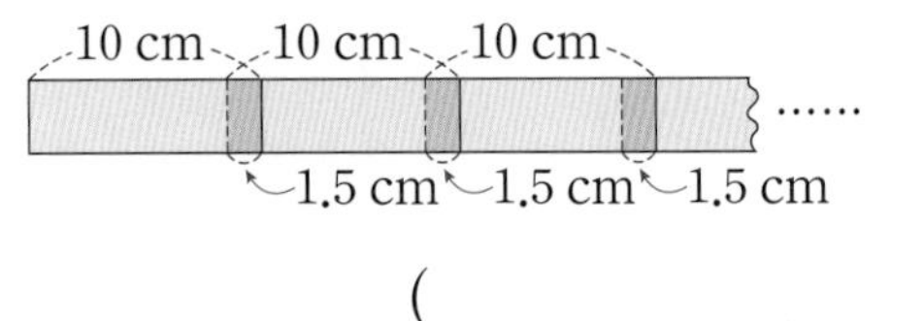

(　　　　　　　　)

서술형

9 1 km를 달리는 데 0.06 L의 휘발유를 사용하는 자동차가 있습니다. 이 자동차가 한 시간에 80 km를 가는 빠르기로 2시간 30분 동안 달렸다면 사용한 휘발유는 몇 L인지 풀이 과정을 쓰고, 답을 구해 보세요. | 10점

풀이

답

창의융합

10 보통 해발 고도가 100 m 높아질 때마다 기온은 0.6 ℃씩 낮아집니다. 어느 산에서 해발 고도 350 m인 곳의 기온이 10.2 ℃일 때 해발 고도 1150 m인 곳의 기온은 몇 ℃인지 구해 보세요. | 10점

(해발 고도: 평균 해수면을 기준으로 측정한 어떤 곳의 높이)

(　　　　　　　　)

11 ㉠과 ㉡ 안에 공통으로 들어갈 수 있는 자연수를 모두 구해 보세요. | 10점

$0.92 \times 18 <$ ㉠ $< 0.81 \times 32$

$24 \times 0.6 <$ ㉡ $< 32 \times 0.64$

(　　　　　　　　)

12 한 시간에 75.4 km를 달리는 버스와 66.2 km를 달리는 트럭이 있습니다. 버스는 가 지점, 트럭은 나 지점에서 서로 마주 보고 동시에 출발하여 1시간 45분 후 만났다면 가와 나 사이의 거리는 몇 km인지 구해 보세요. | 10점

가 ———————— 나
버스 → 　　　　← 트럭

(　　　　　　　　)

경시대회 예상 문제 

5. 직육면체

점수

1 직육면체의 겨냥도에서 수가 가장 많은 것을 찾아 기호를 써 보세요. | 5점

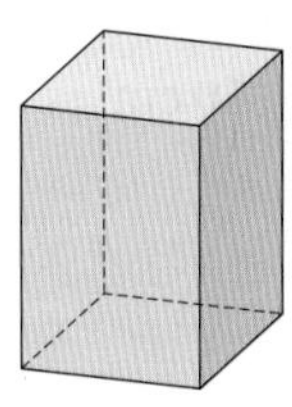

㉠ 보이는 모서리의 수
㉡ 보이는 꼭짓점의 수
㉢ 보이지 않는 면의 수

( )

2 직육면체의 겨냥도에서 보이지 않는 모서리의 길이의 합은 몇 cm인지 구해 보세요. | 5점

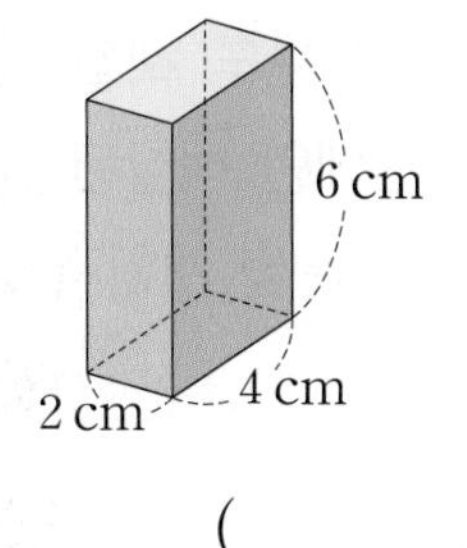

( )

3 직육면체의 모든 모서리 길이의 합은 40 cm입니다. ㉠은 몇 cm인지 구해 보세요. | 8점

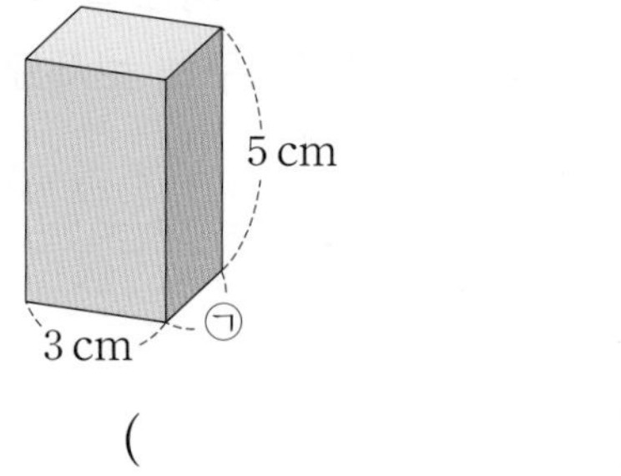

( )

서술형

4 오른쪽 주사위에서 서로 평행한 두 면의 눈의 수의 합은 7입니다. ㉠에 올 수 있는 눈의 수의 차는 얼마인지 풀이 과정을 쓰고, 답을 구해 보세요. | 8점

풀이

답

5 직육면체의 전개도의 둘레는 몇 cm인지 구해 보세요. | 8점

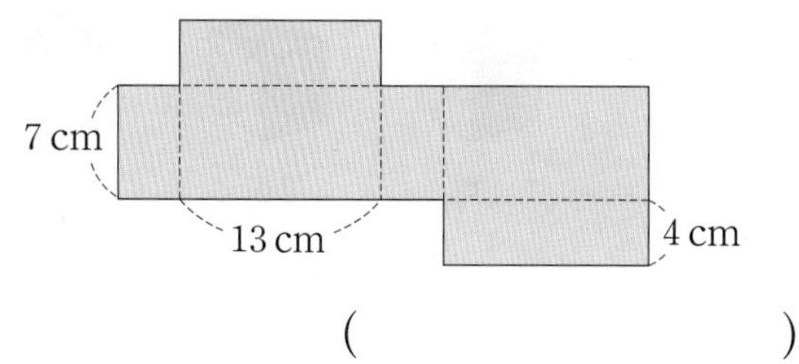

( )

창의융합

6 한지는 우리나라 고유의 기법으로 만든 독특한 종이입니다. 왼쪽과 같이 한지로 만든 직육면체 모양의 상자에 실을 한 바퀴 돌려 붙였습니다. 오른쪽 직육면체의 전개도에 실이 지나간 자리를 표시해 보세요. | 8점

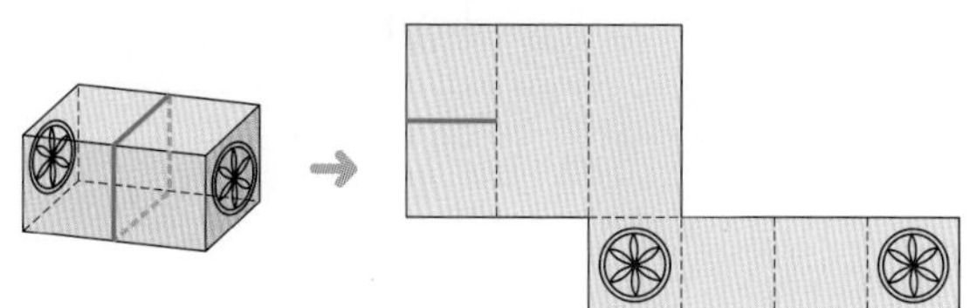

예상 문제

7 한 면의 넓이가 49 cm^2인 정육면체의 전개도입니다. 이 전개도의 둘레는 몇 cm인지 구해 보세요. | 8점

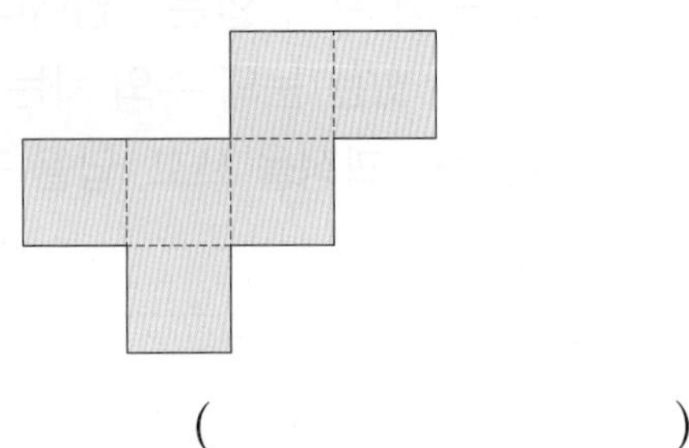

(　　　　　　　　　)

8 여섯 면에 파랑, 빨강, 노랑, 초록, 분홍, 보라가 칠해진 정육면체 하나를 3회 던진 결과가 다음과 같습니다. 파랑이 칠해진 면과 마주 보는 면은 무슨 색깔인가요? | 10점

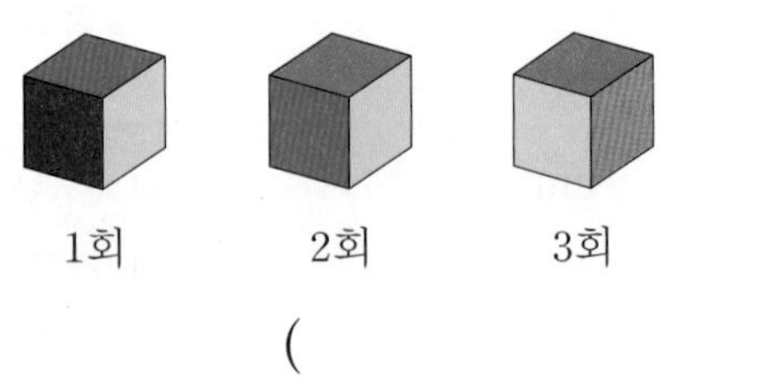

(　　　　　　　　　)

9 정육면체의 전개도에 5, 10, 15, 20, 25, 30의 수를 써넣어 전개도를 접었을 때 서로 평행한 두 면에 쓰인 수의 합이 같게 하려고 합니다. 면 ㉮에 쓸 수 있는 수들의 곱을 구해 보세요. | 10점

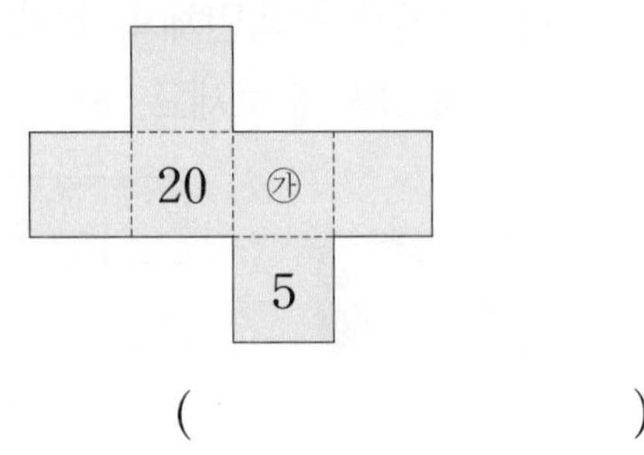

(　　　　　　　　　)

10 직육면체의 전개도의 둘레는 320 cm입니다. ㉠은 몇 cm인지 구해 보세요. | 10점

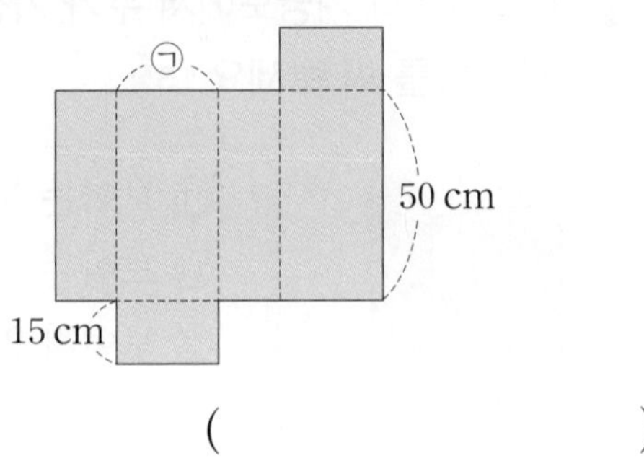

(　　　　　　　　　)

11 크기가 같은 정육면체 80개를 붙여 오른쪽 직육면체를 만들었습니다. 이 직육면체의 바닥에 닿는 면을 포함한 겉면에 모두 색칠했을 때 두 면에만 색칠된 정육면체는 모두 몇 개인지 구해 보세요. | 10점

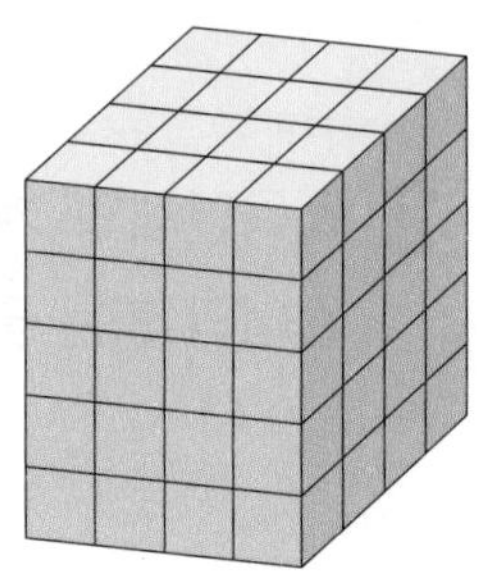

(　　　　　　　　　)

서술형

12 오른쪽과 같은 직육면체 모양 상자를 여러 개 쌓아서 가장 작은 정육면체를 만들려고 합니다. 이때 필요한 상자는 모두 몇 개인지 풀이 과정을 쓰고, 답을 구해 보세요. | 10점

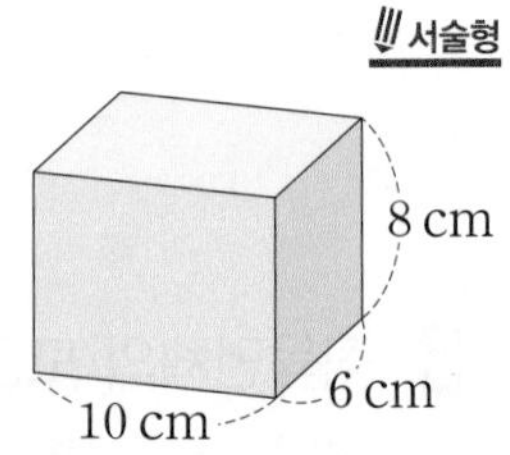

풀이

답

경시대회 예상 문제 

5. 직육면체

점수

1 정육면체의 겨냥도를 보고 ㉠+㉡−㉢의 값을 구해 보세요. | 5점

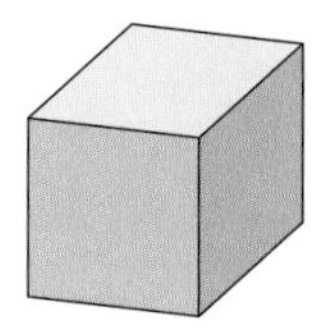

㉠ 보이지 않는 면의 수
㉡ 보이는 모서리의 수
㉢ 보이는 꼭짓점의 수

(　　　　　　　　)

2 직육면체의 겨냥도에서 모든 모서리 길이의 합은 몇 cm인지 구해 보세요. | 5점

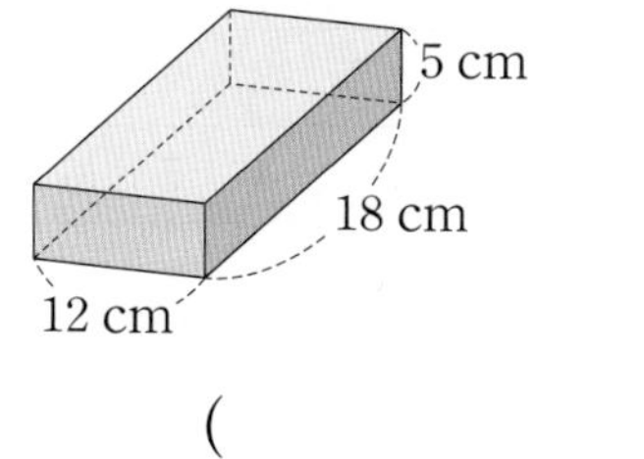

(　　　　　　　　)

서술형

3 오른쪽 주사위는 정육면체 모양입니다. 이 주사위의 모든 모서리 길이의 합이 96 cm일 때 한 모서리의 길이는 몇 cm인지 풀이 과정을 쓰고, 답을 구해 보세요. | 8점

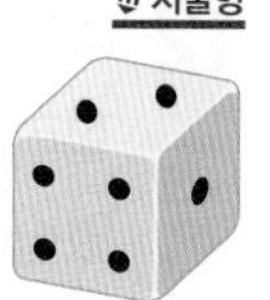

풀이

답

4 전개도를 접어 주사위를 만들려고 합니다. 주사위에서 서로 평행한 두 면의 눈의 수의 합이 7일 때 면 ㉮의 눈의 수를 구해 보세요. | 8점

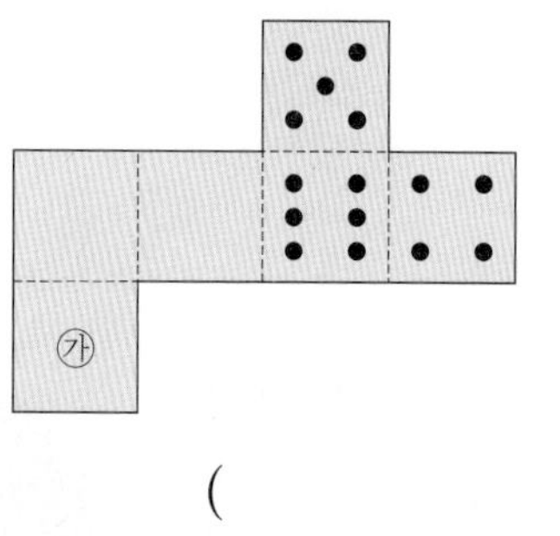

(　　　　　　　　)

5 가로 28 cm, 세로 19 cm인 직사각형 모양의 두꺼운 종이가 있습니다. 이 종이의 네 모퉁이에서 한 변의 길이가 4 cm인 정사각형을 4개 잘라내고 접어서 뚜껑이 없는 상자를 만들었습니다. 만든 직육면체의 서로 다른 세 모서리의 길이를 모두 구해 보세요. | 8점

(　　　　　　　　)

6 왼쪽 직육면체를 보고 선이 지나간 자리를 오른쪽 전개도에 표시해 보세요. | 8점

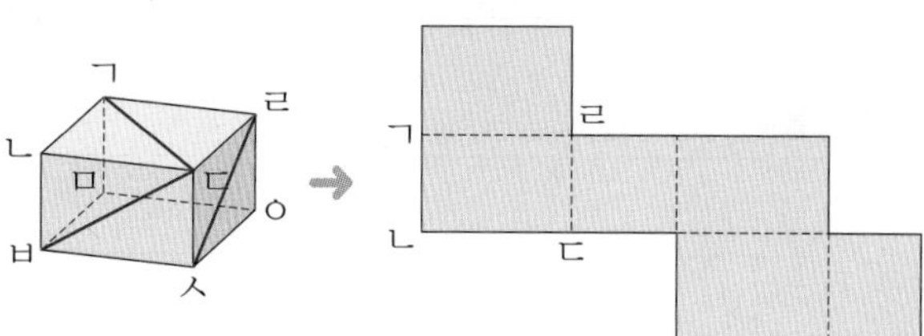

예상 문제

7 오른쪽 직육면체의 전개도에서 사각형 ㄱㄴㄷㄹ의 넓이는 몇 cm^2인지 구해 보세요. | 8점

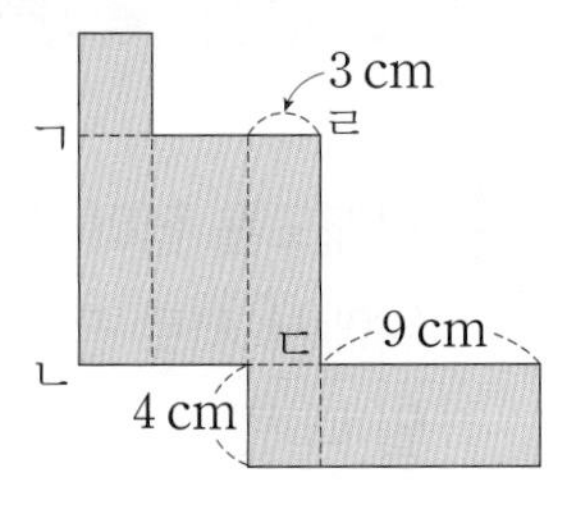

(　　　　　　　　　　)

창의융합

8 자개는 조개껍데기로 공예품이나 장신구를 만들기 위해 가공한 것입니다. 오른쪽과 같이 자개를 붙여 만든 직육면체 모양의 보석함을 끈으로 묶었습니다. 매듭을 묶는 데 사용한 끈의 길이가 14 cm일 때 사용한 전체 끈의 길이는 모두 몇 cm인지 구해 보세요. | 10점

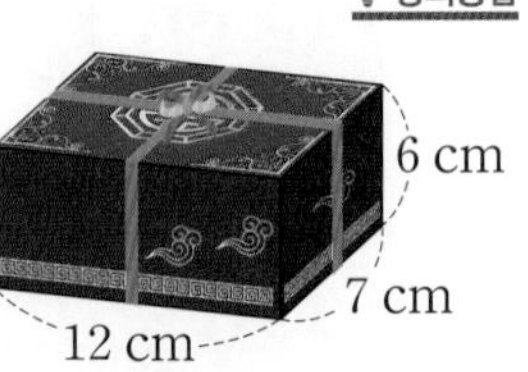

(　　　　　　　　　　)

서술형

9 왼쪽 직육면체의 모서리를 잘라 오른쪽 전개도를 만들었습니다. 직육면체의 보이는 모서리의 길이의 합이 36 cm일 때 전개도의 둘레는 몇 cm인지 풀이 과정을 쓰고, 답을 구해 보세요. | 10점

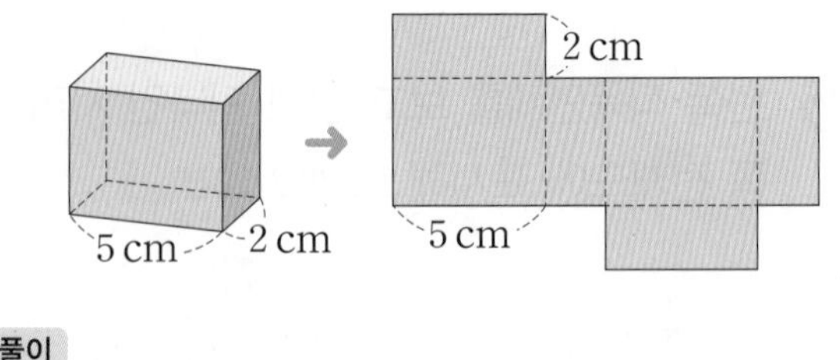

풀이

답

10 여러 개의 직육면체가 있습니다. 모든 직육면체의 모서리의 수와 면의 수의 합이 162일 때 모든 직육면체의 꼭짓점 수의 합은 얼마인지 구해 보세요. | 10점

(　　　　　　　　　　)

11 왼쪽 전개도 2장으로 정육면체 2개를 만들어 오른쪽과 같이 쌓았습니다. 서로 맞닿는 두 면에 쓰인 수의 합이 6일 때 바닥과 맞닿는 면에 쓰인 수를 구해 보세요. (단, 숫자의 방향은 생각하지 않습니다.) | 10점

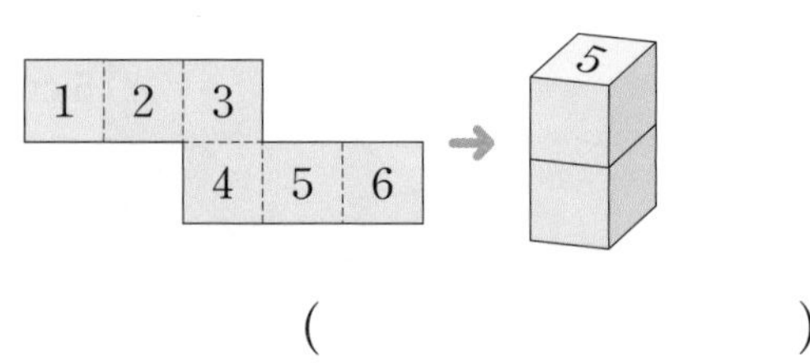

(　　　　　　　　　　)

12 다음 직사각형 모양의 종이에서 색칠한 부분을 잘라낸 후 남은 종이를 접어 직육면체를 만들었습니다. 만든 직육면체의 모든 모서리 길이의 합은 몇 cm인지 구해 보세요. | 10점

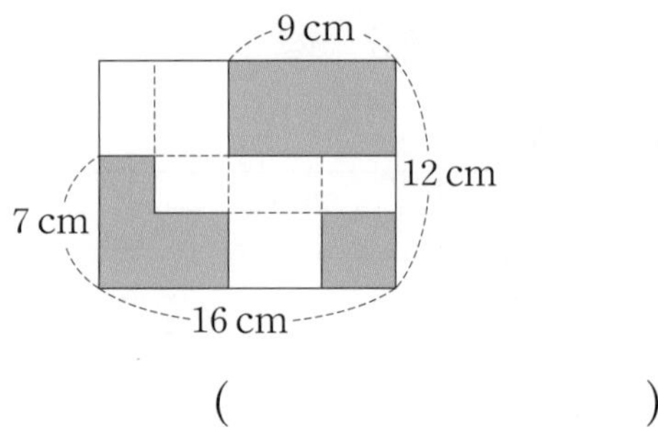

(　　　　　　　　　　)

경시대회 예상 문제 A형

6. 평균과 가능성

점수

1 지은이네 모둠의 왕복 오래달리기 기록을 나타낸 표입니다. 왕복 오래달리기 기록이 평균보다 더 높은 학생을 모두 찾아 써 보세요. | 5점

왕복 오래달리기 기록

이름	지은	은아	여진	소영	민주
기록(회)	92	80	91	85	87

( )

2 상자 안에 노란색 공이 3개, 빨간색 공이 5개, 초록색 공이 2개 들어 있습니다. 이 상자에서 공 1개를 꺼낼 때 꺼낸 공이 빨간색일 가능성을 ↓로 나타내어 보세요. | 5점

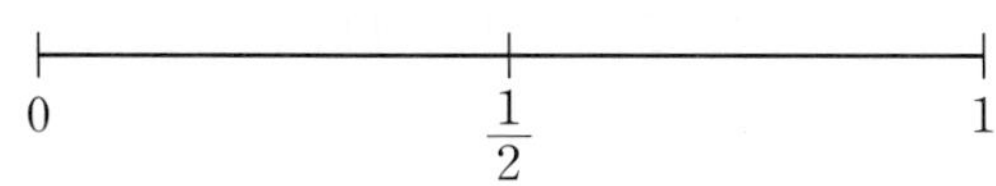

3 소영이의 단원평가 점수입니다. 5과목 점수의 평균이 86점일 때 영어 점수는 몇 점인지 구해 보세요. | 8점

단원평가 점수

과목	국어	수학	사회	과학	영어
점수(점)	85	95	75	85	

( )

서술형

4 서예 교실 학생들의 나이를 나타낸 표입니다. 새로운 학생 한 명이 더 들어와서 나이의 평균이 1세 많아졌습니다. 새로운 학생의 나이는 몇 세인지 풀이 과정을 쓰고, 답을 구해 보세요. | 8점

서예 교실 학생의 나이

이름	서진	우민	도현	혜나	예슬
나이(세)	13	12	14	14	12

풀이

답

5 ㉠과 ㉡의 일이 일어날 가능성을 수로 표현했을 때 두 수의 차를 구해 보세요. | 8점

㉠ 어떤 수에 0을 곱했을 때 10이 나올 가능성

㉡ 주사위를 굴렸을 때 눈의 수가 1 이상일 가능성

( )

6 어느 자동차가 한 시간에 평균 70 km를 가는 빠르기로 2시간 동안 달린 다음, 한 시간에 평균 62 km를 가는 빠르기로 2시간 동안 더 달렸습니다. 이 자동차는 시간당 평균 몇 km를 가는 빠르기로 달린 것인지 구해 보세요. | 8점

( )

예상 문제

7 하영이네 모둠의 5회의 단체 줄넘기 기록입니다. 단체 줄넘기 기록의 평균이 33번 이상 되어야 결승에 올라간다면 마지막에 적어도 몇 번 넘어야 하는지 구해 보세요. | 8점

37번, 28번, 23번, 40번, □번

(　　　　　　　　)

창의융합

8 바둑은 두 사람이 흑 · 백의 바둑돌을 바둑판의 점 위에 교대로 놓으면서 집을 많이 차지하는 승부놀이입니다. 왼쪽 통에서 바둑돌 1개를 꺼낼 때 흰색일 가능성은 0입니다. 또 오른쪽 바둑통에서 바둑돌 1개를 꺼낼 때 검은색일 가능성은 1입니다. 두 바둑통에 각각 200개의 바둑돌이 들어 있을 때 검은색 바둑돌은 모두 몇 개인지 구해 보세요. | 10점

(　　　　　　　　)

9 ㉮★㉯는 ㉮와 ㉯의 평균을 나타냅니다. 다음을 계산해 보세요. | 10점

198★(128★204)

(　　　　　　　　)

서술형

10 유진이네 반 학생 30명의 하루 스마트폰 이용 시간의 평균은 80분이고 이 중에서 남학생 14명의 하루 스마트폰 이용 시간의 평균은 48분입니다. 여학생 16명의 하루 스마트폰 이용 시간의 평균은 몇 분인지 풀이 과정을 쓰고, 답을 구해 보세요. | 10점

풀이

답

11 수영이와 진구의 키의 평균은 136 cm, 진구와 우주의 키의 평균은 142 cm입니다. 수영, 진구, 우주의 키의 합이 417 cm일 때 진구의 키는 몇 cm인지 구해 보세요. | 10점

(　　　　　　　　)

12 성호네 모둠은 5명이고 윗몸 말아 올리기 기록의 평균은 43회입니다. 진우네 모둠은 성호네 모둠보다 2명 적고 윗몸 말아 올리기 기록의 평균이 51회입니다. 두 모둠의 윗몸 말아 올리기 기록의 평균은 몇 회인지 구해 보세요. | 10점

(　　　　　　　　)

정답 및 풀이 > 58쪽

경시대회 예상 문제 

6. 평균과 가능성

점수

1 어떤 수영장의 수준별 학생 수를 나타낸 표입니다. 반 수를 5개로 늘린다면 한 반당 평균 학생 수를 몇 명으로 하면 되는지 구해 보세요. | 5점

수영장의 수준별 학생 수

반	기초	초급	중급	상급
학생 수(명)	32	28	30	35

( )

2 어느 해 마을별 고구마 생산량을 나타낸 표입니다. 고구마 생산량의 평균은 몇 kg인지 구해 보세요. | 5점

고구마 생산량

마을	가	나	다	라	마
생산량(t)	25	29	16	20	23

( )

3 바구니에 사과가 4개, 감이 6개 있습니다. 바구니 안을 보지 않고 과일 1개를 집었을 때 집은 과일이 감일 가능성이 $\frac{1}{2}$이 되게 하려고 합니다. 과일을 집기 전에 몇 개의 감을 빼야 하는지 구해 보세요. | 8점

( )

창의융합

4 드론은 무선전파로 조종할 수 있는 무인 비행기입니다. 예빈이는 드론을 조종하여 처음 6 m는 2분 10초 동안 가고, 다음 4 m는 1분 40초 동안 갔습니다. 이 드론은 1 m를 가는 데 평균 몇 초가 걸렸는지 구해 보세요. | 8점

( )

5 세준이네 학급 문고에 있는 책의 수를 나타낸 표입니다. 책 수의 평균보다 적은 종류를 각각 5권씩 사기로 했습니다. 사야 할 책은 모두 몇 권인지 구해 보세요. | 8점

학급 문고의 종류별 책 수

종류	동화책	위인전	소설책	시집	과학책
책 수(권)	32	60	25	13	20

( )

서술형

6 지난주 월요일부터 금요일까지 최고 기온을 나타낸 표입니다. 5일 동안 최고 기온의 평균이 13 ℃일 때 금요일의 최고 기온은 몇 ℃인지 풀이 과정을 쓰고, 답을 구해 보세요. | 8점

요일별 최고 기온

요일	월	화	수	목	금
기온(℃)	14	12	15	10	

풀이

답

예상 문제

7 30개의 마을에 약국이 평균 5개씩 있습니다. 그중 20개의 마을에 약국이 평균 4개씩 있다면 나머지 10개의 마을에는 약국이 평균 몇 개씩 있는지 구해 보세요. | 8점

( )

서술형

8 어느 공장의 불량품의 수를 조사하여 나타낸 표입니다. 1월부터 6월까지의 불량품 수의 평균이 20개 이하가 되려면 5월과 6월의 불량품 수의 합이 몇 개 이하여야 하는지 풀이 과정을 쓰고, 답을 구해 보세요. | 10점

불량품의 수

월	1	2	3	4
불량품의 수(개)	26	22	18	24

풀이

답

9 빨간색 구슬 4개, 노란색 구슬 1개, 파란색 구슬 6개, 검은색 구슬 11개가 들어 있는 주머니에서 구슬 1개를 꺼낼 때 검은색 구슬이 나오지 않을 가능성을 수로 표현해 보세요. | 10점

( )

10 어느 과수원의 복숭아나무 한 그루에서 평균 11 kg의 복숭아를 수확했습니다. 복숭아나무 127그루에서 딴 복숭아를 한 상자에 8 kg씩 담아 판다면 최대 몇 상자까지 팔 수 있는지 구해 보세요. | 10점

( )

11 지우는 3일 동안 하루 평균 45분씩 운동을 하려고 합니다. 표를 보고 평균 45분이 되려면 내일 오후 몇 시 몇 분까지 운동을 해야 하는지 구해 보세요. | 10점

지우가 운동을 한 시간

	시작 시각	끝낸 시각
어제	오후 3 : 20	오후 4 : 00
오늘	오후 5 : 05	오후 5 : 40
내일	오후 4 : 10	

( )

12 혜수와 유나의 몸무게의 평균은 44 kg, 유나와 지훈이의 몸무게의 평균은 48 kg, 지훈이와 혜수의 몸무게의 평균은 46 kg입니다. 혜수, 유나, 지훈이의 몸무게의 평균은 몇 kg인지 구해 보세요. | 10점

( )

1회 실전! 경시대회 모의고사

1. 수의 범위와 어림하기 ~ 6. 평균과 가능성

점수

★ 배점: 한 문항당 5점 / 시험 시간: 50분

1 준수네 반 학생은 31명입니다. 하루에 4명씩 봉사활동을 가려고 합니다. 준수네 반 학생 모두가 봉사활동을 가려면 최소 며칠 동안 가야 하는지 구해 보세요.

(　　　　　　　　)

2 계산 결과가 가장 큰 것을 찾아 기호를 써 보세요.

㉠ $\frac{5}{8}\times5$　㉡ $2\times\frac{3}{7}$　㉢ $4\times\frac{7}{12}$

(　　　　　　　　)

3 다음과 같은 정사각형 모양의 과녁판에 화살 1개를 던져 맞히려고 합니다. 색칠한 부분을 맞힐 가능성을 수로 표현했을 때 $\frac{1}{2}$이 되도록 색칠해 보세요. (단, 테두리 부분을 맞히는 경우는 생각하지 않습니다.)

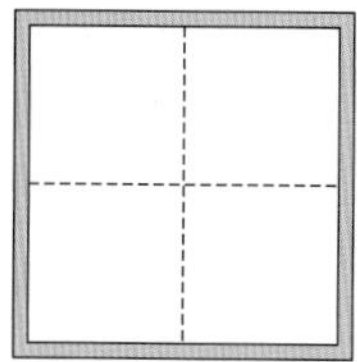

4 어느 박물관의 입장객 수를 나타낸 표입니다. 입장객의 수가 평균보다 많은 요일을 모두 써 보세요.

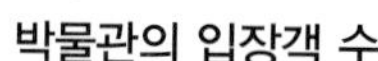

박물관의 입장객 수

요일	월	화	수	목	금
입장객 수(명)	93	154	123	105	110

(　　　　　　　　)

5 삼각형 ㄱㄴㄷ과 삼각형 ㄷㄹㅁ은 서로 합동입니다. 선분 ㄴㄹ이 일직선일 때 각 ㄱㄷㅁ은 몇 도인지 구해 보세요.

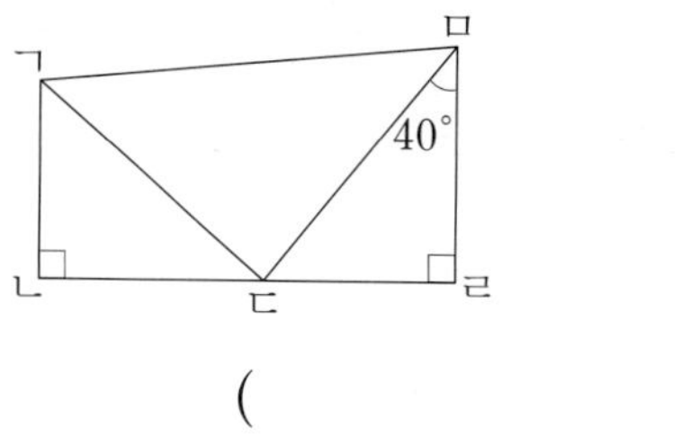

(　　　　　　　　)

6 □ 안에 들어갈 수 있는 자연수를 모두 구해 보세요.

$16\times0.4<\square<0.7\times17$

(　　　　　　　　)

모의고사

서술형

7 10원짜리 동전 480개와 100원짜리 동전 514개를 모아서 1000원짜리 지폐로 몇 장까지 바꿀 수 있는지 풀이 과정을 쓰고, 답을 구해 보세요.

풀이

답

8 다음 직육면체의 전개도의 둘레는 몇 cm인지 구해 보세요.

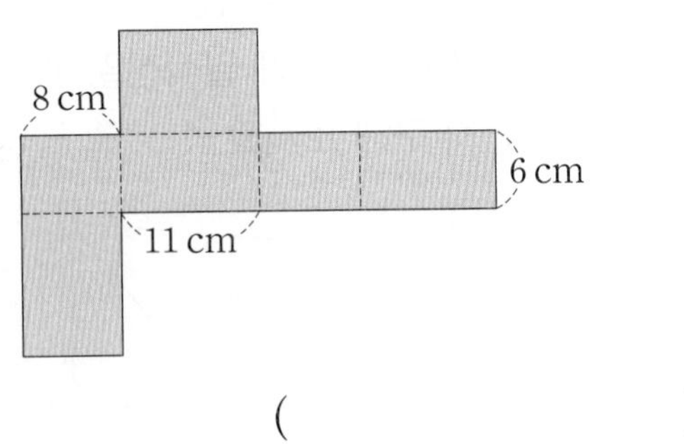

(　　　　　　　　)

9 한 변의 길이가 6 cm인 정삼각형의 일부분입니다. 점 ㅇ을 대칭의 중심으로 하는 점대칭도형을 완성했을 때 완성한 점대칭도형의 둘레는 몇 cm인지 구해 보세요.

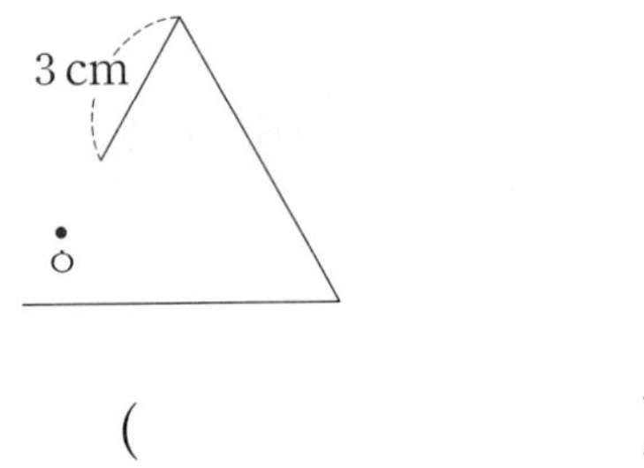

(　　　　　　　　)

창의융합

10 구피는 열대어의 한 종류로 집에서 쉽게 키울 수 있는 반려동물입니다. 다음은 혜수네 집 어항에 있는 구피의 수를 나타낸 표입니다. 구피가 평균보다 많은 어항에서 평균만큼 구피를 남기고 나머지는 새로운 어항으로 옮기려고 합니다. 옮겨야 하는 구피는 모두 몇 마리인지 구해 보세요.

어항별 구피의 수

어항	가	나	다	라	마
구피의 수 (마리)	15	11	13	15	16

(　　　　　　　　)

11 삼각형 모양의 종이를 다음과 같이 점 ㄱ이 변 ㄴㄷ 위에 닿도록 접었습니다. 각 ㅁㅂㄷ은 몇 도인지 구해 보세요.

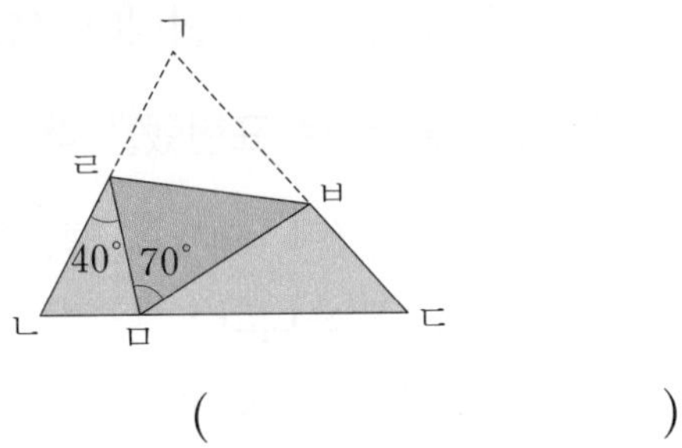

(　　　　　　　　)

창의융합

12 코코넛 오일은 말린 코코넛에서 추출한 것으로 식재료나 화장품으로 사용됩니다. 코코넛 오일을 정은이는 $3\frac{2}{3}$ L의 $\frac{3}{4}$만큼 사용하고, 연호는 $4\frac{1}{3}$ L의 $\frac{1}{2}$만큼 사용했습니다. 누가 코코넛 오일을 몇 L 더 많이 사용했는지 구해 보세요.

(,)

서술형

13 3장의 수 카드 [1], [6], [7]을 한 번씩만 사용하여 소수를 만들려고 합니다. 만들 수 있는 가장 큰 소수 두 자리 수와 가장 작은 소수 한 자리 수의 곱은 얼마인지 풀이 과정을 쓰고, 답을 구해 보세요.

풀이

답

14 지혜가 만든 샌드위치의 수를 올림하여 십의 자리까지 나타내면 50개입니다. 이 샌드위치를 8명이 똑같이 나누어 먹었더니 3개가 남았습니다. 지혜가 만든 샌드위치는 몇 개인지 구해 보세요.

( )

15 다음 세 조건을 만족하는 자연수를 모두 구해 보세요.

- 올림하여 십의 자리까지 나타내면 170입니다.
- 버림하여 십의 자리까지 나타내면 160입니다.
- 반올림하여 십의 자리까지 나타내면 170입니다.

( )

모의고사

16 10 km를 달리는 데 0.45 L의 휘발유를 사용하는 자동차가 있습니다. 이 자동차가 한 시간에 72 km를 가는 빠르기로 1시간 42분 동안 달렸다면 사용한 휘발유는 몇 L인지 구해 보세요.

(　　　　　　　　　)

17 왼쪽 정육면체의 전개도를 접어 오른쪽 정육면체를 만들었습니다. 전개도에 그려진 선을 정육면체의 겨냥도에 그려 넣으세요.

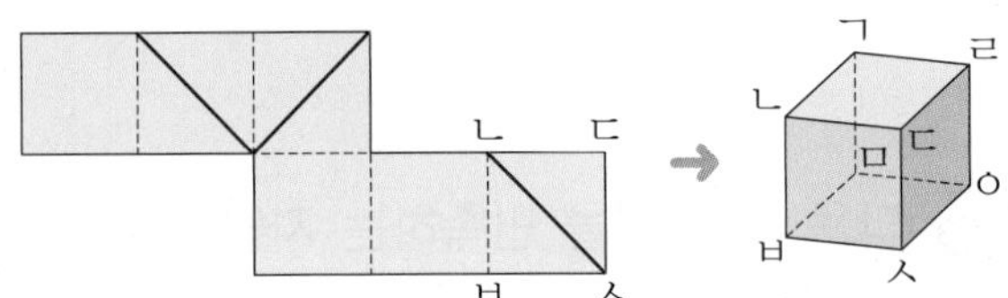

서술형

18 둘레가 32 cm인 정사각형의 각 변의 길이를 1.4배씩 늘려서 새로운 정사각형을 만들었습니다. 이때 늘어난 부분의 넓이는 몇 cm^2인지 풀이 과정을 쓰고, 답을 구해 보세요.

풀이

답

19 큰 정육면체의 바닥에 닿는 면을 포함한 겉면에 모두 색칠을 한 후 크기가 같은 정육면체 125개로 잘랐습니다. 잘린 작은 정육면체 중에서 한 면이라도 색칠된 것은 모두 몇 개인지 구해 보세요.

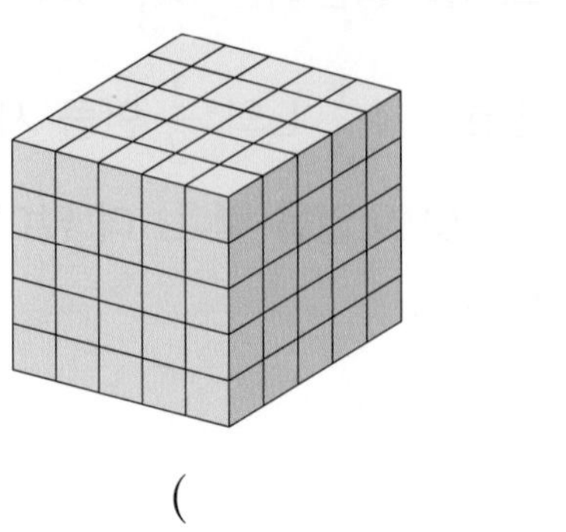

(　　　　　　　　　)

20 1 m를 가는 데 $\frac{1}{22}$초가 걸리는 버스가 있습니다. 이 버스의 길이가 10 m일 때 길이가 914 m인 터널을 완전히 통과하는 데 몇 초가 걸리는지 구해 보세요.

(　　　　　　　　　)

2회 실전! 경시대회 모의고사

1. 수의 범위와 어림하기 ~ 6. 평균과 가능성

점수

★ 배점: 한 문항당 5점 / 시험 시간: 50분

1 수직선에 나타낸 수의 범위에 포함되는 자연수 중에서 가장 작은 수와 가장 큰 수의 합을 구해 보세요.

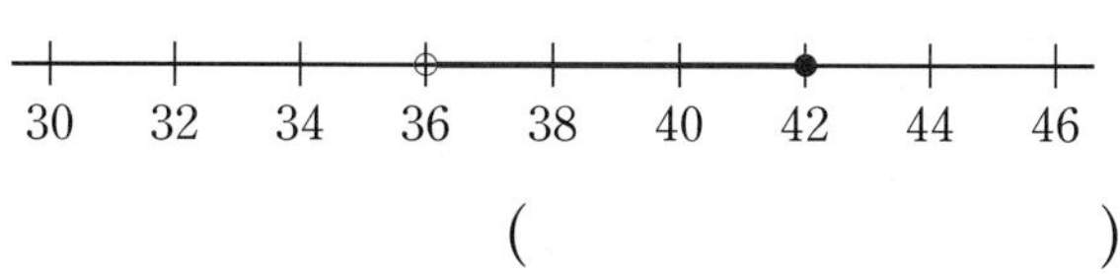

(　　　　　　　)

2 어떤 수는 12의 $\frac{3}{4}$입니다. 어떤 수의 $1\frac{2}{15}$는 얼마인지 구해 보세요.

(　　　　　　　)

창의융합

3 깊은 바닷속은 압력이 매우 높아서 호흡을 통해 몸속으로 들어간 질소 기체로 인해 통증이 생기는데 이것을 잠수병이라고 합니다. 물의 깊이가 30 m 이상이면 잠수병에 걸릴 위험이 높을 때 비교적 안전하게 잠수할 수 있는 물의 깊이의 범위를 써 보세요.

(　　　　　　　)

4 사각형 ㄱㄴㄷㄹ은 평행사변형입니다. 삼각형 ㄱㄴㄷ과 삼각형 ㄷㄹㄱ이 서로 합동일 때 각 ㄹㅁㄷ은 몇 도인지 구해 보세요.

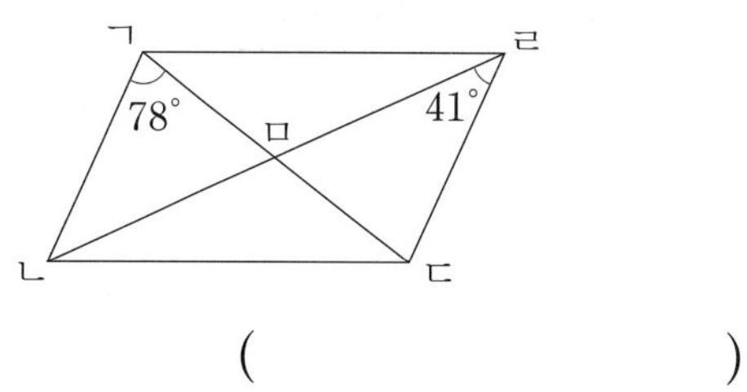

(　　　　　　　)

5 새우 과자 90 g 한 봉지의 0.65만큼이 탄수화물 성분입니다. 똑같은 새우 과자 7봉지의 탄수화물 성분은 몇 g인지 구해 보세요.

(　　　　　　　)

6 □ 안에 들어갈 수 있는 1보다 큰 자연수는 모두 몇 개인지 구해 보세요.

$$\frac{1}{28} < \frac{1}{6} \times \frac{1}{\square}$$

(　　　　　　　)

모의고사

7 직선 ㅅㅇ을 대칭축으로 하는 선대칭도형입니다. 각 ㄴㄱㅂ은 몇 도인지 구해 보세요.

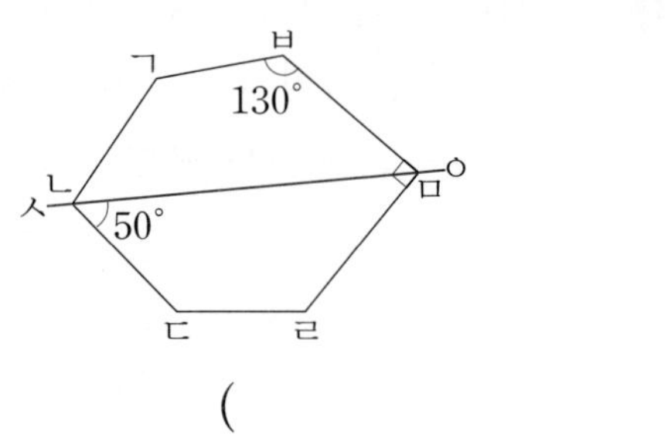

( )

서술형

8 감자를 가 밭에서 65 kg, 나 밭에서 48 kg 캤습니다. 이 감자를 한 상자에 5 kg씩 담아 포장했습니다. 한 상자에 9000원씩 받고 감자를 판다면 최대 얼마를 받을 수 있는지 풀이 과정을 쓰고, 답을 구해 보세요.

풀이

답

9 오른쪽은 원의 중심 ㅇ을 대칭의 중심으로 하는 점대칭도형입니다. 각 ㄹㅇㄷ은 몇 도인지 구해 보세요.

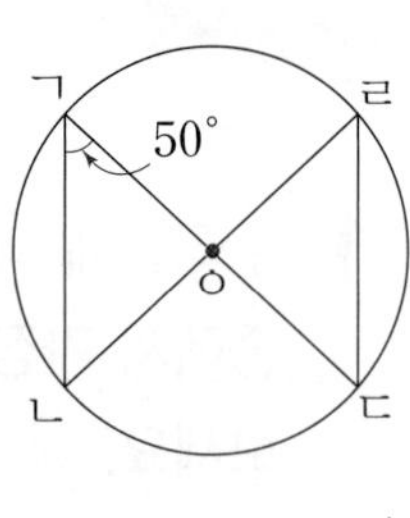

( )

10 지훈이의 왕복 오래달리기 기록을 나타낸 표입니다. 지훈이가 5개월 동안 매월 1일에 측정한 왕복 오래달리기 기록의 평균이 81회일 때 5월의 기록은 몇 회인지 구해 보세요.

지훈이의 왕복 오래달리기 기록

측정 시기(월)	1	2	3	4	5
횟수(회)	84	94	73	72	

( )

11 다음과 같이 정육면체 6개를 쌓았습니다. 바닥에 닿는 면을 포함한 모든 겉면의 수는 몇 개인지 구해 보세요.

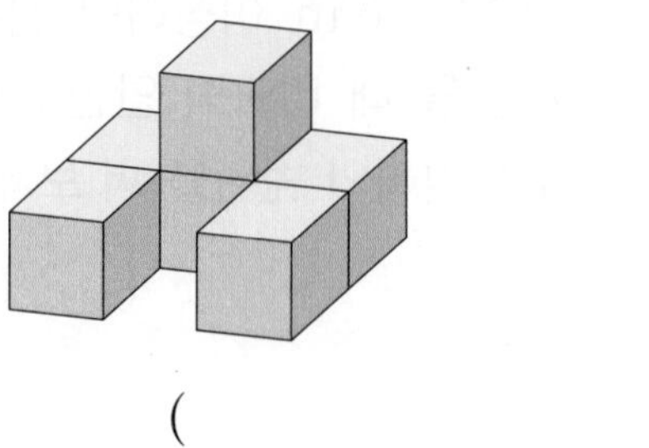

( )

서술형

12 떨어진 높이의 0.7만큼 튀어 오르는 공이 있습니다. 이 공을 180 cm 높이에서 떨어뜨렸을 때 공이 두 번째로 튀어 오른 높이와 처음 떨어뜨린 높이의 차는 몇 cm인지 풀이 과정을 쓰고, 답을 구해 보세요.

풀이

답

13 재호와 민주네 밭의 넓이와 어느 해의 고구마 수확량을 나타낸 표입니다. 재호와 민주네 밭 전체의 고구마 수확량은 1 m^2당 평균 몇 kg인지 구해 보세요.

고구마 수확량

밭	넓이	수확량
재호	2150 m^2	9 t
민주	2600 m^2	10 t

( )

14 다음 정육면체의 전개도를 접어 평행한 두 면에 쓰인 수를 곱했을 때 나올 수 있는 가장 큰 곱을 구해 보세요.

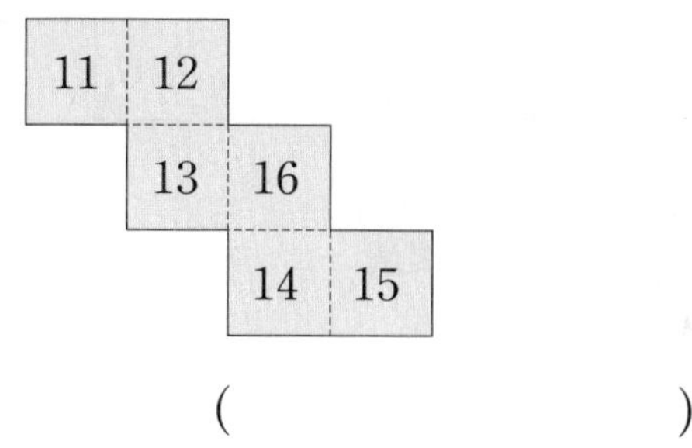

( )

15 물통에 구멍이 나서 1분에 $1\frac{2}{5}$ L씩 물이 새고 있습니다. 이 물통에 1분에 $4\frac{7}{15}$ L씩 물이 나오는 수도로 6분 40초 동안 물을 받으면 물이 몇 L 채워지는지 구해 보세요.

( )

16 운동회에 참가한 남학생 수를 올림하여 십의 자리까지 나타내면 260명이고, 여학생 수를 버림하여 십의 자리까지 나타내면 220명입니다. 운동회에 참가한 학생 1명당 연필을 3자루씩 나누어 주려면 연필은 최소 몇 타를 준비해야 하는지 구해 보세요. (단, 연필 1타는 12자루입니다.)

( )

모의고사

17 왼쪽과 같이 직육면체 모양의 수조를 기울인 후 물을 부었습니다. 오른쪽 전개도에 물이 묻은 부분을 바르게 색칠해 보세요.

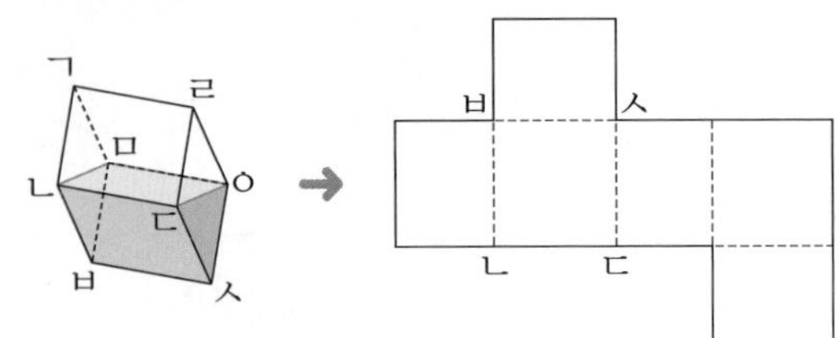

서술형

18 주머니 안에 흰색 바둑돌 5개와 검은색 바둑돌 몇 개가 들어 있습니다. 이 주머니에서 은주가 검은색 바둑돌 2개를 꺼낸 후 흰색 바둑돌 1개를 꺼냈습니다. 지금의 주머니에서 바둑돌 1개를 꺼낼 때 검은색이 나올 가능성이 $\frac{1}{2}$입니다. 처음 주머니에 들어 있던 바둑돌은 모두 몇 개인지 풀이 과정을 쓰고, 답을 구해 보세요. (단, 꺼낸 바둑돌은 다시 넣지 않습니다.)

풀이

답

창의융합

19 은행에서 환전을 할 때는 환전하려는 금액에 수수료가 붙습니다. 어느 날 미국 돈 1달러(USD)의 가격이 1126.3원이고, 1달러를 환전하는 데 20.5원의 수수료가 든다고 합니다. 미국 돈 2500달러를 우리나라 돈으로 환전하려면 수수료를 포함하여 얼마를 내야 하는지 구해 보세요.

(　　　　　　　　)

20 전체 밭의 $\frac{5}{8}$에 참외를, 참외를 심고 남은 밭의 $\frac{3}{4}$에 수박을, 참외와 수박을 심고 남은 밭의 $\frac{1}{3}$에 오이를 심었습니다. 아무것도 심지 않은 밭의 넓이가 42.5 m^2일 때 전체 밭의 넓이는 몇 m^2인지 구해 보세요.

(　　　　　　　　)

정답 및 풀이 » 62쪽

3회 실전! 경시대회 모의고사

1. 수의 범위와 어림하기 ~ 6. 평균과 가능성

점수

★ 배점: 한 문항당 5점 / 시험 시간: 50분

1 직육면체의 겨냥도에서 보이지 않는 모서리의 길이의 합이 27 cm일 때 모든 모서리 길이의 합은 몇 cm인지 구해 보세요.

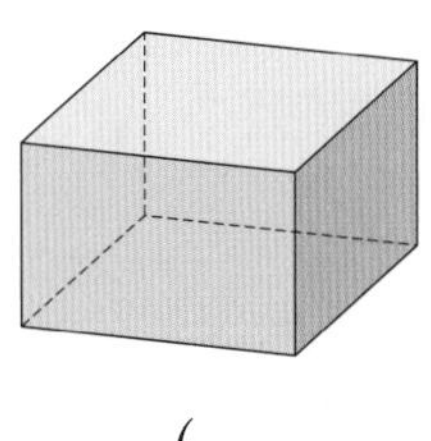

( )

2 길이가 45 m인 색 테이프가 있습니다. 이 색 테이프를 7등분하여 3개를 사용하면 남은 색 테이프의 길이는 몇 m인지 구해 보세요.

( )

3 혜나의 키는 156 cm입니다. 재호의 키는 혜나 키의 0.95배이고, 수진이의 키는 재호 키의 1.05배입니다. 수진이의 키는 몇 cm인지 구해 보세요.

( )

4 다음은 선대칭도형이면서 점대칭도형입니다. 도형의 둘레는 몇 cm인지 구해 보세요.

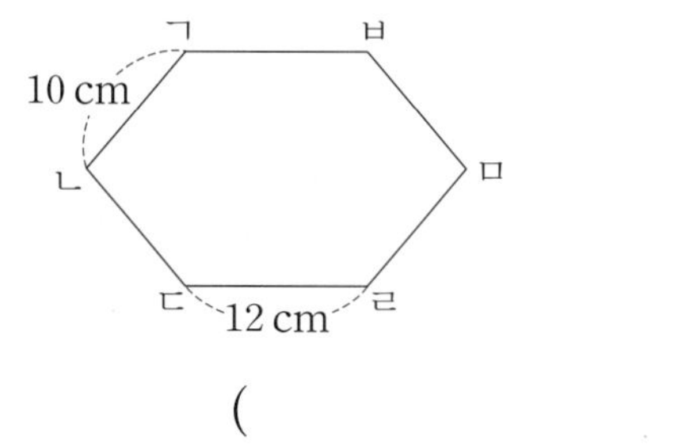

( )

창의융합

5 축은 오징어를 셀 때 쓰는 우리말 단위이고, 오징어 한 축은 오징어 20마리를 뜻합니다. 호준이네 덕장에서 말린 오징어를 206마리 만들었습니다. 말린 오징어를 한 축 단위로 포장하여 한 축에 80000원을 받고 판다면 최대 얼마를 받을 수 있는지 구해 보세요.

덕장: 물고기를 말리는 곳

( )

6 휘발유가 한 통에 $2\frac{4}{9}$ L씩 12통 있고, 경유가 한 통에 $3\frac{1}{4}$ L씩 10통 있습니다. 휘발유와 경유 중 어느 것이 몇 L 더 많은지 구해 보세요.

(,)

모의고사

7 다음과 같이 삼각형 ㄱㄴㅁ과 삼각형 ㄷㅂㅁ이 서로 합동이 되도록 직사각형 모양의 종이를 접었습니다. 선분 ㄴㄷ의 길이는 몇 cm인지 구해 보세요.

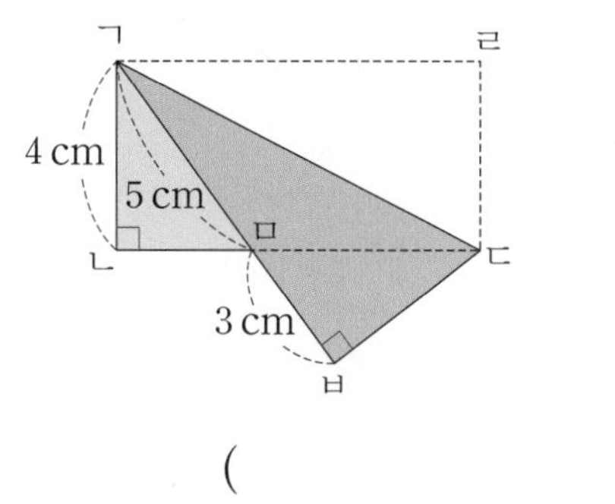

( )

서술형

8 주사위 1개를 굴렸을 때 8의 약수가 나올 가능성과 8의 배수가 나올 가능성을 수로 표현한 것의 차는 얼마인지 풀이 과정을 쓰고, 답을 구해 보세요.

풀이

답

9 지호네 집에서 이번 달에 사용한 가스 요금과 전기 요금을 각각 반올림하여 백의 자리까지 나타낸 후 더하였더니 104700원이었습니다. 지호네 집에서 사용한 전기 요금이 48230원일 때 가스 요금은 최소 얼마인지 구해 보세요.

( )

10 수학 시험에서 수현이네 반 학생 26명의 평균은 80점이고, 상위 10명의 평균은 88점입니다. 나머지 16명의 평균은 몇 점인지 구해 보세요.

( )

11 반올림하여 십의 자리까지 나타내면 50이 되는 자연수들이 있습니다. 이 중에서 짝수들의 평균은 얼마인지 구해 보세요.

( )

12 색칠한 삼각형 4개는 서로 합동입니다. 변 ㅇㅂ은 몇 cm인지 구해 보세요.

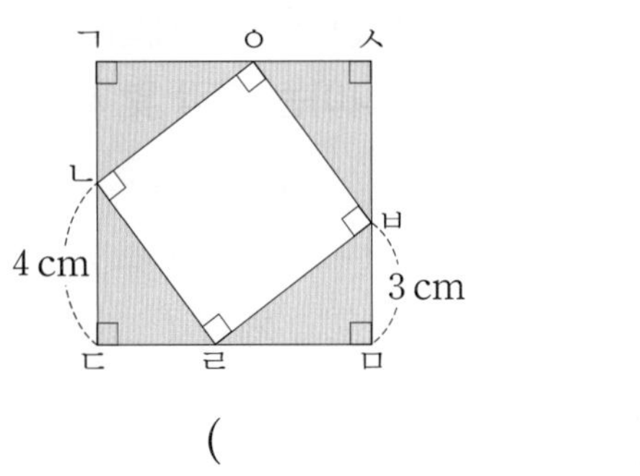

(　　　　　　　　)

서술형

13 교실 꾸미기를 하고 있습니다. 수애는 전체 일의 $\frac{1}{8}$을 하는 데 5일이 걸리고, 민재는 전체 일의 $\frac{1}{2}$을 하는 데 5일이 걸립니다. 두 사람이 함께 쉬지 않고 일한다면 전체 일을 하는 데 며칠이 걸리는지 풀이 과정을 쓰고, 답을 구해 보세요. (단, 각각 하루에 하는 일의 양은 같습니다.)

풀이

답

14 크기가 같은 정육면체 100개를 붙여 다음과 같은 직육면체 모양을 만들었습니다. 이 직육면체의 바닥에 닿는 면을 포함한 겉면에 모두 색칠했을 때 두 면에만 색칠된 정육면체는 모두 몇 개인지 구해 보세요.

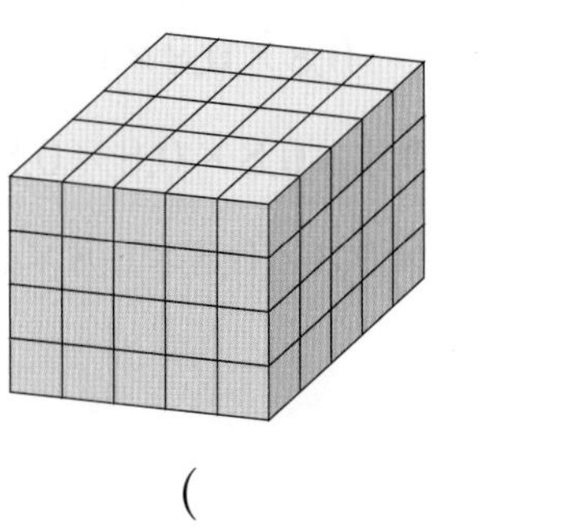

(　　　　　　　　)

15 어떤 수를 11로 나눈 몫을 반올림하여 십의 자리까지 나타내면 30이 됩니다. 어떤 수가 될 수 있는 자연수는 모두 몇 개인지 구해 보세요.

(　　　　　　　　)

16 왼쪽 정육면체의 겨냥도에 다음과 같이 선을 그었습니다. 오른쪽 전개도에 선이 지나간 자리를 표시해 보세요.

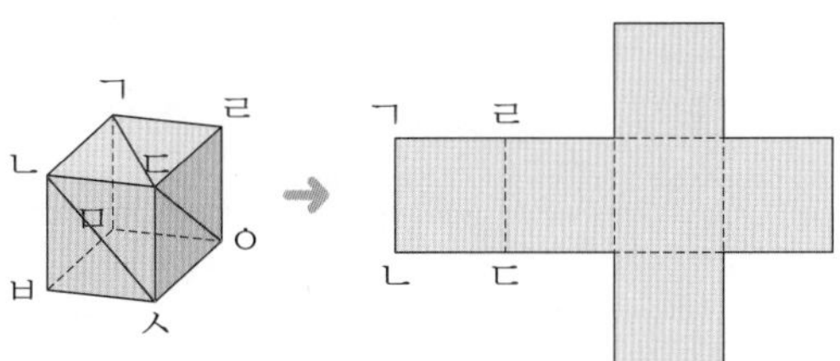

모의고사

17 다음을 보고 0.8을 29번 곱했을 때 소수 29째 자리 숫자를 구해 보세요.

$$0.8$$
$$0.8\times0.8=0.64$$
$$0.8\times0.8\times0.8=0.512$$
$$0.8\times0.8\times0.8\times0.8=0.4096$$
$$0.8\times0.8\times0.8\times0.8\times0.8=0.32768$$
$$\vdots$$

(　　　　　　　　)

서술형

18 정은이네 마을 주민은 1200명입니다. 그중에서 $\frac{1}{5}$은 회사원입니다. 또, 회사원이 아닌 사람 중 $\frac{3}{10}$은 상인이고, 회사원과 상인이 아닌 사람 중 절반은 학생입니다. 이 마을의 학생은 몇 명인지 풀이 과정을 쓰고, 답을 구해 보세요.

풀이

답

19 아버지와 재형이 나이의 평균은 29세, 재형이와 어머니 나이의 평균은 28세, 아버지와 어머니 나이의 평균은 42세입니다. 아버지, 어머니, 재형이의 나이는 각각 몇 세인지 구해 보세요.

아버지 (　　　　　　　　)
어머니 (　　　　　　　　)
재형 (　　　　　　　　)

창의융합

20 자기부상열차는 자기력을 이용해 차량을 선로 위에 띄워서 움직이는 열차입니다. 길이가 300 m인 자기부상열차가 1분에 1.5 km를 달리는 빠르기로 터널을 완전히 통과하는 데 3분 45초가 걸렸습니다. 자기부상열차가 통과한 터널의 길이는 몇 km인지 구해 보세요.

(　　　　　　　　)

4회 실전! 경시대회 모의고사

1. 수의 범위와 어림하기 ~ 6. 평균과 가능성

점수

★ 배점: 한 문항당 5점 / 시험 시간: 50분

1 계산 결과가 4보다 작은 것의 기호를 써 보세요.

㉠ $\frac{3}{7}\times21$ ㉡ $\frac{5}{8}\times7$ ㉢ $\frac{7}{12}\times4$

( )

2 올림하여 백의 자리까지 나타낸 수가 6700인 자연수의 범위를 이상과 이하를 사용하여 나타내어 보세요.

( )

3 삼각형 ㄱㄴㄷ과 삼각형 ㄴㄹㅁ은 서로 합동입니다. 색칠한 부분의 넓이는 몇 cm^2인지 구해 보세요.

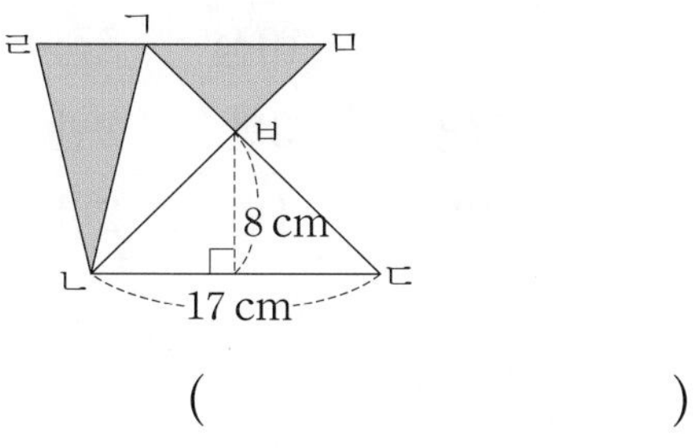

( )

창의융합

4 몬드리안의 〈빨강, 파랑, 노랑의 구성〉을 보고 지호가 그린 그림입니다. 노란색 직사각형과 정사각형의 넓이의 차는 몇 cm^2인지 구해 보세요.

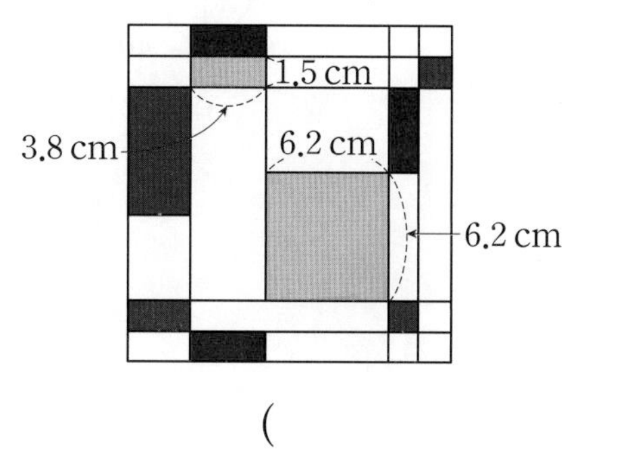

( )

5 두 수의 범위에 공통으로 포함되는 자연수는 모두 몇 개인지 구해 보세요.

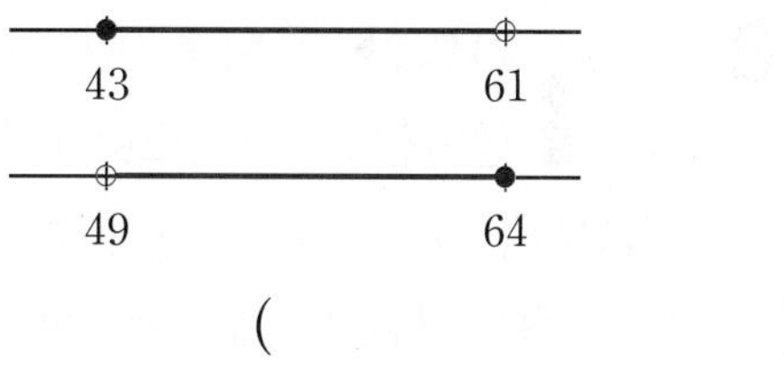

( )

6 어떤 수에 2.4를 곱해야 할 것을 잘못하여 2.4를 더했더니 8.2가 되었습니다. 바르게 계산한 값은 얼마인지 구해 보세요.

( )

모의고사

7 직선 ㅁㅂ을 대칭축으로 하는 선대칭도형입니다. 각 ㄴㄱㄹ은 몇 도인지 구해 보세요.

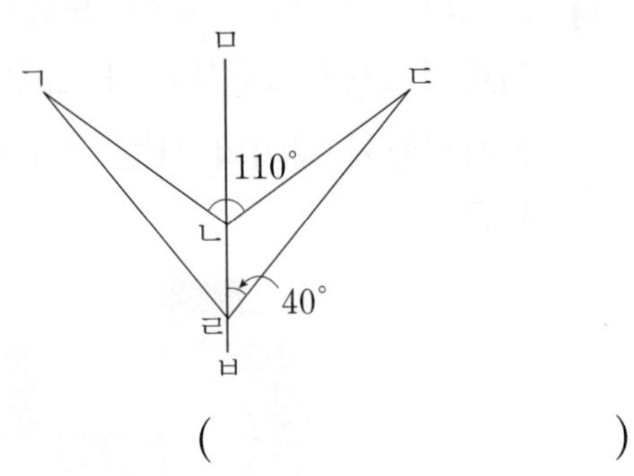

( )

8 축구는 11명이 한 팀을 이루어 경기하고 일반적으로 전반전, 후반전으로 나누어 90분 동안 치릅니다. 어느 경기에서 후보 선수 4명도 포함하여 같은 시간씩 골고루 경기에 참여하려고 합니다. 한 선수가 경기에 참여하는 시간은 몇 분인지 구해 보세요.

( )

서술형

9 길이가 18.2 cm인 색 테이프 20장을 3.1 cm씩 겹치게 한 줄로 길게 이어 붙였습니다. 이어 붙인 색 테이프 전체의 길이는 몇 cm인지 풀이 과정을 쓰고, 답을 구해 보세요.

18.2 cm 18.2 cm 18.2 cm ……

3.1 cm 3.1 cm 3.1 cm

풀이

답

창의융합

10 다트는 '작은 화살'이란 뜻으로 5백여 년 전 영국에서 전쟁에 지친 병사들이 부러진 화살촉을 던져 물건을 맞히던 것에서 유래되었습니다. 유민이와 선우가 다트를 하여 얻은 점수표를 보고 두 사람의 점수 평균의 차는 몇 점인지 구해 보세요.

다트 점수표

	10점	8점	5점	3점
유민	3번	2번	2번	·
선우	1번	2번	2번	2번

( )

11 물이 일정하게 1분에 $3\frac{3}{4}$ L씩 나오는 ㉮ 수도와 $3\frac{1}{8}$ L씩 나오는 ㉯ 수도를 동시에 틀어서 3분 24초 동안 물을 받았습니다. 받은 물 중에서 $\frac{3}{11}$을 사용했다면 사용한 물은 몇 L인지 구해 보세요.

(　　　　　　　　)

서술형

12 $16\frac{7}{10}$ kg의 쌀을 하루에 $1\frac{5}{6}$ kg씩 8일 동안 먹고 나머지를 한 봉지에 1 kg씩 담아 두려고 합니다. 남은 쌀을 모두 담으면 최소 몇 봉지인지 풀이 과정을 쓰고, 답을 구해 보세요.

풀이

답

13 일이 일어날 가능성이 더 낮은 것을 찾아 기호를 써 보세요.

㉠ 흰색 공 4개와 노란색 공 2개가 있는 주머니에서 공 1개를 꺼낼 때 흰색일 가능성 ㉡ 제비뽑기 상자에 들어 있는 제비 50개 중에서 당첨 제비가 20개일 때 당첨 제비 1개를 뽑을 가능성

(　　　　　　　　)

14 사각형 ㄹㅁㄷㅂ은 직선 ㅅㅇ을 대칭축으로 하는 선대칭도형입니다. 삼각형 ㄱㄴㄷ은 이등변삼각형일 때 각 ㄱㅂㄹ은 몇 도인지 구해 보세요.

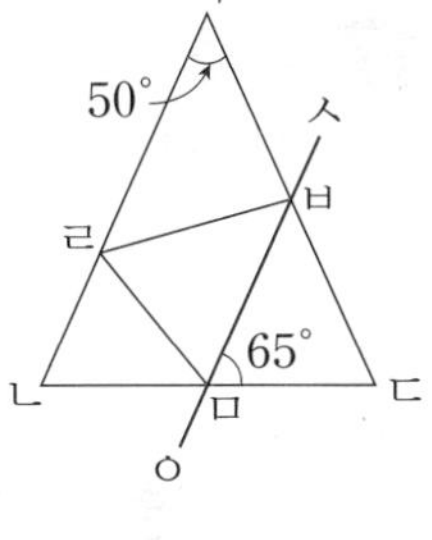

(　　　　　　　　)

15 수 카드 [4], [7], [2], [6]을 한 번씩만 사용하여 백의 자리 숫자가 4 초과 7 이하이고, 십의 자리 숫자가 1 이상 3 미만인 가장 큰 네 자리 수를 만들려고 합니다. 만든 네 자리 수를 반올림하여 백의 자리까지 나타내어 보세요.

(　　　　　　　　)

모의고사

16 왼쪽 전개도 6장으로 정육면체 6개를 만들어 오른쪽과 같이 쌓았습니다. 쌓은 모양의 앞쪽에서 보이는 면과 평행한 면에 쓰인 6개의 수의 합은 얼마인지 구해 보세요.

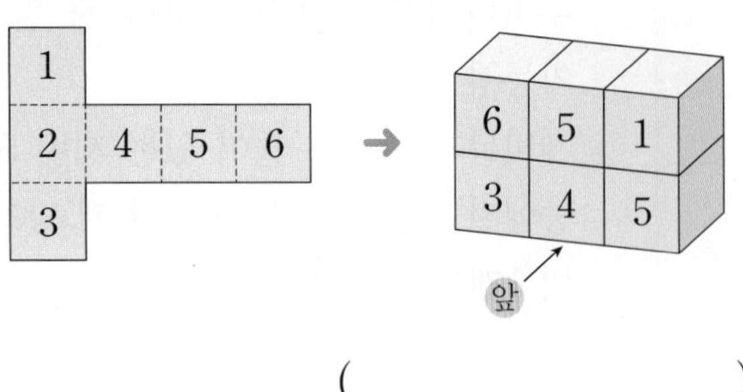

( )

17 다음과 같이 삼각형 모양의 종이를 접었습니다. 각 ㄷㄴㅂ은 몇 도인지 구해 보세요.

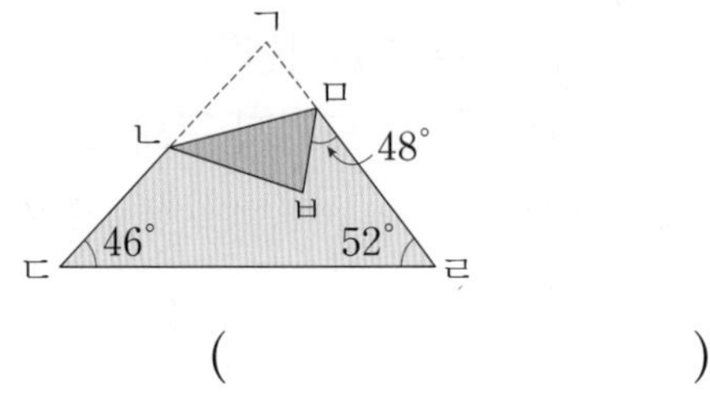

( )

18 서로 다른 세 수의 평균은 20입니다. 가장 큰 수와 가장 작은 수의 합은 44이고, 차는 36입니다. 세 수를 모두 구해 보세요.

( )

서술형

19 서로 평행한 두 면의 눈의 수의 합이 7인 주사위 3개를 다음과 같이 놓았습니다. 서로 맞닿는 두 면의 눈의 수의 합이 7일 때 겉면의 눈의 수의 합은 얼마인지 풀이 과정을 쓰고, 답을 구해 보세요.

풀이

답

20 다음과 같은 규칙으로 분수를 늘어놓을 때 25째와 50째 수의 곱을 구하여 소수로 나타내어 보세요.

$\frac{3}{1}$, $\frac{5}{2}$, $\frac{7}{3}$, $\frac{9}{4}$, $\frac{11}{5}$ ……

( )

큐브 수학 심화

경시대비북 5·2

초등학교 학년 반 번 이름

엄마 매니저의 큐브수학 STORY

초등수학 문제집 추천

개념

3년째 큐브수학 개념으로 엄마표 수학 완성!

닉네임
사*

4학년부터 개념은 큐브수학으로 시작했는데요. 설명이 쉽게 되어 있어서 접근하기가 좋더라고요. 기초개념만 제대로 잡히면 그다음 단계로 올라가는 건 어렵지 않아요. 처음부터 너무 어려우면 부담스러워 피하기도 하는데 아이가 쉽게 잘 풀어나가는게 효과가 아주 좋았어요. **기초 잡기에는 큐브수학 개념이 제일 만족스러웠어요.**

쉽고 재미있게 개념도 탄탄하게!

닉네임
그**

큐브수학 개념을 계속해서 선택한 이유는 **기초 수학을 체계적으로 풀어가면서 수학 실력을 쌓을 수 있기 때문이에요.** 무료 스마트러닝 개념 동영상 강의도 쉽고 재미나서 혼자서도 충실하게 잘 듣더라고요! 수학 익힘 문제, 더 확장된 문제들까지 다양하게 풀어 볼 수 있어서 좋았어요. 큐브수학만큼 만족도가 큰 문제집은 없는 것 같네요.

무료 동영상 강의로 빈틈 없는 홈스쿨링

닉네임
매****

엄마표 수학을 진행하고 있기 때문에 아이가 잘 따라올 수 있는 수준의 문제집을 고르려고 해요. **특히 홈스쿨링으로 예습을 할 때 가장 좋은 건 동영상 강의예요.** QR코드를 찍으면 바로 동영상을 볼 수 있고, 선생님이 제가 알려주는 것보다 더 알기 쉽게 알려주세요. 부족한 학습은 동영상을 통해 채워줄 수 있어서 정말 좋아요. 혼자서도 언제 어느 때나 강의를 들을 수 있다는 점이 최고!

사고력을 키워 상위권을 공략하는

큐브 수학 심화

정답 및 풀이

모바일

쉽고 편리한 빠른 정답

5·2

동아출판

정답 및 풀이

5·2

차례

| **모바일 빠른 정답** |

QR코드를 찍으면 **정답 및 풀이**를 쉽고 빠르게 확인할 수 있습니다.

진도북 정답 및 풀이

1 수의 범위와 어림하기

개념 넓히기 007쪽

1 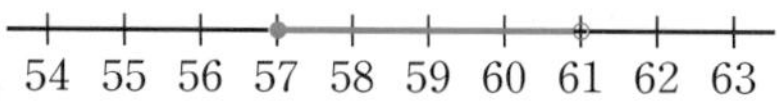

2 민기, 상진, 지호

3 ㉢ 4 72상자

STEP 1 응용 공략하기 008~013쪽

01 57 02 ㉣

03 유현

04 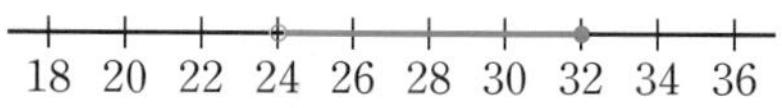

05 54.9 m

06 예 ❶ 10개 미만의 머리끈은 팔 수 없으므로 버림하여 십의 자리까지 나타내면 235 → 230입니다. 머리끈은 230÷10=23(봉지)까지 팔 수 있습니다. ▸3점
❷ 따라서 머리끈을 팔 때 받을 수 있는 최대 금액은 2000×23=46000(원)입니다. ▸2점 / 46000원

07 5개 08 15병

09 31500원

10 예 ❶ 각각 올림하여 소수 첫째 자리까지 나타내면 ㉠ 37.3, ㉡ 37.2, ㉢ 37.3입니다. ▸2점
❷ 각각 반올림하여 소수 첫째 자리까지 나타내면 ㉠ 37.2, ㉡ 37.2, ㉢ 37.2입니다. ▸2점
❸ 따라서 올림한 수와 반올림한 수가 서로 같은 것은 ㉡입니다. ▸1점 / ㉡

11 8530 12 240 g 초과

13 300 km 초과 400 km 이하

14 예 ❶ (제주특별자치도의 총인구수)
=335519+331167=666686(명) ▸1점
❷ 반올림하여 만의 자리까지 나타내면
666686 → 670000이므로 670000명입니다. ▸2점
❸ 따라서 실제 인구수와 어림한 인구수의 차는 670000−666686=3314(명)입니다. ▸2점
/ 3314명

15 271, 272, 273, 274

16 178개 17 35

18 12명 이상 21명 이하

01 ❶ 가장 큰 수와 가장 작은 수 구하기
20 이상 38 미만인 자연수는 20과 같거나 크고, 38보다 작은 자연수이므로 가장 큰 수는 37이고, 가장 작은 수는 20입니다.
❷ 가장 큰 수와 가장 작은 수의 합 구하기
(가장 큰 수)+(가장 작은 수)=37+20=**57**

02 ❶ 올림하여 주어진 자리까지 나타내기
각각 올림하여 주어진 자리까지 나타내어 봅니다.
㉠ 17200 → 17200 ㉡ 17200 → 17200
㉢ 17200 → 18000 ㉣ 17200 → 20000
❷ 가장 큰 것 찾기
따라서 20000＞18000＞17200이므로 가장 큰 것은 **㉣**입니다.
주의 구하려는 자리 아래 수가 0인 경우에는 올릴 것이 없으므로 처음 수를 그대로 씁니다.

03 ❶ 어림하는 방법 알아보기
• 정민: 버림하여 백의 자리까지 나타내면 2681 → 2600이므로 2600개까지 포장할 수 있습니다.
• 유현: 반올림하여 일의 자리까지 나타내면 39.6 → 40이므로 40 kg입니다.
• 지선: 버림하여 천의 자리까지 나타내면 43530 → 43000이므로 43000원까지 바꿀 수 있습니다.
❷ 어림하는 방법이 다른 사람 찾기
따라서 어림하는 방법이 다른 사람은 **유현**입니다.

04 ❶ 학생 수의 범위 구하기
식탁 3개에 8명씩 모두 앉으면 전체 학생은 8×3=24(명)이므로 24명 초과입니다.
식탁 4개에 8명씩 모두 앉으면 전체 학생은 8×4=32(명)이므로 32명 이하입니다.
따라서 준희네 반 학생은 24명 초과 32명 이하입니다.
❷ 학생 수의 범위를 수직선에 나타내기
수직선에 24명 초과는 점 ○으로 나타내고, 32명 이하는 점 ●으로 나타냅니다.

05 ❶ 본루에서 1루를 지나 2루까지의 거리 구하기
(본루에서 1루까지의 거리)+(1루에서 2루까지의 거리)=27.43+27.43=54.86 (m)
❷ 반올림하여 소수 첫째 자리까지 나타내기
반올림하여 소수 첫째 자리까지 나타내면 54.86 → 54.9이므로 **54.9 m**입니다.

진도북 1단원

06

채점 기준		
	❶ 팔 수 있는 머리끈은 몇 봉지인지 구하기	3점
	❷ 봉지에 담은 머리끈을 팔 때 받을 수 있는 최대 금액 구하기	2점

07 ❶ **하나의 수직선에 나타내어 공통 범위 구하기**

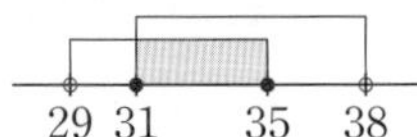

하나의 수직선에 나타내면 수의 공통 범위는 31 이상 35 이하인 수입니다.

❷ **공통 범위에 포함되는 자연수의 개수 구하기**

31 이상 35 이하인 자연수:
31, 32, 33, 34, 35 → **5개**

다른 풀이 • 29 초과 35 이하인 자연수:
30, 31, 32, 33, 34, 35
• 31 이상 38 미만인 자연수:
31, 32, 33, 34, 35, 36, 37
→ **5개**

참고 두 수직선에 나타낸 수의 범위를 하나의 수직선에 나타내기
㉠<㉡<㉢<㉣일 때

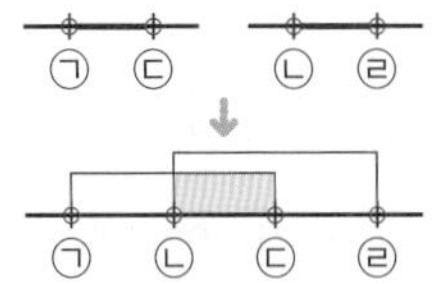

→ 공통 범위: ㉡ 초과 ㉢ 미만인 수

08 ❶ **학부모 수의 범위 구하기**

학부모 수의 범위: 635명 이상 645명 미만

❷ **음료수가 가장 많이 남는 경우 남는 음료수의 수 구하기**

음료수가 가장 많이 남는 경우는 학부모 수가 가장 적은 635명일 때입니다.
→ (남는 음료수의 수)=650−635=**15(병)**

참고 반올림하여 십의 자리까지 나타내면 ■가 되는 수의 범위
→ (■−5) 이상 (■+5) 미만

09 ❶ **필요한 공책 수 구하기**

(필요한 공책 수)=3×22=66(권)

❷ **사야 하는 묶음의 수 구하기**

66÷10=6…6에서 남은 공책 6권도 사야 하므로 올림하여 십의 자리까지 나타내면 66 → 70입니다.
공책은 적어도 70÷10=7(묶음)을 사야 합니다.

❸ **공책값으로 필요한 최소 금액 구하기**

따라서 공책값으로 최소 4500×7=**31500(원)**이 필요합니다.

10

채점 기준		
	❶ 각각 올림하여 소수 첫째 자리까지 나타내기	2점
	❷ 각각 반올림하여 소수 첫째 자리까지 나타내기	2점
	❸ 올림한 수와 반올림한 수가 서로 같은 것 찾기	1점

11 ❶ **백의 자리 숫자 구하기**

수 카드 중 3 이상 6 이하인 수: 3, 5
→ □3□□, □5□□

❷ **가장 큰 네 자리 수 만들기**

만들 수 있는 가장 큰 네 자리 수
□3□□ → 8351
□5□□ → 8531

❸ **만든 네 자리 수를 반올림하여 십의 자리까지 나타내기**

만든 네 자리 수는 8531이므로 반올림하여 십의 자리까지 나타내면 8531 → **8530**입니다.

12 ❶ **식으로 나타내기**

추의 무게를 □g이라 하면 사과와 추의 무게의 합은 배의 무게보다 무거우므로 320+□>560입니다.

❷ **추의 무게의 범위 구하기**

320+□=560이라 하면 □=240이고, (320+□)가 560보다 커야 하므로 □>240이어야 합니다.

❸ **추의 무게의 범위를 용어를 사용하여 나타내기**

따라서 □는 240 초과이므로 추의 무게의 범위는 **240 g 초과**입니다.

선행 개념 [중2] 부등식

• 부등식: 부등호(>, <, ≥, ≤)를 사용하여 수 또는 식의 크고 작음을 나타낸 식
• 부등식에서 ■>▲일 때 ■−★>▲−★
→ 양쪽에서 같은 수를 빼어도 부등호의 방향은 바뀌지 않습니다.

풀이 추의 무게를 □g이라 하면
320+□>560, 320+□−320>560−320, □>240
이므로 □는 240 초과입니다.

13 ❶ **1리의 범위 구하기**

1리의 범위: 0.3 km 초과 0.4 km 이하

❷ **천 리의 범위 구하기**

천 리(1000리)의 범위:
1리의 1000배 → **300 km 초과 400 km 이하**

14

채점 기준		
	❶ 총인구수 구하기	1점
	❷ 반올림하여 만의 자리까지 나타내기	2점
	❸ 실제 인구수와 어림한 인구수의 차 구하기	2점

15 ❶ **조건을 만족하는 자연수 구하기**

㉠ 올림하여 십의 자리까지 나타내면 280인 자연수:
271, 272, 273, 274……280
㉡ 버림하여 십의 자리까지 나타내면 270인 자연수:
270, 271, 272, 273, 274……279
㉢ 반올림하여 십의 자리까지 나타내면 270인 자연수:
265, 266……270, 271, 272, 273, 274

❷ **세 조건을 만족하는 자연수 구하기**
따라서 세 조건을 만족하는 자연수는
271, 272, 273, 274입니다.

다른 풀이 ㉠ 270 초과 280 이하인 수
㉡ 270 이상 280 미만인 수
㉢ 265 이상 275 미만인 수

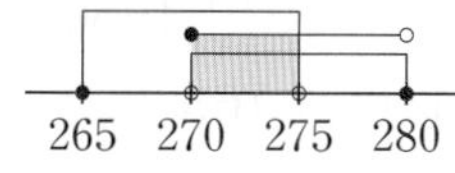

→ 공통 범위는 270 초과 275 미만인 수이므로 세 조건을 만족하는 자연수는 **271, 272, 273, 274**입니다.

16 ❶ **초콜릿 수의 범위 구하기**
초콜릿 수의 범위: 170개 이상 180개 미만
❷ **초콜릿 수가 될 수 있는 수 구하기**
5명이 나누어 먹을 때 2개가 부족한 것은 3개가 남는 것과 같으므로 초콜릿의 수는 5와 7의 공배수보다 3만큼 더 큰 수입니다.
• 5와 7의 공배수:
35, 70, 105, 140, 175, 210……
• 5와 7의 공배수보다 3만큼 더 큰 수:
38, 73, 108, 143, 178, 213……
❸ **초콜릿의 수 구하기**
초콜릿 수의 범위에 포함되는 수는 178이므로 이 제과점에서 만든 초콜릿은 모두 **178개**입니다.

참고 초콜릿의 수는 5로 나누었을 때와 7로 나누었을 때 나머지가 각각 3인 것과 같습니다.
→ (초콜릿의 수)−3은 5와 7의 공배수
초콜릿의 수는 5와 7의 공배수보다 3만큼 더 큰 수

17 ❶ **반올림하여 천의 자리까지 나타낸 수 구하기**
86□32의 천의 자리 아래 수를 올려서 나타내면 87000이므로 반올림하여 천의 자리까지 나타낸 수도 87000입니다.
❷ **□ 안에 들어갈 수 있는 자연수 구하기**
반올림하여 천의 자리까지 나타낸 수가 87000이려면 □ 안에 들어갈 수 있는 자연수는 5, 6, 7, 8, 9입니다.
❸ **자연수들의 합 구하기**
→ 5+6+7+8+9=**35**

18 ❶ **체육과 음악을 모두 좋아하는 학생 수가 가장 적은 경우와 가장 많은 경우 각각 구하기**
• 가장 적은 경우: 체육 또는 음악을 한 가지 이상 좋아하는 학생은 최대 33명이므로 체육과 음악을 모두 좋아하는 학생은 24+21−33=12(명) 이상입니다.
• 가장 많은 경우: 체육과 음악을 모두 좋아하는 학생은 최대 21명이므로 21명 이하입니다.
❷ **체육과 음악을 모두 좋아하는 학생은 몇 명 이상 몇 명 이하인지 구하기**
→ **12명 이상 21명 이하**

참고 체육과 음악을 모두 좋아하는 학생 수를 □명이라 할 때

①
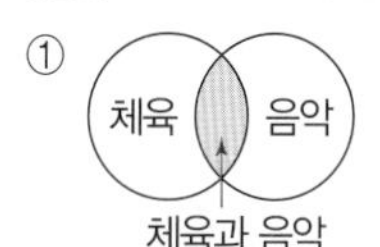

24+21−□=33
45−□=33
□=12 → 최소

②
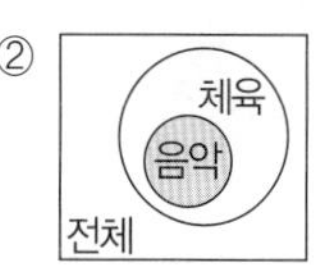

□=21 → 최대

STEP 2 | 심화 해결하기 014~018쪽

01 ㉢, ㉡, ㉣, ㉠
02 160 m
03 예 ❶ 125 초과 133 이하인 자연수는 126부터 133까지입니다. ▸2점
❷ 버림하여 십의 자리까지 나타내면 120인 자연수는 120부터 129까지입니다. ▸2점
❸ 따라서 두 조건을 만족하는 자연수는 126, 127, 128, 129로 모두 4개입니다. ▸1점 / 4개
04 13, 16, 20, 24, 27 /

100가구당 1인 가구 수
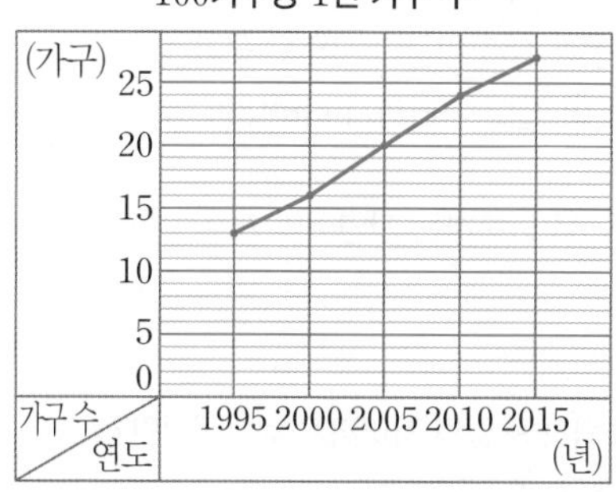

05 47500원
06 18일, 15일
07 예 ❶ 수직선에 나타낸 수의 범위는 24 초과 ㉠ 이하입니다. ▸2점
❷ 24 초과인 6의 배수를 순서대로 5개 쓰면 30, 36, 42, 48, 54입니다. ▸1점
❸ 따라서 ㉠은 54 이상 60 미만인 수이므로 54, 55, 56, 57, 58, 59로 모두 6개입니다. ▸2점
/ 6개
08 2446 m^2
09 63985
10 4550 이상 4650 미만
11 ㉯ 마트
12 18819대
13 53000
14 1005000원

01 ❶ 각 수의 범위에 포함되는 자연수의 개수 구하기

㉠ 9, 10, 11, 12 → 4개

㉡ 13, 14, 15, 16, 17, 18 → 6개

㉢ 1, 2, 3, 4, 5, 6, 7, 8 → 8개

㉣ 15, 16, 17, 18, 19 → 5개

❷ 자연수의 개수가 많은 것부터 순서대로 기호 쓰기

8>6>5<4 → ㉢, ㉡, ㉣, ㉠

02 레벨UP공략

◆ 수를 반올림하여 몇십으로 나타내려면?

반올림하여 몇십으로 나타내기

↓

반올림하여 십의 자리까지 나타내기

십의 자리 바로 아래 자리의 숫자를 버리거나 올립니다.

❶ 놀이터의 둘레 구하기

(놀이터의 둘레)

$=(4820+3250)\times2=8070\times2=16140$ (cm)

❷ 반올림하여 십의 자리까지 나타내기

16140 cm=161.4 m이므로 반올림하여 십의 자리까지 나타내면 161.4 → 160입니다.

따라서 놀이터의 둘레를 반올림하여 **160 m**로 나타낼 수 있습니다.

03

채점 기준		
	❶ 125 초과 133 이하인 자연수 구하기	2점
	❷ 버림하여 십의 자리까지 나타내면 120인 자연수 구하기	2점
	❸ 두 조건을 만족하는 자연수의 개수 구하기	1점

04 레벨UP공략

◆ 소수를 반올림하여 일의 자리까지 나타내려면?

소수 한 자리 수를 ㉠.㉡이라 하면

㉡이 0, 1, 2, 3, 4 → ㉠.㉡ (버립니다.)

㉡이 5, 6, 7, 8, 9 → ㉠.㉡ (올립니다.)

❶ 각각의 가구 수를 반올림하여 일의 자리까지 나타내기

- 1995년: 12.7 → **13**
- 2000년: 15.5 → **16**
- 2005년: 20.0 → **20**
- 2010년: 23.9 → **24**
- 2015년: 27.2 → **27**

❷ 꺾은선그래프로 나타내기

연도별 반올림한 가구 수에 맞게 점을 찍고 점들을 선분으로 이어 꺾은선그래프로 나타냅니다.

05 ❶ 가족의 나이에 따른 요금 구분 찾기

가족의 나이에 따른 요금을 알아보면 진영이는 어린이, 동생은 무료, 언니·아버지·어머니는 어른, 할머니는 경로입니다.

❷ 일반실을 탈 때의 요금 구하기

(일반실을 탈 때의 요금)

$=11800+23700\times3+16600$

$=11800+71100+16600$

=99500(원)

❸ 특실을 탈 때의 요금 구하기

(특실을 탈 때의 요금)

$=21300+33200\times3+26100$

$=21300+99600+26100$

=147000(원)

❹ 일반실을 탈 때와 특실을 탈 때의 요금의 차 구하기

→ 147000−99500=**47500(원)**

참고 요금 구분에 대한 나이의 범위를 수직선에 나타내어 가족 구성원 각각의 요금을 찾아볼 수도 있습니다.

06 ❶ 하루에 소설책을 가장 적게 읽을 때 걸리는 최대 날수 구하기

하루에 소설책을 가장 적게 읽으면 $358\div19=18\cdots16$에서 16쪽이 남습니다. 하루에 18쪽 초과 24쪽 이하로 읽으므로 남은 16쪽은 18일 중에 나눠서 읽을 수 있습니다. 따라서 최대 **18일**이 걸립니다.

❷ 하루에 소설책을 가장 많이 읽을 때 걸리는 최소 날수 구하기

하루에 소설책을 가장 많이 읽으면 $358\div24=14\cdots22$에서 22쪽이 남습니다. 남은 22쪽으로 하루를 더 읽을 수 있으므로 최소 14+1=**15(일)**이 걸립니다.

07

채점 기준		
	❶ 수직선에 나타낸 수의 범위 알아보기	2점
	❷ 24 초과인 6의 배수를 5개 구하기	1점
	❸ ㉠이 될 수 있는 자연수의 개수 구하기	2점

08 ❶ 독도의 전체 넓이 구하기

(독도의 전체 넓이)=73297+88740+25517

=187554 (m^2)

❷ 올림하여 만의 자리까지 나타내기

독도의 전체 넓이를 올림하여 만의 자리까지 나타내면 187554 → 190000이므로 190000 m^2입니다.

❸ 실제 넓이와 어림한 넓이의 차 구하기

따라서 독도의 실제 넓이와 어림한 넓이의 차는 190000−187554=**2446 (m^2)**입니다.

참고 187554를 올림하여 만의 자리까지 나타내려면 만의 자리 아래 수인 7554를 올려서 190000으로 나타냅니다.

09 ❶ 조건 ㉠을 만족하는 자연수 구하기

㉠ 63000 이상 64000 미만인 수이므로 다섯 자리 수이고, 만의 자리 숫자는 6, 천의 자리 숫자는 3입니다. ➔ 63□□□

❷ 조건 ㉡을 만족하는 가장 큰 자연수 구하기

㉡ 백의 자리 숫자: 4 이상 9 이하인 수 중 가장 큰 9입니다. ➔ 639□□

❸ 조건 ㉢을 만족하는 가장 큰 자연수 구하기

㉢ 십의 자리 숫자: 8의 약수인 1, 2, 4, 8 중 가장 큰 8입니다. ➔ 6398□

❹ 조건 ㉣을 만족하는 가장 큰 자연수 구하기

㉣ 일의 자리 숫자: 2 초과 6 미만인 수 중 가장 큰 5입니다. ➔ **63985**

10 ❶ 1367을 반올림하여 백의 자리까지 나타내기

1367을 반올림하여 백의 자리까지 나타내면

1367 ➔ 1400입니다.

❷ 어떤 수를 반올림하여 백의 자리까지 나타낸 수 구하기

(어떤 수를 반올림하여 백의 자리까지 나타낸 수)

$=6000-1400=4600$

❸ 어떤 수의 범위를 이상과 미만을 사용하여 나타내기

반올림하여 백의 자리까지 나타내면 4600인 어떤 수의 범위는 **4550 이상 4650 미만**입니다.

11 레벨UP공략

◆ ▲개씩 묶음으로 파는 물건을 부족하지 않게 사려면?

▲개 미만의 물건도 사야 합니다.

↓

올림 활용하기

1묶음을 더 사야 합니다.

❶ 지호네 학교의 전체 학생 수 구하기

(지호네 학교의 전체 학생 수)$=359+293=652$(명)

❷ ㉮ 마트에서의 최소 가격 구하기

$652\div15=43\cdots7$이므로 적어도 $43+1=44$(묶음)을 사야 합니다.

➔ $9000\times44=396000$(원)

❸ ㉯ 마트에서의 최소 가격 구하기

$652\div24=27\cdots4$이므로 적어도 $27+1=28$(묶음)을 사야 합니다.

➔ $13000\times28=364000$(원)

❹ 가격 비교하기

따라서 $396000>364000$이므로 **㉯ 마트**에서 사는 것이 더 유리합니다.

12 ❶ 지난달 판매량의 범위에서 가장 큰 수 구하기

올림하여 십의 자리까지 나타내면 9670인 수의 범위는 9660 초과 9670 이하입니다.

➔ 가장 클 때: 9670대

❷ 이번 달 판매량의 범위에서 가장 큰 수 구하기

반올림하여 백의 자리까지 나타내면 9100인 수의 범위는 9050 이상 9150 미만입니다.

➔ 가장 클 때: 9149대

❸ 지난달과 이번 달의 판매량의 합의 최댓값 구하기

➔ $9670+9149=$**18819(대)**

13 ❶ 십의 자리 숫자 구하기

수 카드 중 4 초과 8 이하인 수: 5, 7

➔ □□□5□, □□□7□

❷ 가장 큰 다섯 자리 수와 가장 작은 다섯 자리 수 만들기

만들 수 있는 가장 큰 다섯 자리 수:

□□□5□ ➔ 73250, □□□7□ ➔ 53270

만들 수 있는 가장 작은 다섯 자리 수:

□□□5□ ➔ 20357, □□□7□ ➔ 20375

❸ 만든 가장 큰 수와 가장 작은 수의 차 구하기

(만든 두 수의 차)$=73250-20357=52893$

❹ 만든 두 수의 차를 반올림하여 천의 자리까지 나타내기

반올림하여 천의 자리까지 나타내면

52893 ➔ **53000**입니다.

14 레벨UP공략

◆ ■개씩 묶음으로 물건을 팔 때 팔 수 있는 묶음의 수를 구하려면?

■개 미만은 팔 수 없습니다.

↓

버림 활용하기

❶ 두름으로 팔아서 받을 수 있는 최대 금액 구하기

$917\div20=45\cdots17$이므로 팔 수 있는 조기는 최대 45두름입니다.→ 두름 단위로 많이 팔수록 받은 금액이 커집니다.

(조기 45두름을 팔아서 받을 수 있는 금액)

$=22000\times45=990000$(원)

❷ 남은 조기를 묶음으로 팔아서 받을 수 있는 최대 금액 구하기

$17\div5=3\cdots2$이므로 팔 수 있는 조기는 최대 3묶음입니다.

(조기 3묶음을 팔아서 받을 수 있는 금액)

$=5000\times3=15000$(원)

❸ 조기를 팔아서 받을 수 있는 최대 금액 구하기

(조기를 팔아서 받을 수 있는 최대 금액)

$=990000+15000=$**1005000(원)**

STEP 3 최상위 도전하기 019~021쪽

1	46쪽 이상 56쪽 미만	2	23개
3	27 cm	4	37봉지
5	24개	6	404, 305

1 ❶ **목요일을 제외하고 다른 요일에 읽은 쪽수의 합 구하기**
(목요일을 제외하고 다른 요일에 읽은 쪽수의 합)
$=34+51+27+58+64=234$(쪽)
❷ **버림하여 십의 자리까지 나타내면 280인 수의 범위 구하기**
버림하여 십의 자리까지 나타내면 280인 수의 범위는 280 이상 290 미만입니다.
❸ **㉠에 들어갈 쪽수의 범위를 이상과 미만을 사용하여 나타내기**
$280-234=46$(쪽), $290-234=56$(쪽)이므로 ㉠에 들어갈 쪽수의 범위는 **46쪽 이상 56쪽 미만**입니다.

2 ❶ **㉡ 어항에 넣어야 할 물고기의 수 구하기**
(㉠ 어항에 넣은 물고기의 수)
$=55\times9=495$(마리)
(㉡ 어항에 넣어야 할 물고기의 수)
$=692-495=197$(마리)
❷ **필요한 ㉡ 어항의 수 구하기**
197마리를 15마리씩 넣으려면 $197\div15=13\cdots2$이므로 ㉡ 어항은 적어도 $13+1=14$(개) 필요합니다.
❸ **필요한 ㉠과 ㉡ 어항의 수의 합 구하기**
따라서 ㉠과 ㉡ 어항은 적어도 $9+14=$ **23(개)** 필요합니다.

3 ❶ **소프라니노, 소프라노, 알토 리코더의 길이의 범위 구하기**
- 소프라니노 리코더의 길이의 범위: 20 cm 이상 30 cm 미만
- 소프라노 리코더의 길이의 범위: 25 cm 이상 35 cm 미만
- 알토 리코더의 길이의 범위: 40 cm 초과 50 cm 이하

❷ **테너 리코더가 가장 길 때와 가장 짧을 때의 길이 구하기**
테너 리코더의 길이가 가장 길 때:
$29+34+50-35=78$ (cm)
테너 리코더의 길이가 가장 짧을 때:
$20+25+41-35=51$ (cm)
❸ **길이의 차 구하기**
→ $78-51=$ **27 (cm)**

4 ❶ **땅의 둘레 구하기**
(땅의 둘레)$=(54+36)\times2=90\times2=180$ (m)
❷ **심은 블루베리 나무의 수 구하기**
(블루베리 나무 사이의 간격의 수)
$=180\div6=30$(군데)
(심은 블루베리 나무의 수)
=(블루베리 나무 사이의 간격의 수)
=30그루
❸ **모든 나무에서 딴 블루베리의 수 구하기**
(모든 나무에서 딴 블루베리의 수)
$=100\times30=3000$(알)
❹ **팔 수 있는 블루베리의 최대 봉지 수 구하기**
$3000\div80=37\cdots40$이므로 블루베리는 최대 **37봉지**까지 팔 수 있습니다.

참고 직사각형 모양의 땅의 둘레에 일정한 간격으로 나무를 심으면 (나무의 수)=(간격의 수)입니다.

5 ❶ **반올림하여 만의 자리까지 나타내면 30000인 수의 범위 구하기**
반올림하여 만의 자리까지 나타내면 30000인 수의 범위는 25000 이상 35000 미만입니다.
❷ **만의 자리 숫자가 2인 다섯 자리 수 만들기**
만의 자리 숫자가 2인 경우:
25□□□, 29□□□
25139, 25193, 25319, 25391, 25913, 25931 → 6개
29135, 29153, 29315, 29351, 29513, 29531 → 6개
❸ **만의 자리 숫자가 3인 다섯 자리 수 만들기**
만의 자리 숫자가 3인 경우:
31□□□, 32□□□
31259, 31295, 31529, 31592, 31925, 31952 → 6개
32159, 32195, 32519, 32591, 32915, 32951 → 6개
❹ **만들 수 있는 수의 개수 구하기**
따라서 만들 수 있는 수는 모두 $6\times4=$ **24(개)**입니다.

선행 개념 [중2] 경우의 수
- **경우의 수**: 어떤 사건이 일어날 수 있는 경우의 모든 가짓수
- 숫자 3개로 만들 수 있는 세 자리 수는 $3\times2\times1=6$(개)입니다.

풀이 25□□□일 때 1, 3, 9로 세 자리 수를 만드는 것과 같으므로 만들 수 있는 수는 $3\times2\times1=6$(개)입니다. 29□□□, 31□□□, 32□□□일 때도 마찬가지이므로 만들 수 있는 수는 모두 $6\times4=24$(개)입니다.

6 순서도를 보고 **어떤 자연수가 될 수 있는 수 중에서 가장 큰 수와 가장 작은 수**를 각각 구해 보세요.

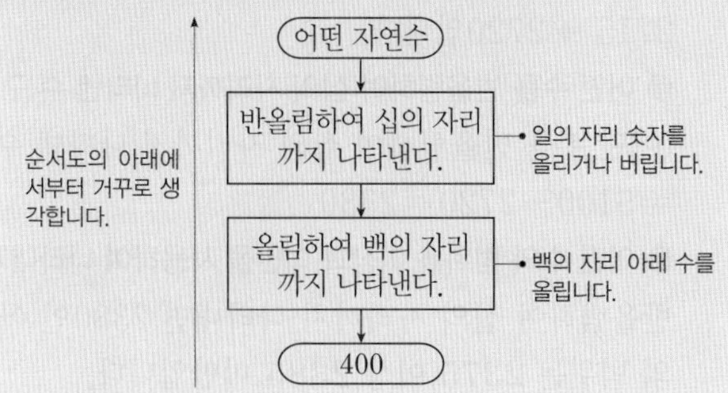

❶ **올림하여 백의 자리까지 나타내면 400인 수의 범위 구하기**

올림하여 백의 자리까지 나타내면 400인 수의 범위는 300 초과 400 이하입니다.

❷ **❶의 범위에 속하는 중 반올림하여 십의 자리까지 나타낸 수인 것 구하기**

이 중에서 반올림하여 십의 자리까지 나타낸 수인 것은 310, 320······390, 400입니다.

❸ **어떤 자연수가 될 수 있는 수의 범위 구하기**

반올림하여 십의 자리까지 나타내면 310인 수:
305 이상 315 미만
반올림하여 십의 자리까지 나타내면 320인 수:
315 이상 325 미만

⋮

반올림하여 십의 자리까지 나타내면 400인 수:
395 이상 405 미만

➜ 어떤 자연수가 될 수 있는 수의 범위는 305 이상 405 미만입니다.

❹ **어떤 자연수가 될 수 있는 가장 큰 수와 가장 작은 수 구하기**

가장 큰 수는 **404**, 가장 작은 수는 **305**입니다.

상위권 TEST 022~023쪽

01	㉢, ㉡, ㉠	**02**	1689
03	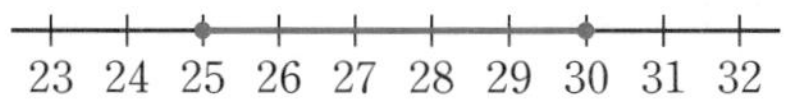		
04	4	**05**	348
06	18500원	**07**	11일, 8일
08	43441명	**09**	10
10	2375 이상 2385 미만		
11	14873명	**12**	6개

01 ❶ **어림하여 백의 자리까지 나타내기**

㉠ 올림: 27600 ➜ 27600
㉡ 버림: 27710 ➜ 27700
㉢ 반올림: 27751 ➜ 27800

❷ **큰 수부터 순서대로 기호 쓰기**

27800 > 27700 > 27600이므로 큰 수부터 순서대로 기호를 쓰면 ㉢, ㉡, ㉠입니다.

02 ❶ **버림하여 십의 자리까지 나타내면 840인 수의 범위 구하기**

버림하여 십의 자리까지 나타내면 840인 수의 범위는 840 이상 850 미만입니다.

❷ **가장 큰 수와 가장 작은 수 구하기**

가장 큰 수: 849, 가장 작은 수: 840

❸ **가장 큰 수와 가장 작은 수의 합 구하기**

(가장 큰 수)+(가장 작은 수)
=849+840=**1689**

03 ❶ **민우네 반 학생 수의 범위 구하기**

피자 4판을 모두 먹고 한 조각을 더 먹으면 전체 학생은 $6\times4+1=25$(명)이므로 25명 이상입니다.
피자 5판을 모두 먹으면 전체 학생은 $6\times5=30$(명)이므로 30명 이하입니다.
따라서 민우네 반 학생 수의 범위는 25명 이상 30명 이하입니다.

❷ **학생 수의 범위를 수직선에 나타내기**

수직선에 25명 이상과 30명 이하는 모두 점 ●으로 나타냅니다.

04 ❶ **수직선에 나타낸 수의 범위 알아보기**

수직선에 나타낸 수의 범위는 ■ 초과 12 미만입니다.

❷ **12 미만인 자연수 7개 구하기**

12 미만인 자연수를 순서대로 7개 쓰면 11, 10, 9, 8, 7, 6, 5입니다.

❸ **■에 알맞은 자연수 구하기**

따라서 ■에 알맞은 자연수는 **4**입니다.

05 ❶ **백의 자리 숫자 구하기**

300 이상 400 미만인 수이므로 백의 자리 숫자는 3입니다.

❷ **십의 자리 숫자와 일의 자리 숫자 각각 구하기**

- 십의 자리 숫자는 4의 배수이므로 4 또는 8입니다.
- 일의 자리 숫자는 십의 자리 숫자의 2배이므로 십의 자리 숫자는 4이고, 일의 자리 숫자는 8입니다.

진도북 1단원

❸ 조건을 모두 만족하는 세 자리 수 구하기
조건을 모두 만족하는 세 자리 수는 **348**입니다.

06 ❶ 필요한 사인펜 수 구하기
(필요한 사인펜 수)$=2\times28=56$(자루)
❷ 사야 하는 상자 수 구하기
$56\div12=4\cdots8$에서
남은 사인펜 8자루도 사야 하므로 사인펜을 적어도 $4+1=5$(상자)를 사야 합니다.
❸ 사인펜값으로 필요한 최소 금액 구하기
따라서 사인펜값으로 최소 $3700\times5=$**18500(원)**이 필요합니다.

07 ❶ 하루에 과학책을 가장 적게 읽을 때 걸리는 최대 날수 구하기
하루에 과학책을 가장 적게 읽으면 $240\div21=11\cdots9$에서 9쪽이 남습니다. 하루에 20쪽 초과 31쪽 이하로 읽으므로 남은 9쪽은 11일 중에 나눠서 읽을 수 있습니다. 따라서 최대 **11일**이 걸립니다.
❷ 하루에 과학책을 가장 많이 읽을 때 걸리는 최소 날수 구하기
하루에 과학책을 가장 많이 읽으면
$240\div31=7\cdots23$에서 23쪽이 남습니다. 남은 23쪽으로 하루를 더 읽을 수 있으므로 최소 $7+1=$**8(일)**이 걸립니다.

08 ❶ 강원도의 총인구수 구하기
(강원도의 총인구수)
$=776790+766651=1543441$(명)
❷ 반올림하여 십만의 자리까지 나타내기
반올림하여 십만의 자리까지 나타내면
1543441 → 1500000이므로 1500000명입니다.
❸ 실제 인구수와 어림한 인구수의 차 구하기
따라서 실제 인구수와 어림한 인구수의 차는
$1543441-1500000=$**43441(명)**입니다.

09 ❶ 반올림하여 만의 자리까지 나타낸 수 구하기
23□748의 만의 자리 아래 수를 버려서 나타내면 230000이므로 반올림하여 만의 자리까지 나타낸 수도 230000입니다.
❷ □ 안에 들어갈 수 있는 자연수 구하기
반올림하여 만의 자리까지 나타낸 수가 230000이려면 □ 안에 들어갈 수 있는 자연수는 0, 1, 2, 3, 4입니다.
❸ 자연수들의 합 구하기
→ $0+1+2+3+4=$**10**

10 ❶ 2715를 반올림하여 십의 자리까지 나타내기
2715를 반올림하여 십의 자리까지 나타내면
2715 → 2720입니다.
❷ 어떤 수를 반올림하여 십의 자리까지 나타낸 수 구하기
(어떤 수를 반올림하여 십의 자리까지 나타낸 수)
$=5100-2720=2380$
❸ 어떤 수의 범위를 이상과 미만을 사용하여 나타내기
반올림하여 십의 자리까지 나타내면 2380인 어떤 수의 범위는 **2375 이상 2385 미만**입니다.

11 ❶ 남자의 수의 범위 구하기
반올림하여 십의 자리까지 나타내면 7370인 수의 범위는 7365 이상 7375 미만입니다.
❷ 여자의 수의 범위 구하기
버림하여 백의 자리까지 나타내면 7400인 수의 범위는 7400 이상 7500 미만입니다.
❸ 남자의 수의 범위에서 가장 큰 수 구하기
남자의 수의 범위가 7365 이상 7375 미만이므로 가장 클 때는 7374명입니다.
❹ 여자의 수의 범위에서 가장 큰 수 구하기
여자의 수의 범위가 7400 이상 7500 미만이므로 가장 클 때는 7499명입니다.
❺ 남자와 여자의 수의 합의 최댓값 구하기
따라서 남자와 여자의 수의 합이 최대일 때는 남자가 7374명, 여자가 7499명일 때이므로
$7374+7499=$**14873(명)**입니다.

12 ❶ 반올림하여 천의 자리까지 나타내면 42000인 수의 범위 구하기
반올림하여 천의 자리까지 나타내면 42000인 수의 범위는 41500 이상 42500 미만입니다.
❷ 천의 자리 숫자가 1인 다섯 자리 수 만들기
천의 자리 숫자가 1인 경우:
416□□, 418□□
41628, 41682, 41826, 41862 → 4개
❸ 천의 자리 숫자가 2인 다섯 자리 수 만들기
천의 자리 숫자가 2인 경우:
421□□
42168, 42186 → 2개
❹ 만들 수 있는 수의 개수 구하기
따라서 만들 수 있는 수 중에서 반올림하여 천의 자리까지 나타내면 42000이 되는 수는 모두
$4+2=$**6(개)**입니다.

2 분수의 곱셈

개념 넓히기 027쪽

1 $57\frac{1}{2}$ 2 $10\frac{10}{27}$
3 $>$ 4 10판

STEP 1 응용 공략하기 028~034쪽

01 ㉢, ㉠, ㉡, ㉣ **02** $7\frac{4}{5}$ L **03** $\frac{2}{35}$

04 예 ❶ $2\frac{3}{5}\times4=\frac{13}{5}\times4=\frac{52}{5}=10\frac{2}{5}$이므로 $10\frac{2}{5}>\square$입니다. ▸3점
❷ 따라서 □ 안에 들어갈 수 있는 자연수는 1, 2, 3, 4, 5, 6, 7, 8, 9, 10으로 모두 10개입니다. ▸2점 / 10개

05 250 cm, 750 g **06** $19\frac{1}{8}$

07 $12\frac{1}{14}$ km **08** $8\frac{16}{25}$ m^2

09 $4\frac{7}{15}$ m **10** $2\frac{2}{11}$ kg

11 예 ❶ 혜영이가 먹고 남은 피자는 전체 피자의 $1-\frac{5}{12}=\frac{7}{12}$입니다. ▸1점
❷ 동생이 먹고 남은 피자는 혜영이가 먹고 난 나머지의 $1-\frac{2}{7}=\frac{5}{7}$입니다. ▸1점
❸ 따라서 동생이 먹고 남은 피자는 전체 피자의 $\frac{\overset{1}{\cancel{7}}}{12}\times\frac{5}{\underset{1}{\cancel{7}}}=\frac{5}{12}$입니다. ▸3점 / $\frac{5}{12}$

12 $14\frac{2}{5}$ cm **13** $24\frac{3}{10}$

14 $\frac{2}{5}$ L **15** $\frac{1}{10}$

16 예 ❶ 수 카드로 만들 수 있는 가장 큰 대분수는 $8\frac{2}{3}$, 가장 작은 대분수는 $2\frac{3}{8}$입니다. ▸2점
❷ (만든 두 대분수의 곱)
$=8\frac{2}{3}\times2\frac{3}{8}=\frac{\overset{13}{\cancel{26}}}{3}\times\frac{19}{\underset{4}{\cancel{8}}}=\frac{247}{12}$
$=20\frac{7}{12}$ ▸3점 / $20\frac{7}{12}$

17 가, $18\frac{1}{3}$ L **18** 7, 14, 28

19 9시 43분 **20** $\frac{27}{64}$

21 $\frac{1}{261}$

01 ❶ **계산 결과를 예상하여 비교하기**
㉠ $\frac{2}{5}$
㉡ $\frac{2}{5}$에 1보다 작은 수를 곱한 것 → ㉡$<\frac{2}{5}$
㉢ $\frac{2}{5}$에 1보다 큰 수를 곱한 것 → ㉢$>\frac{2}{5}$
㉣ ㉡에 1보다 작은 수를 곱한 것 → ㉣$<$㉡
❷ **계산 결과가 큰 것부터 기호 쓰기**
계산 결과가 큰 것부터 쓰면 ㉢, ㉠, ㉡, ㉣입니다.
참고 ■×(1보다 작은 수)<■
■×(1보다 큰 수)>■

02 ❶ **질소의 양을 구하는 식 만들기**
(질소의 양)=(전체 공기의 양)$\times\frac{39}{50}$
❷ **질소의 양 구하기**
(질소의 양)$=\overset{1}{\cancel{10}}\times\frac{39}{\underset{5}{\cancel{50}}}=\frac{39}{5}=\mathbf{7\frac{4}{5}}$ **(L)**

03 ❶ **문제에 알맞은 식 만들기**
줄무늬가 있고 노란색 꼬리지느러미를 가진 수컷은 전체 열대어의 $\frac{5}{7}\times\frac{7}{10}\times\frac{4}{35}$입니다.
❷ **위 ❶의 식의 값 구하기**
→ $\frac{\overset{1}{\cancel{5}}}{\underset{1}{\cancel{7}}}\times\frac{\overset{1}{\cancel{7}}}{\underset{\underset{1}{\cancel{2}}}{\cancel{10}}}\times\frac{\overset{2}{\cancel{4}}}{35}=\mathbf{\frac{2}{35}}$

04

채점 기준		
	❶ 곱셈식을 계산하여 □의 범위 구하기	3점
	❷ □ 안에 들어갈 수 있는 자연수의 개수 구하기	2점

05 ❶ **사용한 노끈의 길이 구하기**
3 m=300 cm
→ (사용한 노끈의 길이)$=\overset{50}{\cancel{300}}\times\frac{5}{\underset{1}{\cancel{6}}}=$**250 (cm)**
❷ **사용한 찰흙의 양 구하기**
2 kg=2000 g
→ (사용한 찰흙의 양)$=\overset{250}{\cancel{2000}}\times\frac{3}{\underset{1}{\cancel{8}}}=$**750 (g)**

진도북 2단원

다른 풀이 (사용한 노끈의 길이)

$=\overset{1}{\cancel{3}}\times\frac{5}{\underset{2}{\cancel{6}}}=\frac{5}{2}=2\frac{1}{2}\text{ (m)}$

→ $2\frac{1}{2}\times 100=\frac{5}{\underset{1}{\cancel{2}}}\times\overset{50}{\cancel{100}}=\mathbf{250\ (cm)}$

(사용한 찰흙의 양) $=\overset{1}{\cancel{2}}\times\frac{3}{\underset{4}{\cancel{8}}}=\frac{3}{4}\text{ (kg)}$

→ $\frac{3}{\underset{1}{\cancel{4}}}\times\overset{250}{\cancel{1000}}=\mathbf{750\ (g)}$

06 ❶ **어떤 수 구하기**

(어떤 수) $\div 2\frac{5}{6}=3\frac{3}{8}$,

(어떤 수) $=3\frac{3}{8}\times 2\frac{5}{6}=\frac{\overset{9}{\cancel{27}}}{8}\times\frac{17}{\underset{2}{\cancel{6}}}=\frac{153}{16}=9\frac{9}{16}$

❷ **어떤 수의 2배 구하기**

(어떤 수) $\times 2$

$=9\frac{9}{16}\times 2=\frac{153}{\underset{8}{\cancel{16}}}\times\overset{1}{\cancel{2}}=\frac{153}{8}=\mathbf{19\frac{1}{8}}$

07 ❶ **3시간 15분을 분수로 나타내기**

3시간 15분 $=3\frac{15}{60}$시간 $=3\frac{1}{4}$시간

❷ **3시간 15분 동안 자전거를 탄 거리 구하기**

(3시간 15분 동안 자전거를 탄 거리)

$=3\frac{5}{7}\times 3\frac{1}{4}=\frac{\overset{13}{\cancel{26}}}{7}\times\frac{13}{\underset{2}{\cancel{4}}}=\frac{169}{14}=\mathbf{12\frac{1}{14}\ (km)}$

08 ❶ **태극기의 세로 구하기**

(태극기의 세로)

$=3\frac{3}{5}\times\frac{2}{3}=\frac{\overset{6}{\cancel{18}}}{5}\times\frac{2}{\underset{1}{\cancel{3}}}=\frac{12}{5}=2\frac{2}{5}\text{ (m)}$

❷ **태극기의 넓이 구하기**

(태극기의 넓이)

$=3\frac{3}{5}\times 2\frac{2}{5}=\frac{18}{5}\times\frac{12}{5}=\frac{216}{25}=\mathbf{8\frac{16}{25}\ (m^2)}$

09 ❶ **정팔각형의 둘레 구하기**

(정팔각형의 둘레) $=\frac{4}{15}\times 8=\frac{32}{15}=2\frac{2}{15}\text{ (m)}$

❷ **정삼각형의 둘레 구하기**

(정삼각형의 둘레) $=\frac{7}{\underset{3}{\cancel{9}}}\times\overset{1}{\cancel{3}}=\frac{7}{3}=2\frac{1}{3}\text{ (m)}$

❸ **두 도형의 둘레의 합 구하기**

→ $2\frac{2}{15}+2\frac{1}{3}=2\frac{2}{15}+2\frac{5}{15}=\mathbf{4\frac{7}{15}\ (m)}$

10 ❶ **하루에 먹는 과일과 채소의 양 구하기**

(과일과 채소의 양) $=\overset{3}{\cancel{75}}\times\frac{8}{\underset{1}{\cancel{25}}}=24\text{ (kg)}$

❷ **하루에 먹는 배합사료의 양 구하기**

(배합사료의 양) $=24\times\frac{1}{11}=\frac{24}{11}=\mathbf{2\frac{2}{11}\ (kg)}$

11

채점 기준		
	❶ 혜영이가 먹고 남은 피자는 전체 피자의 얼마인지 구하기	1점
	❷ 동생이 먹고 남은 피자는 혜영이가 먹고 난 나머지의 얼마인지 구하기	1점
	❸ 동생이 먹고 남은 피자는 전체 피자의 얼마인지 구하기	3점

다른 풀이 하나의 식으로 만들어서 계산할 수도 있습니다.

→ $\left(1-\frac{5}{12}\right)\times\left(1-\frac{2}{7}\right)=\frac{\overset{1}{\cancel{7}}}{12}\times\frac{5}{\underset{1}{\cancel{7}}}=\mathbf{\frac{5}{12}}$

12 ❶ **첫 번째로 튀어 오른 공의 높이 구하기**

(첫 번째로 튀어 오른 높이) $=\overset{18}{\cancel{90}}\times\frac{2}{\underset{1}{\cancel{5}}}=36\text{ (cm)}$

❷ **두 번째로 튀어 오른 공의 높이 구하기**

(두 번째로 튀어 오른 높이)

$=36\times\frac{2}{5}=\frac{72}{5}=\mathbf{14\frac{2}{5}\ (cm)}$

13 ❶ **기호 ◎의 약속 알아보기**

가◎나는 가×4와 6×나를 각각 계산하여 더하는 약속입니다.

❷ $1\frac{7}{10}$◎$2\frac{11}{12}$**의 값 구하기**

$1\frac{7}{10}$◎$2\frac{11}{12}=1\frac{7}{10}\times 4+6\times 2\frac{11}{12}$

$=\frac{17}{\underset{5}{\cancel{10}}}\times\overset{2}{\cancel{4}}+\overset{1}{\cancel{6}}\times\frac{35}{\underset{2}{\cancel{12}}}$

$=\frac{34}{5}+\frac{35}{2}=6\frac{4}{5}+17\frac{1}{2}$

$=6\frac{8}{10}+17\frac{5}{10}=23\frac{13}{10}=\mathbf{24\frac{3}{10}}$

14 ❶ **도영이의 하루 권장 물 섭취량 구하기**

① $151+39=190$

② $\overset{19}{\cancel{190}}\times\frac{1}{\underset{10}{\cancel{100}}}=\frac{19}{10}=1\frac{9}{10}\text{ (L)}$

❷ 몇 L를 더 마시면 하루 권장 물 섭취량이 되는지 구하기

→ $1\frac{9}{10}-1\frac{1}{2}=1\frac{9}{10}-1\frac{5}{10}=\frac{4}{10}=\mathbf{\frac{2}{5}}$ **(L)**

15 ❶ $\frac{1}{12}$과 ㉠ 사이의 거리 구하기

$\frac{1}{12}$과 ㉠ 사이의 거리는 $\frac{1}{12}$과 $\frac{1}{8}$ 사이의 거리의 $\frac{2}{5}$입니다.

$\left(\frac{1}{12}\text{과 ㉠ 사이의 거리}\right)$

$=\left(\frac{1}{8}-\frac{1}{12}\right)\times\frac{2}{5}=\left(\frac{3}{24}-\frac{2}{24}\right)\times\frac{2}{5}$

$=\frac{1}{\cancel{24}_{12}}\times\frac{\cancel{2}^{1}}{5}=\frac{1}{60}$

❷ ㉠에 알맞은 분수 구하기

㉠$=\frac{1}{12}+\frac{1}{60}=\frac{5}{60}+\frac{1}{60}=\frac{6}{60}=\mathbf{\frac{1}{10}}$

16

채점 기준	❶ 수 카드로 가장 큰 대분수와 가장 작은 대분수 만들기	2점
	❷ ❶에서 만든 두 대분수의 곱 구하기	3점

17 ❶ 가 수도로 8분 동안 받은 물의 양 구하기

(가 수도로 8분 동안 받은 물의 양)

$=11\frac{5}{8}\times8=\frac{93}{\cancel{8}_{1}}\times\cancel{8}^{1}=93\ (\text{L})$

❷ 나 수도로 6분 동안 받은 물의 양 구하기

(나 수도로 6분 동안 받은 물의 양)

$=12\frac{4}{9}\times6=\frac{112}{\cancel{9}_{3}}\times\cancel{6}^{2}=\frac{224}{3}=74\frac{2}{3}\ (\text{L})$

❸ 어느 수도로 받은 물의 양이 몇 L 더 많은지 구하기

$93>74\frac{2}{3}$이므로 **가** 수도로 받은 물의 양이

$93-74\frac{2}{3}=92\frac{3}{3}-74\frac{2}{3}=\mathbf{18\frac{1}{3}}$ **(L)** 더 많습니다.

18 ❶ 주어진 식을 계산하여 간단히 만들기

$2\frac{5}{8}\times2\frac{2}{3}\times\frac{4}{\square}=\frac{\cancel{21}^{7}}{\cancel{8}_{1}}\times\frac{\cancel{8}^{1}}{\cancel{3}_{1}}\times\frac{4}{\square}=\frac{28}{\square}$

❷ □ 안에 들어갈 수 있는 자연수 구하기

$\frac{28}{\square}$에서 □ 안에는 28의 약수가 들어가야 합니다.

28의 약수: 1, 2, 4, 7, 14, 28

이때 $\frac{4}{\square}$는 진분수이므로 □ 안에는 4보다 큰 **7**, **14**, **28**이 들어갈 수 있습니다.

19 ❶ 4주일은 며칠인지 구하기

4주일은 $7\times4=28$(일)입니다.

❷ 시계가 28일 동안 늦어지는 시간 구하기

(시계가 28일 동안 늦어지는 시간)

$=2\frac{3}{4}\times28=\frac{11}{\cancel{4}_{1}}\times\cancel{28}^{7}=77$(분)

❸ 4주일 후 오전 11시에 시계가 가리키는 시각 구하기

(4주일 후 오전 11시에 시계가 가리키는 시각)

=11시−77분=11시−1시간 17분=**9시 43분**

20 ❶ 가장 작은 정삼각형이 전체의 몇 분의 몇인지 구하기

가장 작은 정삼각형 하나는 전체를 4등분한 것 중의 하나를 다시 4등분하고, 그중 하나를 다시 4등분한 것 중의 하나이므로 전체의 $\frac{1}{4}\times\frac{1}{4}\times\frac{1}{4}=\frac{1}{64}$입니다.

셋째 그림에서 색칠한 부분은 가장 작은 정삼각형이 27개입니다.

❷ 셋째 그림에서 색칠한 부분은 전체의 몇 분의 몇인지 구하기

따라서 색칠한 부분은 전체의 $\frac{1}{64}\times27=\mathbf{\frac{27}{64}}$입니다.

21 ❶ 규칙을 찾아 13째 분수 구하기

13째 분수의 분자: $1+2\times12=25$
13째 분수의 분모: $5+2\times12=29$ → $\frac{25}{29}$

❷ 처음부터 13째까지의 분수의 곱 구하기

→ $\frac{1}{\cancel{5}_{1}}\times\frac{3}{\cancel{7}_{1}}\times\frac{\cancel{5}^{1}}{\cancel{9}_{1}}\times\frac{\cancel{7}^{1}}{\cancel{11}_{1}}\times\frac{\cancel{9}^{1}}{\cancel{13}_{1}}\times\frac{\cancel{11}^{1}}{\cancel{15}_{1}}\times\cdots\cdots\times\frac{\cancel{23}^{1}}{27}\times\frac{\cancel{25}^{1}}{29}$

$=\frac{1\times\cancel{3}^{1}}{\cancel{27}_{9}\times29}=\mathbf{\frac{1}{261}}$

STEP 2 심화 해결하기 035~040쪽

01 $\frac{1}{48}$ **02** $30\frac{3}{4}$ **03** $11\frac{1}{12}$ cm

04 예 ❶ 1시간 45분을 분수로 나타내면

$1\frac{45}{60}$시간$=1\frac{3}{4}$시간입니다. ▸2점

❷ (1시간 45분 동안 달리는 거리)

$=70\frac{1}{2}\times1\frac{3}{4}=\frac{141}{2}\times\frac{7}{4}=\frac{987}{8}$

$=123\frac{3}{8}$ (km) ▸3점 / $123\frac{3}{8}$ km

05 12 **06** 15℃ **07** $\frac{7}{16}$ m^2

진도북 2단원

08 $4\frac{7}{12}$ **09** $42\frac{7}{8}$ cm

10 $13\frac{1}{5}$ cm^2 **11** 689 m^2

12 예 ❶ (1분 동안 받은 물의 양)

$=2\frac{7}{8}+3\frac{3}{4}=2\frac{7}{8}+3\frac{6}{8}$

$=5\frac{13}{8}=6\frac{5}{8}$ (L) ▸ 2점

❷ 3분 45초$=3\frac{45}{60}$분$=3\frac{3}{4}$분

(3분 45초 동안 받은 물의 양)

$=6\frac{5}{8}\times3\frac{3}{4}=\frac{53}{8}\times\frac{15}{4}=\frac{795}{32}=24\frac{27}{32}$ (L)

▸ 3점 / $24\frac{27}{32}$ L

13 6일 **14** $\frac{2}{5}$ **15** 30쪽

16 $8\frac{7}{16}$ cm **17** $51\frac{11}{30}$분 **18** $5\frac{5}{9}$ cm^2

01 ❶ **가장 큰 분수와 가장 작은 분수 찾기**

가장 큰 분수: $\frac{1}{4}$, 가장 작은 분수: $\frac{1}{12}$

❷ **두 분수의 곱 구하기**

→ $\frac{1}{4}\times\frac{1}{12}=\mathbf{\frac{1}{48}}$

02 레벨UP공략

◆ 3개의 수로 두 번째로 큰 대분수를 만들려면?

수의 크기가 ㉠>㉡>㉢일 때

• 가장 큰 대분수: ㉠$\frac{㉢}{㉡}$ • 두 번째로 큰 대분수: ㉡$\frac{㉢}{㉠}$

❶ **수 카드로 두 번째로 큰 대분수 만들기**

• 가장 큰 대분수: $8\frac{1}{5}$

• 두 번째로 큰 대분수: $5\frac{1}{8}$

❷ **두 번째로 큰 대분수와 6의 곱 구하기**

→ $5\frac{1}{8}\times6=\frac{41}{\underset{4}{\cancel{8}}}\times\overset{3}{\cancel{6}}=\frac{123}{4}=\mathbf{30\frac{3}{4}}$

03 ❶ **㉠과 ㉡ 사이의 거리는 전체의 몇 분의 몇인지 구하기**

㉠과 ㉡ 사이의 거리는 ㉠과 북극성 사이의 거리의 $\frac{1}{6}$입니다.

❷ **㉠과 ㉡ 사이의 거리 구하기**

(㉠과 ㉡ 사이의 거리)

$=66\frac{1}{2}\times\frac{1}{6}=\frac{133}{2}\times\frac{1}{6}=\frac{133}{12}=\mathbf{11\frac{1}{12}}$ **(cm)**

04 레벨UP공략

◆ 몇 시간 몇 분을 분수로 나타내려면?

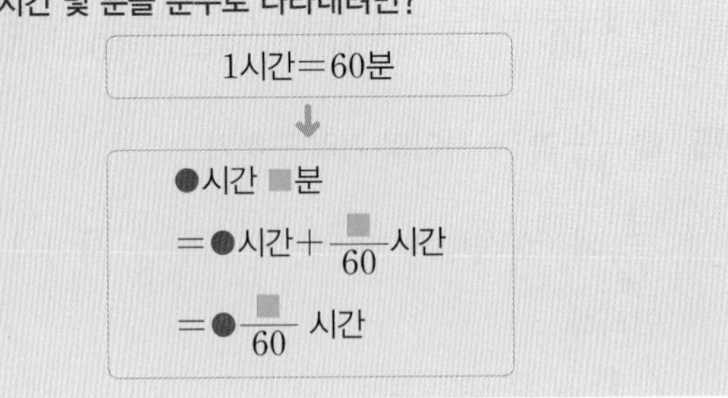

채점 기준	❶ 1시간 45분을 분수로 나타내기	2점
	❷ 1시간 45분 동안 달리는 거리 구하기	3점

05 ❶ **곱셈식을 계산하여 □의 범위 구하기**

$5\times1\frac{2}{5}=\overset{1}{\cancel{5}}\times\frac{7}{\underset{1}{\cancel{5}}}=7$, $4\times3\frac{1}{6}=\overset{2}{\cancel{4}}\times\frac{19}{\underset{3}{\cancel{6}}}=\frac{38}{3}=12\frac{2}{3}$

이므로 $7<\square<12\frac{2}{3}$입니다.

❷ **□ 안에 들어갈 수 있는 자연수 중 가장 큰 수 구하기**

따라서 □ 안에 들어갈 수 있는 자연수는 8, 9, 10, 11, 12이므로 가장 큰 수는 **12**입니다.

06 ❶ **오늘 미국 뉴욕의 최저 기온 알아보기**

오늘 미국 뉴욕의 최저 기온은 59 °F입니다.

❷ **최저 기온을 섭씨온도로 바꾸어 나타내기**

(섭씨온도)$=(59-32)\times\frac{5}{9}=\overset{3}{\cancel{27}}\times\frac{5}{\underset{1}{\cancel{9}}}=$**15 (°C)**

07 ❶ **직사각형 모양 벽지의 가로와 세로 구하기**

(직사각형 모양 벽지의 가로)$=\frac{\overset{1}{\cancel{7}}}{8}\times\frac{5}{\underset{1}{\cancel{7}}}=\frac{5}{8}$ (m)

(직사각형 모양 벽지의 세로)$=\frac{7}{\underset{2}{\cancel{8}}}\times\frac{\overset{1}{\cancel{4}}}{5}=\frac{7}{10}$ (m)

❷ **직사각형 모양 벽지의 넓이 구하기**

(직사각형 모양 벽지의 넓이)$=\frac{\overset{1}{\cancel{5}}}{8}\times\frac{7}{\underset{2}{\cancel{10}}}=\mathbf{\frac{7}{16}}$ **(m^2)**

08 레벨UP공략

◆ 어떤 수를 구하려면?

어떤 수에서 ▲를 뺐더니 ■가 될 때

(어떤 수)−▲=■ → (어떤 수)=■+▲

❶ **어떤 수 구하기**

(어떤 수)$-1\frac{2}{3}=1\frac{1}{12}$,

(어떤 수)$=1\frac{1}{12}+1\frac{2}{3}=1\frac{1}{12}+1\frac{8}{12}=2\frac{9}{12}=2\frac{3}{4}$

❷ 바르게 계산한 값 구하기

바르게 계산하면

$2\frac{3}{4}\times1\frac{2}{3}=\frac{11}{4}\times\frac{5}{3}=\frac{55}{12}=\mathbf{4\frac{7}{12}}$입니다.

09 ❶ '솔'의 현의 길이 구하기

('솔'의 현의 길이)

$=36\frac{3}{4}\times\frac{2}{3}=\frac{\cancel{147}^{49}}{\cancel{4}_{2}}\times\frac{\cancel{2}^{1}}{\cancel{3}_{1}}=\frac{49}{2}=24\frac{1}{2}$ (cm)

❷ '높은 도'의 현의 길이 구하기

('높은 도'의 현의 길이)

$=36\frac{3}{4}\times\frac{1}{2}=\frac{147}{4}\times\frac{1}{2}=\frac{147}{8}=18\frac{3}{8}$ (cm)

❸ '솔'과 '높은 도'의 현의 길이의 합 구하기

→ $24\frac{1}{2}+18\frac{3}{8}=24\frac{4}{8}+18\frac{3}{8}=\mathbf{42\frac{7}{8}}$ **(cm)**

10 ❶ 평행사변형의 넓이 구하기

(평행사변형의 넓이)$=4\frac{2}{5}\times4\frac{2}{3}=\frac{22}{5}\times\frac{14}{3}$

$=\frac{308}{15}=20\frac{8}{15}$ (cm²)

❷ 직사각형의 넓이 구하기

(직사각형의 넓이)$=1\frac{4}{7}\times4\frac{2}{3}=\frac{11}{\cancel{7}_{1}}\times\frac{\cancel{14}^{2}}{3}$

$=\frac{22}{3}=7\frac{1}{3}$ (cm²)

❸ 색칠한 부분의 넓이 구하기

(색칠한 부분의 넓이)

=(평행사변형의 넓이)−(직사각형의 넓이)

$=20\frac{8}{15}-7\frac{1}{3}=20\frac{8}{15}-7\frac{5}{15}=13\frac{3}{15}$

$=\mathbf{13\frac{1}{5}}$ **(cm²)**

다른 풀이 도형에서 색칠한 부분을 이어 붙이면 밑변의 길이는 $\left(4\frac{2}{5}-1\frac{4}{7}\right)$ cm, 높이는 $4\frac{2}{3}$ cm인 평행사변형이 됩니다.

→ (색칠한 부분의 넓이)

$=\left(4\frac{2}{5}-1\frac{4}{7}\right)\times4\frac{2}{3}=\left(4\frac{14}{35}-1\frac{20}{35}\right)\times4\frac{2}{3}$

$=\left(3\frac{49}{35}-1\frac{20}{35}\right)\times4\frac{2}{3}=2\frac{29}{35}\times4\frac{2}{3}$

$=\frac{\cancel{99}^{33}}{\cancel{35}_{5}}\times\frac{\cancel{14}^{2}}{\cancel{3}_{1}}=\frac{66}{5}=\mathbf{13\frac{1}{5}}$ **(cm²)**

참고 (평행사변형의 넓이)=(밑변의 길이)×(높이)

11 ❶ 배추를 심은 부분의 넓이를 구하는 식 만들기

가로는 $70\frac{2}{3}$ m, 세로는 $48\frac{3}{4}$ m로 생각합니다.

(배추를 심은 부분의 넓이)=(직전의 넓이)$\times\frac{1}{5}$

=(가로)×(세로)$\times\frac{1}{5}$

❷ 배추를 심은 부분의 넓이 구하기

→ $70\frac{2}{3}\times48\frac{3}{4}\times\frac{1}{5}=\frac{\cancel{212}^{53}}{\cancel{3}_{1}}\times\frac{\cancel{195}^{\cancel{65}^{13}}}{\cancel{4}_{1}}\times\frac{1}{\cancel{5}_{1}}=\mathbf{689}$ **(m²)**

12

채점 기준		
	❶ 1분 동안 두 수도로 받은 물의 양 구하기	2점
	❷ 3분 45초 동안 받은 물의 양 구하기	3점

13 ❶ 현이와 효정이가 하루에 하는 일의 양을 분수로 나타내기

하루에 하는 일의 양

→ 현이: $\frac{1}{2}\times\frac{1}{4}=\frac{1}{8}$, 효정: $\frac{1}{6}\times\frac{1}{4}=\frac{1}{24}$

❷ 두 사람이 하루에 하는 일의 양의 합 구하기

(두 사람이 하루에 하는 일의 양의 합)

$=\frac{1}{8}+\frac{1}{24}=\frac{3}{24}+\frac{1}{24}=\frac{4}{24}=\frac{1}{6}$

❸ 두 사람이 함께 전체 일을 하는 데 걸리는 날수 구하기

따라서 전체 일을 하는 데 **6일**이 걸립니다.

14 레벨UP공략

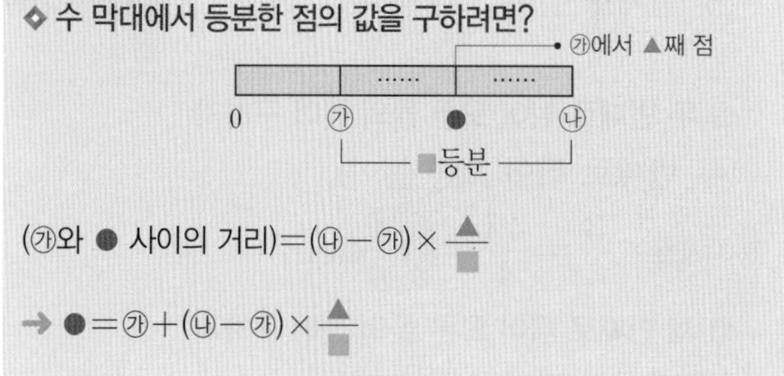

❶ $\frac{1}{15}$과 ㉠ 사이의 거리 구하기

$\frac{1}{15}$과 ㉠ 사이의 거리는 $\frac{1}{15}$과 $\frac{1}{6}$ 사이의 거리의 $\frac{4}{6}$입니다.

$\left(\frac{1}{15}\text{과 ㉠ 사이의 거리}\right)$

$=\left(\frac{1}{6}-\frac{1}{15}\right)\times\frac{4}{6}=\left(\frac{5}{30}-\frac{2}{30}\right)\times\frac{4}{6}$

$=\frac{\cancel{3}^{1}}{\cancel{30}_{15}}\times\frac{\cancel{4}^{\cancel{2}^{1}}}{\cancel{6}_{\cancel{2}_{1}}}=\frac{1}{15}$

❷ ㉠에 알맞은 수 구하기

$㉠=\frac{1}{15}+\frac{1}{15}=\frac{2}{15}$

❸ ㉠에 알맞은 수의 3배 구하기

따라서 $㉠\times3=\frac{2}{\cancel{15}_{5}}\times\cancel{3}^{1}=\mathbf{\frac{2}{5}}$입니다.

15 ❶ 화요일까지 읽고 남은 쪽수를 식으로 나타내기

월요일에 읽고 남은 쪽수: $280\times\left(1-\frac{3}{7}\right)$

화요일까지 읽고 남은 쪽수:

$280\times\left(1-\frac{3}{7}\right)\times\left(1-\frac{5}{8}\right)$

❷ 책을 다 읽으려면 더 읽어야 하는 쪽수 구하기

$280\times\left(1-\frac{3}{7}\right)\times\left(1-\frac{5}{8}\right)\times\frac{1}{2}$

$=\cancel{280}^{\cancel{40}\,5}\times\frac{\cancel{4}^{2}}{\cancel{7}_{1}}\times\frac{3}{\cancel{8}_{1}}\times\frac{1}{\cancel{2}_{1}}=$ **30(쪽)**을 더 읽어야 합니다.

16 레벨UP공략

◆ 돌을 물 위로 비스듬히 던질 때 튀어 오른 높이를 구하려면?

돌이 떨어진 높이의 $\frac{▲}{■}$만큼 튀어 오를 때

(튀어 오른 높이)=(떨어진 높이)$\times\frac{▲}{■}$

❶ 첫 번째로 튀어 오른 돌의 높이 구하기

(첫 번째로 튀어 오른 높이)$=\cancel{20}^{5}\times\frac{3}{\cancel{4}_{1}}=15$ (cm)

❷ 두 번째로 튀어 오른 돌의 높이 구하기

(두 번째로 튀어 오른 높이)

$=15\times\frac{3}{4}=\frac{45}{4}=11\frac{1}{4}$ (cm)

❸ 세 번째로 튀어 오른 돌의 높이 구하기

(세 번째로 튀어 오른 높이)

$=11\frac{1}{4}\times\frac{3}{4}=\frac{45}{4}\times\frac{3}{4}=\frac{135}{16}=\mathbf{8\frac{7}{16}}$ **(cm)**

17 레벨UP공략

◆ 일정하게 빨라지거나 늦어지는 시계의 시각을 구하려면?

(빨라지는 시계의 시각)=(정확한 시각)+(빨라지는 시간)

(늦어지는 시계의 시각)=(정확한 시각)−(늦어지는 시간)

❶ 두 시계가 한 시간마다 차이나는 시간 구하기

가 시계는 빨라지고 나 시계는 늦어지므로 두 시계가 가리키는 시각은 한 시간마다

$2\frac{2}{3}+1\frac{4}{5}=2\frac{10}{15}+1\frac{12}{15}=3\frac{22}{15}=4\frac{7}{15}$ (분) 차이가 납니다.

❷ 오늘 오후 4시부터 내일 오전 3시 30분까지 시간 구하기

오늘 오후 4시부터 내일 오전 3시 30분까지는

11시간 30분$=11\frac{30}{60}$시간$=11\frac{1}{2}$시간입니다.

❸ 두 시계가 가리키는 시각의 차 구하기

(두 시계가 가리키는 시각의 차)

$=4\frac{7}{15}\times11\frac{1}{2}$

$=\frac{67}{15}\times\frac{23}{2}=\frac{1541}{30}$

$=\mathbf{51\frac{11}{30}}$**(분)**

18 레벨UP공략

◆ 도형을 규칙적으로 ▲등분한 것 중 하나가 전체의 몇 분의 몇인지 구하려면?

전체 도형을 ▲등분한 것 중 하나
전체의 $\frac{1}{▲}$

↓

▲등분한 것을 다시 ▲등분한 것 중 하나
전체의 $\frac{1}{▲}\times\frac{1}{▲}$

❶ 처음 정사각형의 넓이 구하기

정사각형의 각 변의 한가운데 점을 이어서 만든 정사각형의 넓이는 처음 정사각형의 넓이의 $\frac{1}{2}$입니다.

(가장 큰 정사각형의 넓이)$=6\frac{2}{3}\times6\frac{2}{3}=\frac{20}{3}\times\frac{20}{3}$

$=\frac{400}{9}=44\frac{4}{9}$ (cm^2)

❷ 색칠한 정사각형의 넓이 구하기

(색칠한 정사각형의 넓이)

$=44\frac{4}{9}\times\frac{1}{2}\times\frac{1}{2}\times\frac{1}{2}$

$=\frac{\cancel{400}^{\cancel{200}\,\cancel{100}\,50}}{9}\times\frac{1}{\cancel{2}_{1}}\times\frac{1}{\cancel{2}_{1}}\times\frac{1}{\cancel{2}_{1}}=\frac{50}{9}=\mathbf{5\frac{5}{9}}$**($cm^2$)**

참고 곱셈은 곱하는 순서를 바꾸어도 계산 결과가 같으므로 다음과 같이 계산할 수 있습니다.

→ (색칠한 정사각형의 넓이)

$=44\frac{4}{9}\times\frac{1}{2}\times\frac{1}{2}\times\frac{1}{2}$

$=\frac{400}{9}\times\frac{1}{2}\times\frac{1}{2}\times\frac{1}{2}=\frac{\cancel{400}^{50}}{9}\times\frac{1}{\cancel{8}_{1}}$

$=\frac{50}{9}=\mathbf{5\frac{5}{9}}$**($cm^2$)**

STEP 3 최상위 도전하기 041~043쪽

1 $375\,m^2$ 2 $71\frac{3}{5}$ °F
3 $18\frac{5}{6}$ km 4 $\frac{1}{19600}$
5 3일 6 $11\frac{3}{25}$ km

1 ❶ 아무것도 심지 않은 밭의 넓이를 구하는 식 만들기

전체 밭의 넓이를 □m^2라 하면

(아무것도 심지 않은 밭의 넓이)

$=\square\times\left(1-\frac{5}{9}\right)\times\left(1-\frac{2}{5}\right)\times\left(1-\frac{3}{4}\right)$

$=\square\times\frac{\overset{1}{\cancel{4}}}{\underset{3}{\cancel{9}}}\times\frac{\overset{1}{\cancel{3}}}{5}\times\frac{1}{\underset{1}{\cancel{4}}}=\square\times\frac{1}{15}=25$입니다.

❷ 전체 밭의 넓이 구하기

$\square=25\times15=375$

→ (전체 밭의 넓이)$=$**375 m^2**

2 ❶ 25초 동안 귀뚜라미가 우는 횟수 구하기

5분$=60\times5=300$(초)이고, 300초는 25초의 $300\div25=12$(배)이므로

(25초 동안 귀뚜라미가 우는 횟수)

$=648\div12=54$(회)입니다.

❷ 돌베어의 법칙을 이용하여 섭씨온도 구하기

(섭씨온도)

$=$(25초 동안 귀뚜라미가 우는 횟수)$\times\frac{1}{3}+4$

$=\overset{18}{\cancel{54}}\times\frac{1}{\underset{1}{\cancel{3}}}+4=18+4=22$ (℃)

❸ 화씨온도 계산 방법을 이용하여 화씨온도 구하기

(화씨온도)

$=$(섭씨온도)$\times1\frac{4}{5}+32=22\times\frac{9}{5}+32$

$=\frac{198}{5}+32=39\frac{3}{5}+32=$**$71\frac{3}{5}$ (°F)**

3 ❶ 2시간 24분을 분수로 나타내기

2시간 24분$=2\frac{24}{60}$시간$=2\frac{2}{5}$시간

❷ 두 사람이 각각 2시간 24분 동안 자전거로 간 거리 구하기

(상민이가 $2\frac{2}{5}$시간 동안 자전거로 간 거리)

$=4\frac{2}{9}\times2\frac{2}{5}=\frac{38}{\underset{3}{\cancel{9}}}\times\frac{\overset{4}{\cancel{12}}}{5}=\frac{152}{15}=10\frac{2}{15}$ (km)

(유리가 $2\frac{2}{5}$시간 동안 자전거로 간 거리)

$=3\frac{5}{8}\times2\frac{2}{5}=\frac{29}{\underset{2}{\cancel{8}}}\times\frac{\overset{3}{\cancel{12}}}{5}=\frac{87}{10}=8\frac{7}{10}$ (km)

❸ 가와 나 사이의 거리 구하기

(가와 나 사이의 거리)

$=10\frac{2}{15}+8\frac{7}{10}=10\frac{4}{30}+8\frac{21}{30}$

$=18\frac{25}{30}=$**$18\frac{5}{6}$ (km)**

다른 풀이 (두 사람이 한 시간 동안 자전거로 간 거리의 합)

$=4\frac{2}{9}+3\frac{5}{8}=4\frac{16}{72}+3\frac{45}{72}=7\frac{61}{72}$ (km)

2시간 24분$=2\frac{24}{60}$시간$=2\frac{2}{5}$시간

(가와 나 사이의 거리)

$=$(두 사람이 $2\frac{2}{5}$시간 동안 자전거로 간 거리)

$=7\frac{61}{72}\times2\frac{2}{5}=\frac{\overset{113}{\cancel{565}}}{\underset{6}{\cancel{72}}}\times\frac{\overset{1}{\cancel{12}}}{\underset{1}{\cancel{5}}}=\frac{113}{6}=$**$18\frac{5}{6}$ (km)**

4 ❶ 각 괄호 안을 계산하여 식을 간단히 만들기

$\left(1-\frac{3}{4}\right)\times\left(1-\frac{3}{5}\right)\times\left(1-\frac{3}{6}\right)\times\cdots\cdots$

$\times\left(1-\frac{3}{49}\right)\times\left(1-\frac{3}{50}\right)$

$=\left(\frac{4}{4}-\frac{3}{4}\right)\times\left(\frac{5}{5}-\frac{3}{5}\right)\times\left(\frac{6}{6}-\frac{3}{6}\right)\times\cdots\cdots$

$\times\left(\frac{49}{49}-\frac{3}{49}\right)\times\left(\frac{50}{50}-\frac{3}{50}\right)$

$=\frac{1}{4}\times\frac{2}{5}\times\frac{3}{6}\times\cdots\cdots\times\frac{45}{48}\times\frac{46}{49}\times\frac{47}{50}$

• 분자는 1부터, 분모는 4부터 각각 1씩 커집니다.

❷ 약분을 하여 계산하기

$\frac{1}{\underset{1}{\cancel{4}}}\times\frac{2}{\underset{1}{\cancel{5}}}\times\frac{3}{\underset{1}{\cancel{6}}}\times\frac{\overset{1}{\cancel{4}}}{\underset{1}{\cancel{7}}}\times\frac{\overset{1}{\cancel{5}}}{\underset{1}{\cancel{8}}}\times\cdots\cdots$

$\times\frac{\overset{1}{\cancel{44}}}{\underset{1}{\cancel{47}}}\times\frac{\overset{1}{\cancel{45}}}{48}\times\frac{\overset{1}{\cancel{46}}}{49}\times\frac{\overset{1}{\cancel{47}}}{50}$

$=\frac{1\times\overset{1}{\cancel{2}}\times\overset{1}{\cancel{3}}}{\underset{\underset{8}{\cancel{24}}}{\cancel{48}}\times49\times50}=$**$\frac{1}{19600}$**

5 ❶ 며칠 후에 잰 대나무의 키 구하기

$30+21\frac{21}{25}=51\frac{21}{25}$ (cm)

❷ 1일, 2일, 3일……이 지난 후의 대나무의 키 구하기

1일이 지난 후의 키: $30+\overset{6}{\cancel{30}}\times\frac{1}{\underset{1}{\cancel{5}}}=36\,(\text{cm})$

2일이 지난 후의 키:

$36+36\times\frac{1}{5}=36+\frac{36}{5}=36+7\frac{1}{5}=43\frac{1}{5}\,(\text{cm})$

3일이 지난 후의 키:

$43\frac{1}{5}+43\frac{1}{5}\times\frac{1}{5}=43\frac{1}{5}+\frac{216}{5}\times\frac{1}{5}$

$=43\frac{1}{5}+\frac{216}{25}=43\frac{1}{5}+8\frac{16}{25}=51\frac{21}{25}\,(\text{cm})$

❸ 관찰을 시작한 후 며칠이 지난 것인지 구하기

따라서 관찰을 시작한 후 **3일**이 지난 것입니다.

6

길이가 $\frac{19}{50}$ km인 기차가 한 시간에 180 km를 달리는 빠르기로 터널을 완전히 통과하는 데 $3\frac{5}{6}$분이 걸렸습니다. **이 터널의 길이는 몇 km인지 구해 보세요.**

• 기차는 터널의 길이와 기차의 길이의 합만큼 움직여야 합니다.

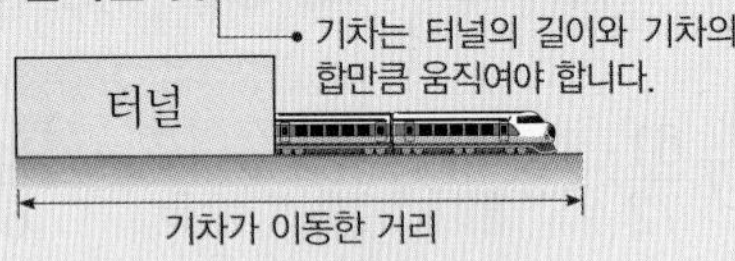

❶ 기차가 1분 동안 이동한 거리 구하기

1시간=60분

→ (기차가 1분 동안 이동한 거리)

$=180\div60=3\,(\text{km})$

❷ 기차가 $3\frac{5}{6}$분 동안 이동한 거리 구하기

(기차가 $3\frac{5}{6}$분 동안 이동한 거리)

$=$(기차가 1분 동안 이동한 거리)$\times3\frac{5}{6}$

$=3\times3\frac{5}{6}=\overset{1}{\cancel{3}}\times\frac{23}{\underset{2}{\cancel{6}}}=\frac{23}{2}=11\frac{1}{2}\,(\text{km})$

❸ 터널의 길이 구하기

(기차가 $3\frac{5}{6}$분 동안 이동한 거리)

$=$(터널의 길이)$+$(기차의 길이)

→ (터널의 길이)

$=$(기차가 $3\frac{5}{6}$분 동안 이동한 거리)

$-$(기차의 길이)

$=11\frac{1}{2}-\frac{19}{50}=11\frac{25}{50}-\frac{19}{50}$

$=11\frac{6}{50}=\mathbf{11\frac{3}{25}\,(km)}$

상위권 TEST 044~045쪽

01 ㉡, $\frac{2}{21}$	02 $14\frac{2}{3}$ cm, $13\frac{4}{9}$ cm^2	
03 245 km	04 $31\frac{1}{2}$	05 $\frac{81}{128}$ m^2
06 $4\frac{4}{15}$ m	07 $47\frac{5}{7}$	08 $12\frac{5}{16}$
09 $33\frac{7}{12}$	10 $42\frac{9}{20}$ L	11 $51\frac{2}{15}$분
12 221		

01 ❶ 각각 계산하기

㉠ $\frac{\overset{1}{\cancel{11}}}{\underset{2}{\cancel{18}}}\times\frac{\overset{1}{\cancel{9}}}{\underset{1}{\cancel{11}}}=\frac{1}{2}$　㉡ $\frac{\overset{2}{\cancel{4}}}{\underset{3}{\cancel{9}}}\times\frac{\overset{1}{\cancel{3}}}{\underset{7}{\cancel{14}}}=\frac{2}{21}$

❷ 잘못 계산한 것을 찾고 바르게 계산한 값 구하기

잘못 계산한 것은 **㉡**이고, 바르게 계산하면 $\mathbf{\frac{2}{21}}$입니다.

02 ❶ 정사각형의 둘레 구하기

(정사각형의 둘레)=(한 변의 길이)$\times4=3\frac{2}{3}\times4$

$=\frac{11}{3}\times4=\frac{44}{3}=\mathbf{14\frac{2}{3}\,(cm)}$

❷ 정사각형의 넓이 구하기

(정사각형의 넓이)=(한 변의 길이)$\times$(한 변의 길이)

$=3\frac{2}{3}\times3\frac{2}{3}=\frac{11}{3}\times\frac{11}{3}$

$=\frac{121}{9}=\mathbf{13\frac{4}{9}\,(cm^2)}$

03 ❶ 2시간 30분을 분수로 나타내기

2시간 30분$=2\frac{30}{60}$시간$=2\frac{1}{2}$시간

❷ 2시간 30분 동안 달리는 거리 구하기

(2시간 30분 동안 달리는 거리)

$=98\times2\frac{1}{2}=\overset{49}{\cancel{98}}\times\frac{5}{\underset{1}{\cancel{2}}}=\mathbf{245\,(km)}$

04 ❶ ㉮에 알맞은 수 구하기

㉮$=2\frac{5}{8}\times4=\frac{21}{\underset{2}{\cancel{8}}}\times\overset{1}{\cancel{4}}=\frac{21}{2}=10\frac{1}{2}$

❷ ㉯에 알맞은 수 구하기

㉯$=10\frac{1}{2}\times3=\frac{21}{2}\times3=\frac{63}{2}=\mathbf{31\frac{1}{2}}$

05 ❶ 직사각형 모양 유리의 가로 구하기

(직사각형 모양 유리의 가로)$=\frac{\overset{3}{\cancel{15}}}{\underset{4}{\cancel{16}}}\times\frac{\overset{1}{\cancel{4}}}{\underset{1}{\cancel{5}}}=\frac{3}{4}\,(\text{m})$

❷ 직사각형 모양 유리의 세로 구하기

(직사각형 모양 유리의 세로)$=\frac{\overset{3}{\cancel{15}}}{16}\times\frac{9}{\underset{2}{\cancel{10}}}=\frac{27}{32}$ (m)

❸ 직사각형 모양 유리의 넓이 구하기

(직사각형 모양 유리의 넓이)$=\frac{3}{4}\times\frac{27}{32}=\mathbf{\frac{81}{128}}$ **(m²)**

06 ❶ 정십이각형의 둘레 구하기

(정십이각형의 둘레)$=\frac{5}{\underset{3}{\cancel{9}}}\times\overset{4}{\cancel{12}}=\frac{20}{3}=6\frac{2}{3}$ (m)

❷ 정팔각형의 둘레 구하기

(정팔각형의 둘레)$=\frac{3}{\underset{5}{\cancel{10}}}\times\overset{4}{\cancel{8}}=\frac{12}{5}=2\frac{2}{5}$ (m)

❸ 두 도형의 둘레의 차 구하기

→ $6\frac{2}{3}-2\frac{2}{5}=6\frac{10}{15}-2\frac{6}{15}=\mathbf{4\frac{4}{15}}$ **(m)**

07 ❶ 기호 ◆의 약속 알아보기

가◆나는 가×8과 10×나를 각각 계산하여 더하는 약속입니다.

❷ $1\frac{3}{14}$◆$3\frac{4}{5}$의 값 구하기

$1\frac{3}{14}$◆$3\frac{4}{5}=1\frac{3}{14}\times8+10\times3\frac{4}{5}$

$=\frac{17}{\underset{7}{\cancel{14}}}\times\overset{4}{\cancel{8}}+\overset{2}{\cancel{10}}\times\frac{19}{\underset{1}{\cancel{5}}}=\mathbf{47\frac{5}{7}}$

08 ❶ 어떤 수 구하기

(어떤 수)$-2\frac{1}{4}=3\frac{2}{9}$,

(어떤 수)$=3\frac{2}{9}+2\frac{1}{4}=3\frac{8}{36}+2\frac{9}{36}=5\frac{17}{36}$

❷ 바르게 계산한 값 구하기

→ $5\frac{17}{36}\times2\frac{1}{4}=\frac{197}{\underset{4}{\cancel{36}}}\times\frac{\overset{1}{\cancel{9}}}{4}=\frac{197}{16}=\mathbf{12\frac{5}{16}}$

09 ❶ 수 카드로 가장 큰 대분수와 가장 작은 대분수 만들기

가장 큰 대분수: $9\frac{3}{4}$, $9\frac{3}{7}$, $9\frac{4}{7}$ → $9\frac{3}{4}$

가장 작은 대분수: $3\frac{4}{7}$, $3\frac{4}{9}$, $3\frac{7}{9}$ → $3\frac{4}{9}$

❷ 만든 두 대분수의 곱 구하기

→ $9\frac{3}{4}\times3\frac{4}{9}=\frac{\overset{13}{\cancel{39}}}{4}\times\frac{31}{\underset{3}{\cancel{9}}}=\frac{403}{12}=\mathbf{33\frac{7}{12}}$

10 ❶ 1분 동안 받은 물의 양 구하기

(1분 동안 받은 물의 양)

$=3\frac{4}{5}+4\frac{2}{7}=3\frac{28}{35}+4\frac{10}{35}=7\frac{38}{35}=8\frac{3}{35}$ (L)

❷ 5분 15초를 분수로 나타내기

5분 15초$=5\frac{15}{60}$분$=5\frac{1}{4}$분

❸ 5분 15초 동안 받은 물의 양 구하기

(5분 15초 동안 받은 물의 양)

$=8\frac{3}{35}\times5\frac{1}{4}=\frac{283}{\underset{5}{\cancel{35}}}\times\frac{\overset{3}{\cancel{21}}}{4}=\frac{849}{20}=\mathbf{42\frac{9}{20}}$ **(L)**

11 ❶ 두 시계가 한 시간마다 차이나는 시간 구하기

가 시계는 빨라지고 나 시계는 늦어지므로 두 시계가 가리키는 시각은 한 시간마다

$1\frac{1}{2}+3\frac{5}{12}=1\frac{6}{12}+3\frac{5}{12}=4\frac{11}{12}$(분) 차이가 납니다.

❷ 어제 오후 8시부터 오늘 오전 6시 24분까지 시간 구하기

어제 오후 8시부터 오늘 오전 6시 24분까지는

10시간 24분$=10\frac{24}{60}$시간$=10\frac{2}{5}$시간입니다.

❸ 두 시계가 가리키는 시각의 차 구하기

(두 시계가 가리키는 시각의 차)

$=4\frac{11}{12}\times10\frac{2}{5}=\frac{59}{\underset{3}{\cancel{12}}}\times\frac{\overset{13}{\cancel{52}}}{5}$

$=\frac{767}{15}=\mathbf{51\frac{2}{15}}$**(분)**

12 ❶ 각 괄호 안을 계산하여 식을 간단히 만들기

$\left(1+\frac{2}{3}\right)\times\left(1+\frac{2}{4}\right)\times\left(1+\frac{2}{5}\right)\times\cdots\cdots$

$\times\left(1+\frac{2}{49}\right)\times\left(1+\frac{2}{50}\right)$

$=\left(\frac{3}{3}+\frac{2}{3}\right)\times\left(\frac{4}{4}+\frac{2}{4}\right)\times\left(\frac{5}{5}+\frac{2}{5}\right)\times\cdots\cdots$

$\times\left(\frac{49}{49}+\frac{2}{49}\right)\times\left(\frac{50}{50}+\frac{2}{50}\right)$

$=\frac{5}{3}\times\frac{6}{4}\times\frac{7}{5}\times\frac{8}{6}\times\cdots\cdots\times\frac{50}{48}\times\frac{51}{49}\times\frac{52}{50}$

• 분자는 5부터, 분모는 3부터 각각 1씩 커집니다.

❷ 약분을 하여 계산하기

$\frac{\overset{1}{\cancel{5}}}{3}\times\frac{\overset{1}{\cancel{6}}}{4}\times\frac{\overset{1}{\cancel{7}}}{\underset{1}{\cancel{5}}}\times\frac{\overset{1}{\cancel{8}}}{\underset{1}{\cancel{6}}}\times\cdots\cdots\times\frac{\overset{1}{\cancel{50}}}{\underset{1}{\cancel{48}}}\times\frac{51}{\underset{1}{\cancel{49}}}\times\frac{52}{\underset{1}{\cancel{50}}}$

$=\frac{\overset{17}{\cancel{51}}\times\overset{13}{\cancel{52}}}{\underset{1}{\cancel{3}}\times\underset{1}{\cancel{4}}}=\mathbf{221}$

진도북 2 단원

3 합동과 대칭

개념 넓히기 049쪽

1 (1) (2)
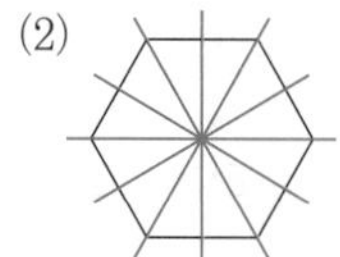

2 6 cm　　3 10 cm

4
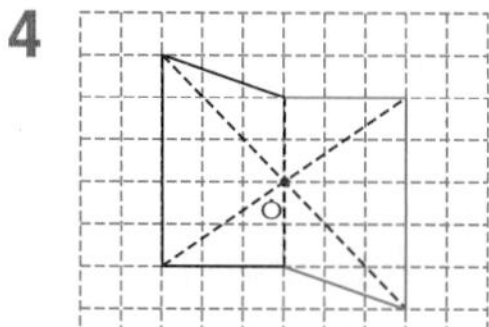

STEP 1 응용 공략하기 050~056쪽

01 30 cm　　02 각 ㄱㅇㅅ, 각 ㅁㄹㄷ

03 예 ❶ 각 ㄹㅂㅁ의 대응각은 각 ㄱㄷㄴ입니다. ▸2점
❷ (각 ㄱㄷㄴ)$=180^\circ-30^\circ-125^\circ=25^\circ$입니다. ▸2점
❸ 따라서 (각 ㄹㅂㅁ)=(각 ㄱㄷㄴ)$=25^\circ$입니다. ▸1점 / 25°

04 나　　05 18 cm^2

06 130°　　07 2 cm

08 예 ❶ 삼각형 ㄱㄴㄷ에서
(각 ㄱㄷㄴ)$=180^\circ-100^\circ-55^\circ=25^\circ$이므로
(각 ㅁㄷㄹ)=(각 ㄱㄷㄴ)$=25^\circ$입니다. ▸3점
❷ 따라서 (각 ㄱㄷㅁ)$=180^\circ-25^\circ-25^\circ=130^\circ$입니다. ▸2점 / 130°

09 125°　　10 32 cm

11 64 cm　　12 2개

13 100°

14 (1 cm, 1 cm, ㄱ, ㄴ) / 25 cm^2

15 7 km　　16 75°

17 예 ❶ 삼각형 ㄱㄴㅁ과 삼각형 ㄹㅁㄷ은 서로 합동이므로 (선분 ㄱㅁ)=(변 ㄹㄷ)=12 cm,
(선분 ㅁㄹ)=(변 ㄴㄱ)=16 cm입니다. ▸2점
❷ 사각형 ㄱㄴㄷㄹ은 윗변의 길이가 16 cm, 아랫변의 길이가 12 cm, 높이가 $12+16=28$ (cm)인 사다리꼴입니다. ▸1점
❸ 따라서 사각형 ㄱㄴㄷㄹ의 넓이는
$(16+12)\times28\div2=28\times28\div2=784\div2$
$=392$ (cm^2)입니다. ▸2점 / 392 cm^2

18 128 cm^2　　19 38 cm^2

20 160 cm^2　　21 65°

01 ❶ **점대칭도형의 성질을 이용하여 변의 길이 구하기**
대응변의 길이가 서로 같으므로 도형에는 4 cm, 5 cm, 6 cm인 변이 2개씩 있습니다.
❷ **점대칭도형의 둘레 구하기**
(점대칭도형의 둘레)$=(4+5+6)\times2=$**30 (cm)**

02 ❶ **대칭축이 직선 ㄱㅁ일 때의 대응각 구하기**
각 ㄱㄴㄷ의 대응각: **각 ㄱㅇㅅ**
❷ **대칭축이 직선 ㄷㅅ일 때의 대응각 구하기**
각 ㄱㄴㄷ의 대응각: **각 ㅁㄹㄷ**

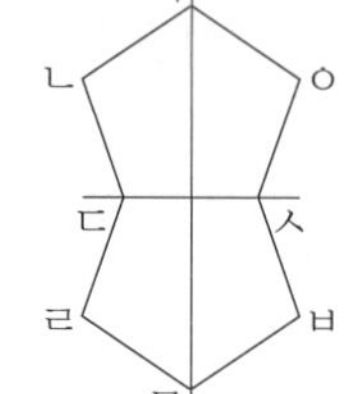

참고 대칭축이 여러 개인 선대칭도형에서는 대칭축을 어느 것으로 정하는지에 따라 대응점, 대응변, 대응각이 각각 달라집니다.

03

채점 기준		
	❶ 각 ㄹㅂㅁ의 대응각 알아보기	2점
	❷ 각 ㄱㄷㄴ의 크기 구하기	2점
	❸ 각 ㄹㅂㅁ의 크기 구하기	1점

04 ❶ **선대칭, 점대칭인 것 찾기**
선대칭인 것: 가, 나, 라 / 점대칭인 것: 나, 마
❷ **선대칭이면서 점대칭인 것 찾기**
선대칭이면서 점대칭인 것: **나**

05 ❶ **변 ㄴㄷ, 변 ㄱㄷ의 길이 구하기**
(변 ㄴㄷ)=(변 ㅁㄷ)=4 cm
(변 ㄱㄷ)=(변 ㄹㄷ)$=13-4=9$ (cm)
❷ **삼각형 ㄱㄴㄷ의 넓이 구하기**
(삼각형 ㄱㄴㄷ의 넓이)$=4\times9\div2=$**18 (cm^2)**

06 ❶ **각 ㄹㄷㅂ의 크기 구하기**
일직선이 이루는 각은 180°이므로
(각 ㄹㄷㅂ)$=180^\circ-130^\circ=50^\circ$입니다.
❷ **각 ㅁㄱㄴ의 크기 구하기**
(각 ㄹㅁㅂ)=(각 ㅁㅂㄷ)$=90^\circ$
(각 ㅁㄱㄴ)=(각 ㅁㄹㄷ)
$=360^\circ-50^\circ-90^\circ-90^\circ=$**$130^\circ$**

07 ❶ **변 ㄹㅁ의 길이 구하기**
대응변의 길이가 서로 같으므로
(변 ㄹㅁ)=(변 ㅂㅁ)=3 cm입니다.

❷ 변 ㄴㄷ의 길이 구하기

(변 ㄱㄴ)+(변 ㄴㄷ)+(변 ㄷㄹ)+(변 ㄹㅁ)

=34÷2=17(cm)

(변 ㄴㄷ)=17−6−6−3=**2 (cm)**

08

채점 기준	❶ 각 ㄱㄷㄴ과 각 ㅁㄷㄹ의 크기 구하기	3점
	❷ 각 ㄱㄷㅁ의 크기 구하기	2점

09 ❶ 각 ㅁㄹㄷ의 크기 구하기

대응각의 크기가 서로 같으므로

(각 ㅁㄹㄷ)=(각 ㄴㄱㅂ)=130°입니다.

❷ 각 ㄱㅂㅁ의 크기 구하기

사각형 ㄴㄷㄹㅁ에서

(각 ㄹㄷㄴ)=360°−130°−60°−45°=125°입니다.

(각 ㄱㅂㅁ)=(각 ㄹㄷㄴ)=**125°**

10 ❶ 선분 ㅂㄷ의 길이 구하기

(선분 ㅂㅇ)=(선분 ㄷㅇ)=4 cm

(선분 ㅂㄷ)=4+4=8 (cm)

❷ 점대칭도형의 둘레 구하기

(점대칭도형의 둘레)=(24−8)×2=**32 (cm)**

11 ❶ 대응변끼리 같은 모양으로 표시하기

삼각형 4개가 서로 합동이므로 오른쪽과 같이 대응변끼리 같은 모양으로 표시해 봅니다.

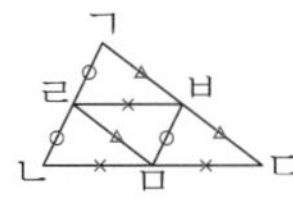

❷ 삼각형 ㄱㄴㄷ의 둘레 구하기

(삼각형 ㄱㄴㄷ의 둘레)

=(삼각형 ㅂㅁㄷ의 둘레)×2=32×2=**64 (cm)**

12 ❶ 점대칭을 만들 수 있는 것 찾기

ㄱ을 어떤 점을 중심으로 180° 돌리면 **ㄴ**이 되므로 **ㄱ**과 **ㄴ**은 점대칭입니다. 자음 **ㄷ**과 모음 **ㅏ**, **ㅠ**는 점대칭이 아니므로 이것을 이용하여 만든 글자는 점대칭이 될 수 없습니다.

❷ 점대칭이 되는 글자를 찾아 개수 세기

모음 **ㅡ**를 이용하여 만들 수 있는 글자 중 점대칭인 것은 **근**, **늑**입니다. → **2개**

주의 만들 수 있는 글자 중에서 **믐**은 서로 다른 자음이 아니므로 문제에 알맞은 글자가 아닌 것에 주의합니다.

13 ❶ 각 ㅁㄱㄹ의 크기 구하기

삼각형 ㄱㅁㄹ과 삼각형 ㄷㅁㄴ은 서로 합동이므로

(각 ㅁㄱㄹ)=(각 ㅁㄷㄴ)=35°입니다.

❷ 각 ㄱㅁㄹ의 크기 구하기

삼각형 ㄱㅁㄹ에서

(각 ㄱㅁㄹ)=180°−35°−65°=80°입니다.

❸ 각 ㄹㅁㄷ의 크기 구하기

(각 ㄹㅁㄷ)=180°−(각 ㄱㅁㄹ)

=180°−80°=**100°**

선행 개념 [중1] 평행선의 성질

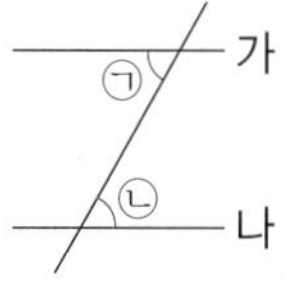

- **엇각**: 서로 엇갈린 위치에 있는 각
  → ㉠과 ㉡
- **평행선의 성질**: 직선 가와 직선 나가 서로 평행할 때 엇각의 크기는 같습니다.
  → ㉠=㉡

풀이 각 ㅁㄱㄹ과 각 ㅁㄷㄴ은 엇각이므로

(각 ㅁㄱㄹ)=(각 ㅁㄷㄴ)=35°입니다.

(각 ㄱㅁㄹ)=180°−35°−65°=80°

→ (각 ㄹㅁㄷ)=180°−80°=100°

14 ❶ 선대칭도형을 완성하기

선대칭도형에서 대응점끼리 이은 선분은 대칭축과 수직으로 만나고, 각각의 대응점에서 대칭축까지의 거리가 서로 같다는 성질을 이용하여 선대칭도형을 그립니다.

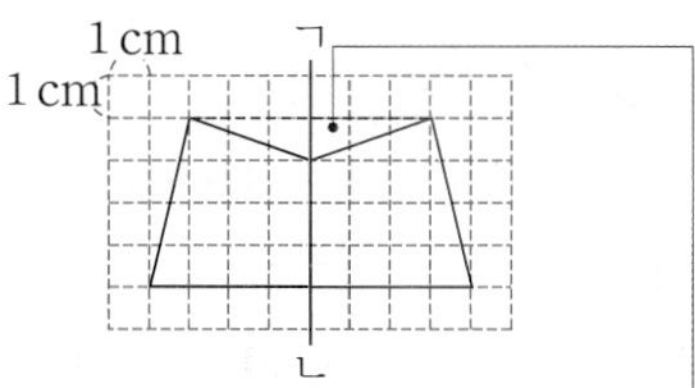

❷ 완성한 선대칭도형의 넓이 구하기

(완성한 선대칭도형의 넓이)

=(사다리꼴의 넓이)−(삼각형의 넓이)

=(6+8)×4÷2−6×1÷2=28−3=**25 (cm²)**

참고 선대칭도형은 대칭축을 중심으로 양쪽의 도형이 합동이므로 한 쪽 도형의 넓이를 구한 다음 2배 하여 전체 넓이를 구할 수도 있습니다.

15 ❶ 직선 ㄷㄹ을 대칭축으로 하는 선대칭도형 그리기

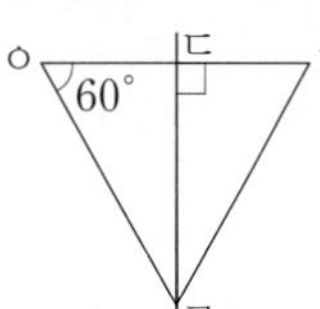

(각 ㄷㅇㄹ)=(각 ㄴㅇㄱ)=60°

삼각형 ㄹㄷㅇ에서 직선 ㄷㄹ을 대칭축으로 하는 선대칭도형을 그려 보면

(각 ㄷㅁㄹ)=(각 ㄷㅇㄹ)=60°,

(각 ㅁㄹㅇ)=180°−60°−60°=60°이므로 삼각형 ㄹㅁㅇ은 정삼각형입니다.

❷ 변 ㅇㅁ의 길이 구하기

(변 ㅇㄷ)=(변 ㅁㄷ)=3.5 km

(변 ㅇㅁ)=3.5+3.5=7 (km)

❸ 탈레스가 서 있는 곳에서부터 섬까지의 거리 구하기

(변 ㅇㄱ)=(변 ㅇㄹ)=(변 ㅇㅁ)=7 km이므로 탈레스가 서 있는 곳에서 섬까지의 거리는 **7 km**입니다.

16 ❶ **각 ㄷㄹㅇ의 크기 구하기**
삼각형 ㄱㄴㅇ과 삼각형 ㄷㄹㅇ은 서로 합동이므로
(각 ㄷㄹㅇ)=(각 ㄱㄴㅇ)=30°입니다.
❷ **각 ㅇㄷㄹ의 크기 구하기**
(변 ㄷㄹ)=(변 ㄱㄴ)=(선분 ㅇㄹ)이므로
삼각형 ㄷㄹㅇ은 이등변삼각형입니다.
➜ (각 ㅇㄷㄹ)=(180°−30°)÷2
=150°÷2=**75°**

17

채점 기준		
	❶ 선분 ㄱㅁ, 선분 ㅁㄹ의 길이 구하기	2점
	❷ 사각형 ㄱㄴㄷㄹ이 어떤 사각형인지 알아보기	1점
	❸ 사각형 ㄱㄴㄷㄹ의 넓이 구하기	2점

18 ❶ **선분 ㄴㅁ, 변 ㄱㄴ, 선분 ㄷㅁ의 길이 구하기**
삼각형 ㄱㄴㅁ과 삼각형 ㄷㅂㅁ이 서로 합동이므로
(선분 ㄴㅁ)=(선분 ㅂㅁ)=6 cm,
(변 ㄱㄴ)=(변 ㄷㅂ)=8 cm,
(선분 ㄷㅁ)=(선분 ㄱㅁ)=10 cm입니다.
❷ **선분 ㄴㄷ의 길이 구하기**
(선분 ㄴㄷ)=6+10=16 (cm)
❸ **처음 종이의 넓이 구하기**
(직사각형 ㄱㄴㄷㄹ의 넓이)=16×8=**128 (cm²)**

19 ❶ **점대칭도형을 완성하기**

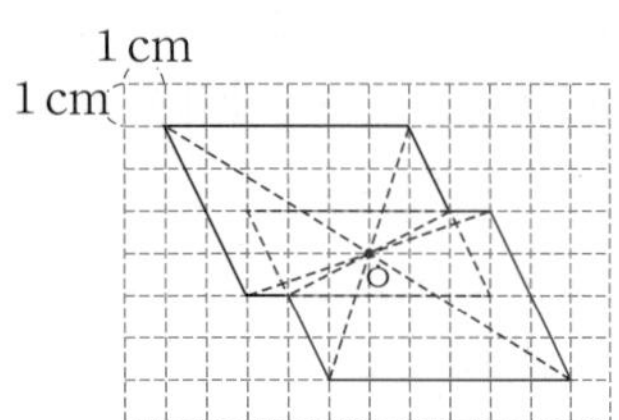

점대칭도형을 완성하면 밑변의 길이가 6 cm, 높이가 4 cm인 평행사변형을 2개 겹쳐 놓은 모양이고 겹친 부분은 밑변의 길이가 5cm, 높이가 2 cm인 평행사변형입니다.
❷ **점대칭도형의 전체 넓이 구하기**
(점대칭도형의 전체 넓이)
=(큰 평행사변형의 넓이)×2
−(작은 평행사변형의 넓이)
=(6×4)×2−5×2=48−10=**38 (cm²)**

20 ❶ **선대칭도형을 완성하기**
선대칭도형을 완성하면 오른쪽과 같은 정육각형 모양이 되고, 합동인 삼각형 12개로 나눌 수 있습니다.

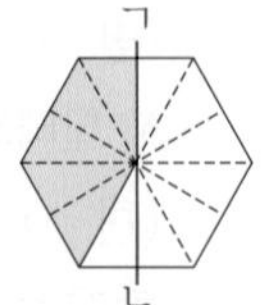

❷ **삼각형 한 개의 넓이 구하기**
(삼각형 한 개의 넓이)=384÷12=32 (cm²)
❸ **색칠한 부분의 넓이 구하기**
(색칠한 부분의 넓이)=32×5=**160 (cm²)**

21 ❶ **각 ㅌㄷㅈ, 각 ㅌㄷㄴ의 크기 구하기**
선분 ㅌㄹ이 일직선이므로
(각 ㅌㄷㅈ)=180°−50°−90°=40°입니다.
사각형 ㄱㄴㄷㅌ과 사각형 ㅋㅊㄷㅌ은 서로 합동이므로 (각 ㅌㄷㄴ)=(각 ㅌㄷㅈ)=40°입니다.
❷ **각 ㄴㄷㅇ, 각 ㅈㅇㄷ의 크기 구하기**
사각형 ㄱㄴㄷㅇ에서
(각 ㄴㄷㅇ)=40°+40°+50°=130°이므로
(각 ㅈㅇㄷ)=360°−90°−90°−130°=50°입니다.
❸ **각 ㄷㅇㅁ의 크기 구하기**
사각형 ㄷㄹㅁㅇ과 사각형 ㅅㅂㅁㅇ은 서로 합동이므로 (각 ㄷㅇㅁ)=(180°−50°)÷2=**65°**입니다.

STEP 2 심화 해결하기 057~062쪽

01 35° **02** 75° **03** 2개
04 마 **05** 14 cm **06** 15 cm
07 예 ❶ (각 ㄴㄷㄹ)=(각 ㅂㅅㅇ)=55°이므로 사각형 ㄱㄴㄷㅇ에서 각 ㄱㅇㅈ은
360°−125°−95°−55°=85°입니다. ▸3점
❷ 따라서 일직선이 이루는 각은 180°이므로
(각 ㄱㅇㅅ)=180°−85°=95°입니다. ▸2점 / 95°
08 4개 **09** 80 cm **10** 24 cm²
11 예 ❶ 삼각형 ㄷㅂㅁ에서 각 ㄷㅂㅁ은
180°−17°−42°=121°입니다. ▸2점
❷ 삼각형 ㄱㄹㅁ과 삼각형 ㄷㅂㅁ은 서로 합동이므로 (각 ㄱㄹㅁ)=(각 ㄷㅂㅁ)=121°입니다. ▸2점
❸ 따라서 일직선이 이루는 각은 180°이므로
(각 ㄴㄹㄷ)=180°−121°=59°입니다. ▸1점
/ 59°
12 38° **13** 525 cm² **14** 2 cm
15 25 cm² **16** 40° **17** 136 cm²
18 25 cm²

01 ❶ **각 ㄱㄷㄴ의 대응각 찾기**
각 ㄱㄷㄴ의 대응각은 각 ㅁㄷㄹ이므로
(각 ㄱㄷㄴ)=(각 ㅁㄷㄹ)입니다.
❷ **각 ㄱㄷㄴ의 크기 구하기**
(각 ㄱㄷㄴ)+110°+(각 ㅁㄷㄹ)=180°
➜ (각 ㄱㄷㄴ)=(180°−110°)÷2=**35°**

02 ❶ **삼각형 ㄱㅇㄴ, 삼각형 ㄹㅇㄷ이 어떤 삼각형인지 알기**
(변 ㅇㄱ)=(변 ㅇㄴ)=(변 ㅇㄷ)=(변 ㅇㄹ)이므로 삼각형 ㄱㅇㄴ과 삼각형 ㄹㅇㄷ은 이등변삼각형입니다.
❷ **각 ㄹㅇㄷ의 크기 구하기**
대응각의 크기가 서로 같으므로
(각 ㄹㅇㄷ)=(각 ㄱㅇㄴ)=30°입니다.
❸ **각 ㅇㄹㄷ의 크기 구하기**
(각 ㅇㄹㄷ)=(180°−30°)÷2=150°÷2=**75°**
참고 원의 반지름은 모두 같음을 이용하여 삼각형 ㄱㅇㄴ과 삼각형 ㄹㅇㄷ이 어떤 삼각형인지 알아봅니다.

03 ❶ **선대칭, 점대칭인 국기 찾기**
선대칭인 국기: 라오스, 베트남, 터키, 스위스
점대칭인 국기: 라오스, 스위스
❷ **선대칭이면서 점대칭인 국기의 개수 구하기**
선대칭이면서 점대칭인 국기:
라오스, 스위스 → **2개**

04 ❶ **대칭축 그리기**

가 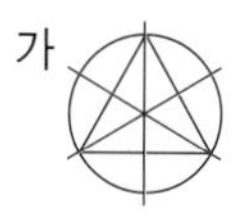 나 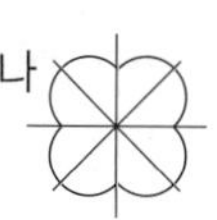 다 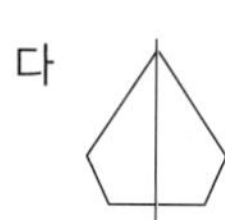

라 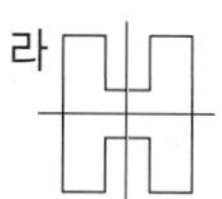 마 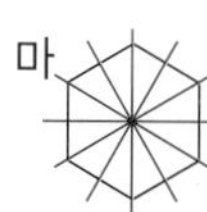 바 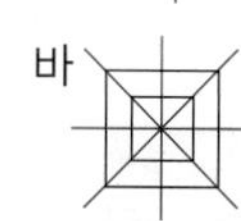

가: 3개, 나: 4개, 다: 1개, 라: 2개, 마: 6개, 바: 4개
❷ **대칭축이 가장 많은 것 찾기**
따라서 대칭축이 가장 많은 것은 **마**입니다.

05 ❶ **각 ㄱㄴㅁ의 크기 구하기**
직선 ㅂㅅ과 선분 ㄴㄹ은 서로 수직이므로
(각 ㄱㄴㅁ)=180°−45°−90°=45°입니다.
❷ **선분 ㄴㅁ의 길이 구하기**
삼각형 ㄱㄴㅁ은 이등변삼각형이므로
(선분 ㄴㅁ)=(선분 ㄱㅁ)=7 cm입니다.
❸ **선분 ㄴㄹ의 길이 구하기**
(선분 ㄹㅁ)=(선분 ㄴㅁ)=7 cm이므로
(선분 ㄴㄹ)=7×2=**14 (cm)**입니다.

06 ❶ **선분 ㄱㅅ의 길이 구하기**
(선분 ㄱㅅ)=(선분 ㄱㅌ)×3=10×3=30 (cm)
❷ **선분 ㄱㅍ의 길이 구하기**
대칭의 중심은 대응점끼리 이은 선분을 둘로 똑같이 나누므로 (선분 ㄱㅍ)=(선분 ㅅㅍ)입니다.
(선분 ㄱㅍ)=(선분 ㄱㅅ)÷2
=30÷2=**15 (cm)**

07 레벨UP공략
◆ 사각형에서 세 각의 크기를 알 때 나머지 각의 크기를 구하려면?

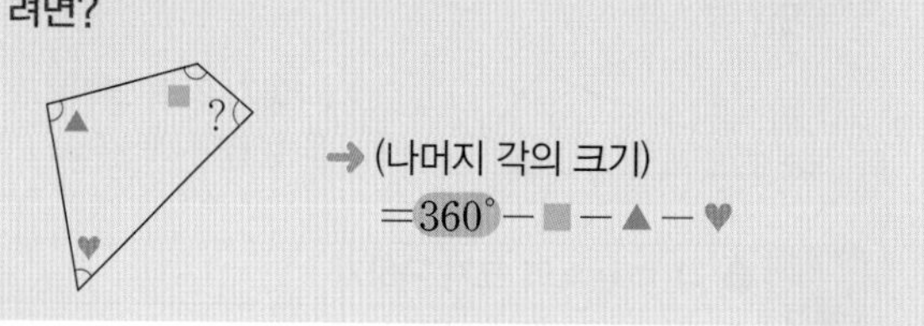

채점 기준	❶ 각 ㄴㄷㄹ과 각 ㄱㅇㅈ의 크기 구하기	3점
	❷ 각 ㄱㅇㅅ의 크기 구하기	2점

08 ❶ **점대칭이 되는 네 자리 수 구하기**
수 카드 중 점대칭이 되는 수는 0, 5, 8이고, 수 카드로 만들 수 있는 점대칭이 되는 네 자리 수는 다음과 같습니다.
• 5□□5: 5005, 5555, 5885
• 8□□8: 8008, 8558, 8888
❷ **8228보다 작은 네 자리 수의 개수 구하기**
위 ❶에서 8228보다 작은 수는 5005, 5555, 5885, 8008로 모두 **4개**입니다.

09 ❶ **변 ㄱㅈ의 길이 구하기**
삼각형 ㄱㄴㅈ에서
(변 ㄱㅈ)=30−13−5=12 (cm)입니다.
❷ **각각의 변의 길이 구하기**
삼각형 ㄱㄴㅈ, 삼각형 ㄷㄹㅈ, 삼각형 ㅁㅂㅈ, 삼각형 ㅅㅇㅈ은 서로 합동입니다.
(변 ㄱㄴ)=(변 ㄷㄹ)=(변 ㅁㅂ)=(변 ㅅㅇ)=13 cm
(변 ㄷㄴ)=(변 ㅁㄹ)=(변 ㅅㅂ)=(변 ㄱㅇ)
=12−5=7 (cm)
❸ **도형 전체의 둘레 구하기**
(도형 전체의 둘레)=13×4+7×4=**80 (cm)**

10 레벨UP공략
◆ 점대칭도형을 그리려면?
① 각 점에서 대칭의 중심을 지나는 직선을 긋고, 이 직선에 각각 대응점을 찾아 표시합니다.
② 자를 사용하여 대응점을 차례로 이어 점대칭도형을 그립니다.

❶ **점대칭도형을 완성하기**

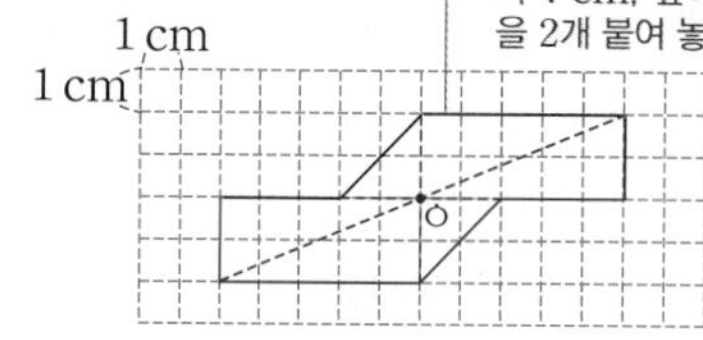

• 윗변의 길이가 5 cm, 아랫변의 길이가 7 cm, 높이가 2 cm인 사다리꼴을 2개 붙여 놓은 모양입니다.

❷ **점대칭도형의 전체 넓이 구하기**
(점대칭도형의 전체 넓이)
={(5+7)×2÷2}×2
=(12×2÷2)×2=12×2=**24 (cm²)**

11 레벨UP공략

◆ 삼각형에서 두 각의 크기를 알 때 나머지 각의 크기를 구하려면?

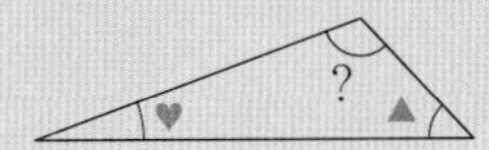

→ (나머지 각의 크기)
$=180°-♥-▲$

채점 기준		
	❶ 각 ㄷㅂㅁ의 크기 구하기	2점
	❷ 각 ㄱㄹㅁ의 크기 구하기	2점
	❸ 각 ㄴㄹㄷ의 크기 구하기	1점

12 **❶ 각 ㅂㄹㄷ의 크기 구하기**

삼각형 ㄹㅂㄷ에서
(각 ㅂㄹㄷ)$=90°-38°=52°$입니다.

❷ 각 ㅂㄴㄷ의 크기 구하기

삼각형 ㄴㅂㄷ과 삼각형 ㄹㅂㄷ은 서로 합동이므로
(각 ㅂㄴㄷ)=(각 ㅂㄹㄷ)$=52°$입니다.

❸ 각 ㅂㅁㄹ의 크기 구하기

삼각형 ㅁㄴㄷ에서
(각 ㅂㅁㄹ)$=180°-52°-90°=$**38°**입니다.

참고 합동인 두 도형에서 각각의 대응각의 크기는 서로 같습니다.

13 레벨UP공략

◆ 접은 모양을 보고 처음 직사각형 모양 종이의 가로를 구하려면?

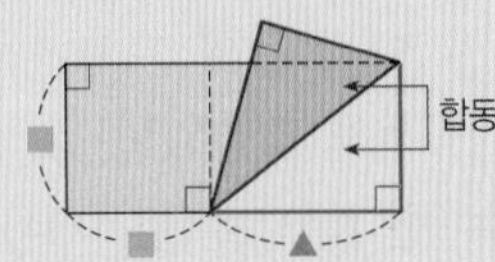

합동인 두 삼각형에서 대응변을 찾아 (■+▲)를 구합니다.

❶ 선분 ㄷㄹ, 선분 ㅁㄹ의 길이 구하기

삼각형 ㅁㅂㄷ과 삼각형 ㅁㄹㄷ은 서로 합동이므로
(선분 ㄷㄹ)=(선분 ㄷㅂ)=20 cm,
(선분 ㅁㄹ)=(선분 ㅁㅂ)=15 cm입니다.

❷ 정사각형 ㄱㄴㄷㅇ의 한 변의 길이 구하기

(정사각형 ㄱㄴㄷㅇ의 한 변의 길이)
=(선분 ㅁㄹ)=15 cm

❸ 직사각형 ㄱㄴㄹㅁ의 가로, 세로 구하기

직사각형 ㄱㄴㄹㅁ에서
(가로)=(선분 ㄴㄹ)$=15+20=35$ (cm),
(세로)=(선분 ㅁㄹ)=15 cm입니다.

❹ 처음 종이의 넓이 구하기

(직사각형 ㄱㄴㄹㅁ의 넓이)
=(처음 종이의 넓이)
$=35\times15=$**525 (cm²)**

참고 종이가 접힌 부분과 접히기 전의 부분이 서로 합동입니다.

14 **❶ 완성한 점대칭도형에서 모르는 변의 길이의 합 구하기**

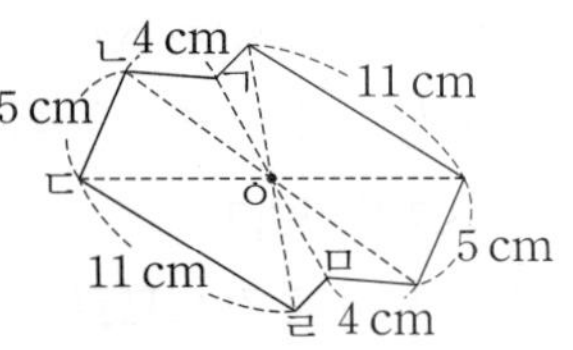

둘레에서 알고 있는 변의 길이를 모두 빼면
$44-4-5-11-4-5-11=4$ (cm)입니다.

❷ 변 ㄹㅁ의 길이 구하기

(변 ㄹㅁ)$=4\div2=$**2 (cm)**

15 **❶ 색칠한 부분의 넓이를 구하는 방법 알아보기**

삼각형 ㅈㄴㄷ과 삼각형 ㅈㅊㅅ은 서로 합동이므로 넓이가 같습니다.
(색칠한 부분의 넓이)
=(삼각형 ㅈㄷㅊ의 넓이)+(삼각형 ㅈㅊㅅ의 넓이)
=(삼각형 ㅈㄷㅊ의 넓이)+(삼각형 ㅈㄴㄷ의 넓이)

❷ 색칠한 부분의 넓이 구하기

(색칠한 부분의 넓이)
=(사각형 ㄱㄴㅊㅇ의 넓이)$\div4$
$=10\times10\div4=100\div4=$**25 (cm²)**

참고 색칠한 부분의 넓이는 삼각형 ㅈㄴㅊ의 넓이와 같습니다.

16 레벨UP공략

◆ 접은 모양을 보고 각의 크기를 구하려면?

접힌 부분과 접히기 전의 부분이 서로 합동임을 이용합니다.

❶ 각 ㅂㄷㅁ의 크기 구하기

삼각형 ㄱㄴㄷ에서
(각 ㅂㄷㅁ)$=180°-85°-63°=32°$입니다.

❷ 각 ㅁㅂㄷ의 크기 구하기

삼각형 ㅂㄹㅁ과 삼각형 ㅂㄷㅁ은 서로 합동이므로
(각 ㅂㅁㄷ)$=(180°-24°)\div2=156°\div2=78°$입니다.
삼각형 ㅂㄷㅁ에서
(각 ㅁㅂㄷ)$=180°-78°-32°=70°$입니다.

❸ 각 ㄱㅂㄹ의 크기 구하기

(각 ㄱㅂㄹ)$=180°-70°-70°=$**40°**

17 **❶ 각 ㄷㅅㄹ의 크기 구하기**

삼각형 ㅂㄷㅁ에서
(각 ㅅㄷㄹ)$=180°-45°-90°=45°$이므로
(각 ㄷㅅㄹ)$=180°-45°-90°=45°$입니다.

② 선분 ㄹㅁ, 변 ㅂㅁ의 길이 구하기

삼각형 ㅅㄷㄹ은 이등변삼각형이므로

(선분 ㄷㄹ)=(선분 ㅅㄹ)=9 cm입니다.

삼각형 ㄱㄴㄹ과 삼각형 ㅂㄷㅁ은 서로 합동이므로

(선분 ㄴㄹ)=(선분 ㄷㅁ)=8+9=17 (cm),

(선분 ㄹㅁ)=17−9=8 (cm)입니다.

삼각형 ㅂㄷㅁ은 이등변삼각형이므로

(변 ㅂㅁ)=(선분 ㄷㅁ)=17 cm입니다.

③ 직사각형 ㄱㄹㅁㅂ의 넓이 구하기

(직사각형 ㄱㄹㅁㅂ의 넓이)=8×17=**136 (cm²)**

18 ① 선대칭도형을 그리기

삼각형 ㄱㄴㄷ에서 선분 ㄱㄷ을 대칭축으로 하는 선대칭도형을 그립니다. 점 ㄴ의 대응점을 점 ㄹ이라 합니다.

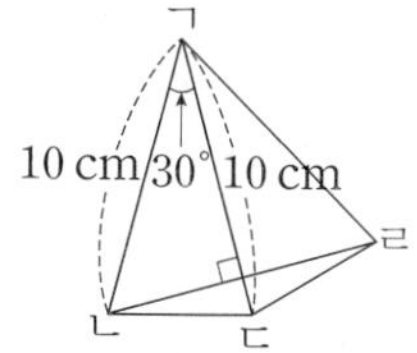

② 삼각형 ㄱㄴㄹ은 어떤 삼각형인지 알기

(변 ㄱㄹ)=(변 ㄱㄴ)=10 cm,

(각 ㄴㄱㄹ)=(각 ㄴㄱㄷ)×2

=30°×2=60°이고,

(각 ㄱㄴㄹ)=(각 ㄱㄹㄴ)=(180°−60°)÷2

=120°÷2=60°입니다.

따라서 삼각형 ㄱㄴㄹ은 정삼각형입니다.

③ 필요한 색종이의 넓이 구하기

삼각형 ㄱㄴㄷ에서 변 ㄱㄷ을 밑변이라 하면

(높이)=(선분 ㄴㄹ)÷2=10÷2=5 (cm)입니다.

→ (삼각형 ㄱㄴㄷ의 넓이)=10×5÷2=**25 (cm²)**

└• 필요한 색종이의 넓이

STEP 3 최상위 도전하기 063~065쪽

1	6개	**2**	18°
3	90°	**4**	75 cm
5	180 cm²	**6**	54°

1 ① 선대칭, 점대칭인 것 찾기

선대칭인 것: 가, 나, 라, 마, 사, 카

점대칭인 것: 다, 사, 카

② 선대칭이면서 점대칭인 것 찾기

선대칭이면서 점대칭인 것: 사, 카

③ 조건을 만족하는 도형의 대칭축 수의 합 구하기

대칭축의 수는 사: 4개, 카: 2개이므로 합은 4+2=**6(개)**입니다.

2 ① 각 ㄱㄴㅁ의 크기 구하기

(각 ㄱㄴㅁ)=180°−96°=84°

② 각 ㄴㅁㅂ의 크기 구하기

삼각형 ㄱㄴㅁ은 이등변삼각형이므로

(각 ㄴㅁㅂ)=(각 ㄴㄱㅂ)=(180°−84°)÷2

=96°÷2=48°입니다.

③ 각 ㄱㅁㄹ의 크기 구하기

삼각형 ㄱㄷㅁ은 이등변삼각형이므로

(각 ㄱㅁㄹ)=(각 ㄱㄷㄹ)=(180°−48°)÷2

=132°÷2=66°입니다.

④ 각 ㄴㅁㄹ의 크기 구하기

(각 ㄴㅁㄹ)=66°−48°=**18°**

3 ① 각 ㄴㄱㄷ의 크기를 ■, 각 ㄱㄷㄴ의 크기를 ▲라 할 때 (■+▲)의 크기 구하기

삼각형 ㄱㄴㄷ에서

(각 ㄴㄱㄷ)=■, (각 ㄱㄷㄴ)=▲

라 하면 ■+▲+90°=180°,

■+▲=90°입니다.

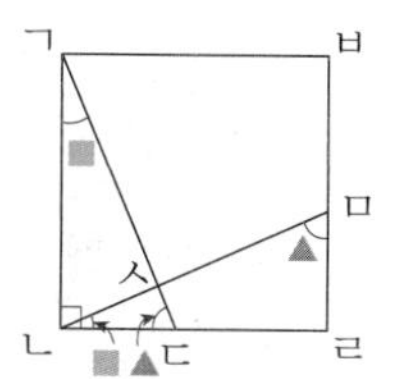

② 각 ㄴㅅㄷ, 각 ㄷㅅㅁ의 크기 구하기

삼각형 ㄱㄴㄷ과 삼각형 ㄴㄹㅁ은 서로 합동이므로

(각 ㄹㄴㅁ)=■, (각 ㄴㅁㄹ)=▲입니다.

삼각형 ㅅㄴㄷ에서 각 ㄴㅅㄷ은

180°−(■+▲)=180°−90°=90°이므로

(각 ㄷㅅㅁ)=180°−90°=90°입니다.

③ 각 ㄱㅅㅁ의 크기 구하기

(각 ㄱㅅㅁ)=180°−90°=**90°**

선행 개념 [중1] 맞꼭지각

• 교각: 서로 다른 두 직선이 한 점에서 만날 때 생기는 네 개의 각 → ㉠, ㉡, ㉢, ㉣

• 맞꼭지각: 서로 마주 보는 두 교각을 맞꼭지각이라 하고, 맞꼭지각의 크기는 서로 같습니다.

→ ㉠=㉢, ㉡=㉣

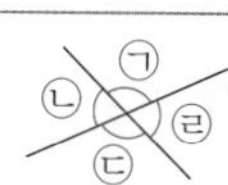

풀이 (각 ㄴㅅㄷ)=90°이고, 각 ㄴㅅㄷ과 각 ㄱㅅㅁ은 맞꼭지각이므로 (각 ㄱㅅㅁ)=(각 ㄴㅅㄷ)=90°입니다.

4 ① 각 ㄱㄴㄷ과 각 ㄴㄱㄹ의 크기 구하기

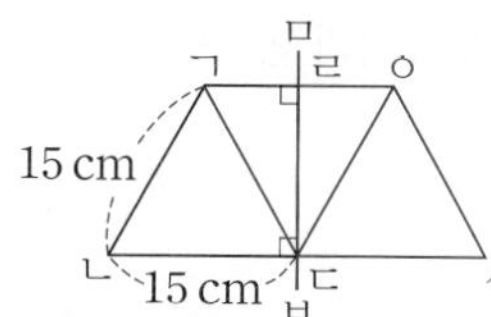

사각형 ㄱㄴㄷㄹ에서

(각 ㄴㄱㄹ)=(각 ㄱㄴㄷ)×2

이므로

(각 ㄴㄱㄹ)+(각 ㄱㄴㄷ) +90°+90°=360°,

(각 ㄱㄴㄷ)×2+(각 ㄱㄴㄷ)=180°,

(각 ㄱㄴㄷ)×3=180°, (각 ㄱㄴㄷ)=60°,

(각 ㄴㄱㄹ)=120°입니다.

❷ **완성한 선대칭도형에서 삼각형 ㄱㄴㄷ, 삼각형 ㄱㅇㄷ 이 어떤 삼각형인지 알기**

선분 ㄱㄷ을 그으면 삼각형 ㄱㄴㄷ은 이등변삼각형이므로 (각 ㄴㄱㄷ)=(각 ㄱㄷㄴ)

$=(180^\circ-60^\circ)\div2=60^\circ$입니다.

따라서 삼각형 ㄱㄴㄷ은 정삼각형입니다.

(각 ㄷㄱㄹ)=(각 ㄷㅇㄹ)$=120^\circ-60^\circ=60^\circ$,

(각 ㄱㄷㅇ)$=(90^\circ-60^\circ)\times2=60^\circ$이므로 삼각형 ㄱㅇㄷ은 한 변의 길이가 15 cm인 정삼각형입니다.

❸ **완성한 선대칭도형의 둘레 구하기**

(변 ㅇㅅ)=(변 ㄱㄴ)=15 cm

(변 ㄷㅅ)=(변 ㄷㄴ)=15 cm

→ (완성한 선대칭도형의 둘레)$=15\times5=$**75 (cm)**

5 ❶ **선분 ㄱㅁ과 선분 ㄱㄷ 사이의 관계 알아보기**

(선분 ㅁㅇ)=(선분 ㄱㅁ)×2이고, 대칭의 중심은 대응점끼리 이은 선분을 둘로 똑같이 나누므로 선분 ㄱㅁ의 길이는 선분 ㄱㄷ의 길이를 6등분한 것 중 하나와 같습니다.

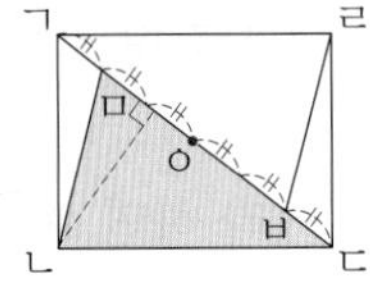

❷ **삼각형 ㅁㄴㄷ의 넓이와 삼각형 ㄱㄴㄷ의 넓이 사이의 관계 알아보기**

삼각형 ㄱㄴㄷ과 삼각형 ㅁㄴㄷ은 높이가 같습니다.

(삼각형 ㅁㄴㄷ의 넓이)=(삼각형 ㄱㄴㄷ의 넓이)$\times\frac{5}{6}$

❸ **색칠한 부분의 넓이 구하기**

(색칠한 부분의 넓이)$=(24\times18\div2)\times\frac{5}{6}$

$=$**180 (cm^2)**

6

직선 가와 직선 나를 모두 대칭축으로 하는 선대칭도형입니다. ㉠은 몇 도인지 구해 보세요.

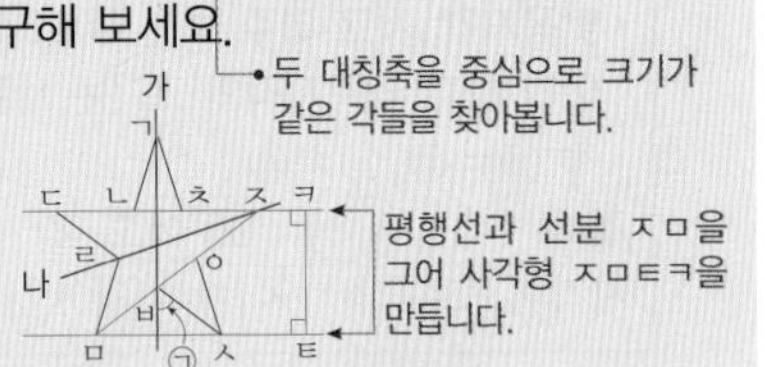

❶ **평행선과 선분 ㅈㅁ을 그어 만들어진 사각형 ㅈㅁㅌㅋ에서 각 ㅈㅁㅌ과 각 ㅁㅈㅋ의 크기의 합 구하기**

오른쪽과 같이 평행선과 선분 ㅈㅁ을 그어 보면 사각형 ㅈㅁㅌㅋ에서 (각 ㅈㅁㅌ)+(각 ㅁㅈㅋ)$+90^\circ+90^\circ=360^\circ$입니다.

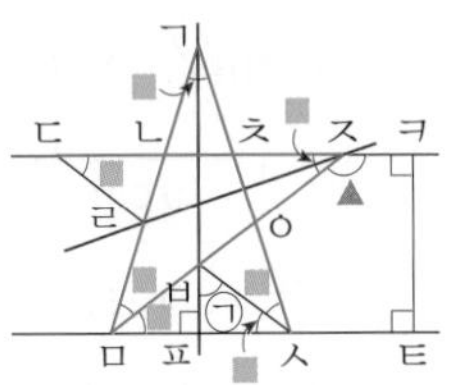

(각 ㅈㅁㅌ)=■, (각 ㅁㅈㅋ)=▲라 하면

■+▲$=180^\circ$입니다.

❷ **각 ㅈㅁㅌ과 크기가 같은 각 모두 찾기**

(각 ㅊㅈㅇ)+▲$=180^\circ$이므로

(각 ㅊㅈㅇ)=■이고, (각 ㅂㅅㅍ)=■입니다.

선대칭도형에서 대응각의 크기는 서로 같으므로

(각 ㅊㅈㅇ)=(각 ㄴㄷㄹ)=(각 ㅂㅁㄹ)

=(각 ㅂㅅㅇ)=(각 ㄴㄱㅊ)=■입니다.

❸ **각 ㅈㅁㅌ의 크기 구하기**

선분 ㄱㅁ과 선분 ㄱㅅ을 그어 보면

삼각형 ㄱㅁㅅ에서 ■$\times5=180^\circ$,

■$=180^\circ\div5=36^\circ$입니다.

❹ **㉠의 크기 구하기**

삼각형 ㅂㅍㅅ에서

㉠$=180^\circ-90^\circ-$■$=180^\circ-90^\circ-36^\circ=$**54**$^\circ$입니다.

상위권 TEST

066~067쪽

01	40°	02	11 cm	03	100°
04	7 cm	05	16 cm	06	9966
07	24 cm^2	08	75°		

09 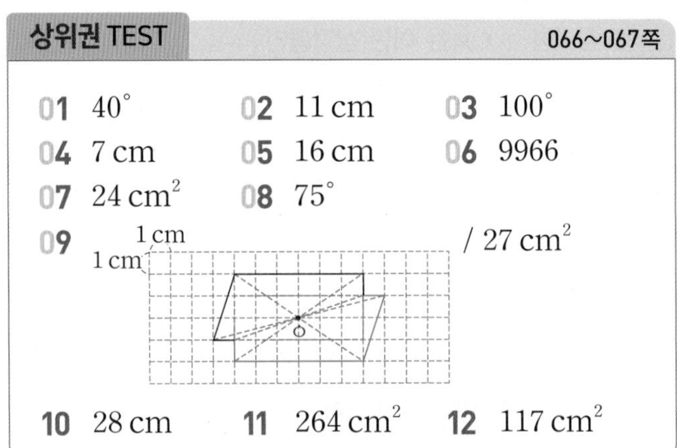

/ 27 cm^2

10	28 cm	11	264 cm^2	12	117 cm^2

01 ❶ **각 ㄱㄴㄷ의 대응각 알아보기**

각 ㄱㄴㄷ의 대응각은 각 ㅁㅂㄹ입니다.

❷ **각 ㄱㄴㄷ의 크기 구하기**

(각 ㅁㅂㄹ)$=180^\circ-30^\circ-110^\circ=40^\circ$이므로

(각 ㄱㄴㄷ)=(각 ㅁㅂㄹ)=**40**$^\circ$입니다.

02 ❶ **변 ㄱㄴ의 길이 구하기**

두 삼각형은 서로 합동이므로 둘레가 같습니다.

(변 ㄱㄴ)=(변 ㄹㄷ)=7 cm

❷ **변 ㄱㄷ의 길이 구하기**

(변 ㄱㄷ)$=31-7-13=$**11 (cm)**

03 ❶ **각 ㄱㄴㄷ, 각 ㄴㄷㄱ의 크기 구하기**

(각 ㄱㄴㄷ)=(각 ㄹㅁㅂ)$=65^\circ$이므로

삼각형 ㄱㄴㄷ에서

(각 ㄴㄷㄱ)$=180^\circ-35^\circ-65^\circ=80^\circ$입니다.

❷ **각 ㄴㄷㄹ의 크기 구하기**

(각 ㄴㄷㄹ)$=180^\circ-80^\circ=$**100**$^\circ$

04 ❶ 변 ㄱㄴ, 변 ㄹㅁ의 길이 구하기

(변 ㄱㄴ)=(변 ㄱㅇ)=5 cm,
(변 ㄹㅁ)=(변 ㅂㅁ)=4 cm입니다.

❷ 변 ㄷㄹ의 길이 구하기

(변 ㄱㄴ)+(변 ㄴㄷ)+(변 ㄷㄹ)+(변 ㄹㅁ)
=38÷2=19 (cm)
→ (변 ㄷㄹ)=19−5−3−4=**7 (cm)**

05 ❶ 각 ㄴㄷㅁ의 크기 구하기

직선 ㅂㅅ과 선분 ㄴㄹ은 서로 수직이므로
(각 ㄴㄷㅁ)=180°−45°−90°=45°입니다.

❷ 선분 ㄴㅁ의 길이 구하기

삼각형 ㄴㄷㅁ은 이등변삼각형이므로
(선분 ㄴㅁ)=(선분 ㄷㅁ)=8 cm입니다.

❸ 선분 ㄴㄹ의 길이 구하기

(선분 ㄴㅁ)=(선분 ㄹㅁ)=8 cm이므로
(선분 ㄴㄹ)=8×2=**16 (cm)**입니다.

06 ❶ 점대칭이 되는 네 자리 수 구하기

천의 자리 숫자와 일의 자리 숫자, 백의 자리 숫자와 십의 자리 숫자가 각각 점대칭이 되도록 만들어야 합니다.
수 카드 중 점대칭이 되는 수는 0, 6, 9입니다.
→ 6009, 6699, 6969, 9006, 9696, 9966

❷ 가장 큰 네 자리 수 구하기

따라서 가장 큰 네 자리 수는 **9966**입니다.

07 ❶ 선대칭도형을 완성하기

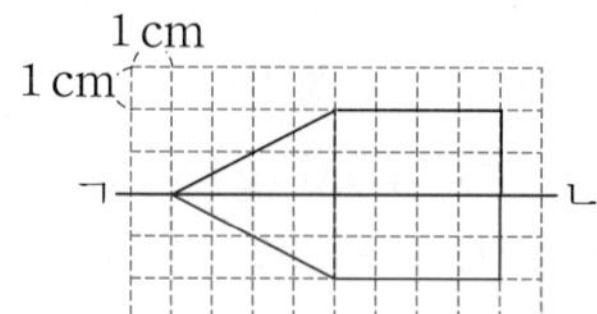

❷ 선대칭도형의 전체 넓이 구하기

(선대칭도형의 전체 넓이)
=(삼각형의 넓이)+(정사각형의 넓이)
=4×4÷2+4×4=8+16=**24 (cm²)**

08 ❶ 각 ㅁㄹㄱ의 크기 구하기

삼각형 ㄱㅁㄹ과 삼각형 ㄷㅁㄴ은 서로 합동이므로
(각 ㅁㄹㄱ)=(각 ㅁㄴㄷ)=25°입니다.

❷ 각 ㄱㅁㄹ의 크기 구하기

삼각형 ㄱㅁㄹ에서
(각 ㄱㅁㄹ)=180°−50°−25°=105°입니다.

❸ 각 ㄹㅁㄷ의 크기 구하기

(각 ㄹㅁㄷ)=180°−105°=**75°**

09 ❶ 점대칭도형을 완성하기

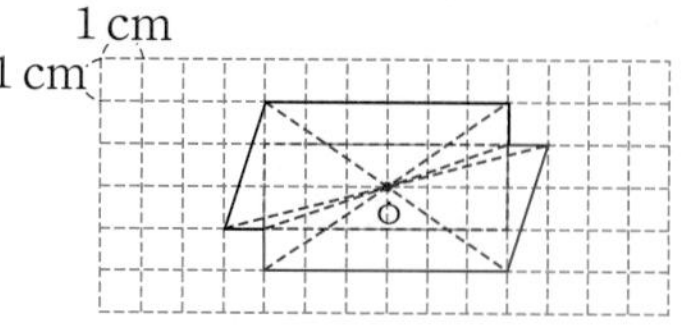

겹친 부분은 가로가 6 cm, 세로가 2 cm인 직사각형입니다.

❷ 완성한 점대칭도형의 넓이 구하기

(완성한 점대칭도형의 넓이)
=(사다리꼴의 넓이)×2−(직사각형의 넓이)
={(6+7)×3÷2}×2−6×2=39−12
=**27 (cm²)**

10 ❶ 삼각형 ㅂㄷㅅ은 어떤 삼각형인지 알기

두 정사각형이 서로 합동이므로 (변 ㅂㄷ)=(변 ㅅㄷ)입니다.
삼각형 ㅂㄷㅅ은 이등변삼각형이고,
(각 ㄷㅂㅅ)=(각 ㄷㅅㅂ)=(180°−60°)÷2=60°이므로 정삼각형입니다.

❷ 정사각형 한 개의 둘레 구하기

(변 ㅅㄷ)=(변 ㅂㅅ)=7 cm이므로 정사각형 한 개의 둘레는 7×4=**28 (cm)**입니다.

11 ❶ 각 ㅅㄹㄷ, 각 ㄷㅅㄹ의 크기 구하기

(각 ㅅㄹㄷ)=180°−45°−90°=45°,
(각 ㄷㅅㄹ)=180°−90°−45°=45°

❷ 선분 ㄴㄷ과 변 ㄱㄴ의 길이 구하기

삼각형 ㅅㄷㄹ은 이등변삼각형이므로
(선분 ㄷㄹ)=(선분 ㅅㄷ)=13 cm입니다.
삼각형 ㄱㄴㄹ과 삼각형 ㅂㄷㅁ은 서로 합동이므로
(선분 ㄴㄹ)=(선분 ㄷㅁ)=13+11=24 (cm),
(선분 ㄴㄷ)=24−13=11 (cm)입니다.
(변 ㄱㄴ)=(선분 ㄴㄹ)=24 cm → 삼각형 ㄱㄴㄹ은 이등변삼각형입니다.

❸ 직사각형 ㄱㄴㄷㅂ의 넓이 구하기

(직사각형 ㄱㄴㄷㅂ의 넓이)=11×24=**264 (cm²)**

12 ❶ 선분 ㄱㅁ과 선분 ㄱㄷ 사이의 관계 알아보기

선분 ㄱㅁ은 선분 ㄱㄷ을 4등분한 것 중 하나와 같습니다.

❷ 삼각형 ㅁㄴㄷ의 넓이와 삼각형 ㄱㄴㄷ의 넓이 사이의 관계 알아보기

삼각형 ㄱㄴㄷ과 삼각형 ㅁㄴㄷ은 높이가 같으므로
(삼각형 ㅁㄴㄷ의 넓이)
=(삼각형 ㄱㄴㄷ의 넓이)×$\frac{3}{4}$입니다.

❸ 색칠한 부분의 넓이 구하기

→ (26×12÷2)×$\frac{3}{4}$=$\overset{39}{\cancel{156}}$×$\frac{3}{\underset{1}{\cancel{4}}}$=**117 (cm²)**

4 소수의 곱셈

개념 넓히기 071쪽

1 $3.2\times8=\frac{32}{10}\times8=\frac{256}{10}=25.6$
2 23, 2.3, 0.23 3 7.6, 11.4
4 42.3 kg

STEP 1 응용 공략하기 072~077쪽

01 ㉡ 02 121.6 cm
03 예 ❶ $15.4\times5.1=78.54$이므로 $78.54<\square$입니다. ▸3점
❷ 따라서 □ 안에 들어갈 수 있는 가장 작은 자연수는 79입니다. ▸2점 / 79
04 169650원 05 109.14
06 정민, 315.6 g 07 331.125 km
08 243.5 L
09 예 ❶ (어떤 수)$+0.2=2.45$,
(어떤 수)$=2.45-0.2=2.25$입니다. ▸2점
❷ (바르게 계산한 값)$=$(어떤 수)$\times0.2$
$=2.25\times0.2=0.45$ ▸3점
/ 0.45
10 66.2 kg 11 32.4 cm
12 12.328 m^2
13 예 ❶ 만들 수 있는 가장 큰 소수 한 자리 수는 87.5이고, 가장 작은 소수 두 자리 수는 5.78입니다. ▸2점
❷ 따라서 만든 두 소수의 곱은
$87.5\times5.78=505.75$입니다. ▸3점 / 505.75
14 86 cm 15 86.36 cm
16 78.9 cm 17 9
18 1.078 kg

01 ❶ 각각 계산하기
㉠ $9.24\times100=924$ ㉡ $0.924\times10=9.24$
㉢ $924\times0.1=92.4$ ㉣ $9240\times0.01=92.4$
❷ 계산 결과가 가장 작은 것 찾기
$9.24<92.4<924$이므로 계산 결과가 가장 작은 것은 ㉡입니다.
참고 수에 10, 100을 곱하면 곱의 소수점이 오른쪽으로 한 칸씩 옮겨지고, 수에 0.1, 0.01을 곱하면 곱의 소수점이 왼쪽으로 한 칸씩 옮겨집니다.

02 ❶ 정팔각형의 변의 수 알아보기
정팔각형은 변이 8개이고 변의 길이가 모두 같습니다.
❷ 정팔각형의 둘레 구하기
(정팔각형의 둘레)$=15.2\times8=$**121.6 (cm)**

03

채점 기준	❶ 15.4×5.1을 계산하기	3점
	❷ □ 안에 들어갈 수 있는 가장 작은 자연수 구하기	2점

04 ❶ 5000바트의 가격을 구하는 식 만들기
1바트의 가격: 33.93원
(5000바트의 가격)$=(33.93\times5000)$원
❷ 내야 할 우리나라 돈 구하기
(내야 할 우리나라 돈)
$=33.93\times5000=$**169650(원)**

05 ❶ 가장 큰 곱과 가장 작은 곱 구하기
$34\times1.26=42.84$, $4.8\times9.8=47.04$,
$4.42\times15=66.3$
$66.3>47.04>42.84$이므로 가장 큰 곱은 66.3이고 가장 작은 곱은 42.84입니다.
❷ 가장 큰 곱과 가장 작은 곱의 합 구하기
→ $66.3+42.84=$**109.14**

06 ❶ 서원이와 정민이가 포장한 선물의 무게 구하기
(서원이가 포장한 마카롱의 무게)
$=31.44\times10=314.4$ (g)
(정민이가 포장한 초콜릿의 무게)
$=6.3\times100=630$ (g)
❷ 누가 포장한 선물이 몇 g 더 무거운지 구하기
$630>314.4$이므로 **정민**이가 포장한 선물이
$630-314.4=$**315.6 (g)** 더 무겁습니다.
참고 상자의 무게는 같으므로 마카롱과 초콜릿의 무게만 구하면 됩니다.

07 ❶ 3시간 45분을 소수로 나타내기
3시간 45분$=3\frac{45}{60}$시간$=3\frac{3}{4}$시간$=3\frac{75}{100}$시간
$=3.75$시간
❷ 3시간 45분 동안 달리는 거리 구하기
(3시간 45분 동안 달리는 거리)
$=88.3\times3.75=$**331.125 (km)**
참고 곱의 소수점 아래 자리 수
곱하는 두 소수의 소수점 아래 자리 수를 더한 값과 같습니다.
예 (소수 두 자리 수)×(소수 한 자리 수)=(소수 세 자리 수)
단, $5.2\times1.5=7.80$과 같이 곱의 끝자리가 0인 경우 곱의 소수점 위치는 곱하는 두 수의 소수점 아래 자리 수를 더한 값과 다릅니다.

08 ❶ 물통 27개에 담은 물의 양 구하기
(물통 27개에 담은 물의 양)$=9.5\times27=256.5$ (L)
❷ 물탱크에 남아 있는 물의 양 구하기
(물탱크에 남아 있는 물의 양)
$=500-256.5=$**243.5 (L)**

09

채점 기준		
채점 기준	❶ 어떤 수 구하기	2점
	❷ 바르게 계산한 값 구하기	3점

10 ❶ 하윤이의 몸무게 구하기
(하윤이의 몸무게)=(이모의 몸무게)$\times0.8$
$=51\times0.8=40.8$ (kg)
❷ 삼촌의 몸무게 구하기
(삼촌의 몸무게)=(하윤이의 몸무게)$\times1.5+5$
$=40.8\times1.5+5$
$=61.2+5=$**66.2 (kg)**
참고 하나의 식으로 만들어서 구할 수도 있습니다.
(삼촌의 몸무게)=(하윤이의 몸무게)$\times1.5+5$
↓
(삼촌의 몸무게)=(이모의 몸무게)$\times0.8\times1.5+5$

11 ❶ 공이 첫 번째로 튀어 오른 높이 구하기
(첫 번째로 튀어 오른 높이)$=150\times0.6=90$ (cm)
❷ 공이 두 번째로 튀어 오른 높이 구하기
(두 번째로 튀어 오른 높이)$=90\times0.6=54$ (cm)
❸ 공이 세 번째로 튀어 오른 높이 구하기
(세 번째로 튀어 오른 높이)
$=54\times0.6=$**32.4 (cm)**

12 ❶ 복식 경기에 사용하는 배드민턴 코트의 넓이 구하기
(복식 경기에 사용하는 배드민턴 코트의 넓이)
$=13.4\times6.1=81.74$ (m^2)
❷ 단식 경기에 사용하는 배드민턴 코트의 넓이 구하기
(단식 경기에 사용하는 배드민턴 코트의 넓이)
$=13.4\times5.18=69.412$ (m^2)
❸ 배드민턴 코트의 넓이의 차 구하기
(배드민턴 코트의 넓이의 차)$=81.74-69.412$
$=$**12.328 (m^2)**
다른 풀이 (배드민턴 코트의 세로의 차)
$=6.1-5.18=0.92$ (m)
→ (배드민턴 코트의 넓이의 차)
$=13.4\times0.92=$**12.328 (m^2)**

13

채점 기준		
채점 기준	❶ 수 카드로 가장 큰 소수 한 자리 수와 가장 작은 소수 두 자리 수 만들기	2점
	❷ ❶에서 만든 두 소수의 곱 구하기	3점

14 ❶ 태극 모양인 원의 지름 구하기
(태극 모양인 원의 지름)$=4.3\times2=8.6$ (cm)
❷ 태극기의 둘레 구하기
(태극기의 둘레)$=\{$(가로)+(세로)$\}\times2$
$=\{$(지름)$\times3+$(지름)$\times2\}\times2$
$=$(지름)$\times5\times2$
$=$(지름)$\times10$
$=8.6\times10=$**86 (cm)**

15 ❶ 17인치를 cm 단위로 나타내기
17인치를 cm 단위로 나타내면
$17\times2.54=43.18$ (cm)입니다.
❷ 컴퓨터 모니터에서 대각선 찾기
컴퓨터 모니터는 직사각형 모양이므로 오른쪽과 같이 대각선이 2개이고, 두 대각선의 길이는 같습니다.
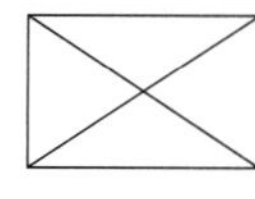
❸ 모든 대각선의 길이의 합 구하기
(17인치 컴퓨터 모니터의 모든 대각선의 길이의 합)
$=43.18\times2=$**86.36 (cm)**

16 ❶ 색 테이프 9장의 길이의 합 구하기
(길이가 11.7 cm인 색 테이프 9장의 길이의 합)
$=11.7\times9=105.3$ (cm)
❷ 겹친 부분의 길이의 합 구하기
겹친 부분은 8군데이므로 겹친 부분의 길이의 합은 $3.3\times8=26.4$ (cm)입니다.
❸ 이어 붙인 색 테이프 전체의 길이 구하기
(이어 붙인 색 테이프 전체의 길이)
$=105.3-26.4=$**78.9 (cm)**
참고 색 테이프 ■장을 이어 붙이면 겹친 부분은 (■-1)군데입니다.

17 ❶ 0.3을 30번 곱할 때 곱의 자리 수 알아보기
0.3을 30번 곱하면 소수 30자리 수가 되므로 곱의 소수 30째 자리 숫자는 소수점 아래 끝자리의 숫자입니다.
❷ 소수점 아래 끝자리 숫자의 규칙 찾기
0.3을 계속 곱하면 곱의 소수점 아래 끝자리의 숫자는 3, 9, 7, 1로 4개의 숫자가 반복됩니다.
❸ 곱의 소수 30째 자리 숫자 구하기
$30\div4=7\cdots2$이므로 0.3을 30번 곱했을 때 곱의 소수 30째 자리 숫자는 반복되는 숫자 중 두 번째와 같은 **9**입니다.
중요 소수 한 자리 수를 ▲번 곱하면 계산 결과는 소수 ▲자리 수가 됩니다.

진도북 4단원

18 ❶ 식용유 250 mL의 무게 구하기
(식용유 250 mL의 무게)
$=3.47-3.24=0.23$ (kg)
❷ 식용유 2.6 L의 무게 구하기
$1\text{ L}=1000\text{ mL}=(250\times4)\text{ mL}$
(식용유 1 L의 무게)$=0.23\times4=0.92$ (kg)
(식용유 2.6 L의 무게)$=0.92\times2.6=2.392$ (kg)
❸ 빈 병의 무게 구하기
(빈 병의 무게)$=3.47-2.392=$**1.078 (kg)**

STEP 2 | 심화 해결하기 078~082쪽

01	㉢, ㉣, ㉡, ㉠	02	31.5
03	2720 m	04	0.001배

05 예 ❶ (정사각형 가의 넓이)
$=1.1\times1.1=1.21\ (\text{m}^2)$
(직사각형 나의 넓이)
$=0.8\times1.4=1.12\ (\text{m}^2)$ ▸3점
❷ $1.21>1.12$이므로 가의 넓이가
$1.21-1.12=0.09\ (\text{m}^2)$ 더 넓습니다. ▸2점
/ 가, 0.09 m^2

06 283.2 cm

07 예 ❶ (지금까지의 저금액)=(작년 저금액)$\times0.75$
$=127000\times0.75$
$=95250$(원) ▸2점
❷ (올해 목표 저금액)=(작년 저금액)$\times1.3$
$=127000\times1.3$
$=165100$(원) ▸2점
❸ 따라서 더 저금해야 하는 금액은
$165100-95250=69850$(원)입니다. ▸1점
/ 69850원

08	131.75 m^2	09	38.55 L
10	30.3 L	11	120060원
12	×100 대물렌즈	13	3.24
14	0.32 m	15	1.552 km

01 ❶ 각각 계산하기
㉠ $4.64\times0.8=3.712$ ㉡ $3.7\times1.3=4.81$
㉢ $0.92\times7.6=6.992$ ㉣ $2.02\times2.9=5.858$
❷ 계산 결과가 큰 것부터 순서대로 쓰기
$6.992>5.858>4.81>3.712$이므로 계산 결과가 큰 것부터 순서대로 쓰면 **㉢, ㉣, ㉡, ㉠**입니다.

02 ❶ 각각 계산하기
㉠ $4.7\times3=14.1$
㉡ $6\times2.9=17.4$
❷ ㉠과 ㉡의 합 구하기
㉠+㉡$=14.1+17.4=$**31.5**

03 ❶ 소리가 8초 동안 이동한 거리 구하기
(소리가 8초 동안 이동한 거리)
=(1초 동안 이동한 거리)×8
$=0.34\times8=2.72$ (km)
❷ 소리가 이동한 거리를 m로 나타내기
1 km=1000 m이므로 천둥소리를 들은 곳은 번개가 친 곳에서 2.72 km=**2720 m** 떨어져 있습니다.
참고 (■초 동안 이동한 거리)
=(1초 동안 이동한 거리)×■

04 레벨UP공략
◇ 곱의 소수점 위치를 옮기는 규칙은?
$12.3\times10=123$
$12.3\times100=1230$
곱하는 수의 0이 하나씩 늘어날 때마다 곱의 소수점을 오른쪽으로 한 칸씩 옮깁니다.
$12.3\times0.1=1.23$
$12.3\times0.01=0.123$
곱하는 수의 소수점 아래 자리 수가 하나씩 늘어날 때마다 곱의 소수점을 왼쪽으로 한 칸씩 옮깁니다.

❶ ◆의 값 구하기
7.5는 750에서 소수점이 왼쪽으로 2칸 옮겨졌으므로 ◆=0.01입니다.
❷ ★의 값 구하기
30.7은 3.07에서 소수점이 오른쪽으로 1칸 옮겨졌으므로 ★=10입니다.
❸ ◆는 ★의 몇 배인지 구하기
0.01은 10의 0.001배이므로 ◆는 ★의 **0.001배**입니다.
참고 10 → 0.01
0.001배

05

채점 기준		
	❶ 정사각형 가와 직사각형 나의 넓이를 각각 구하기	3점
	❷ 어느 것의 넓이가 몇 m^2 더 넓은지 구하기	2점

06 레벨UP공략
◇ 한 변의 길이가 ▲ cm인 정■각형의 둘레를 구하려면?
정■각형의 변은 ■개이고, 변의 길이가 모두 같습니다.
→ (정■각형의 둘레)=(▲×■) cm

❶ 정오각형의 둘레 구하기

(정오각형의 둘레)$=4.72\times5=23.6$ (cm)

❷ 정십이각형의 둘레 구하기

정십이각형의 변은 12개이고, 변의 길이가 모두 같습니다.

→ (정십이각형의 둘레)$=23.6\times12=$**283.2 (cm)**

07

채점 기준	❶ 지금까지의 저금액 구하기	2점
	❷ 올해 목표 저금액 구하기	2점
	❸ 더 저금해야 하는 금액 구하기	1점

다른 풀이 용희가 올해 목표 저금액을 채우기 위해 더 저금해야 하는 금액은 작년 저금액의 $1.3-0.75=0.55$(배)입니다.

→ (더 저금해야 하는 금액)

$=127000\times0.55=$**69850(원)**

08 ❶ 새로운 텃밭의 가로 구하기

(새로운 텃밭의 가로)$=6.2\times2.5=15.5$ (m)

❷ 새로운 텃밭의 세로 구하기

(새로운 텃밭의 세로)$=3.4\times2.5=8.5$ (m)

❸ 새로운 텃밭의 넓이 구하기

(새로운 텃밭의 넓이)

$=15.5\times8.5=$**131.75 (m^2)**

주의 직사각형의 넓이를 구한 다음 2.5배를 하지 않도록 주의합니다.

09

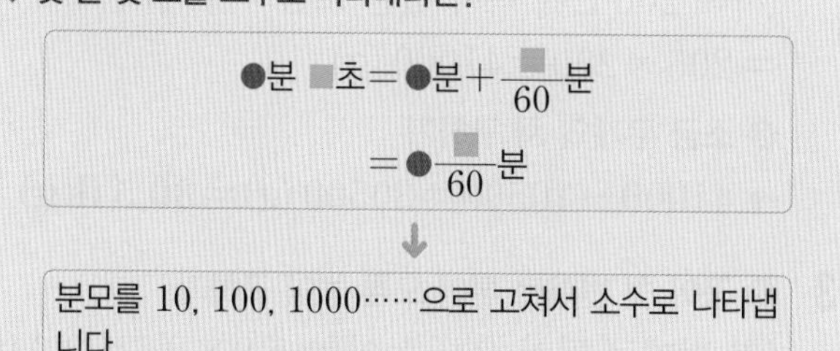

❶ 1분 동안 받을 수 있는 물의 양 구하기

(1분 동안 받을 수 있는 물의 양)

$=8.7-2.6=6.1$ (L)

❷ 5분 30초를 소수로 나타내기

5분 30초$=5\frac{30}{60}$분$=5\frac{5}{10}$분$=5.5$분

❸ 5분 30초 후 통에 담겨 있는 물의 양 구하기

(5분 30초 후 통에 담겨 있는 물의 양)

$=5+6.1\times5.5=5+33.55$

$=$**38.55 (L)**

10 ❶ 우유, 식용유, 간장을 정화하는 데 필요한 물의 양 구하기

(우유 0.5 mL를 정화하는 데 필요한 물의 양)

$=24\times0.5=12$ (L)

(식용유 0.33 mL를 정화하는 데 필요한 물의 양)

$=30\times0.33=9.9$ (L)

(간장 0.4 mL를 정화하는 데 필요한 물의 양)

$=21\times0.4=8.4$ (L)

❷ 필요한 물의 양의 합 구하기

(필요한 물의 양의 합)$=12+9.9+8.4=$**30.3 (L)**

11 ❶ 500달러를 우리나라 돈으로 환전한 금액 구하기

1달러의 가격: 1000.24원

→ (환전한 우리나라 돈)

$=1000.24\times500=500120$(원)

❷ 400엔을 우리나라 돈으로 환전한 금액 구하기

1엔의 가격: 950.15원

→ (환전한 우리나라 돈)

$=950.15\times400=380060$(원)

❸ 위 ❶과 ❷의 금액의 차 구하기

우리나라 돈으로 환전했을 때 그 금액의 차는 $500120-380060=$**120060(원)**입니다.

12 ❶ 각각의 대물렌즈로 본 물벼룩의 길이 계산하기

(×40 대물렌즈로 본 물벼룩의 길이)

$=1.94\times40=77.6$ (mm)

(×60 대물렌즈로 본 물벼룩의 길이)

$=1.94\times60=116.4$ (mm)

(×100 대물렌즈로 본 물벼룩의 길이)

$=1.94\times100=194$ (mm)

❷ 곱의 소수점 아래 자리 수가 다른 하나 찾기

77.6, 116.4 → 소수 한 자리 수, 194 → 자연수

따라서 곱의 소수점 아래 자리 수가 다른 하나는 **×100 대물렌즈**로 본 것입니다.

13 ❶ 6.5★0.3을 계산하기

괄호 안에 있는 6.5★0.3을 먼저 계산합니다.

6.5★0.3

$=6.5\times0.3-0.3\times2.5$

$=1.95-0.75=1.2$

❷ ㉠에 알맞은 수 구하기

5.2★1.2

$=5.2\times1.2-1.2\times2.5$

$=6.24-3=3.24$

따라서 ㉠에 알맞은 수는 **3.24**입니다.

진도북 4단원

14 레벨UP공략

◆ 이어 붙인 색 테이프 전체의 길이를 구하려면?

색 테이프 ■장을 이어 붙이면 겹친 부분은 (■−1)군데입니다.

↓

(이어 붙인 색 테이프 전체의 길이)
=(색 테이프 ■장의 길이의 합)−(겹친 부분의 길이의 합)

↓

(색 테이프 ■장의 길이의 합)
=(이어 붙인 색 테이프 전체의 길이)
+(겹친 부분의 길이의 합)

❶ 겹친 부분의 길이의 합 구하기

색 테이프 10장을 겹치게 이어 붙이면 겹친 부분은 9군데이므로 겹친 부분의 길이의 합은 $0.05\times9=0.45$ (m)입니다.

❷ 색 테이프 10장의 길이의 합 구하기

(색 테이프 10장의 길이의 합)
$=2.75+0.45=3.2$ (m)

❸ 색 테이프 한 장의 길이 구하기

색 테이프 한 장의 길이를 □m라 하면
□$\times10=3.2$이므로 □$=0.32$입니다.
따라서 색 테이프 한 장의 길이는 **0.32 m**입니다.

참고 □$\times10=3.2$ → 소수점을 오른쪽으로 한 칸 옮기기 전의 소수는 0.32입니다.

15 ❶ 1분 30초를 소수로 나타내기

1분 30초를 소수로 나타내면
1분 30초$=1\frac{30}{60}$분$=1\frac{5}{10}$분$=1.5$분입니다.

❷ 트럭이 1분 30초 동안 이동한 거리 구하기

(트럭이 1분 30초 동안 이동한 거리)
$=1.04\times1.5=1.56$ (km)

❸ 터널의 길이 구하기

1 m$=0.001$ km이므로
(트럭의 길이)$=8$ m$=0.008$ km입니다.
→ (터널의 길이)
=(트럭이 1분 30초 동안 이동한 거리)
−(트럭의 길이)
$=1.56-0.008$
$=$**1.552 (km)**

참고 • (트럭이 1분 30초 동안 이동한 거리)
=(터널의 길이)+(트럭의 길이)
• (터널의 길이)
=(트럭이 1분 30초 동안 이동한 거리)−(트럭의 길이)

STEP 3 최상위 도전하기 083~085쪽

1	소민	**2**	30.5 kg
3	1.475 m	**4**	129명
5	6	**6**	25.75 km

1 ❶ 각각 곱이 가장 크게 되도록 곱셈식 만들기

자연수 부분에 가장 큰 수와 두 번째로 큰 수를 넣어야 합니다.
• 소민: $9.4\times6.3=59.22$ 또는 $9.3\times6.4=59.52$이므로 가장 큰 곱은 59.52입니다.
• 주호: $8.2\times5.1=41.82$ 또는 $8.1\times5.2=42.12$이므로 가장 큰 곱은 42.12입니다.

❷ 더 큰 곱을 만들 수 있는 사람 찾기

더 큰 곱을 만들 수 있는 사람은 **소민**입니다.

2 ❶ 보통의 바닷물과 사해 1 L에 녹아 있는 소금의 무게 각각 구하기

1 L는 500 mL의 2배, 100 mL의 10배입니다.
(보통의 바닷물 1 L에 녹아 있는 소금의 무게)
$=17.5\times2=35$ (g)
(사해 1 L에 녹아 있는 소금의 무게)
$=20.5\times10=205$ (g)

❷ 보통의 바닷물 300 L에 녹아 있는 소금의 무게 구하기

(보통의 바닷물 300 L에 녹아 있는 소금의 무게)
$=35\times300=10500$ (g)

❸ 사해 200 L에 녹아 있는 소금의 무게 구하기

(사해 200 L에 녹아 있는 소금의 무게)
$=205\times200=41000$ (g)

❹ 소금 무게의 차 구하기

→ $41000-10500=30500$ (g)$=$**30.5 (kg)**

3 ❶ 공이 첫 번째로 튀어 오른 높이 구하기

(첫 번째로 튀어 오른 높이)$=5.8\times0.5=2.9$ (m)

❷ 공이 두 번째로 튀어 오른 높이 구하기

(두 번째로 떨어진 높이)
$=2.9+1=3.9$ (m)
(두 번째로 튀어 오른 높이)
$=3.9\times0.5=1.95$ (m)

❸ 공이 세 번째로 튀어 오른 높이 구하기

(세 번째로 떨어진 높이)
$=1.95+1=2.95$ (m)
(세 번째로 튀어 오른 높이)
$=2.95\times0.5=$**1.475 (m)**

4 ❶ **여학생 수와 남학생 수 구하기**

(여학생 수)=(전체 학생 수)×0.46

=600×0.46=276(명)

(남학생 수)=600−276=324(명)

❷ **체육을 좋아하는 남학생 수 구하기**

(체육을 좋아하는 학생 수)=600×0.62=372(명)

(체육을 좋아하는 남학생 수)

=(남학생 수)×0.75=324×0.75=243(명)

❸ **체육을 좋아하는 여학생 수 구하기**

(체육을 좋아하는 여학생 수)=372−243=**129(명)**

5 ❶ **각 자리 숫자의 합을 사용하여 식으로 나타내기**

0.4+0.44+0.444+0.4444+0.44444……

=0.4+(0.4+0.04)+(0.4+0.04+0.004)

+(0.4+0.04+0.004+0.0004)

+(0.4+0.04+0.004+0.0004+0.00004)……

=(0.4×16)+(0.04×15)+(0.004×14)

+(0.0004×13)+(0.00004×12)……

=6.4+0.6+0.056+0.0052+0.00048……

❷ **❶의 계산에서 소수 셋째 자리까지 숫자가 있는 소수의 합 구하기**

소수 둘째 자리와 소수 셋째 자리까지 숫자가 있는 소수의 합은 0.056+0.0052=0.0612입니다.

❸ **합의 소수 둘째 자리 숫자 구하기**

0.0612에서 소수 둘째 자리 숫자는 **6**입니다.

6 철인3종경기는 수영, 사이클, 마라톤의 세 종목을 휴식 없이 연이어 실시하는 경기입니다. 철인3종경기에 참가한 한 선수의 종목간 이동 기록을 제외한 총 기록이 1시간 6분이었습니다. 이 선수의 다음 기록을 보고 **수영, 사이클, 마라톤을 한 거리는 모두 몇 km**인지 구해 보세요.

1시간 6분=12분+□분+24분

종목	수영	사이클	마라톤
한 시간 동안 간 거리(km)	3.75	40	12.5
걸린 시간(분)	12	□	24

시간 단위로 나타냅니다.

❶ **사이클을 탄 시간 구하기**

(사이클을 탄 시간)

=1시간 6분−12분−24분

=66분−12분−24분=30(분)

❷ **세 종목을 하는 데 걸린 시간을 각각 소수로 나타내기**

수영: 12분=$\frac{12}{60}$시간=$\frac{2}{10}$시간=0.2시간

사이클: 30분=$\frac{30}{60}$시간=$\frac{5}{10}$시간=0.5시간

마라톤: 24분=$\frac{24}{60}$시간=$\frac{4}{10}$시간=0.4시간

❸ **세 종목을 한 거리 각각 구하기**

(수영을 한 거리)=3.75×0.2=0.75 (km)

(사이클을 탄 거리)=40×0.5=20 (km)

(마라톤을 한 거리)=12.5×0.4=5 (km)

❹ **세 종목을 한 거리의 합 구하기**

(세 종목을 한 거리의 합)=0.75+20+5

=**25.75 (km)**

참고

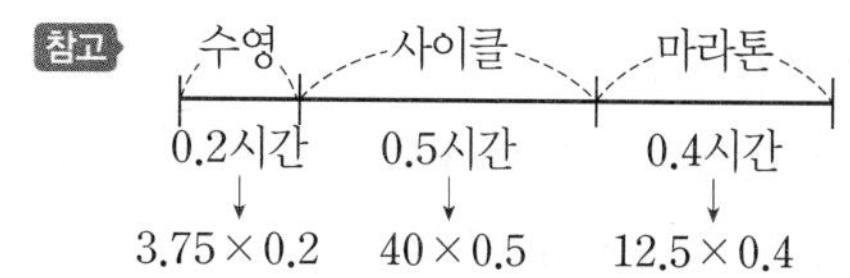

상위권 TEST 086~087쪽

01	1.35	02	1000배
03	147840원	04	8766.5 g
05	2개	06	4540
07	460.82 cm^2	08	85.9 L
09	139.5 cm	10	7
11	15.54	12	51명

01 ❶ **각각 계산하기**

㉠ 0.46×33=15.18 ㉡ 57×0.29=16.53

❷ **㉠과 ㉡의 차 구하기**

→ ㉡−㉠=16.53−15.18=**1.35**

02 ❶ **●의 값 구하기**

1920은 19.2에서 소수점이 오른쪽으로 2칸 옮겨졌으므로 ●=100입니다.

❷ **▲의 값 구하기**

8.3은 83에서 소수점이 왼쪽으로 1칸 옮겨졌으므로 ▲=0.1입니다.

❸ **●는 ▲의 몇 배인지 구하기**

100은 0.1의 1000배이므로 ●는 ▲의 **1000배**입니다.

03 ❶ **7000페소의 가격을 구하는 식 만들기**

1페소의 가격: 21.12원

(7000페소의 가격)=(21.12×7000)원

❷ **내야 할 우리나라 돈 구하기**

(내야 할 우리나라 돈)

=21.12×7000=**147840(원)**

진도북 4단원

04 ❶ 감자 100개와 고구마 100개의 무게 각각 구하기
(감자 100개의 무게)$=75.5\times100=7550$ (g)
(고구마 10개의 무게)$=121.65\times10=1216.5$ (g)
❷ 무게의 합 구하기
(무게의 합)$=7550+1216.5=$**8766.5 (g)**

05 ❶ 각각 소수의 곱셈 계산하기
$7\times0.92=6.44$, $1.4\times6.35=8.89$
❷ □ 안에 들어갈 수 있는 자연수의 개수 구하기
$6.44<\square<8.89$이므로 □ 안에 들어갈 수 있는 자연수는 7, 8로 모두 **2개**입니다.

06 ❶ 어떤 수 구하기
(어떤 수)$\times0.01=67.2$에서 67.2는 어떤 수의 소수점이 왼쪽으로 2칸 옮겨졌으므로
(어떤 수)$=6720$입니다.
❷ 어떤 수의 0.75배보다 500만큼 작은 수 구하기
(어떤 수)$\times0.75-500$
$=6720\times0.75-500=5040-500=$**4540**

07 ❶ 큰 직사각형의 넓이 구하기
(큰 직사각형의 넓이)
$=28.9\times20.4=589.56$ (cm^2)
❷ 작은 직사각형의 넓이 구하기
(작은 직사각형의 넓이)
$=15.7\times8.2=128.74$ (cm^2)
❸ 색칠한 부분의 넓이 구하기
(색칠한 부분의 넓이)
$=589.56-128.74$
$=$**460.82 (cm^2)**

08 ❶ 1분 동안 받을 수 있는 물의 양 구하기
(1분 동안 받을 수 있는 물의 양)
$=9.1-1.5=7.6$ (L)
❷ 10분 15초를 소수로 나타내기
$10분\ 15초=10\frac{15}{60}분=10\frac{1}{4}분=10\frac{25}{100}분$
$=10.25분$
❸ 10분 15초 후 통에 담겨 있는 물의 양 구하기
(10분 15초 후 통에 담겨 있는 물의 양)
$=8+7.6\times10.25$
$=8+77.9=$**85.9 (L)**

09 ❶ 종이 테이프 10장의 길이의 합 구하기
(종이 테이프 10장의 길이의 합)
$=16.2\times10=162$ (cm)
❷ 겹친 부분의 길이의 합 구하기
겹친 부분은 9군데이므로
(겹친 부분의 길이의 합)$=2.5\times9=22.5$ (cm)입니다.
❸ 이어 붙인 종이 테이프 전체의 구하기
(이어 붙인 종이 테이프 전체의 길이)
$=162-22.5=$**139.5 (cm)**

10 ❶ 0.7을 25번 곱할 때 곱의 자리 수 알아보기
0.7을 25번 곱하면 소수 25자리 수가 되므로 곱의 소수 25째 자리 숫자는 소수점 아래 끝자리의 숫자입니다.
❷ 0.7을 여러 번 곱하기
0.7,
$0.7\times0.7=0.49$,
$0.7\times0.7\times0.7=0.343$,
$0.7\times0.7\times0.7\times0.7=0.2401$,
$0.7\times0.7\times0.7\times0.7\times0.7=0.16807$……
❸ 소수점 아래 끝자리 숫자의 규칙 찾기
0.7을 계속 곱하면 곱의 소수점 아래 끝자리의 숫자는 7, 9, 3, 1로 4개의 숫자가 반복됩니다.
❹ 곱의 소수 25째 자리 숫자 구하기
$25\div4=6\cdots1$이므로 0.7을 25번 곱했을 때 곱의 소수 25째 자리 숫자는 반복되는 숫자 중 첫 번째와 같은 **7**입니다.

11 ❶ 2.8▲4.5를 계산하기
괄호 안에 있는 2.8▲4.5를 먼저 계산합니다.
$2.8▲4.5=2.8\times4.5+2.8\times3.5$
$=12.6+9.8=22.4$
❷ ㉠에 알맞은 수 구하기
$0.6▲22.4=0.6\times22.4+0.6\times3.5$
$=13.44+2.1=$**15.54**$=$㉠

12 ❶ 남학생 수와 여학생 수 구하기
(남학생 수)$=$(전체 학생 수)$\times0.52$
$=500\times0.52=260$(명)
(여학생 수)$=500-260=240$(명)
❷ 수학을 좋아하는 여학생 수 구하기
(수학을 좋아하는 학생 수)$=500\times0.27=135$(명)
(수학을 좋아하는 여학생 수)$=240\times0.35=84$(명)
❸ 수학을 좋아하는 남학생 수 구하기
(수학을 좋아하는 남학생 수)
$=135-84=$**51(명)**

5 직육면체

개념 넓히기 091쪽

1 3쌍　　2 점 ㅂ
3 선분 ㅋㅌ　　4 76 cm

STEP 1 응용 공략하기 092~097쪽

01 ㉢　　02 99 cm^2
03 84 cm　　04 8 cm
05 예 ❶ 직육면체의 면은 6개, 모서리는 12개, 꼭짓점은 8개입니다. ▸3점
❷ 따라서 직육면체의 면, 모서리, 꼭짓점의 수의 합은 6+12+8=26입니다. ▸2점 / 26
06 10
07 예 ❶ 면 나를 밑면으로 할 때 면 나와 평행한 면인 면 라도 밑면이 됩니다. ▸2점
❷ 정육면체에서 두 밑면은 나머지 네 면과 수직이므로 옆면을 모두 찾으면 면 가, 면 다, 면 마, 면 바입니다. ▸3점
/ 면 가, 면 다, 면 마, 면 바
08 73.6 m　　09 7 cm
10 파란색
11
12 9 cm　　13 20
14 예 ❶ 길이가 같은 선분의 수를 세어 보면 15 cm가 6개, 9 cm가 4개, 선분 ㄱㄴ과 같은 길이의 선분이 4개입니다. ▸2점
❷ 선분 ㄱㄴ의 길이를 □cm라 하면
(전개도의 둘레)=15×6+9×4+□×4=174,
90+36+□×4=174, □×4=48, □=12이므로 선분 ㄱㄴ은 12 cm입니다. ▸3점 / 12 cm
15 28개　　16 144 cm
17

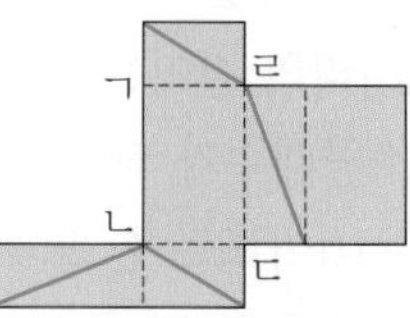

18 7350장

01 ❶ 틀린 것을 찾아 이유 알기
㉢ 직사각형은 정사각형이라고 말할 수 없으므로 직육면체는 정육면체라고 말할 수 없습니다.
❷ 틀린 것의 기호 쓰기
따라서 설명 중 틀린 것은 ㉢입니다.

02 ❶ 면 ㅁㅂㅅㅇ과 평행한 면 찾기
직육면체에서 면 ㅁㅂㅅㅇ과 평행한 면: 면 ㄱㄴㄷㄹ
❷ 면 ㄱㄴㄷㄹ의 넓이 구하기
평행한 두 면은 크기가 같은 직사각형이므로
(면 ㄱㄴㄷㄹ의 넓이)
=11×9=**99 (cm^2)**입니다.

03 ❶ 보이는 모서리 찾기
길이가 13 cm, 6 cm, 9 cm인 모서리가 3개씩 보입니다.
❷ 보이는 모서리의 길이의 합 구하기
(보이는 모서리의 길이의 합)
=(13+6+9)×3=28×3=**84 (cm)**
참고 직육면체의 겨냥도는 보이는 모서리는 실선으로, 보이지 않는 모서리는 점선으로 그린 그림이므로 실선으로 그린 모서리의 길이의 합을 구합니다.

04 ❶ 정육면체의 모서리의 수 알기
정육면체의 모서리는 12개이고, 모서리의 길이가 모두 같습니다.
❷ 정육면체의 한 모서리의 길이 구하기
따라서 모든 모서리 길이의 합이 96 cm일 때 정육면체의 한 모서리의 길이는 96÷12=8 **(cm)**입니다.

05

채점 기준		
채점 기준	❶ 직육면체의 면, 모서리, 꼭짓점의 수를 각각 구하기	3점
	❷ 직육면체의 면, 모서리, 꼭짓점의 수의 합 구하기	2점

참고 직육면체와 정육면체는 면, 모서리, 꼭짓점의 수가 각각 같습니다.

06 ❶ ㉠에 올 수 있는 눈의 수 구하기
주사위에서 눈의 수가 3인 면과 평행한 면의 눈의 수는 7−3=4, 눈의 수가 1인 면과 평행한 면의 눈의 수는 7−1=6이므로 ㉠에 올 수 있는 눈의 수는 2, 5입니다.
❷ ㉠에 올 수 있는 눈의 수의 곱 구하기
(㉠에 올 수 있는 눈의 수의 곱)=2×5=**10**

07

채점 기준		
채점 기준	❶ 면 나와 평행한 면 구하기	2점
	❷ 옆면을 모두 찾기	3점

08 ❶ 서로 다른 세 모서리의 길이 구하기

서로 다른 세 모서리의 길이는 각각 $2.4 \times 3 = 7.2$ (m), $2.6 \times 2 = 5.2$ (m), 6 m입니다.

❷ 모든 모서리 길이의 합 구하기

직육면체에서 길이가 같은 모서리는 4개씩 3쌍입니다.

(모든 모서리 길이의 합)

$= (7.2 + 5.2 + 6) \times 4$

$= 18.4 \times 4 = \mathbf{73.6}$ **(m)**

09 ❶ 모든 모서리 길이의 합을 구하는 식 만들기

직육면체에서 길이가 같은 모서리는 4개씩 3쌍입니다.

(모든 모서리 길이의 합)$= (㉠ + 9 + 4) \times 4 = 80$

❷ ㉠의 길이 구하기

$(㉠ + 9 + 4) \times 4 = 80$, $㉠ + 9 + 4 = 20$,

$㉠ + 13 = 20$, $㉠ = 7$

따라서 ㉠은 **7 cm**입니다.

다른 풀이 (모든 모서리 길이의 합)

$= ㉠ \times 4 + 9 \times 4 + 4 \times 4 = 80$

→ $㉠ \times 4 + 36 + 16 = 80$, $㉠ \times 4 = 28$, $㉠ = 7$

10 ❶ 주황색 면과 만나는 면의 색깔 알아보기

주황색 면과 만나는 면의 색깔은 흰색, 초록색, 빨간색, 노란색입니다.

❷ 주황색 면과 평행한 면의 색깔 알아보기

따라서 주황색 면과 평행한 면은 주황색 면과 만나지 않는 면이므로 **파란색** 면입니다.

참고 평행한 면의 색깔을 알아보려면 수직인 면의 색깔을 먼저 알아봅니다.

11 ❶ 서로 평행한 면 찾기

전개도를 접었을 때 서로 평행한 면을 먼저 찾아봅니다.

❷ 전개도에 눈 그려 넣기

평행한 두 면의 눈의 수의 합이 7이 되도록 눈을 그려 넣습니다.

3과 평행한 면에 4, 5와 평행한 면에 2, 6과 평행한 면에 1을 그립니다.

참고 **주사위의 칠점원리:** 주사위에서 서로 평행한 두 면의 눈의 수의 합이 7이 되는 것을 말합니다.

12 ❶ 직육면체에서 보이는 모서리의 길이의 합 구하기

(직육면체에서 보이는 모서리의 길이의 합)

$= (13 + 14 + 9) \times 3 = 36 \times 3 = 108$ (cm)

❷ 정육면체의 한 모서리의 길이 구하기

정육면체는 12개의 모서리의 길이가 모두 같습니다.

→ (정육면체의 한 모서리의 길이)

$= 108 \div 12 = \mathbf{9}$ **(cm)**

13 ❶ 2가 쓰인 면과 수직인 면에 쓰인 수 구하기

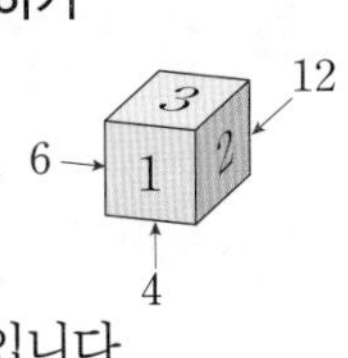

$1 \times 12 = 12$, $2 \times 6 = 12$, $3 \times 4 = 12$이므로 정육면체에는 오른쪽과 같이 수가 쓰여 있습니다. 따라서 2가 쓰인 면과 수직인 면에 쓰인 수는 1, 3, 4, 12입니다.

❷ 2가 쓰인 면과 수직인 면에 쓰인 수의 합 구하기

(수의 합)$= 1 + 3 + 4 + 12 = \mathbf{20}$

14

채점 기준	❶ 길이가 같은 선분의 수 세어 보기	2점
	❷ 선분 ㄱㄴ의 길이 구하기	3점

15 ❶ 각 층에 두 면에만 색칠된 정육면체 찾기

두 면에만 색칠된 정육면체는 1층에 $3 \times 4 = 12$(개), 2층에 4개, 3층에 $3 \times 4 = 12$(개)입니다.

❷ 두 면에만 색칠된 정육면체의 수 구하기

(두 면에만 색칠된 정육면체의 수)

$= 12 + 4 + 12 = \mathbf{28}$**(개)**

참고 두 면에만 색칠된 정육면체가 1층, 2층, 3층에 각각 몇 개씩 있는지 세어 봅니다.

16 ❶ 새끼줄의 길이가 같은 부분이 몇 군데인지 알아보기

길이가 같은 부분을 알아보면 15 cm가 2군데, 21 cm가 2군데, 14 cm가 4군데입니다.

❷ 사용한 새끼줄의 길이 구하기

매듭의 길이 16 cm를 더해 주어 사용한 새끼줄의 길이를 구합니다.

→ (사용한 새끼줄의 길이)

$= 15 \times 2 + 21 \times 2 + 14 \times 4 + 16$

$= 30 + 42 + 56 + 16 = \mathbf{144}$ **(cm)**

17 ❶ 전개도에 기호 표시하기

전개도를 접었을 때 만나는 점을 전개도에 같은 기호로 표시합니다.

❷ 선이 지나간 자리 표시하기

선이 지나간 면은 면 ㄱㅁㅇㄹ, 면 ㄴㅂㅁㄱ, 면 ㄴㅂㅅㄷ, 면 ㄷㅅㅇㄹ입니다. 선이 지나간 자리인 선분 ㄹㅁ, 선분 ㅁㄴ, 선분 ㄴㅅ, 선분 ㄹㅅ을 긋습니다.

18 ❶ 가장 작은 정육면체의 한 모서리의 길이 구하기

가장 작은 정육면체의 한 모서리의 길이는 벽돌의 서로 다른 세 모서리의 길이의 최소공배수가 되어야 합니다.

21, 10, 6의 최소공배수는 210이므로 한 모서리의 길이가 210 cm인 정육면체를 만들면 됩니다.

❷ 필요한 벽돌의 수 구하기
따라서 벽돌을 가로: $210 \div 10 = 21$(장), 세로: $210 \div 21 = 10$(장), 높이: $210 \div 6 = 35$(장)을 쌓아야 하므로 모두 $21 \times 10 \times 35 =$ **7350(장)** 필요합니다.

STEP 2 심화 해결하기 098~102쪽

01 13

02 예

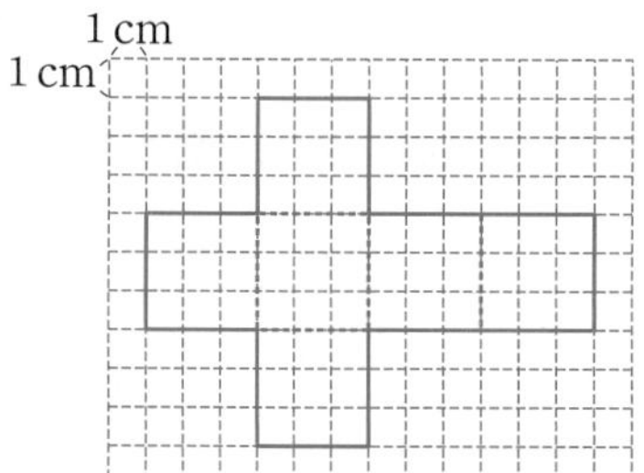

03 67

04 22장

05 예 ❶ (직육면체를 만드는 데 사용한 철사의 길이)
$=(10+15+20) \times 4 = 45 \times 4$
$=180$ (cm) ▸3점
❷ 정육면체는 12개의 모서리의 길이가 모두 같으므로 만든 정육면체의 한 모서리의 길이는 $180 \div 12 = 15$ (cm)입니다. ▸2점 / 15 cm

06

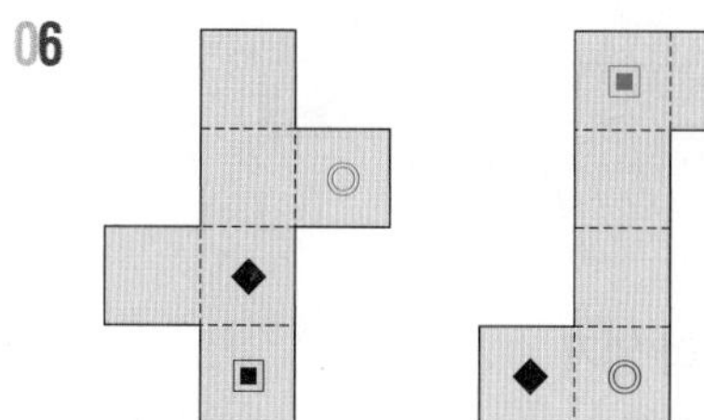

07 12

08 442 cm^2

09 72 cm

10 예 ❶ (한 직육면체의 꼭짓점과 면의 수의 합)
$=8+6=14$(개)
직육면체의 수를 □개라 하면 $14 \times □ = 196$, □$=14$이므로 직육면체는 14개입니다. ▸3점
❷ 한 직육면체의 모서리는 12개이므로 모서리 수의 합은 $12 \times 14 = 168$입니다. ▸2점 / 168

11

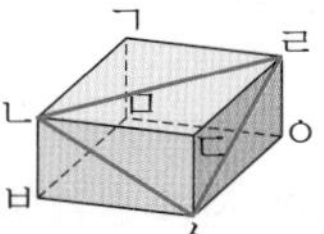

12 56개

13 11

14 4

15 176 cm

01 ❶ ㉠, ㉡, ㉢ 각각 구하기
• 보이는 면: 3개 ➔ ㉠$=3$
• 보이지 않는 모서리: 3개 ➔ ㉡$=3$
• 보이는 꼭짓점: 7개 ➔ ㉢$=7$
❷ ㉠+㉡+㉢의 값 구하기
㉠+㉡+㉢$=3+3+7=$**13**

02 ❶ 주어진 전개도에서 옮겨야 할 면 찾기
접었을 때 겹치는 면이 없도록 면 1개를 옮깁니다.
❷ 정육면체의 전개도 그리기
한 변의 길이가 3 cm인 정사각형 6개가 겹치는 면이 없도록 정육면체의 전개도를 그려 봅니다.

참고

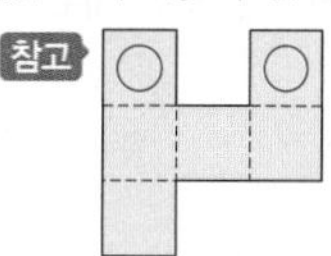

○표 한 두 면이 겹치므로 두 면 중 1개를 옮겨야 합니다.

03 레벨UP공략
◆ 직육면체에서 모든 모서리 길이의 합을 구하려면?
직육면체에서 길이가 같은 모서리는 4개씩 3쌍입니다.

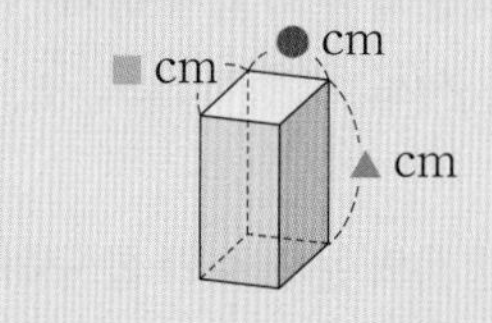

➔ (모든 모서리 길이의 합)=(■+●+▲)×4
└ 서로 다른 세 모서리 길이의 합

❶ 모든 모서리 길이의 합을 구하는 식 만들기
직육면체에서 길이가 같은 모서리는 4개씩 3쌍입니다.
(모든 모서리 길이의 합)$=(35+35+□) \times 4 = 548$
❷ □ 안에 알맞은 수 구하기
$(35+35+□) \times 4 = 548$,
$35+35+□=137$, $70+□=137$ ➔ □$=$**67**

04 ❶ 서로 맞닿는 부분의 수 구하기
정육면체를 쌓은 모양에서 서로 맞닿는 부분은 4군데입니다.
❷ 겉면의 수 구하기
(겉면의 수)
=(전체 면의 수)−(맞닿는 면의 수)
$=6 \times$(정육면체의 수)−(맞닿는 부분의 수)$\times 2$
$=6 \times 5 - 4 \times 2 = 30 - 8 = 22$(개)
❸ 필요한 색종이의 수 구하기
따라서 필요한 색종이는 모두 **22장**입니다.
참고 겉면의 수는 전체 면의 수에서 서로 맞닿는 면의 수를 뺀 것과 같습니다.

진도북 5단원

05 레벨UP공략

◆ 정육면체의 한 모서리의 길이를 구하려면?
정육면체는 모든 모서리의 길이가 같습니다.
➜ (한 모서리의 길이)
=(모든 모서리 길이의 합)÷(모서리의 수)

채점 기준		
	❶ 직육면체를 만드는 데 사용한 철사의 길이 구하기	3점
	❷ 만든 정육면체의 한 모서리의 길이 구하기	2점

06 ❶ 전개도에서 빠진 무늬가 있는 면 찾기
전개도를 접었을 때 수직으로 만나는 세 면을 찾아 빠진 무늬가 있는 면을 찾습니다.
❷ 전개도에 빠진 무늬 그려 넣기
첫 번째 전개도에는 ◎를, 두 번째 전개도에는 ▣를 알맞은 면에 그려 넣습니다.

07 ❶ 면 ㉡의 눈의 수 구하기
전개도를 접었을 때 서로 평행한 두 면의 눈의 수의 합은 7입니다.
면 ㉡과 평행한 면의 눈의 수는 2이므로 면 ㉡의 눈의 수는 $7-2=5$입니다.
❷ 면 ㉠과 면 ㉢의 눈의 수의 합 구하기
면 ㉠과 면 ㉢은 서로 평행하므로 두 면의 눈의 수의 합은 7입니다.
❸ 면 ㉠, 면 ㉡, 면 ㉢의 눈의 수의 합 구하기
(면 ㉠, 면 ㉡, 면 ㉢의 눈의 수의 합)
$=5+7=$**12**
참고 서로 평행한 두 면의 눈의 수의 합은 7이므로 면 ㉠과 면 ㉢에 올 눈의 수를 각각 구할 필요는 없습니다.

08 레벨UP공략

◆ 직육면체에서 옆면을 찾으려면?

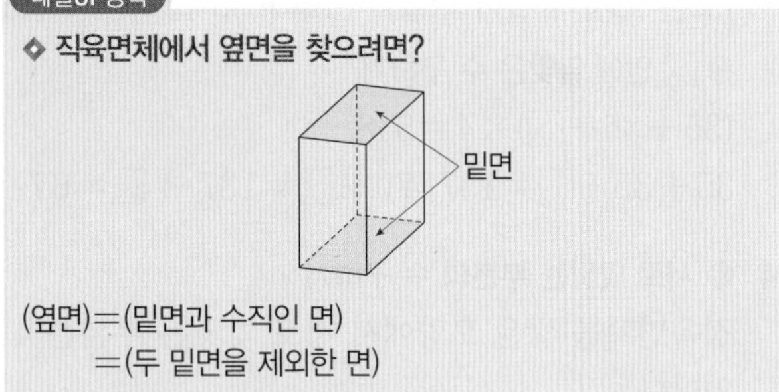

(옆면)=(밑면과 수직인 면)
=(두 밑면을 제외한 면)

❶ 옆면을 찾아 전개도에 색칠하기
옆면은 밑면과 수직인 면이므로 전개도에 색칠하면 오른쪽과 같습니다.

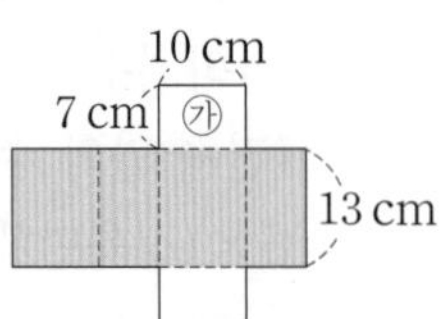

❷ 색칠한 부분의 가로, 세로 구하기
(색칠한 부분의 가로)$=10+7+10+7=34$ (cm)
(색칠한 부분의 세로)$=13$ cm
❸ 색칠한 부분의 넓이 구하기
(색칠한 부분의 넓이)$=34\times13=$**442 (cm²)**

09 ❶ 서로 다른 세 모서리 길이의 합 구하기
어둠상자에서 보이는 모서리는 길이가 같은 모서리가 3개씩 3쌍입니다.
(서로 다른 세 모서리 길이의 합)
$=54\div3=18$ (cm)
❷ 모든 모서리 길이의 합 구하기
직육면체에서 길이가 같은 모서리는 4개씩 3쌍입니다.
➜ (모든 모서리 길이의 합)$=18\times4=$**72 (cm)**

10

채점 기준		
	❶ 직육면체의 수 구하기	3점
	❷ 모든 직육면체의 모서리 수의 합 구하기	2점

11 레벨UP공략

◆ 전개도를 보고 겨냥도에 선을 표시하려면?

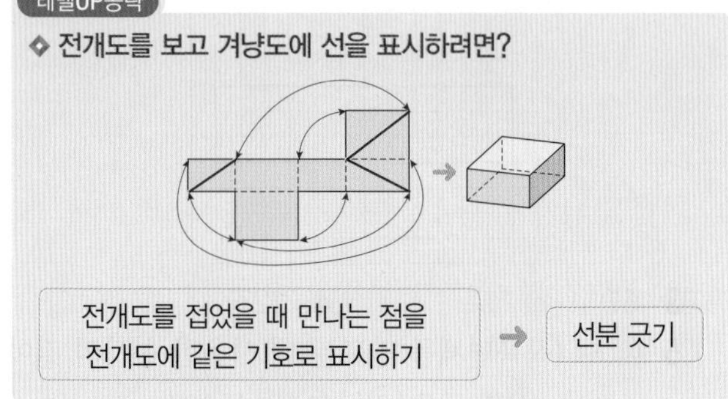

❶ 전개도에 기호 표시하기
전개도를 접었을 때 만나는 점을 전개도에 같은 기호로 표시합니다.

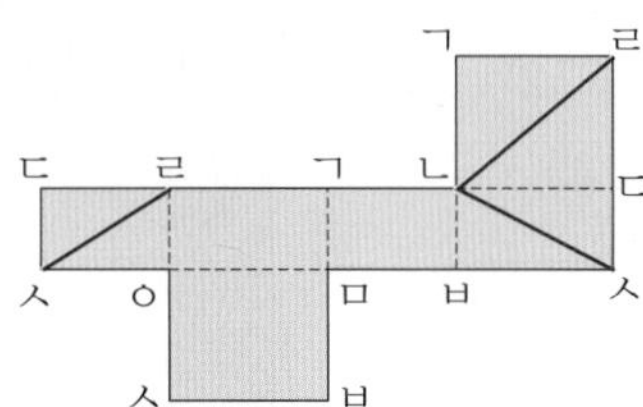

❷ 선을 겨냥도에 그려 넣기
전개도에 그려진 선분 ㄴㄹ, 선분 ㄴㅅ, 선분 ㅅㄹ을 겨냥도에 긋습니다.

12 ❶ 한 면도 색칠되지 않은 정육면체의 수 구하기
잘린 작은 정육면체의 수에서 색칠되지 않은 정육면체의 수를 뺍니다.
색칠되지 않은 정육면체는 2층 안쪽의 4개와 3층 안쪽의 4개로 모두 $4+4=8$(개)입니다.
❷ 한 면이라도 색칠된 정육면체의 수 구하기
(한 면이라도 색칠된 정육면체의 수)
$=64-8=$**56(개)**

13 ❶ 전개도를 접어서 만든 정육면체에서 서로 평행한 두 면에 쓰인 수 알기
만든 정육면체에서 서로 평행한 두 면에 쓰인 수는 21과 11, 13과 16, 24와 22입니다.

❷ 쌓은 모양의 앞쪽에서 보이는 면과 평행한 면에 쓰인 수 알기

쌓은 모양에서 앞쪽에서 보이는 면과 평행한 면에 쓰인 수는 각각 16, 24, 11, 22입니다.

❸ ㉠에 알맞은 수 구하기

(㉠과 평행한 면에 쓰인 수)

$=94-(16+24+11+22)=94-73=21$

따라서 ㉠에 알맞은 수는 21이 쓰인 면과 평행한 면에 쓰인 **11**입니다.

14 레벨UP공략

◆ 주사위에서 보이지 않는 면의 눈의 수를 구하려면?

주사위에서 서로 평행한 두 면의 눈의 수의 합은 7입니다.

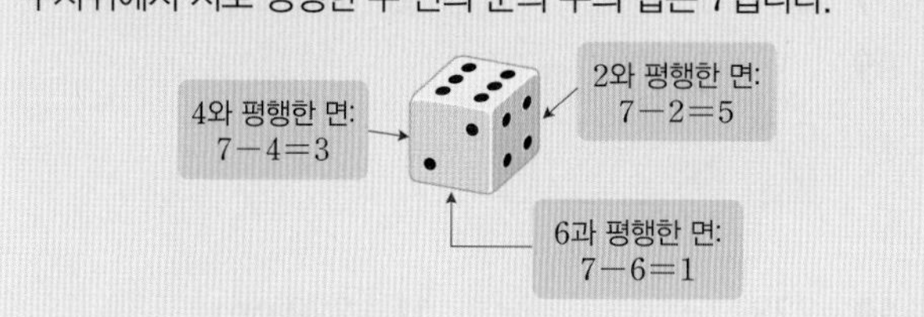

❶ 서로 맞닿는 면의 눈의 수 구하기

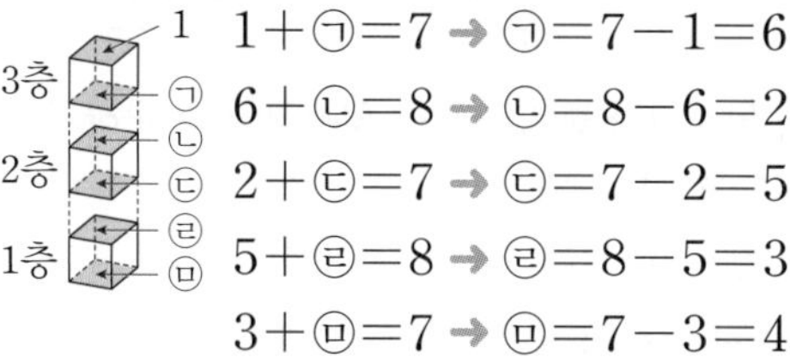

$1+㉠=7 \rightarrow ㉠=7-1=6$

$6+㉡=8 \rightarrow ㉡=8-6=2$

$2+㉢=7 \rightarrow ㉢=7-2=5$

$5+㉣=8 \rightarrow ㉣=8-5=3$

$3+㉤=7 \rightarrow ㉤=7-3=4$

❷ 바닥에 닿는 면의 눈의 수 구하기

따라서 바닥에 닿는 면의 눈의 수는 **4**입니다.

주의 맞닿는 두 면의 수의 합을 7로 계산하지 않도록 주의합니다.

15 ❶ 서로 다른 세 모서리의 길이 구하기

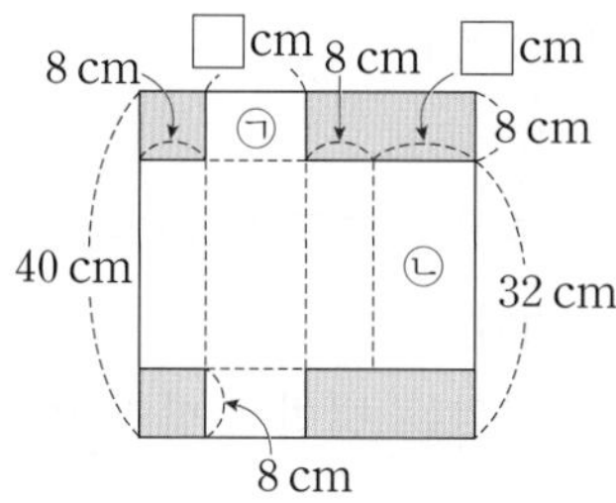

면 ㉠의 세로는 40−32=8 (cm)입니다.

면 ㉠의 가로를 □cm라 하면

8+□+8+□=40, □+□=24, □=12입니다.

면 ㉡의 세로는 32−8=24 (cm)입니다.

서로 다른 세 모서리의 길이: 8 cm, 12 cm, 24 cm

❷ 모든 모서리 길이의 합 구하기

(직육면체의 모든 모서리 길이의 합)

$=(8+12+24)\times4=$**176 (cm)**

참고 직육면체에서 길이가 같은 모서리는 4개씩 3쌍이므로 서로 다른 세 모서리의 길이를 구하면 됩니다.

STEP 3 최상위 도전하기 103~105쪽

1	36	**2**	46 cm
3	46 cm	**4**	면 가, 면 타
5	244 cm^2	**6**	54조각

1 ❶ 전개도에 써야 할 모든 수의 합 구하기

$13+15+17+19+21+23=108$

❷ 서로 평행한 두 면에 쓰인 수의 합 구하기

직육면체에서 서로 평행한 면은 3쌍이므로 서로 평행한 두 면에 쓰인 수의 합은 108÷3=36입니다.

❸ 면 가와 면 나에 써야 할 수의 합 구하기

면 가와 면 나는 서로 평행한 면이므로 면 가와 면 나에 써야 할 수의 합은 **36**입니다.

참고 서로 평행한 두 면에 쓰인 수의 합은 36이므로 면 가와 면 나에 써야 할 수를 각각 구하지 않아도 됩니다.

2 ❶ 끈의 길이가 같은 부분이 몇 군데인지 알아보기

끈의 길이가 같은 부분은 32 cm가 4군데, 33 cm가 4군데, 36 cm가 4군데입니다.

❷ 상자를 두르는 데 사용한 끈의 길이 구하기

(상자를 두르는 데 사용한 끈의 길이)

$=32\times4+33\times4+36\times4$

$=128+132+144=404$ (cm)

❸ 매듭을 묶는 데 사용한 끈의 길이 구하기

(매듭을 묶는 데 사용한 끈의 길이)

=(사용한 전체 끈의 길이)

−(상자를 두르는 데 사용한 끈의 길이)

$=450-404=$**46 (cm)**

3 ❶ 큰 직육면체의 서로 다른 세 모서리의 길이를 mm 단위로 바꾸기

큰 직육면체의 서로 다른 세 모서리의 길이를 mm 단위로 바꾸면 각각 7.5 cm=75 mm, 7.5 cm=75 mm, 27 cm=270 mm입니다.

❷ 블록 한 개의 서로 다른 세 모서리의 길이 구하기

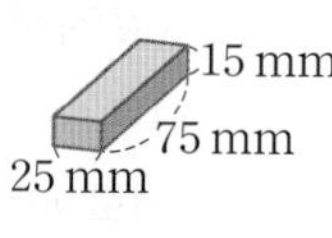

블록 한 개의 서로 다른 세 모서리의 길이는 각각 75÷3=25 (mm), 75 mm, 270÷18=15 (mm)입니다.

❸ 블록 한 개의 모든 모서리 길이의 합 구하기

직육면체에서 길이가 같은 모서리는 4개씩 3쌍입니다.

(블록 한 개의 모든 모서리 길이의 합)

$=(25+75+15)\times4=115\times4=460$ (mm)

→ **46 cm**

진도북 5단원

4 ❶ **조건에 맞게 접은 모양 구하기**

전개도를 면 바와 면 사가 앞쪽에서 나란히 보이도록 접으면 다음과 같습니다.

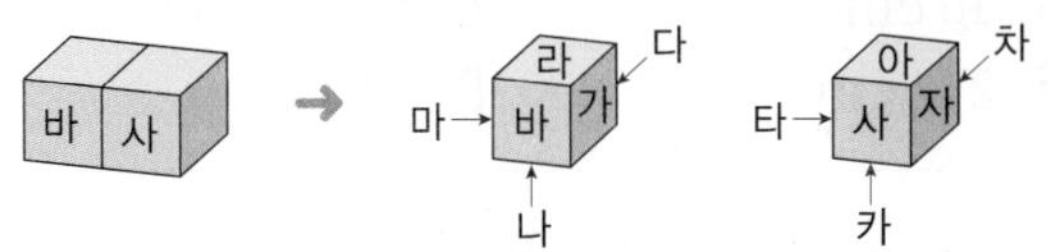

❷ **두 정육면체가 서로 맞닿는 두 면 구하기**

두 정육면체가 서로 맞닿는 두 면은 면 가와 면 타입니다.

5 ❶ **전개도에 기호를 표시하고 페인트가 묻은 부분 색칠하기**

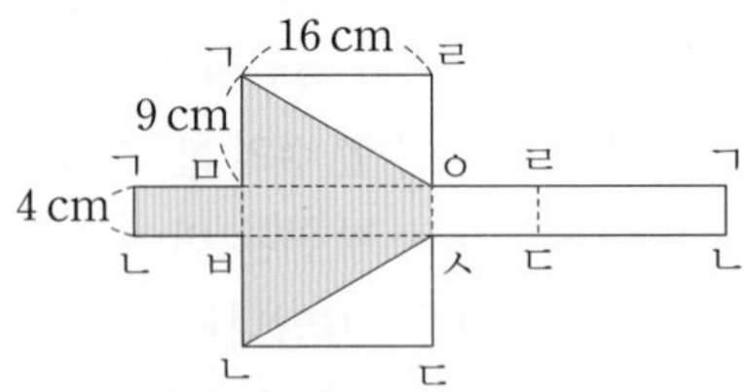

❷ **색칠한 부분의 넓이 구하기**

(색칠한 부분의 넓이)

=(삼각형 ㄱㅁㅇ의 넓이)×2+(사각형 ㄱㄴㅂㅁ의 넓이)+(사각형 ㅁㅂㅅㅇ의 넓이)

$=(16\times 9\div 2)\times 2+9\times 4+16\times 4=$**244** ($\mathbf{cm^2}$)

6

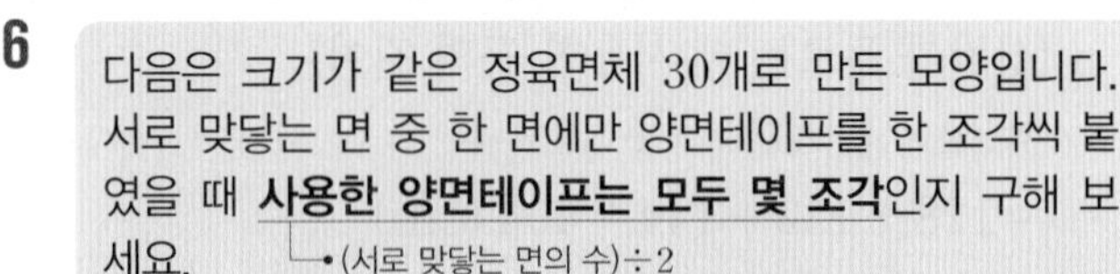
다음은 크기가 같은 정육면체 30개로 만든 모양입니다. 서로 맞닿는 면 중 한 면에만 양면테이프를 한 조각씩 붙였을 때 **사용한 양면테이프는 모두 몇 조각**인지 구해 보세요.

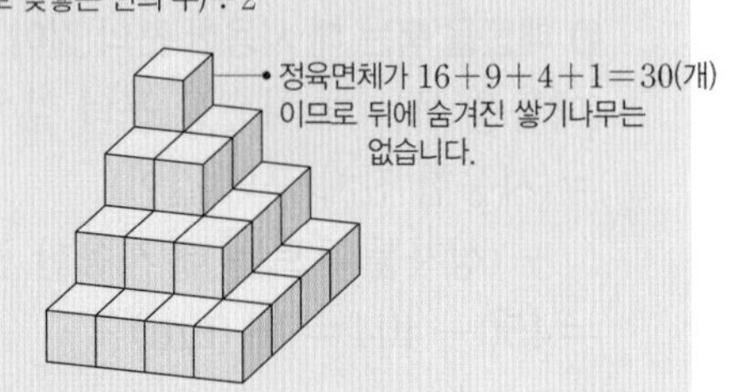

❶ **정육면체 30개의 전체 면의 수 구하기**

(정육면체 30개의 전체 면의 수)$=6\times 30=180$(개)

❷ **겉면의 수 구하기**

겉면의 수는 각 방향에서 보이는 면을 세어 구합니다.

(겉면의 수)

=(앞에서 보이는 면)×4+(위에서 보이는 면)×2

$=10\times 4+16\times 2=40+32=72$(개)

❸ **서로 맞닿는 면의 수 구하기**

(서로 맞닿는 면의 수)=(전체 면의 수)−(겉면의 수)

$=180-72=108$(개)

❹ **사용한 양면테이프의 수 구하기**

서로 맞닿는 면 중 한 면에만 양면테이프를 한 조각씩 붙였으므로 사용한 양면테이프는 모두 $108\div 2=$**54(조각)**입니다.

상위권 TEST 106~107쪽

01 6

02 예

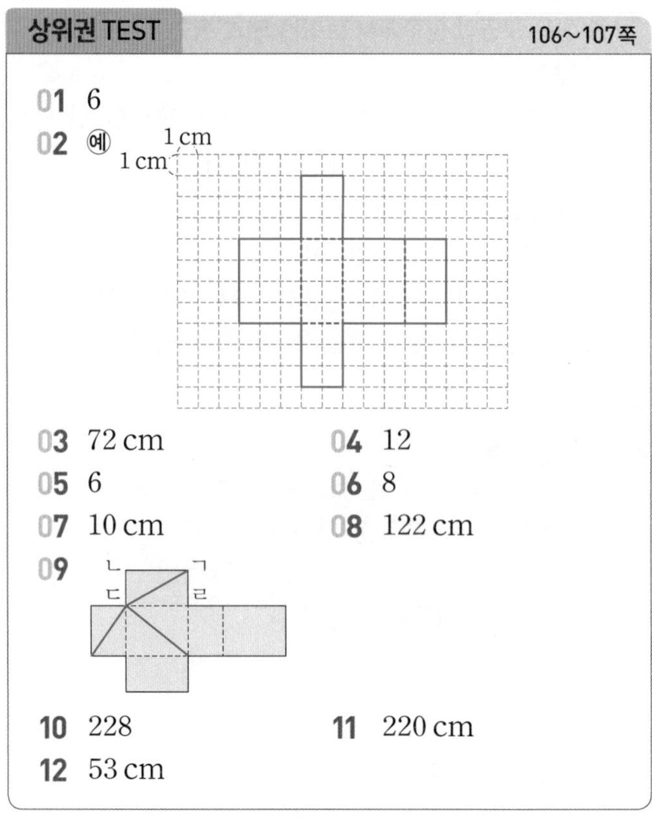

03 72 cm　　04 12

05 6　　06 8

07 10 cm　　08 122 cm

09 (그림)

10 228　　11 220 cm

12 53 cm

01 ❶ **보이는 모서리와 보이지 않는 모서리의 수 구하기**

• 보이는 모서리: 9개

• 보이지 않는 모서리: 3개

❷ **두 수의 차 구하기**

보이는 모서리 수와 보이지 않는 모서리 수의 차는 $9-3=$**6**입니다.

02 ❶ **모서리를 자르는 방법 정하기**

예

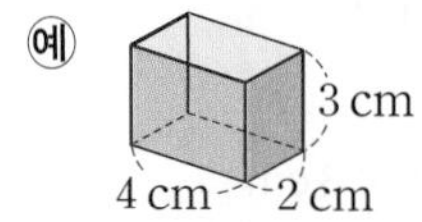

6개의 면이 붙어 있도록 모서리를 잘라야 합니다.

❷ **전개도 그리기**

직육면체를 자르는 방법에 따라 여러 가지 전개도를 그릴 수 있습니다.

잘린 모서리는 실선, 잘리지 않는 모서리는 점선으로 하여 전개도를 그립니다.

03 ❶ **정육면체의 한 모서리의 길이 구하기**

정육면체의 모서리의 길이는 모두 같으므로 한 모서리의 길이는 8 cm입니다.

❷ **보이는 모서리의 길이의 합 구하기**

보이는 모서리는 9개입니다.

→ (보이는 모서리의 길이의 합)

$=8\times 9=$**72 (cm)**

04 ❶ ㉠에 올 수 있는 눈의 수 구하기

눈의 수가 6인 면과 평행한 면의 눈의 수는 $7-6=1$, 눈의 수가 2인 면과 평행한 면의 눈의 수는 $7-2=5$이므로 ㉠에 올 수 있는 눈의 수는 3, 4입니다.

❷ ㉠에 올 수 있는 눈의 수의 곱 구하기

(㉠에 올 수 있는 눈의 수의 곱)

$=3\times4=$**12**

05 ❶ 모든 모서리 길이의 합 구하는 식 만들기

직육면체에서 길이가 같은 모서리는 4개씩 3쌍입니다.

(모든 모서리 길이의 합)

$=(10+9+\square)\times4=100$

❷ □ 안에 알맞은 수 구하기

$(10+9+\square)\times4=100$,

$10+9+\square=25$, $19+\square=25$

➔ $\square=$**6**

06 ❶ 면 ㉠과 면 ㉢의 눈의 수의 합 구하기

전개도를 접었을 때 서로 평행한 두 면의 눈의 수의 합은 7입니다.

면 ㉠과 면 ㉢은 서로 평행하므로 두 면의 눈의 수의 합은 7입니다.

❷ 면 ㉡의 눈의 수 구하기

면 ㉡과 평행한 면의 눈의 수는 6이므로 면 ㉡의 눈의 수는 $7-6=1$입니다.

❸ 면 ㉠, 면 ㉡, 면 ㉢의 눈의 수의 합 구하기

(면 ㉠, 면 ㉡, 면 ㉢의 눈의 수의 합)

$=7+1=$**8**

07 ❶ 직육면체에서 보이는 모서리의 길이의 합 구하기

(직육면체에서 보이는 모서리의 길이의 합)

$=(11+13+16)\times3=40\times3=120$ (cm)

❷ 정육면체의 한 모서리의 길이 구하기

정육면체는 12개의 모서리의 길이가 모두 같습니다.

➔ (정육면체의 한 모서리의 길이)

$=120\div12=$**10 (cm)**

08 ❶ 길이가 같은 선분의 수 세어 보기

길이가 같은 선분의 수를 세어 보면 6 cm가 8개, 14 cm가 4개, 9 cm가 2개입니다.

❷ 전개도의 둘레 구하기

(전개도의 둘레)

=(실선으로 그려진 부분의 길이의 합)

$=6\times8+14\times4+9\times2$

$=48+56+18=$**122 (cm)**

09 ❶ 전개도에 기호 표시하기

전개도를 접었을 때 만나는 점을 전개도에 같은 기호로 알맞게 표시합니다.

❷ 선이 지나간 자리 표시하기

선이 지나간 자리인 선분 ㄷㄱ, 선분 ㄷㅇ, 선분 ㄷㅂ을 긋습니다.

10 ❶ 정육면체의 수 구하기

(한 정육면체의 꼭짓점과 면의 수의 합)

$=8+6=14$(개)

정육면체의 수를 □개라 하면 $14\times\square=266$,

$\square=19$이므로 정육면체는 19개입니다.

❷ 정육면체의 모서리 수의 합 구하기

한 정육면체의 모서리는 12개이므로

(모서리 수의 합)$=12\times19=$**228**입니다.

11 ❶ 서로 다른 세 모서리의 길이 각각 구하기

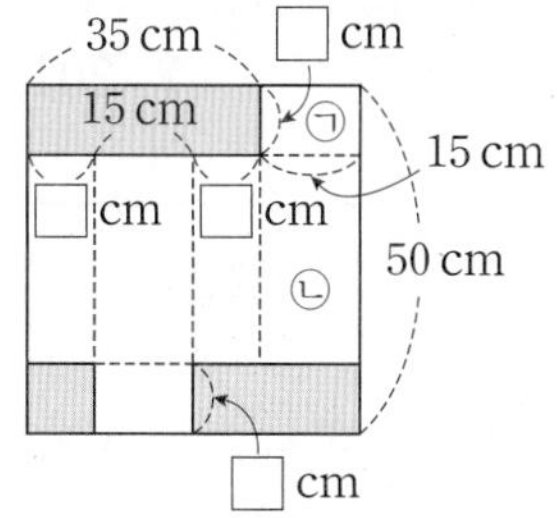

면 ㉠의 가로는 $50-35=15$ (cm)입니다.

면 ㉠의 세로를 □cm라 하면

$\square+15+\square+15=50$, $\square+\square=20$,

$\square=10$입니다.

면 ㉡의 세로는 $50-10-10=30$ (cm)입니다.

서로 다른 세 모서리의 길이: 15 cm, 10 cm, 30 cm

❷ 모든 모서리 길이의 합 구하기

(직육면체의 모든 모서리 길이의 합)

$=(15+10+30)\times4=$**220 (cm)**

12 ❶ 끈의 길이가 같은 부분이 몇 군데인지 알아보기

끈의 길이가 같은 부분은 40 cm가 4군데, 50 cm가 4군데, 70 cm가 4군데입니다.

❷ 상자를 두르는 데 사용한 끈의 길이 구하기

(상자를 두르는 데 사용한 끈의 길이)

$=40\times4+50\times4+70\times4$

$=160+200+280=640$ (cm)

❸ 매듭을 묶는 데 사용한 끈의 길이 구하기

(매듭을 묶는 데 사용한 끈의 길이)

$=693-640=$**53 (cm)**

6 평균과 가능성

개념 넓히기 111쪽

1 반반이다에 ○표　　2 45분

3 $\frac{1}{2}$　　4 252명

STEP 1 응용 공략하기 112~117쪽

01 가, 라, 다, 나　　02 804만 명

03 다 마을, 라 마을

04 예 ❶ 주머니 속에 들어 있는 바둑돌은 모두 검은색이므로 흰색 바둑돌이 나올 가능성은 '불가능하다'입니다. ▸2점
❷ 일이 일어날 가능성이 '불가능하다'인 경우를 수로 표현하면 0입니다. ▸3점 / 0

05 17, 22, 20, 19 / 재찬

06 133 kg　　07 2017년, 1 t

08
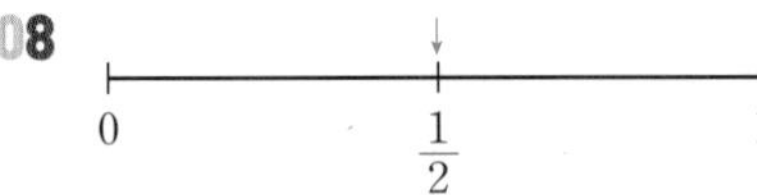

09 89.7

10 예 ❶ 과일 1봉지 가격의 평균이 300원 올랐다면 전체 과일 1봉지 가격의 합은 300×4=1200(원)이 오른 것입니다. ▸3점
❷ 따라서 오른 귤 1봉지의 가격은 3000+1200=4200(원)입니다. ▸2점 / 4200원

11 151 cm

12
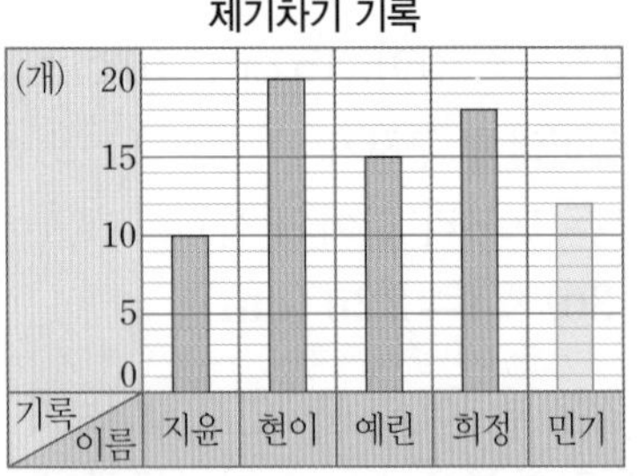

13 16권　　14 42 kg

15 예 ❶ 5일 동안 운동을 한 시간의 합은 36×5=180(분)입니다. ▸2점
❷ 월요일은 39분, 화요일은 32분, 수요일은 26분, 금요일은 43분 동안 운동을 했으므로 목요일은 180−(39+32+26+43)=180−140=40(분) 동안 운동을 했습니다. ▸2점
❸ 따라서 목요일에 운동을 끝낸 시각은 7시 25분+40분=8시 5분입니다. ▸1점 / 8시 5분

16 $\frac{1}{2}$　　17 29분

18 나, 2 kg

01 ❶ **화살이 빨간색에 멈출 가능성이 높은 경우 알아보기**
회전판을 돌릴 때 회전판에 빨간색 부분이 많을수록 화살이 빨간색에 멈출 가능성이 높습니다.
❷ **가능성이 높은 순서대로 기호 쓰기**
가능성이 높은 순서대로 쓰면 **가, 라, 다, 나**입니다.

02 ❶ **평균 구하는 방법 알아보기**
관중 수를 모두 더해 4로 나누어 구합니다.
❷ **야구 경기 관중 수의 평균 구하기**
(야구 경기 관중 수의 평균)
$=\frac{736+833+840+807}{4}=\frac{3216}{4}=$**804(만 명)**

03 ❶ **양파 생산량의 평균 구하기**
(양파 생산량의 평균)
$=\frac{13+14+17+24+12}{5}=\frac{80}{5}=16\,(t)$
❷ **감사패를 받는 마을 찾기**
양파 생산량의 평균인 16 t보다 많이 생산한 마을인 **다 마을, 라 마을**이 감사패를 받습니다.

참고 • (평균)<(자료의 값): 평균보다 높습니다/많습니다.
• (평균)>(자료의 값): 평균보다 낮습니다/적습니다.

04

채점 기준		
	❶ 꺼낸 바둑돌이 흰색일 가능성을 말로 표현하기	2점
	❷ 꺼낸 바둑돌이 흰색일 가능성을 수로 표현하기	3점

05 ❶ **학생별 팔굽혀매달리기 기록의 평균 구하기**
호영: $\frac{25+9+17}{3}=\frac{51}{3}=$**17**(초)
재찬: $\frac{23+25+18}{3}=\frac{66}{3}=$**22**(초)
민규: $\frac{17+22+21}{3}=\frac{60}{3}=$**20**(초)
도영: $\frac{21+16+20}{3}=\frac{57}{3}=$**19**(초)
❷ **팔굽혀매달리기를 가장 잘한 사람 구하기**
22초>20초>19초>17초이므로 **재찬**이가 가장 잘했습니다.

06 ❶ **두 케이블카에 탑승한 사람들의 몸무게의 합 구하기**
(가 케이블카에 탑승한 사람들의 몸무게의 합)
=60.2×7=421.4 (kg)
(나 케이블카에 탑승한 사람들의 몸무게의 합)
=69.3×8=554.4 (kg)

❷ 몸무게의 합의 차 구하기
→ $554.4-421.4=$**133 (kg)**

07 ❶ 두 해의 감자 생산량의 평균 구하기
(2017년 감자 생산량의 평균)
$=\frac{18+22+24+32+39}{5}=\frac{135}{5}=27$ (t)
(2018년 감자 생산량의 평균)
$=\frac{14+24+28+26+38}{5}=\frac{130}{5}=26$ (t)
❷ 감자 생산량의 평균 비교하기
감자 생산량의 평균은 **2017년**이 $27-26=$**1 (t)** 더 많습니다.

08 ❶ 첫 번째로 공을 꺼내고 남은 공 알아보기
첫 번째로 빨간색을 1개 꺼내면 공 6개가 남습니다.
❷ 두 번째로 노란색 공을 꺼낼 가능성을 나타내기
그중에서 노란색이 3개, 빨간색이 3개이므로 두 번째로 꺼낸 공이 노란색일 가능성은 '반반이다'입니다.
→ $\frac{1}{2}$에 화살표를 그립니다.

참고
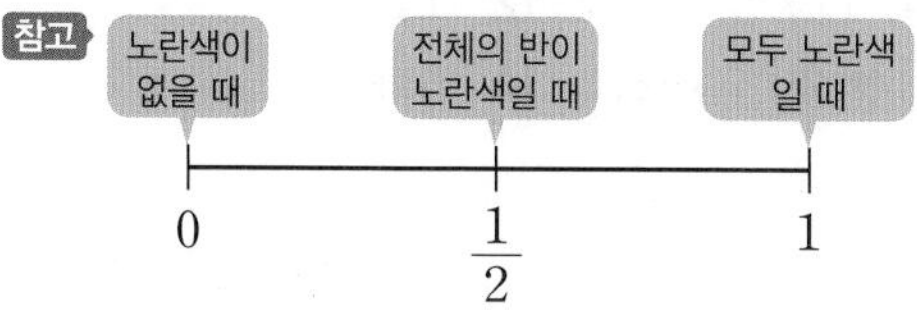

09 ❶ 5개 지역의 노령화지수의 합 구하기
(5개 지역의 노령화지수의 합)$=104\times5=520$
❷ 인천을 제외한 4개 지역의 노령화지수의 합 구하기
(인천을 제외한 4개 지역의 노령화지수의 합)
$=124.4+147.4+114.9+43.6=430.3$
❸ 인천의 노령화지수 구하기
(인천의 노령화지수)$=520-430.3=$**89.7**

10

채점 기준		
채점 기준	❶ 전체 과일 1봉지 가격의 합이 얼마나 올랐는지 구하기	3점
	❷ 오른 귤 1봉지의 가격 구하기	2점

중요 과일 1봉지 가격의 평균을 구하지 않고도 높아진 평균과 자료의 수를 이용하여 오른 귤 1봉지의 가격을 구할 수 있습니다.

11 ❶ 지혜의 키 구하기
(지혜의 키)$=$(영지의 키)-2.5
$=149.6-2.5=147.1$ (cm)
❷ 병재의 키 구하기
(병재의 키)$=$(지혜의 키)$+9.2$
$=147.1+9.2=156.3$ (cm)
❸ 세 사람의 키의 평균 구하기
(세 사람의 키의 평균)
$=\frac{149.6+147.1+156.3}{3}=\frac{453}{3}=$**151 (cm)**

12 ❶ 5명의 제기차기 기록의 합 구하기
(5명의 제기차기 기록의 합)$=15\times5=75$(개)
❷ 막대그래프에서 제기차기 기록 읽기
지윤: 10개, 현이: 20개, 예린: 15개, 희정: 18개
❸ 민기를 제외한 4명의 기록의 합 구하기
(민기를 제외한 4명의 제기차기 기록의 합)
$=10+20+15+18=63$(개)
❹ 민기의 제기차기 기록 구하기
(민기의 제기차기 기록)$=75-63=$**12(개)**
12개를 막대그래프로 나타냅니다.
참고 막대그래프의 세로 눈금 5칸이 5개이므로 1칸은 1개입니다.

13 ❶ 7월부터 11월까지 읽은 책 수의 평균 구하기
(7월부터 11월까지 읽은 책 수의 평균)
$=\frac{6+9+10+11+14}{5}=\frac{50}{5}=10$(권)
❷ 7월부터 12월까지 읽은 책 수의 평균의 범위 알아보기
7월부터 12월까지 읽은 책 수의 전체 평균은 $10+1=11$(권) 이상이어야 합니다.
❸ 12월에 읽어야 하는 책 수 구하기
12월에 읽어야 하는 책 수를 □권이라 하면
$50+□=11\times6$, $50+□=66$, $□=16$입니다.
희경이는 12월에 책을 적어도 **16권** 읽어야 합니다.

14 ❶ 남학생 18명의 몸무게의 합 구하기
(남학생 18명의 몸무게의 합)
$=42.5\times18=765$ (kg)
❷ 여학생 15명의 몸무게의 합 구하기
(여학생 15명의 몸무게의 합)
$=41.4\times15=621$ (kg)
❸ 전체 학생들의 몸무게의 평균 구하기
(전체 학생 수)$=18+15=33$(명)
(전체 학생들의 몸무게의 평균)
$=\frac{765+621}{33}=\frac{1386}{33}=$**42 (kg)**
주의 두 자료의 전체 평균을 구할 때는 분모에 전체 학생 수를 써야 합니다. 두 자료라서 분모에 2를 쓰지 않도록 주의합니다.

15

채점 기준		
채점 기준	❶ 5일 동안 운동을 한 시간의 합 구하기	2점
	❷ 목요일에 운동을 한 시간 구하기	2점
	❸ 목요일에 운동을 끝낸 시각 구하기	1점

진도북 6단원

다른 풀이 평균보다 월요일에는 3분 많이, 화요일에는 4분 적게, 수요일에는 10분 적게, 금요일에는 7분 많이 운동을 했으므로 목요일에는 평균보다 4분 많은 $36+4=40$(분) 동안 운동을 했습니다. 따라서 목요일에 운동을 끝낸 시각은 8시 5분입니다.

16 ❶ **㉮, ㉯의 일이 일어날 가능성을 수로 표현하기**

㉮ 4의 약수는 1, 2, 4이므로 주사위 눈의 수 6가지 중 1, 2, 4가 나올 가능성은 '반반이다'입니다.

→ $\frac{1}{2}$

㉯ 세 자리 수를 만들 때 홀수는 일의 자리 숫자가 3, 5, 9 중에 하나이므로 만든 수가 홀수일 가능성은 '확실하다'입니다. → 1

❷ **㉮×㉯의 값 구하기**

→ ㉮×㉯$=\frac{1}{2}\times 1=\mathbf{\frac{1}{2}}$

17 ❶ **자전거전용도로의 길이 구하기**

30분은 5분의 6배이므로

(자전거전용도로의 길이)$=800\times 6=4800$ (m)입니다.

❷ **1분에 평균 150 m를 가는 빠르기로 달린 시간 구하기**

소미가 1분에 평균 150 m를 가는 빠르기로 달린 시간을 □분이라 하면

$180\times 15+150\times\square=4800$,

$2700+150\times\square=4800$,

$150\times\square=2100$,

$\square=2100\div 150=14$입니다.

❸ **소미가 자전거를 탄 시간 구하기**

(소미가 자전거를 탄 시간)$=15+14=$**29(분)**

18 ❶ **가와 나의 넓이 구하기**

(가의 넓이)$=11\times 9=99$ (m^2)

(나의 넓이)$=14\times 12=168$ (m^2)

❷ **가의 1 m^2당 소금 수확량의 평균 구하기**

(가의 1 m^2당 소금 수확량의 평균)$=\frac{792}{99}=8$ (kg)

❸ **나의 1 m^2당 소금 수확량의 평균 구하기**

나의 수확량은 1.68 t$=1680$ kg입니다.

(나의 1 m^2당 소금 수확량의 평균)

$=\frac{1680}{168}=10$ (kg)

❹ **소금 수확량의 평균 비교하기**

따라서 1 m^2당 소금 수확량의 평균은 **나**가 $10-8=$**2 (kg)** 더 많습니다.

STEP 2 | 심화 해결하기 118~122쪽

01 10월, 11월

02 예 ❶ 6일 동안 휴양림에 입장한 사람 수의 합은 $250\times 6=1500$(명)입니다. ▸2점

❷ 수요일을 제외한 5일 동안 입장한 사람 수의 합은 $208+196+265+300+340=1309$(명)입니다. ▸2점

❸ 따라서 수요일에 입장한 사람은 $1500-1309=191$(명)입니다. ▸1점 / 191명

03 15개 **04** 20세

05 2352000원 **06** 90 m^2

07 예 ❶ 줄넘기 기록의 합은 $25\times 6=150$(번) 이상이어야 합니다. ▸3점

❷ $25+28+27+15+28+\square=150$일 때 $123+\square=150$, $\square=27$이므로 예지네 반은 마지막에 적어도 27번 넘어야 합니다. ▸2점 / 27번

08 초록색, 노란색 **09** 68개

10 12점 / 예 (위에서부터) 83, 90, 90, 84, 347 / 88, 92, 85, 82, 347

11 150점, 127점 **12** 140 cm

13 1개 이상 39개 이하 **14** 6과목

15 55권

01 ❶ **저금한 금액의 평균 구하기**

(저금한 금액의 평균)

$=\frac{8500+9000+7400+8100+9300}{5}$

$=\frac{42300}{5}=8460$(원)

❷ **저금한 금액이 평균보다 적은 달 찾기**

저금한 금액이 평균인 8460원보다 적은 달은 **10월, 11월**입니다.

02 레벨UP공략

◆ **모르는 자료의 값을 구하려면?**

(자료의 값을 모두 더한 수)
$=$(평균)×(자료의 수)

↓

(모르는 자료의 값)
$=$(평균)×(자료의 수)
$-$(나머지 자료의 값을 모두 더한 수)

채점 기준		
	❶ 6일 동안 휴양림에 입장한 사람 수의 합 구하기	2점
	❷ 수요일을 제외한 5일 동안 입장한 사람 수의 합 구하기	2점
	❸ 수요일에 입장한 사람 수 구하기	1점

03 ❶ **꺼낸 달걀이 소금물에 떠오를 가능성을 말로 표현하기**

꺼낸 달걀 1개가 소금물에 떠오를 가능성은 $\frac{1}{2}$이므로 '반반이다'입니다.

❷ **신선한 달걀 수 구하기**

따라서 달걀 30개 중 상한 달걀은 15개이므로 신선한 달걀도 **15개**입니다.

04 레벨UP공략

◆ **평균을 높이려고 할 때 모르는 자료의 값을 구하려면?**
모르는 자료의 값을 □라 하면
(나머지 자료 값을 모두 더한 수)+□
=(높아진 평균)×(전체 자료의 수)

❶ **새로운 회원이 들어오기 전 나이의 평균 구하기**

(새로운 회원이 들어오기 전 나이의 평균)

$=\frac{14+12+13+16+15}{5}=\frac{70}{5}=14$(세)

❷ **새로운 회원이 들어온 후 전체 나이의 평균 구하기**

새로운 회원이 들어온 후 전체 나이의 평균은 $14+1=15$(세)가 됩니다.

❸ **새로운 회원의 나이 구하기**

새로운 회원의 나이를 □세라 하면

$70+□=15\times6$, $70+□=90$, $□=20$이므로 새로운 회원의 나이는 **20세**입니다.

다른 풀이 새로운 회원이 들어오기 전 나이의 평균은 14세입니다. 새로운 회원이 들어온 후 전체 회원 나이의 합이 6세 더 많아진 것이므로 새로운 회원의 나이는 $14+6=$**20(세)**입니다.

05 ❶ **1시간 동안 만든 정상 색연필의 수 구하기**

(1시간 동안 만든 정상 색연필의 수)

$=250-5=245$(자루)

❷ **판매할 수 있는 색연필의 수 구하기**

(판매할 수 있는 색연필의 수)

$=245\times24=5880$(자루)

❸ **색연필을 판매한 금액 구하기**

(색연필을 판매한 금액)

$=400\times5880=$**2352000(원)**

06 ❶ **첫째 날 12명이 일한 시간의 합 구하기**

(첫째 날 12명이 일한 시간의 합)

$=2\times12=24$(시간)

❷ **둘째 날 7명이 일한 시간의 합 구하기**

(둘째 날 7명이 일한 시간의 합)

$=3\times7=21$(시간)

❸ **인삼을 모두 수확하는 데 걸린 시간 구하기**

(인삼을 모두 수확하는 데 걸린 시간)

$=24+21=45$(시간)

❹ **한 사람이 1시간 동안 수확한 밭의 넓이의 평균 구하기**

(한 사람이 1시간 동안 수확한 밭의 넓이의 평균)

$=\frac{4050}{45}=$**90 (m^2)**

참고 (한 사람이 1시간 동안 수확한 밭의 넓이의 평균)
$=\frac{(\text{밭의 넓이})}{(\text{모두 수확하는 데 걸린 시간})}$

07

채점 기준		
채점 기준	❶ 준결승에 올라가기 위한 줄넘기 기록의 합의 범위 알아보기	3점
	❷ 마지막에 적어도 몇 번을 넘어야 하는지 구하기	2점

08 ❶ **젤리 2개를 꺼낸 후 주머니 속에 남은 것의 색깔 구하기**

젤리 2개를 꺼낸 후 주머니 속에 남은 것은 노란색 1개, 초록색 2개입니다.

❷ **세 번째로 꺼낼 때 나올 가능성이 높은 색깔부터 쓰기**

남은 젤리 중 같은 색깔의 수가 많을수록 나올 가능성이 높습니다. 따라서 세 번째로 젤리 1개를 꺼내려고 할 때 나올 가능성이 높은 색깔부터 순서대로 쓰면 **초록색**, **노란색**입니다.

09 레벨UP공략

◆ **평균과 자료의 수를 알 때 자료의 값을 모두 더한 수를 구하려면?**

$(\text{평균})=\frac{(\text{자료의 값을 모두 더한 수})}{(\text{자료의 수})}$

↓

(자료의 값을 모두 더한 수)=(평균)×(자료의 수)

❶ **가 농장과 나 농장에 열린 귤 수 구하기**

(가 농장에 열린 귤 수)$=40\times72=2880$(개)

(나 농장에 열린 귤 수)$=35\times72=2520$(개)

❷ **전체 귤 수 구하기**

(두 농장에서 열린 전체 귤 수)

$=2880+2520=5400$(개)

❸ **필요한 상자 수 구하기**

$5400\div80=67\cdots40$이므로 상자는 적어도 $67+1=$**68(개)** 필요합니다.

10 레벨UP공략

◆ **평균이 높아졌을 때 자료의 값을 모두 더한 수는 얼마나 커졌는지 구하려면?**
자료의 수가 ●개일 때 평균이 ■만큼 높아졌다면 자료의 값을 모두 더한 수는 (■×●)만큼 커진 것입니다.

진도북 6단원

❶ 총점을 몇 점 올려야 하는지 구하기
평균을 3점 올리려면 총점은 $3\times4=$**12(점)** 올려야 합니다.

❷ 1학기 시험의 총점과 다음 시험의 총점 구하기
(1학기 시험의 총점)
$=78+90+85+82=335$(점)
(다음 시험의 총점)
$=335+12=347$(점)

❸ 평균을 올릴 수 있는 방법 2가지 쓰기
네 과목의 점수의 합이 347점이 되도록 빈칸을 채워 봅니다.

11 ❶ 5게임까지의 점수의 합 구하기
(5게임까지의 점수의 합)
$=121\times5=605$(점)

❷ 3게임과 4게임의 점수의 합 구하기
(3게임의 점수)+(4게임의 점수)
$=605-88-114-126=277$(점)

❸ 3게임과 4게임의 점수 구하기
277−(3게임의 점수)=(4게임의 점수)

$$\begin{array}{r} 2\ 7\ 7 \\ -\ 1\ 5\ \square \\ \hline \square\ \square\ 7 \end{array} \rightarrow \begin{array}{r} 2\ 7\ 7 \\ -\ 1\ 5\ \boxed{0} \\ \hline \boxed{1}\ \boxed{2}\ 7 \end{array}$$

따라서 3게임은 **150점**, 4게임은 **127점**입니다.

참고 표의 찢어진 부분에 적혀 있는 두 수의 합이 277이 되는 경우를 찾기
① 3게임: 15점이라 하면
→ 4게임: $277-15=262$(×)
② 4게임: 97점이라 하면
→ 3게임: $277-97=180$(×)
③ 3게임: 15□점, 4게임: 1△7점이라 하면
→ $150+127=277$이므로
3게임은 150점, 4게임은 127점입니다.

12 ❶ 형과 준하, 준하와 동생, 형과 동생 키의 합 구하기
(형의 키)+(준하의 키)$=150\times2=300$ (cm)
(준하의 키)+(동생의 키)$=125\times2=250$ (cm)
(형의 키)+(동생의 키)$=145\times2=290$ (cm)

❷ 형, 준하, 동생 키의 합 구하기
{(형의 키)+(준하 키)+(동생의 키)}$\times2$
$=300+250+290=840$ (cm)
(형의 키)+(준하의 키)+(동생의 키)
$=840\div2=420$ (cm)

❸ 형, 준하, 동생 키의 평균 구하기
(형, 준하, 동생 키의 평균)$=\frac{420}{3}=$**140 (cm)**

13 레벨UP공략
◆ 일이 일어날 가능성을 수로 표현하면?

불가능하다	0	반반이다	$\frac{1}{2}$	확실하다	1

❶ 당첨 제비의 수 구하기
제비 80개 중 당첨 제비 1개를 뽑을 가능성이 $\frac{1}{2}$로 '반반이다'이므로 당첨 제비는 $80\div2=40$(개) 있습니다.

❷ 없애야 할 제비 수의 범위 구하기
당첨 제비 1개를 뽑을 가능성이 $\frac{1}{2}$보다 높아지게 하려면 당첨 제비가 더 많아야 하므로 당첨 제비가 아닌 것은 40개 미만이어야 합니다. 따라서 없애야 할 제비는 **1개 이상 39개 이하**입니다.

14 ❶ 전체 점수의 합에서 부족한 점수 계산하기
97점을 79점으로 잘못 보고 계산했으므로 전체 점수의 합이 $97-79=18$(점) 부족합니다.

❷ 종민이가 본 시험 과목 수 구하기
시험 과목 수를 □과목이라고 하면
(전체 점수의 합)$=85\times\square=82\times\square+18$이므로
$85\times\square-82\times\square=18$,
$3\times\square=18$, $\square=6$입니다.
따라서 종민이가 본 시험은 **6과목**입니다.

참고 (평균)$=\frac{\text{(전체 점수의 합)}}{\text{(시험 과목 수)}}$
→ (전체 점수의 합)=(평균)×(시험 과목 수)

15 ❶ 처음에 있던 학생 수 구하기
처음에 있던 학생 수를 □명이라 하면
(5달 동안 한 학생이 읽은 책 수의 평균)
$=\frac{38+29+36+37+28}{\square}=\frac{168}{\square}=24$(권)
$\square=168\div24=7$이므로 처음에 있던 학생은 7명입니다.

❷ 6월의 학생 수 구하기
6월 1일에 4명이 더 들어왔으므로 학생은 모두 $7+4=11$(명)입니다.

❸ 6월에 독서 모임의 학생들이 읽은 책 수 구하기
(6월에 11명이 읽은 책 수)$=5\times11=$**55(권)**

주의 월별 읽은 책 수는 모임의 학생들이 매달 읽은 책 수의 합입니다. 따라서 5달 동안 한 학생이 읽은 책 수의 평균은 $\frac{\text{(책 수의 합)}}{\text{(학생 수)}}$으로 구해야 합니다. 5달이라서 $\frac{\text{(책 수의 합)}}{5}$으로 구하지 않도록 주의합니다.

STEP 3 최상위 도전하기 123~125쪽

1 14　　2 ㉡, ㉢, ㉠
3 42세, 39세, 12세　　4 49320000원
5

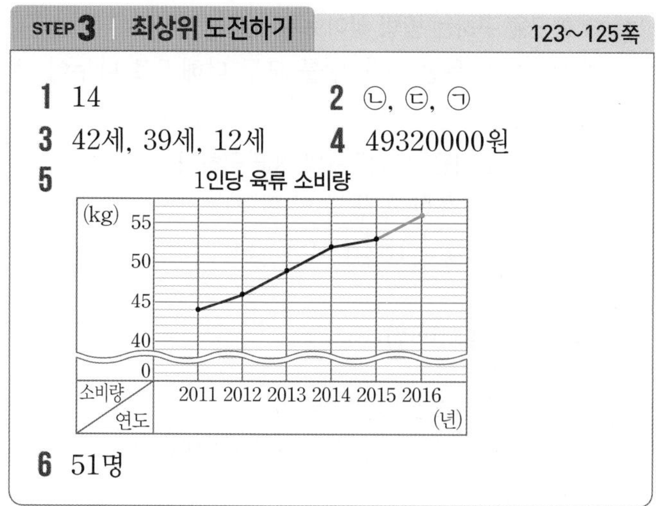

6 51명

1 ❶ □▲62를 ㉠이라 하고 ㉠의 값 구하기
□▲62를 ㉠이라 하면
48▲㉠=43 → 48+㉠=43×2=86,
㉠=86−48=38입니다.
❷ □ 안에 알맞은 수 구하기
□▲62=38 → □+62=38×2=76,
□=76−62=**14**

2 ❶ 일이 일어날 가능성을 말로 표현하기
각각의 일이 일어날 가능성을 말로 표현해 보면
㉠ 복권 100장 중 한 장을 샀을 때 당첨 복권일 가능성은 반반보다 낮습니다.
→ ~아닐 것 같다
㉡ 빨간색 공깃돌의 수보다 파란색 공깃돌의 수가 더 많으므로 파란색 공깃돌 1개를 꺼낼 가능성은 반반보다 높습니다. → ~일 것 같다
㉢ 수 카드는 모두 40−15+1=26(장)이고, 이 중 2의 배수는 16, 18, 20, 22, 24, 26, 28, 30, 32, 34, 36, 38, 40으로 13장입니다.
→ 반반이다
❷ 일이 일어날 가능성이 높은 순서대로 기호 쓰기
따라서 일이 일어날 가능성이 높은 순서대로 기호를 쓰면 **㉡, ㉢, ㉠**입니다.

3 ❶ 어머니와 지윤이, 지윤이와 아버지, 아버지와 어머니 나이의 합 구하기
(어머니의 나이)+(지윤이의 나이)
=25.5×2=51(세)
(지윤이의 나이)+(아버지의 나이)
=27×2=54(세)
(아버지의 나이)+(어머니의 나이)
=40.5×2=81(세)
❷ 아버지, 어머니, 지윤이 나이의 합 구하기
{(아버지의 나이)+(어머니의 나이)+(지윤이의 나이)}×2
=51+54+81=186(세)
(아버지의 나이)+(어머니의 나이)+(지윤이의 나이)
=186÷2=93(세)
❸ 아버지, 어머니, 지윤이의 나이 구하기
(아버지의 나이)=93−51=**42(세)**
(어머니의 나이)=93−54=**39(세)**
(지윤이의 나이)=93−81=**12(세)**

4 ❶ 6개 과수원의 사과 수확량의 합 구하기
(6개 과수원의 사과 수확량의 합)
=27×6=162 (t)
❷ 라 과수원의 사과 수확량 구하기
라 과수원을 제외한 5개 과수원의 사과 수확량의 합은 29+26+31+15+24=125 (t)이므로
(라 과수원의 사과 수확량)
=162−125=37 (t)입니다.
❸ 팔 수 있는 상자 수 구하기
37 t=37000 kg입니다.
37000÷15=2466···10이므로 사과를 2466상자 팔 수 있습니다.
❹ 사과를 팔고 받을 수 있는 최대 금액 구하기
(사과를 팔고 받을 수 있는 최대 금액)
=20000×2466=**49320000(원)**

5 ❶ 꺾은선그래프에서 연도별 육류 소비량 읽기
2011년: 44 kg, 2012년: 46 kg, 2013년: 49 kg, 2014년: 52 kg, 2015년: 53 kg
❷ 2012년부터 2015년까지의 소비량의 평균 구하기
(2012년부터 2015년까지의 소비량의 평균)
$=\frac{46+49+52+53}{4}=\frac{200}{4}=50$ (kg)
❸ 2011년부터 2016년까지의 육류 소비량의 합 구하기
(2011년부터 2016년까지의 육류 소비량의 합)
=50×6=300 (kg)
❹ 2016년의 1인당 육류 소비량 구하기
(2016년의 1인당 육류 소비량)
=300−(44+46+49+52+53)
=300−244=56 (kg)
❺ 꺾은선그래프 완성하기
2016년과 56 kg이 만나는 자리에 점을 찍고 선분으로 이어서 꺾은선그래프를 완성합니다.

6 퀴즈 대회에 100명의 사람들이 참가하여 모두 3문제를 풀었습니다. 1번은 20점, 2번은 30점, 3번은 50점이고, 전체 점수의 평균이 48점이었습니다. 3번 문제를 맞힌 사람이 47명이라면 **2번 문제를 맞힌 사람은 몇 명**인지 구해 보세요.

점수별 참가자 수 (20: 1번, 30: 2번, 70: 1번+3번, 80: 2번+3번, 100: 1번+2번+3번)

점수(점)	0	20	30	50	70	80	100
사람 수(명)		13	14	30		14	8

30 → (1번, 2번을 모두 맞힌 사람 수)+(3번만 맞힌 사람 수)

❶ **전체 참가자의 점수의 합 구하기**

(전체 참가자의 점수의 합)$=48\times100=4800$(점)

❷ **70점을 받은 사람 수 구하기**

70점을 받은 사람 수를 □명이라 하면

$20\times13+30\times14+50\times30+70\times\square+80\times14+100\times8=4800$,

$260+420+1500+70\times\square+1120+800=4800$,

$70\times\square=700$, $\square=10$입니다.

❸ **50점을 받은 사람 중 3번 문제 하나만 맞힌 사람 수 구하기**

50점을 받은 사람 중 3번 문제 하나만 맞힌 사람은 3번 문제를 맞힌 전체 사람 수에서 70점, 80점, 100점을 받은 사람 수를 빼면 되므로

$47-(10+14+8)=47-32=15$(명)입니다.

❹ **50점을 받은 사람 중 1, 2번을 모두 맞힌 사람 수 구하기**

50점을 받은 사람 중 1, 2번 문제를 모두 맞힌 사람은 $30-15=15$(명)입니다.

❺ **2번 문제를 맞힌 사람 수 구하기**

(2번 문제를 맞힌 사람 수)

$=14+15+14+8=$ **51(명)**

(14: 30점, 15: 50점, 14: 80점, 8: 100점)

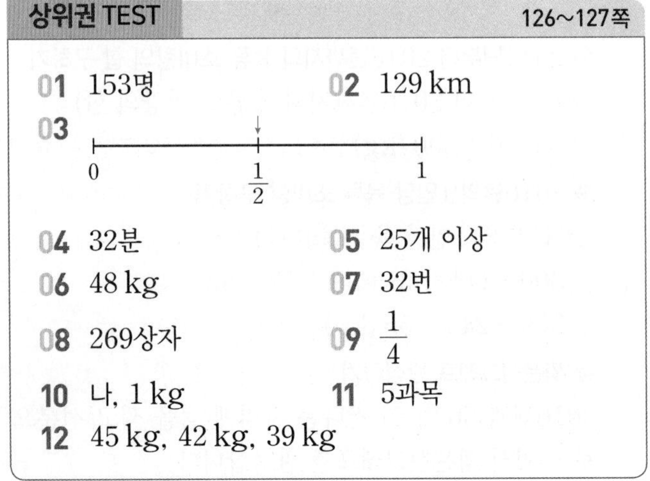

상위권 TEST 126~127쪽

01 153명　02 129 km

03 (수직선: 0, $\frac{1}{2}$, 1 중 $\frac{1}{2}$에 표시)

04 32분　05 25개 이상

06 48 kg　07 32번

08 269상자　09 $\frac{1}{4}$

10 나, 1 kg　11 5과목

12 45 kg, 42 kg, 39 kg

01 ❶ **평균을 구하는 방법 알아보기**

보건실을 이용한 학생 수를 모두 더해 5로 나누어 구합니다.

❷ **보건실을 이용한 학생 수의 평균 구하기**

(보건실을 이용한 학생 수의 평균)

$=\frac{154+137+182+193+99}{5}$

$=\frac{765}{5}=$ **153(명)**

02 ❶ **평균을 구하는 방법 알아보기**

기차가 3시간 동안 달린 거리를 더하여 3으로 나누어 구합니다.

❷ **시간당 이동한 거리의 평균 구하기**

(기차의 시간당 이동한 거리의 평균)

$=\frac{120+267}{3}=\frac{387}{3}=$ **129 (km)**

03 ❶ **첫 번째로 공을 꺼내고 남은 공 알아보기**

첫 번째로 파란색을 1개 꺼내고 나면 공 6개가 남습니다.

❷ **두 번째로 노란색 공을 꺼낼 가능성을 나타내기**

그중에서 빨간색이 3개, 노란색이 3개이므로 두 번째로 꺼낸 공이 노란색일 가능성은 '반반이다'입니다.

→ $\frac{1}{2}$

04 ❶ **6명의 독서 시간의 합 구하기**

(6명의 독서 시간의 합)$=32\times6=192$(분)

❷ **재준이를 제외한 5명의 독서 시간의 합 구하기**

(재준이를 제외한 5명의 독서 시간의 합)

$43+16+31+50+20=160$(분)

❸ **재준이가 독서한 시간 구하기**

재준이가 독서한 시간은 $192-160=$ **32(분)**입니다.

05 ❶ **당첨 제비를 뽑을 가능성이 '반반이다'일 때 당첨 제비의 개수 구하기**

제비뽑기 상자에서 당첨 제비를 뽑을 가능성이 '반반이다'일 때 제비 48개 중 당첨 제비와 당첨 제비가 아닌 것은 각각 24개입니다.

❷ **당첨 제비는 몇 개 이상 들어 있는지 구하기**

따라서 '~일 것 같다'일 때 당첨 제비는 **25개 이상** 들어 있습니다.

06 ❶ **새로운 학생이 들어오기 전 몸무게의 평균 구하기**

(새로운 학생이 들어오기 전 몸무게의 평균)

$=\frac{42+39+48+43}{4}=\frac{172}{4}=43$ (kg)

❷ **새로운 학생이 들어온 후 전체 몸무게의 평균 구하기**
새로운 학생이 들어온 후 전체 몸무게의 평균은 $43+1=44$ (kg)이 됩니다.

❸ **새로운 학생의 몸무게 구하기**
새로운 학생의 몸무게를 □kg이라 하면
$172+\square=44\times5$, $172+\square=220$, $\square=48$이므로
새로운 학생의 몸무게는 **48 kg**입니다.

다른 풀이 새로운 학생이 들어오기 전 몸무게의 평균이 43 kg입니다. 새로운 학생이 들어온 후 전체 몸무게의 합이 5 kg 더 늘어난 것이므로 새로운 학생의 몸무게는 $43+5=48$ (kg)입니다.

07 ❶ **줄넘기 기록의 합의 범위 알아보기**
본선에 올라가려면 줄넘기 기록의 합은
$34\times6=204$(번) 이상이어야 합니다.

❷ **본선에 올라가려면 마지막에 적어도 몇 번 넘어야 하는지 구하기**
$40+13+29+32+58+\square=204$일 때
$172+\square=204$, $\square=32$이므로 승주네 반은 본선에 올라가려면 마지막에 적어도 **32번** 넘어야 합니다.

08 ❶ **감나무 14그루에서 딴 감의 수 구하기**
(감나무 14그루에서 딴 감의 수)
$=385\times14=5390$(개)

❷ **팔 수 있는 상자 수 구하기**
한 상자에 20개씩 담으면
$5390\div20=269\cdots10$이므로 **269상자**까지 팔 수 있습니다.

09 ❶ **㉮의 일이 일어날 가능성을 수로 표현하기**
㉮ 수 카드는 모두 $19-10+1=10$(장)이고, 이 중 홀수는 11, 13, 15, 17, 19로 5장입니다. 따라서 홀수가 나올 가능성은 '반반이다'이므로 $\frac{1}{2}$입니다.

❷ **㉯의 일이 일어날 가능성을 수로 표현하기**
㉯ 주사위의 눈과 관계없이 동전의 숫자 면이 나올 가능성은 '반반이다'이므로 $\frac{1}{2}$입니다.

❸ **㉮×㉯의 값 구하기**
→ ㉮×㉯$=\frac{1}{2}\times\frac{1}{2}=\mathbf{\frac{1}{4}}$

10 ❶ **가와 나의 넓이 구하기**
(가의 넓이)$=50\times30=1500$ (m^2)
(나의 넓이)$=50\times42=2100$ (m^2)

❷ **가의 1 m^2당 콩 수확량의 평균 구하기**
가의 수확량은 9 t$=9000$ kg이므로
(가의 1 m^2당 콩 수확량의 평균)
$=\frac{9000}{1500}=6$ (kg)입니다.

❸ **나의 1 m^2당 콩 수확량의 평균 구하기**
나의 수확량은 14.7 t$=14700$ kg이므로
(나의 1 m^2당 콩 수확량의 평균)
$=\frac{14700}{2100}=7$ (kg)입니다.

❹ **1 m^2당 콩 수확량의 평균 비교하기**
따라서 1 m^2당 콩 수확량의 평균은 **나**가
$7-6=$**1 (kg)** 더 많습니다.

11 ❶ **전체 점수의 합에서 부족한 점수 계산하기**
94점을 49점으로 잘못 보고 계산했으므로 전체 점수의 합이 $94-49=45$(점) 부족합니다.

❷ **지용이가 본 시험 과목 수 구하기**
시험 과목 수를 □과목이라 하면
(전체 점수의 합)$=83\times\square=74\times\square+45$이므로
$83\times\square-74\times\square=45$, $9\times\square=45$, $\square=5$입니다.
따라서 지용이가 본 시험은 **5과목**입니다.

다른 풀이 시험 과목의 수가 □과목일 때 평균이 $83-74=9$(점) 높아졌으므로 $9\times\square=94-49$,
$9\times\square=45$, $\square=5$입니다.
따라서 지용이가 본 시험은 **5과목**입니다.

12 ❶ **민재와 상아, 상아와 수지, 수지와 민재 몸무게의 합 구하기**
(민재의 몸무게)+(상아의 몸무게)
$=43.5\times2=87$ (kg)
(상아의 몸무게)+(수지의 몸무게)
$=40.5\times2=81$ (kg)
(수지의 몸무게)+(민재의 몸무게)
$=42\times2=84$ (kg)

❷ **민재, 상아, 수지 몸무게의 합 구하기**
{(민재의 몸무게)+(상아의 몸무게)+(수지의 몸무게)}$\times2=87+81+84=252$ (kg)
(민재의 몸무게)+(상아의 몸무게)+(수지의 몸무게)$=252\div2=126$ (kg)

❸ **민재, 상아, 수지의 몸무게 구하기**
(민재의 몸무게)$=126-81=$**45 (kg)**
(상아의 몸무게)$=126-84=$**42 (kg)**
(수지의 몸무게)$=126-87=$**39 (kg)**

진도북 6단원

경시 대비북

정답 및 풀이

경시대회 예상 문제

A형 1. 수의 범위와 어림하기 01~02쪽

1 24묶음 **2** 8
3 1690원 **4** 10개
5 예 ❶ $1530 \div 120 = 12 \cdots 90$이므로 12묶음을 사면 90 cm가 모자랍니다. 모자라는 90 cm도 사야 하므로 리본은 적어도 $12+1=13$(묶음)을 사야 합니다. ▸5점
❷ 따라서 리본값으로 최소 $13 \times 2000 = 26000$(원)이 필요합니다. ▸3점 / 26000원
6 (수직선) 3590 3600 3610
7 5개
8 예 ❶ 털실 두 타래는 $30 \times 2 = 60$ (m)이므로 60 m=6000 cm입니다. ▸5점
❷ $6000 \div 56 = 107 \cdots 8$이므로 팔찌는 107개까지 만들 수 있습니다. ▸5점 / 107개
9 181명 이상 200명 이하
10 540 **11** 400병 **12** 4개

2 4□49의 십의 자리 숫자는 4이므로 버리면 4□00이 됩니다. 따라서 □ 안에 알맞은 자연수는 8입니다.

3 16 g짜리 우편물은 5 g 초과 25g 이하이므로 330원이고, 26.4 g짜리 우편물은 25 g 초과 50 g 이하이므로 350원입니다. 따라서 우편 요금은
$330 \times 3 + 350 \times 2 = 990 + 700 =$ **1690(원)**입니다.

4 올림하여 십의 자리까지 나타낸 수가 3000이 되는 자연수는 2991부터 3000까지의 자연수이므로 모두 **10개**입니다.

5

채점 기준		
	❶ 사야 하는 리본의 묶음 수 구하기	5점
	❷ 리본값으로 필요한 최소 금액 구하기	3점

6 반올림하여 십의 자리까지 나타내었을 때 3600이 되는 수는 3595부터 3604까지입니다.
따라서 3595 이상 3605 미만인 수이므로 3595 이상은 점 ●을, 3605 미만을 점 ○을 사용하여 수직선에 나타냅니다.

7 39와 같거나 크고 53과 같거나 작은 수를 만들면 40, 42, 45, 50, 52로 모두 **5개**입니다.

8

채점 기준		
	❶ 털실 두 타래는 몇 cm인지 구하기	5점
	❷ 팔찌를 몇 개까지 만들 수 있는지 구하기	5점

9 학생 수가 가장 적은 경우: $20 \times 9 + 1 = 181$(명)
학생 수가 가장 많은 경우: $20 \times 10 = 200$(명)
따라서 나영이네 학교 5학년 학생은 **181명 이상 200명 이하**입니다.

10 $\square + 468 = 1000$이라 하면
$\square = 1000 - 468 = 532$입니다. $\square + 468 < 1000$이므로 □ 안에는 532보다 작은 수가 들어갈 수 있습니다. 따라서 □ 안에 들어갈 수 있는 수 중에서 가장 큰 수는 531이므로 올림하여 십의 자리까지 나타내면 531 ➜ **540**입니다.

11 걷기 대회 참가자 수의 범위는 10300명 이상 10399명 이하입니다. 물이 가장 많이 남는 경우는 참가자 수가 가장 적은 10300명일 때입니다.
➜ (남는 물의 수)$= 21000 - 10300 \times 2$
$= 21000 - 20600 =$ **400(병)**

12 세 조건을 만족하는 자연수는 47, 48, 49, 50으로 모두 **4개**입니다.

B형 1. 수의 범위와 어림하기 03~04쪽

1 6명
2 (수직선) 32 33 34 35 36 37 38 39 40
3 9개 **4** 400
5 예 ❶ 학생 수의 범위는 31명 이상 40명 이하입니다. ▸4점
❷ 모자라지 않게 초콜릿을 나누어 주려면 학생 수가 가장 많을 때인 40명으로 생각해야 하므로 최소 $40 \times 4 = 160$(개)를 준비해야 합니다. ▸4점
/ 160개
6 21000원 **7** 560000원
8 155명 이상 168명 이하
9 예 ❶ (3개 학년의 학생 수)
$= 142 + 154 + 156 = 452$(명) ▸3점
❷ 반올림하여 백의 자리까지 나타내면
452명 ➜ 500명입니다. ▸4점
❸ 따라서 실제 학생 수와 어림한 학생 수의 차는
$500 - 452 = 48$(명)입니다. ▸3점 / 48명
10 40800원 **11** 24, 25, 26 **12** 4개

1 정원이 15명 미만이므로 14명까지 탈 수 있습니다. 지금 8명이 타고 있으므로 앞으로 $14-8=$**6(명)**까지 더 탈 수 있습니다.

2 38.5 kg은 36 kg 초과 39 kg 이하이므로 페더급입니다. 36 kg 초과는 점 ○을, 39 kg 이하는 점 ●을 사용하여 수직선에 나타냅니다.

3 $35\div4=8\cdots3$이므로 4명씩 앉을 수 있는 긴 의자가 8개 있으면 3명이 앉지 못하므로 긴 의자는 최소 **9개** 필요합니다.

4 420을 점 ●으로 나타내었으므로 420 이상이고, 450을 점 ○으로 나타내었으므로 450 미만입니다. 420 이상 450 미만인 수들의 십의 자리 숫자는 5보다 작으므로 반올림하여 백의 자리까지 나타내면 **400**입니다.

5

채점 기준		
	❶ 학생 수의 범위 구하기	4점
	❷ 준비해야 하는 최소 초콜릿 수 구하기	4점

6 (모은 동전의 금액)$=100\times187+10\times250$
$=18700+2500=21200$(원)
1000원짜리 지폐로 바꿀 때 200원은 바꿀 수 없으므로 **21000원**까지 바꿀 수 있습니다.

7 $426\div15=28\cdots6$이므로 판매할 수 있는 복숭아 상자의 수는 28상자입니다. 따라서 복숭아를 판매한 금액은 최대 $28\times20000=$**560000(원)**입니다.

8 놀이기구를 11번 운행하면 학생이 $14\times11=154$(명)까지 탈 수 있으므로 155명 이상이고, 놀이기구를 12번 운행하면 학생이 $14\times12=168$(명)까지 탈 수 있으므로 168명 이하입니다. 따라서 세영이네 학교 5학년 학생은 **155명 이상 168명 이하**입니다.

9

채점 기준		
	❶ 3개 학년의 학생 수 구하기	3점
	❷ 3개 학년의 학생 수를 반올림하여 몇백 명인지 구하기	4점
	❸ 실제 학생 수와 어림한 학생 수의 차를 구하기	3점

10 지호네 반 학생은 모두 $12+15=27$(명)이므로 필요한 연필은 $27\times2=54$(자루)입니다.
연필을 한 묶음에 10자루씩 팔므로 사야 하는 연필 수를 올림하여 십의 자리까지 나타내면
54자루 ➔ 60자루입니다.
따라서 연필은 적어도 10자루씩 6묶음을 사야 하므로 연필값으로 최소 $6800\times6=$**40800(원)**이 필요합니다.

11 ㉠ 초과 41 미만인 수의 범위에 포함되는 3의 배수가 5개이므로 큰 수부터 순서대로 쓰면 39, 36, 33, 30, 27입니다. 따라서 24가 포함되지 않고 ㉠ 초과이므로 ㉠이 될 수 있는 자연수는 **24, 25, 26**입니다.

12 ㉠ 380 이상 389 이하인 수
㉡ 381 이상 390 이하인 수
㉢ 375 이상 384 이하인 수
따라서 세 조건을 만족하는 수는 381, 382, 383, 384로 모두 **4개**입니다.

A형 2. 분수의 곱셈 05~06쪽

1 < **2** ㉢ **3** 24000원

4 예 ❶ (어제 읽은 쪽수)$=\overset{12}{\cancel{132}}\times\dfrac{3}{\underset{1}{\cancel{11}}}=36$(쪽)
(오늘 읽은 쪽수)$=\overset{22}{\cancel{132}}\times\dfrac{1}{\underset{1}{\cancel{6}}}=22$(쪽) ▸6점
❷ 따라서 어제와 오늘 읽은 책은 모두 $36+22=58$(쪽)입니다. ▸2점 / 58쪽

5 7개 **6** $13\frac{1}{3}$ cm

7 예 ❶ 어제 사용하고 남은 간장은 전체의 $1-\frac{1}{6}=\frac{5}{6}$입니다. ▸3점
❷ 따라서 오늘 사용한 간장은
$4\frac{2}{7}\times\frac{5}{6}\times\frac{3}{10}=\dfrac{\overset{5}{\cancel{30}}}{7}\times\dfrac{\overset{1}{\cancel{5}}}{\underset{1}{\cancel{6}}}\times\dfrac{3}{\underset{2}{\cancel{10}}}=\frac{15}{14}$
$=1\frac{1}{14}$ (L)입니다. ▸5점 / $1\frac{1}{14}$ L

8 $12\frac{5}{6}$ **9** $2\frac{7}{16}$

10 2, 3, 4, 5 **11** $18\frac{1}{4}$ cm

12 11시 24분 48초

1 • $\dfrac{3}{\underset{5}{\cancel{10}}}\times\overset{2}{\cancel{4}}=\frac{6}{5}=1\frac{1}{5}$ • $\dfrac{9}{\underset{7}{\cancel{28}}}\times\overset{2}{\cancel{8}}=\frac{18}{7}=2\frac{4}{7}$
➔ $1\frac{1}{5}<2\frac{4}{7}$

3 (4명의 영화 관람료)$=9000\times4=36000$(원)
➔ (조조할인을 받은 4명의 영화 관람료)
$=\overset{4000}{\cancel{36000}}\times\dfrac{6}{\underset{1}{\cancel{9}}}=$**24000(원)**

4

채점 기준	❶ 어제와 오늘 읽은 쪽수 각각 구하기	6점
	❷ 어제와 오늘 읽은 쪽수의 합 구하기	2점

5 $3\times2\frac{5}{12}=\overset{1}{\cancel{3}}\times\frac{29}{\underset{4}{\cancel{12}}}=\frac{29}{4}=7\frac{1}{4}$

따라서 $7\frac{1}{4}$보다 작은 자연수는 1, 2, 3, 4, 5, 6, 7로 모두 **7개**입니다.

6 (정사각형의 둘레)

$=6\frac{2}{3}\times4=\frac{20}{3}\times4=\frac{80}{3}=26\frac{2}{3}$ (cm)

➜ (남은 철사의 길이)$=40-26\frac{2}{3}=39\frac{3}{3}-26\frac{2}{3}$

$=\mathbf{13\frac{1}{3}}$ **(cm)**

7

채점 기준	❶ 어제 사용하고 남은 간장은 전체의 얼마인지 구하기	3점
	❷ 오늘 사용한 간장은 몇 L인지 구하기	5점

8 수 카드로 만들 수 있는 가장 큰 대분수는 $4\frac{2}{3}$이고, 가장 작은 대분수는 $2\frac{3}{4}$입니다.

➜ $4\frac{2}{3}\times2\frac{3}{4}=\frac{\overset{7}{\cancel{14}}}{3}\times\frac{11}{\underset{2}{\cancel{4}}}=\frac{77}{6}=\mathbf{12\frac{5}{6}}$

9 어떤 수를 □라 하면 $2\frac{1}{4}+□=3\frac{1}{3}$,

$□=3\frac{1}{3}-2\frac{1}{4}=3\frac{4}{12}-2\frac{3}{12}=1\frac{1}{12}$입니다.

➜ (바르게 계산한 값)

$=2\frac{1}{4}\times1\frac{1}{12}=\frac{\overset{3}{\cancel{9}}}{4}\times\frac{13}{\underset{4}{\cancel{12}}}=\frac{39}{16}=\mathbf{2\frac{7}{16}}$

10 $\frac{1}{4}\times\frac{1}{□}=\frac{1}{4\times□}$이므로 $\frac{1}{23}<\frac{1}{4\times□}$에서 $23>4\times□$입니다. 따라서 1보다 큰 자연수 중에서 □ 안에 들어갈 수 있는 자연수는 **2, 3, 4, 5**입니다.

11 30분은 5분의 6배이므로

(30분 동안 타는 양초의 길이)

$=\frac{7}{\underset{4}{\cancel{24}}}\times\overset{1}{\cancel{6}}=\frac{7}{4}=1\frac{3}{4}$ (cm)입니다.

➜ (30분 후 타고 남은 양초의 길이)

$=20-1\frac{3}{4}=19\frac{4}{4}-1\frac{3}{4}=\mathbf{18\frac{1}{4}}$ **(cm)**

12 24시간 동안 $1\frac{7}{15}\times24=\frac{22}{\underset{5}{\cancel{15}}}\times\overset{8}{\cancel{24}}=\frac{176}{5}$

$=35\frac{1}{5}$ (분)이 늦어집니다.

$35\frac{1}{5}$분$=35\frac{12}{60}$분$=35$분 12초

➜ (시계가 가리키는 시각)

=12시−35분 12초

=11시 59분 60초−35분 12초

=11시 24분 48초

B형 2. 분수의 곱셈 07~08쪽

1 ㉡ **2** $5\frac{1}{4}$ L

3 예 ❶ (아버지의 몸무게)

$=30\times2\frac{7}{10}=\overset{3}{\cancel{30}}\times\frac{27}{\underset{1}{\cancel{10}}}=81$ (kg) ▸6점

❷ 따라서 아버지와 서은이의 몸무게의 합은 81+30=111 (kg)입니다. ▸2점 / 111 kg

4 나 **5** 132

6 8명

7 예 ❶ $4\frac{1}{6}\times1\frac{4}{5}=\frac{\overset{5}{\cancel{25}}}{\underset{2}{\cancel{6}}}\times\frac{\overset{3}{\cancel{9}}}{\underset{1}{\cancel{5}}}=\frac{15}{2}=7\frac{1}{2}$이므로 $7\frac{1}{2}>□\frac{1}{2}$입니다. ▸6점

❷ □ 안에 들어갈 수 있는 자연수는 1, 2, 3, 4, 5, 6으로 모두 6개입니다. ▸2점 / 6개

8 $\frac{1}{64}$ **9** 1750 kcal

10 7, 35 **11** $2\frac{3}{5}$ kg

12 10 km

3

채점 기준	❶ 아버지의 몸무게 구하기	6점
	❷ 아버지와 서은이의 몸무게의 합 구하기	2점

4 (직사각형 가의 넓이)

$=4\frac{3}{8}\times4\frac{2}{5}=\frac{\overset{7}{\cancel{35}}}{\underset{4}{\cancel{8}}}\times\frac{\overset{11}{\cancel{22}}}{\underset{1}{\cancel{5}}}=\frac{77}{4}=19\frac{1}{4}$ (cm^2)

(정사각형 나의 넓이)$=4\frac{2}{3}\times4\frac{2}{3}=\frac{14}{3}\times\frac{14}{3}$

$=\frac{196}{9}=21\frac{7}{9}$ (cm^2)

따라서 $19\frac{1}{4}<21\frac{7}{9}$이므로 **나**가 더 넓습니다.

5 (어떤 수)$=\overset{6}{\cancel{54}}\times\dfrac{8}{\underset{1}{\cancel{9}}}=48$

(어떤 수)$\times 2\dfrac{3}{4}=48\times 2\dfrac{3}{4}=\overset{12}{\cancel{48}}\times\dfrac{11}{\underset{1}{\cancel{4}}}=132$

6 (안경을 쓴 학생 수)$=\overset{4}{\cancel{32}}\times\dfrac{3}{\underset{1}{\cancel{8}}}=12$(명)

(안경을 쓰지 않은 학생 수)$=32-12=20$(명)

따라서 안경을 쓴 학생과 쓰지 않은 학생 수의 차는 $20-12=$**8(명)**입니다.

7

채점 기준		
	❶ $4\frac{1}{6}\times 1\frac{4}{5}$ 계산하기	6점
	❷ □ 안에 들어갈 수 있는 자연수의 개수 구하기	2점

8 만들 수 있는 진분수는 $\dfrac{1}{3}$, $\dfrac{1}{8}$, $\dfrac{3}{8}$입니다.

따라서 만들 수 있는 진분수를 모두 곱하면

$\dfrac{1}{\underset{1}{\cancel{3}}}\times\dfrac{1}{8}\times\dfrac{\overset{1}{\cancel{3}}}{8}=\mathbf{\dfrac{1}{64}}$입니다.

9 1시간 15분$=1\dfrac{15}{60}$시간$=1\dfrac{1}{4}$시간

(1시간 15분 동안 소모된 열량)

$=200\times 1\dfrac{1}{4}=\overset{50}{\cancel{200}}\times\dfrac{5}{\underset{1}{\cancel{4}}}=250$ (kcal)

→ (일주일 동안 소모된 열량)

$=250\times 7=$**1750 (kcal)**

10 $\dfrac{5}{\square}\times 7=\dfrac{5\times 7}{\square}=\dfrac{35}{\square}$

$\dfrac{35}{\square}$에서 □ 안에 들어갈 수 있는 수는 35의 약수입니다.

→ 35의 약수: 1, 5, 7, 35

$\dfrac{5}{\square}$는 진분수이므로 □ 안에는 분자 5보다 큰 수가 들어가야 합니다. 따라서 □ 안에 들어갈 수 있는 자연수는 **7, 35**입니다.

11 (물통에 가득 들어 있던 물 전체의 $\dfrac{1}{4}$만큼의 무게)

$=5\dfrac{1}{4}-4\dfrac{3}{5}=5\dfrac{5}{20}-4\dfrac{12}{20}$

$=4\dfrac{25}{20}-4\dfrac{12}{20}=\dfrac{13}{20}$ (kg)

→ (처음 물통에 들어 있던 물의 무게)

$=\dfrac{13}{\underset{5}{\cancel{20}}}\times\overset{1}{\cancel{4}}=\dfrac{13}{5}=\mathbf{2\dfrac{3}{5}}$ **(kg)**

12 1시간 40분$=100$분

(1분에 $1\dfrac{3}{5}$ km를 달리는 자동차가 달린 거리)

$=1\dfrac{3}{5}\times 100=\dfrac{8}{\underset{1}{\cancel{5}}}\times\overset{20}{\cancel{100}}=160$ (km)

(1분에 $1\dfrac{1}{2}$ km를 달리는 자동차가 달린 거리)

$=1\dfrac{1}{2}\times 100=\dfrac{3}{\underset{1}{\cancel{2}}}\times\overset{50}{\cancel{100}}=150$ (km)

따라서 1시간 40분 후에 두 자동차 사이의 거리는 $160-150=$**10 (km)**입니다.

A형 3. 합동과 대칭 09~10쪽

1 23 cm **2** 115°

3 예 ❶ (선분 ㅁㅂ)$=25-8=17$ (cm), (선분 ㄴㄷ)=(선분 ㅁㅂ)$=17$ cm입니다. ▸6점

❷ (선분 ㄷㅂ)$=17+25=42$ (cm)입니다. ▸2점

/ 42 cm

4 71° **5** 자메이카, 이스라엘

6 7 cm

7 예 ❶ 점대칭인 수 카드는 2, 8이므로 만들 수 있는 두 자리 수는 28, 82입니다. ▸6점

❷ 따라서 모두 더하면 $28+82=110$입니다. ▸2점

/ 110

8 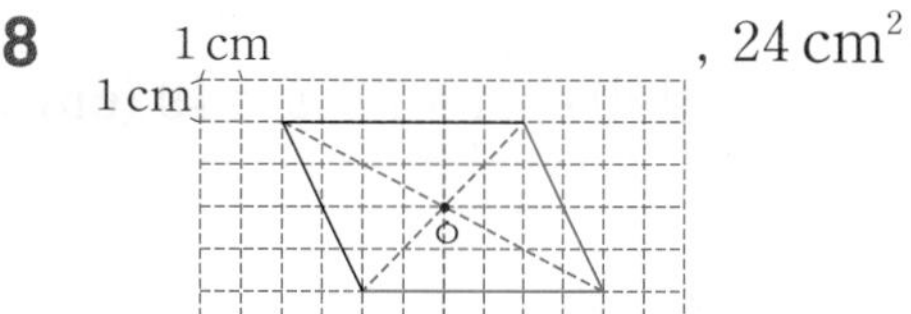

, 24 cm²

9 38 cm **10** 115°

11 155° **12** 49 cm²

3

채점 기준		
	❶ 선분 ㅁㅂ과 선분 ㄴㄷ의 길이 구하기	6점
	❷ 선분 ㄷㅂ의 길이 구하기	2점

4 (변 ㅇㄱ)=(변 ㅇㄴ)=(변 ㅇㄷ)=(변 ㅇㄹ)이므로 삼각형 ㄱㅇㄹ과 삼각형 ㄴㅇㄷ은 이등변삼각형입니다.

(각 ㄴㅇㄷ)=(각 ㄹㅇㄱ)$=38°$

→ (각 ㅇㄴㄷ)=(각 ㅇㄷㄴ)$=(180°-38°)\div 2$

$=142°\div 2=$**71°**

6 (변 ㄱㄷ)=(변 ㄱㄴ)$=15$ cm

(변 ㄴㄷ)$=44-15-15=14$ (cm)

(선분 ㄴㄹ)=(선분 ㄷㄹ)$=14\div 2=$**7 (cm)**

경시대비북 예상문제

7

채점 기준	❶ 점대칭인 수 카드로 만들 수 있는 두 자리 수 모두 구하기	6점
	❷ 만들 수 있는 두 자리 수의 합 구하기	2점

10 사각형 ㄱㄴㅅㅇ과 사각형 ㅁㅂㅅㅇ은 서로 합동이므로
(각 ㄴㅅㅇ)=(각 ㅂㅅㅇ)=$(180^\circ-50^\circ)\div2$
$=130^\circ\div2=65^\circ$입니다.
➜ (각 ㄱㅇㅅ)=$360^\circ-90^\circ-90^\circ-65^\circ=$**115°**

11 점 ㄱ과 점 ㄹ을 선분으로 이었을 때 사각형 ㄱㄴㄷㄹ과 사각형 ㄹㅁㅂㄱ은 서로 합동입니다.
(각 ㄴㄷㄹ)=(각 ㅁㅂㄱ)=90°,
(각 ㄴㄱㄹ)=(각 ㅁㄹㄱ),
(각 ㄷㄹㄱ)=(각 ㅂㄱㄹ)이므로
(각 ㄴㄱㅂ)=(각 ㄴㄱㄹ)+(각 ㄷㄹㄱ)=115°입니다.
➜ (각 ㄱㄴㄷ)=$360^\circ-115^\circ-90^\circ=$**155°**

12 (변 ㄱㄴ)=(변 ㄱㄹ)이므로 삼각형 ㄱㄴㄹ은 이등변삼각형입니다.
(각 ㄴㄱㄹ)=$30^\circ+30^\circ=60^\circ$,
(각 ㄱㄴㄹ)=(각 ㄱㄹㄴ)=$(180^\circ-60^\circ)\div2$
$=120^\circ\div2=60^\circ$이므로
삼각형 ㄱㄴㄹ은 정삼각형입니다.
(선분 ㄴㄹ)=(변 ㄱㄴ)=(변 ㄱㄹ)=14 cm,
(선분 ㄴㅁ)=(선분 ㄹㅁ)=$14\div2=7$ (cm)입니다.
삼각형 ㄱㄴㄷ에서 선분 ㄱㄷ을 밑변, 선분 ㄴㅁ을 높이라 하면
(삼각형 ㄱㄴㄷ의 넓이)=$14\times7\div2=$**49 (cm²)**입니다.

B형 3. 합동과 대칭 11~12쪽

1 ㉢ **2** 80°

3 예 ❶ 사각형 ㄱㄴㅁㄹ은 선대칭도형이므로
(각 ㄱㄹㄴ)=(각 ㅁㄹㄴ)=50°입니다. ▸4점
❷ 사각형 ㄱㄴㄷㄹ에서
(각 ㄴㄷㄹ)=$360^\circ-50^\circ-50^\circ-90^\circ-90^\circ$
$=80^\circ$입니다. ▸4점 / 80°

4 75° **5** 74 cm

6 45° **7** ㅁ, ㅇ, ㅍ

8 예 ❶ 삼각형 ㄴㅂㅁ은 이등변삼각형이므로
(각 ㅂㄴㅁ)=$(180^\circ-108^\circ)\div2=36^\circ$입니다. ▸4점
❷ 삼각형 ㄱㄴㅁ과 삼각형 ㅂㄴㅁ은 서로 합동이므로 (각 ㄱㄴㅁ)=(각 ㅂㄴㅁ)=36°입니다.
따라서 (각 ㄷㄴㅂ)=$108^\circ-36^\circ-36^\circ=36^\circ$입니다. ▸6점 / 36°

9 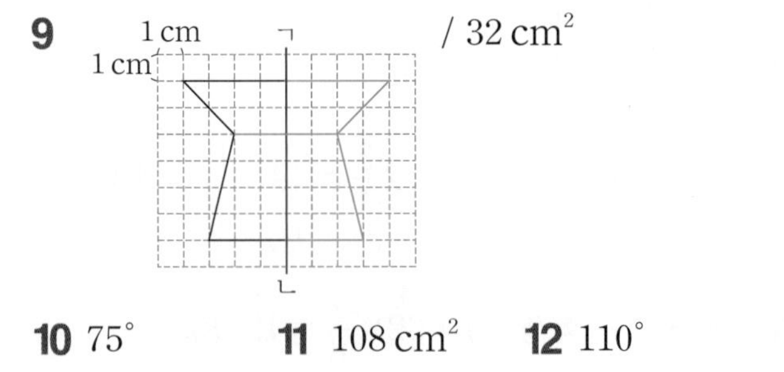

/ 32 cm²

10 75° **11** 108 cm² **12** 110°

1 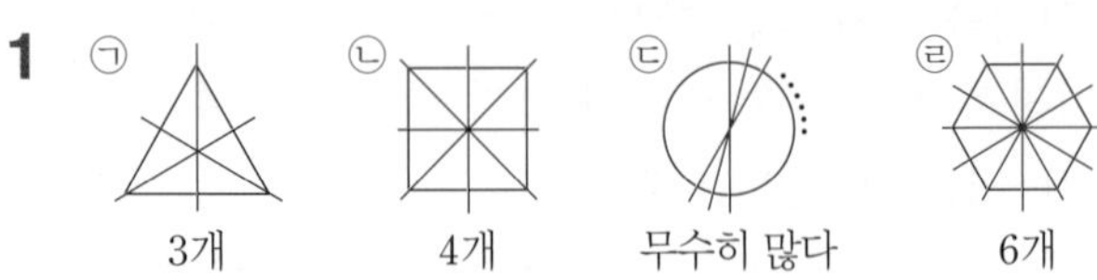

2 삼각형 ㅁㄹㄷ에서
(각 ㅁㄷㄹ)=$180^\circ-50^\circ-80^\circ=50^\circ$입니다.
삼각형 ㄱㄴㄷ과 삼각형 ㅁㄹㄷ이 서로 합동이므로
(각 ㄱㄷㄴ)=(각 ㅁㄷㄹ)=50°입니다.
따라서 (각 ㄱㄷㅁ)=$180^\circ-50^\circ-50^\circ=$**80°**입니다.

3

채점 기준	❶ 각 ㄱㄹㄴ의 크기 구하기	4점
	❷ 각 ㄴㄷㄹ의 크기 구하기	4점

4 (각 ㄹㄷㅂ)=$180^\circ-110^\circ=70^\circ$
(각 ㅁㄹㄷ)=$360^\circ-125^\circ-90^\circ-70^\circ=75^\circ$
➜ (각 ㅁㄱㄴ)=(각 ㅁㄹㄷ)=**75°**

5 (선분 ㄴㄷ)=(선분 ㅁㅂ)=4 cm이므로
(선분 ㄴㅁ)=$17-4=13$ (cm)입니다.
삼각형 ㄱㄴㅂ과 삼각형 ㄹㅁㄷ은 서로 합동입니다.
➜ (점대칭도형의 둘레)=$(50-13)\times2$
$=37\times2=$**74 (cm)**

6 합동인 두 도형에서 대응각의 크기는 같으므로
(각 ㄱㄴㄷ)=(각 ㄹㄷㄴ)=115°입니다.
➜ (각 ㄱㄷㄴ)=$180^\circ-20^\circ-115^\circ=$**45°**

7 • 선대칭인 것: ㄷ, ㅁ, ㅂ, ㅅ, ㅇ, ㅈ, ㅌ, ㅍ
• 점대칭인 것: ㄹ, ㅁ, ㅇ, ㅍ
➜ 선대칭이면서 점대칭인 것: **ㅁ, ㅇ, ㅍ**

8

채점 기준	❶ 각 ㅂㄴㅁ의 크기 구하기	4점
	❷ 각 ㄷㄴㅂ의 크기 구하기	6점

9 선대칭도형을 완성하면 사다리꼴 2개를 붙여 놓은 모양이 됩니다.
➜ (완성한 선대칭도형의 넓이)
$=(8+4)\times2\div2+(4+6)\times4\div2$
$=12\times2\div2+10\times4\div2$
$=12+20=$**32 (cm²)**

10 (각 ㄱㅂㄴ)$=180°-70°=110°$
(각 ㄴㄱㄷ)=(각 ㄴㄹㅁ)$=40°$
삼각형 ㄱㄴㅂ에서
(각 ㄱㄴㅂ)$=180°-40°-110°=30°$입니다.
(변 ㄱㄴ)=(선분 ㄹㄴ)이므로
삼각형 ㄱㄴㄹ은 이등변삼각형입니다.
➜ (각 ㄱㄹㅂ)$=(180°-30°)\div 2=$**75°**

11 삼각형 ㄱㅁㄹ과 삼각형 ㄴㄷㄹ은 서로 합동이므로
(선분 ㄴㄹ)=(변 ㄱㄹ)=13 cm,
(변 ㄷㄹ)=(선분 ㅁㄱ)=12 cm입니다.
(사각형 ㄱㄴㄷㄹ의 넓이)
=(삼각형 ㄱㄴㄹ의 넓이)+(삼각형 ㄴㄷㄹ의 넓이)
$=13\times12\div2+12\times5\div2=$**108 (cm²)**

12 삼각형 ㄱㄷㄹ에서
(각 ㄱㄹㄷ)$=180°-55°-50°=75°$입니다.
㉠=(각 ㄱㄹㄷ)$=75°$이고,
㉡=㉠$-20°=75°-20°=55°$입니다.
(각 ㄱㄷㅂ)=(각 ㄷㄱㅁ)$=55°$이므로
삼각형 ㅇㅂㄷ에서
(각 ㅂㅇㄷ)$=180°-55°-55°=70°$입니다.
➜ (각 ㄱㅇㅂ)$=180°-70°=$**110°**

A형 4. 소수의 곱셈 13~14쪽

1 ㉢, ㉠, ㉡, ㉣ **2** 26.22
3 26 km **4** 0.049 L
5 16, 17, 18
6 예 ❶ (장판 한 장의 넓이)
$=1.8\times1.6=2.88$ (m²) ▸4점
❷ 7장 반은 7.5장이므로
(바닥의 넓이)$=2.88\times7.5=21.6$ (m²)입니다. ▸4점
/ 21.6 m²
7 305.374
8 예 ❶ 금성에서 잰 진우의 몸무게는
$40\times0.91=36.4$ (kg)입니다. ▸4점
❷ 수성에서 잰 진우의 몸무게는
$40\times0.38=15.2$ (kg)입니다. ▸4점
❸ 따라서 금성에서 잰 몸무게와 수성에서 잰 몸무게의 차는 $36.4-15.2=21.2$ (kg)입니다. ▸2점
/ 21.2 kg
9 49.875 L **10** 0.722
11 67.5 cm **12** 0.87 kg

1 곱하는 수가 46으로 모두 같으므로 곱해지는 수가 작을수록 곱이 작습니다.
$0.008<0.08<0.8<8$
➜ ㉢<㉠<㉡<㉣

2 • $1.02\times5=5.1$
• $4\times5.28=21.12$
➜ $5.1+21.12=$**26.22**

3 (하루에 운동한 거리)$=1.2+5.3=6.5$ (km)
➜ (일주일 동안 운동한 거리)$=6.5\times4=$**26 (km)**

4 1000 m=1 km이므로 980 m=0.98 km입니다.
980 m를 달리는 데 필요한 휘발유의 양은
$0.05\times0.98=$**0.049 (L)**입니다.

5 $4.3\times3.5=15.05$, $5.8\times3.24=18.792$
$15.05<\square<18.792$이므로
□ 안에 들어갈 수 있는 자연수는 **16**, **17**, **18**입니다.

6

채점 기준	❶ 장판 한 장의 넓이 구하기	4점
	❷ 바닥의 넓이 구하기	4점

7 만들 수 있는 가장 큰 소수 두 자리 수는 8.53이고, 가장 작은 소수 한 자리 수는 35.8입니다.
따라서 만든 두 소수의 곱은
$8.53\times35.8=$**305.374**입니다.

8

채점 기준	❶ 금성에서 잰 몸무게 구하기	4점
	❷ 수성에서 잰 몸무게 구하기	4점
	❸ 금성에서 잰 몸무게와 수성에서 잰 몸무게의 차 구하기	2점

9 (1분 동안 받을 수 있는 물의 양)
$=12-1.5=10.5$ (L)
4분 45초$=4\frac{45}{60}$분$=4\frac{3}{4}$분$=4\frac{75}{100}$분$=4.75$분
➜ (4분 45초 동안 받을 수 있는 물의 양)
$=10.5\times4.75=$**49.875 (L)**

10 어떤 수를 □라 하면
$\square\div0.25+0.7=2.22$, $\square\div0.25=1.52$,
$\square=1.52\times0.25=0.38$
➜ $0.38\times1.9=$**0.722**

11 (첫 번째로 튀어 오른 공의 높이)
$=160\times0.75=120$ (cm)
(두 번째로 튀어 오른 공의 높이)
$=120\times0.75=90$ (cm)
➜ (세 번째로 튀어 오른 공의 높이)
$=90\times0.75=$**67.5 (cm)**

경시대비북 예상문제

12 (음료수 500 mL의 무게)$=3.75-3.3=0.45$ (kg)
1 L$=1000$ mL$=(500\times2)$ mL
(음료수 1 L의 무게)$=0.45\times2=0.9$ (kg)
(음료수 3.2 L의 무게)$=0.9\times3.2=2.88$ (kg)
→ (빈 병의 무게)$=3.75-2.88=$**0.87 (kg)**

B형 4. 소수의 곱셈 15~16쪽

1 6.14 **2** 40.8 km
3 100배 **4** 0.53 m
5 24367
6 예 ❶ (직사각형 가의 넓이)$=3.7\times4$
$=14.8$ (cm^2) ▸3점
❷ (평행사변형 나의 넓이)$=3\times4.6$
$=13.8$ (cm^2) ▸3점
❸ $14.8>13.8$이므로 가가 더 넓습니다. ▸2점
/ 가
7 9.3 cm **8** 61 cm
9 예 ❶ 2시간 30분
$=2\frac{30}{60}$시간$=2\frac{5}{10}$시간$=2.5$시간
(2시간 30분 동안 달린 거리)
$=80\times2.5=200$ (km) ▸6점
❷ 따라서 사용한 휘발유의 양은
$200\times0.06=12$ (L)입니다. ▸4점 / 12 L
10 5.4 ℃ **11** 17, 18, 19, 20
12 247.8 km

1 ㉠ $8\times0.17=1.36$ ㉡ $6\times1.25=7.5$
→ ㉡$-$㉠$=7.5-1.36=$**6.14**

2 2시간$=120$분이므로 10분의 12배입니다.
→ (바다거북이 2시간 동안 갈 수 있는 거리)
$=3.4\times12=$**40.8 (km)**

3 어떤 수를 □라 하면
잘못 계산한 값: □$\times0.057$
바르게 계산한 값: □$\times5.7$ (100배)
따라서 바르게 계산한 값은 잘못 계산한 값의 **100배**입니다.

4 (정육각형을 만드는 데 사용한 철사의 길이)
$=24.5\times6=147$ (cm)
147 cm$=1.47$ m이므로 남은 철사의 길이는
$2-1.47=$**0.53 (m)**입니다.

5 $82.6\times2.95=243.67$
(어떤 수)$\times\frac{1}{100}=$(어떤 수)$\times0.01=243.67$입니다.
따라서 어떤 수는 **24367**입니다.

6

채점 기준		
	❶ 직사각형 가의 넓이 구하기	3점
	❷ 평행사변형 나의 넓이 구하기	3점
	❸ 어느 도형이 더 넓은지 구하기	2점

7 (유나의 키)$=155\times0.94=145.7$ (cm)
(승훈이의 키)$=155\times0.88=136.4$ (cm)
따라서 유나는 승훈이보다
$145.7-136.4=$**9.3 (cm)** 더 큽니다.

8 (길이가 10 cm인 색 테이프 7장의 길이의 합)
$=10\times7=70$ (cm)
겹친 부분은 1.5 cm씩 6군데이므로
(겹친 부분의 길이의 합)$=1.5\times6=9$ (cm)입니다.
→ (이어 붙인 색 테이프 전체의 길이)
$=70-9=$**61 (cm)**

9

채점 기준		
	❶ 2시간 30분 동안 달린 거리 구하기	6점
	❷ 사용한 휘발유의 양 구하기	4점

10 (두 지점의 해발 고도의 차)
$=1150-350=800$ (m)
이때 기온은 $0.6\times8=4.8$ (℃) 낮아집니다.
따라서 해발 고도 1150 m인 곳의 기온은
$10.2-4.8=$**5.4 (℃)**입니다.

11 • $0.92\times18=16.56$, $0.81\times32=25.92$
→ $16.56<$□<25.92이므로 ㉠ 안에 들어갈 수 있는 수는 17, 18, 19, 20, 21, 22, 23, 24, 25입니다.
• $24\times0.6=14.4$, $32\times0.64=20.48$
→ $14.4<$□<20.48이므로 ㉡ 안에 들어갈 수 있는 수는 15, 16, 17, 18, 19, 20입니다.
따라서 ㉠과 ㉡ 안에 공통으로 들어갈 수 있는 자연수는 **17, 18, 19, 20**입니다.

12 1시간 45분$=1\frac{45}{60}$시간$=1\frac{3}{4}$시간$=1.75$시간
(버스가 1시간 45분 동안 달린 거리)
$=75.4\times1.75=131.95$ (km)
(트럭이 1시간 45분 동안 달린 거리)
$=66.2\times1.75=115.85$ (km)
→ (가와 나 사이의 거리)
$=131.95+115.85=$**247.8 (km)**

A형 5. 직육면체 17~18쪽

1 ㉠ 2 12 cm

3 2 cm

4 예 ❶ 눈의 수가 4인 면과 평행한 면의 눈의 수는 $7-4=3$, 눈의 수가 5인 면과 평행한 면의 눈의 수는 $7-5=2$입니다. ▸4점

❷ ㉠에 올 수 있는 눈의 수는 1, 6이므로 (㉠에 올 수 있는 눈의 수의 차)$=6-1=5$입니다. ▸4점 / 5

5 98 cm 6

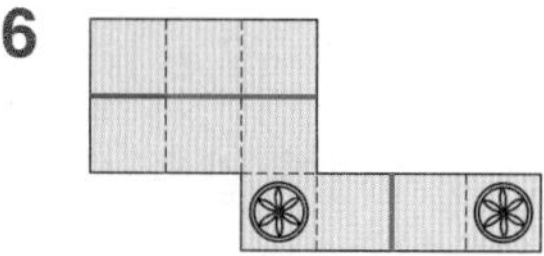

7 98 cm 8 분홍

9 250 10 25 cm

11 28개

12 예 ❶ 10, 6, 8의 최소공배수가 120이므로 만들 수 있는 가장 작은 정육면체의 한 모서리의 길이는 120 cm입니다. ▸5점

❷ 따라서 상자를 가로: $120\div10=12$(개), 세로: $120\div6=20$(개), 높이: $120\div8=15$(개) 쌓아야 하므로 모두 $12\times20\times15=3600$(개) 필요합니다. ▸5점 / 3600개

1 ㉠ 9 ㉡ 7 ㉢ 3이므로 수가 가장 많은 것은 ㉠입니다.

2 보이지 않는 모서리는 점선으로 그린 부분이고, 길이는 각각 2 cm, 4 cm, 6 cm입니다.
→ (보이지 않는 모서리의 길이의 합)
$=2+4+6=$**12 (cm)**

3 길이가 3 cm, ㉠ cm, 5 cm인 모서리가 각각 4개씩 있습니다.
(모든 모서리 길이의 합)$=(3+㉠+5)\times4=40$,
$3+㉠+5=10$, ㉠$=$**2**
따라서 ㉠은 **2 cm**입니다.

4

채점 기준		
채점 기준	❶ 눈의 수가 4, 5인 면과 평행한 면의 눈의 수 각각 구하기	4점
	❷ ㉠에 올 수 있는 눈의 수의 차 구하기	4점

5 길이가 같은 선분의 수를 세어 보면 7 cm가 2개, 13 cm가 4개, 4 cm가 8개입니다.
→ (전개도의 둘레)$=7\times2+13\times4+4\times8$
$=14+52+32=$**98 (cm)**

6 전개도를 접어서 직육면체를 만들었을 때 만나는 모서리를 생각하여 실이 지나간 자리를 표시해 봅니다.

7 정육면체의 한 모서리의 길이를 □cm라 하면
□×□=49, □=7입니다.
정육면체의 전개도는 한 변의 길이가 7 cm인 변이 14개 있습니다.
따라서 전개도의 둘레는 $7\times14=$**98 (cm)**입니다.

8 빨강과 초록, 파랑과 분홍, 보라와 노랑이 칠해진 면이 서로 마주 봅니다.

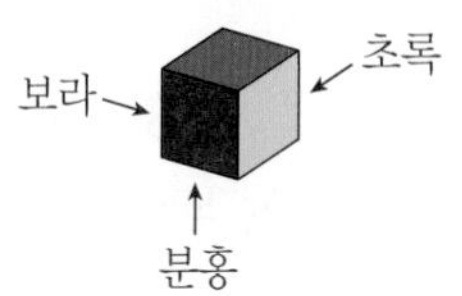

9 $5+10+15+20+25+30=105$
(서로 평행한 두 면에 쓰인 수의 합)$=105\div3=35$
20과 평행한 면에는 $35-20=15$, 5와 평행한 면에는 $35-5=30$을 쓸 수 있으므로 면 ㉮에는 10, 25를 쓸 수 있습니다.
→ $10\times25=$**250**

10 길이가 같은 선분의 수를 세어 보면
15 cm가 8개, ㉠과 같은 길이가 4개, 50 cm가 2개입니다.
(전개도의 둘레)
$=15\times8+㉠\times4+50\times2=320$,
$120+㉠\times4+100=320$,
$㉠\times4=100$, ㉠$=$**25 cm**

참고 길이가 같은 선분 찾기
전개도를 접었을 때
① 만나는 모서리의 길이는 같습니다.
② 서로 평행한 모서리의 길이는 같습니다.

11

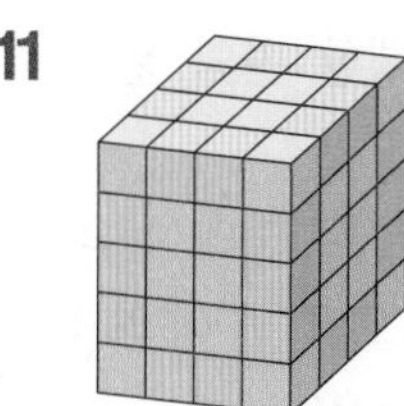

두 면에만 색칠된 정육면체는 1층에 8개, 2층에 4개, 3층에 4개, 4층에 4개, 5층에 8개입니다.
→ (두 면에만 색칠된 정육면체의 수의 합)
$=8+4+4+4+8=$**28(개)**

12

채점 기준		
채점 기준	❶ 만들 수 있는 가장 작은 정육면체의 한 모서리의 길이 구하기	5점
	❷ 필요한 상자의 수 구하기	5점

B형 5. 직육면체 19~20쪽

1 5　　2 140 cm

3 예 ❶ 정육면체는 12개의 모서리의 길이가 모두 같습니다. ▸4점

❷ (정육면체의 한 모서리의 길이)

$=96\div12=8$ (cm) ▸4점 / 8 cm

4 2　　5 20 cm, 11 cm, 4 cm

6

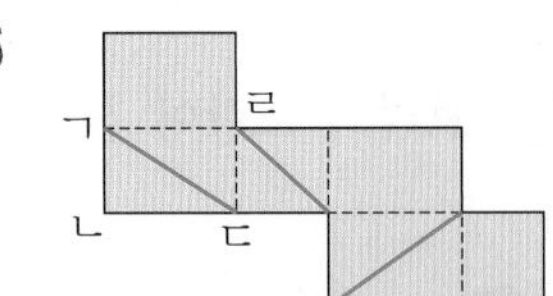

7 90 cm²　　8 76 cm

9 예 ❶ 직육면체의 한 모서리의 길이를 □cm라 하면 (5+2+□)×3=36, 5+2+□=12, □=5입니다. ▸4점

❷ 길이가 같은 선분의 수를 세어 보면 5 cm가 6개, 2 cm가 8개입니다.

➜ (전개도의 둘레)

$=5\times6+2\times8=30+16=46$ (cm) ▸4점 / 46 cm

10 72　　11 6

12 48 cm

1 ㉠=3, ㉡=9, ㉢=7

➜ ㉠+㉡−㉢=3+9−7=**5**

2 직육면체에서 길이가 같은 모서리는 4개씩 3쌍입니다.

➜ (모든 모서리 길이의 합)

$=(12+18+5)\times4=35\times4=$ **140 (cm)**

3

채점 기준		
	❶ 정육면체에서 길이가 같은 모서리 구하기	4점
	❷ 정육면체의 한 모서리의 길이 구하기	4점

4

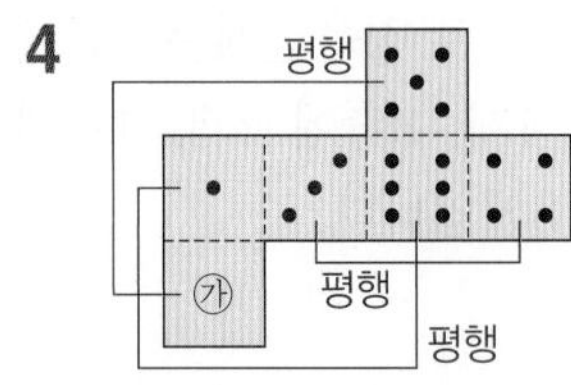

면 ㉮와 평행한 면의 눈의 수는 5입니다.

서로 평행한 두 면의 눈의 수의 합이 7이므로 면 ㉮의 눈의 수는 7−5=**2**입니다.

5

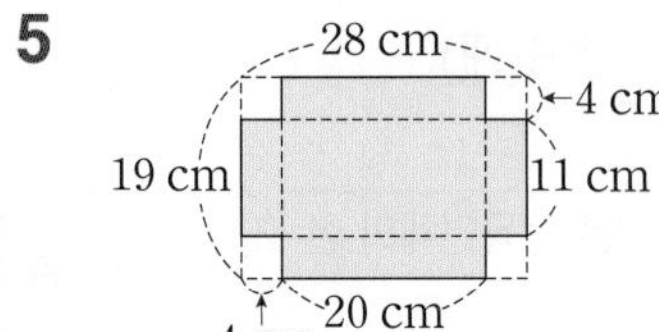

만든 직육면체의 서로 다른 세 모서리는 각각 28−8=**20 (cm)**, 19−8=**11 (cm)**, **4 cm**입니다.

6

직육면체의 전개도에서 각 꼭짓점의 위치를 알아본 후 선분을 바르게 긋습니다.

7 길이가 같은 선분을 찾아보면

(선분 ㄱㄴ)=9 cm,

(선분 ㄴㄷ)=3+4+3=10 (cm)입니다.

➜ (사각형 ㄱㄴㄷㄹ의 넓이)=10×9=**90 (cm²)**

8 끈의 길이가 같은 부분은 12 cm가 2군데, 7 cm가 2군데, 6 cm가 4군데입니다.

➜ (사용한 전체 끈의 길이)

$=12\times2+7\times2+6\times4+4$

$=24+14+24+14=$ **76 (cm)**

9

채점 기준		
	❶ 직육면체의 한 모서리의 길이 구하기	4점
	❷ 전개도의 둘레 구하기	4점

10 (한 직육면체의 모서리와 면의 수의 합)

=12+6=18

직육면체의 수를 □개라 하면 18×□=162, □=9이므로 직육면체는 9개입니다.

➜ (모든 직육면체의 꼭짓점 수의 합)=8×9=**72**

11

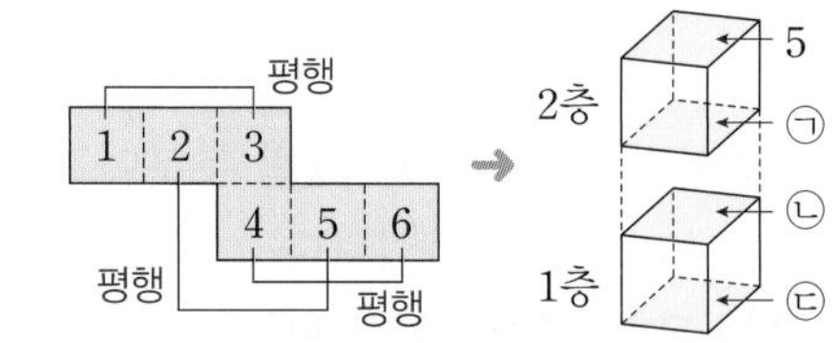

전개도에서 5와 평행한 면에 쓰인 수는 2이므로 ㉠=2입니다.

2+㉡=6 ➜ ㉡=6−2=4

4와 평행한 면에 쓰인 수는 6이므로 ㉢=**6**입니다.

12

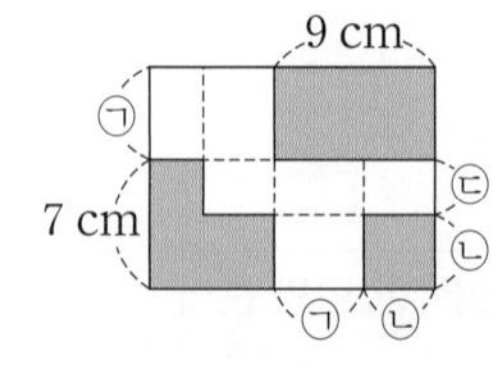

직육면체의 서로 다른 세 모서리를 각각 ㉠, ㉡, ㉢이라 하면 ㉠=12−7=5 (cm),

㉡=9−5=4 (cm),

㉢=7−4=3 (cm)입니다.

따라서 직육면체의 모든 모서리 길이의 합은

(5+4+3)×4=12×4=**48 (cm)**입니다.

A형 6. 평균과 가능성 21~22쪽

1 지은, 여진

2

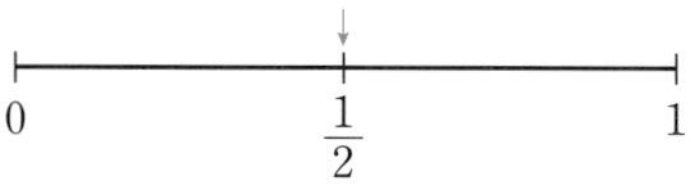

3 90점

4 예 ❶ (새로운 학생이 들어오기 전 나이의 평균)

$=\frac{13+12+14+14+12}{5}=\frac{65}{5}$

$=13$(세) ▸4점

❷ 새로운 학생의 나이를 □세라 하면

$65+\square=14\times6$, $65+\square=84$,

$\square=19$입니다. ▸4점

/ 19세

5 1

6 66 km

7 37번

8 400개

9 182

10 예 ❶ (전체 학생의 하루 스마트폰 이용 시간의 합)

$=80\times30=2400$(분) ▸3점

❷ (남학생들의 하루 스마트폰 이용 시간의 합)

$=48\times14=672$(분) ▸3점

❸ (여학생들의 하루 스마트폰 이용 시간의 평균)

$=\frac{2400-672}{16}=\frac{1728}{16}=108$(분) ▸4점

/108분

11 139 cm

12 46회

1 (왕복 오래달리기 기록의 평균)

$=\frac{92+80+91+85+87}{5}=\frac{435}{5}=87$(회)

따라서 왕복 오래달리기 기록이 평균보다 더 높은 학생은 **지은, 여진**입니다.

2 전체 공의 수가 $3+5+2=10$(개)이므로 상자에서 공 1개를 꺼낼 때 꺼낸 공이 빨간색일 가능성은 '반반이다'입니다.

→ $\mathbf{\frac{1}{2}}$

3 (5과목 점수의 합)$=86\times5=430$(점)

(영어를 제외한 4과목 점수의 합)

$=85+95+75+85=340$(점)

→ (영어 점수)$=430-340=$**90(점)**

4

채점 기준		
	❶ 새로운 학생이 들어오기 전 나이의 평균	4점
	❷ 새로운 학생의 나이 구하기	4점

5 ㉠ 어떤 수에 0을 곱하면 항상 0이므로 10이 나올 가능성은 '불가능하다'입니다. → 0

㉡ 주사위를 굴리면 1부터 6까지의 눈이 나오므로 눈의 수가 1 이상일 가능성은 '확실하다'입니다. → 1

→ ㉡$-$㉠$=1-0=$**1**

6 (자동차를 타고 달린 전체 거리)

$=70\times2+62\times2=264$ (km)

(자동차를 타고 달린 전체 시간)$=2+2=4$(시간)

(자동차의 시간당 빠르기의 평균)

$=\frac{264}{4}=$**66 (km)**

7 줄넘기 기록의 합은 $33\times5=165$(번) 이상이어야 합니다. 따라서 마지막에 적어도

$165-37-28-23-40=$**37(번)**을 넘어야 합니다.

8 왼쪽 바둑통에서 흰색 바둑돌이 나올 가능성은 0이므로 모두 검은색 바둑돌입니다. 오른쪽 바둑통에서 검은색 바둑돌이 나올 가능성은 1이므로 모두 검은색 바둑돌입니다.

따라서 두 바둑통에 있는 검은색 바둑돌은 모두

$200+200=$**400(개)**입니다.

9 괄호 안을 먼저 계산합니다.

$128\star204=\frac{128+204}{2}=\frac{332}{2}=166$

→ $198\star166=\frac{198+166}{2}=\frac{364}{2}=$**182**

10

채점 기준		
	❶ 전체 학생이 스마트폰 이용 시간의 합 구하기	3점
	❷ 남학생들의 스마트폰 이용 시간의 합 구하기	3점
	❸ 여학생들의 스마트폰 이용 시간의 평균 구하기	4점

11 (수영이와 진구의 키의 합)$=136\times2=272$ (cm)

(진구와 우주의 키의 합)$=142\times2=284$ (cm)

→ (진구의 키)$=272+284-417=$**139 (cm)**

12 진우네 모둠은 $5-2=3$(명)입니다.

(두 모둠의 기록의 합)

=(성호네 모둠의 기록의 합)

+(진우네 모둠의 기록의 합)

$=43\times5+51\times3$

$=215+153=368$(회)

(두 모둠의 전체 학생 수)$=5+3=8$(명)

따라서 (두 모둠의 윗몸 말아 올리기 기록의 평균)

$=\frac{368}{8}=$**46(회)**입니다.

경시대비북 예상문제

B형 6. 평균과 가능성 23~24쪽

1 25명 **2** 22600 kg
3 2개 **4** 23초
5 15권
6 예 ❶ (5일 동안 최고 기온의 합)
$=13\times5=65$ (℃) ▸ 3점
❷ (금요일을 제외한 4일 동안 최고 기온의 합)
$=14+12+15+10=51$ (℃) ▸ 3점
❸ (금요일의 최고 기온)$=65-51=14$ (℃) ▸ 2점
/ 14 ℃
7 7개
8 예 ❶ (1월부터 6월까지의 불량품 수의 합)
$=20\times6=120$(개) 이하여야 합니다. ▸ 5점
❷ (5월과 6월의 불량품 수의 합)
$=120-26-22-18-24=30$(개) 이하여야 합니다. ▸ 5점
/ 30개 이하
9 $\frac{1}{2}$ **10** 174상자
11 오후 5시 10분 **12** 46 kg

1 (전체 학생 수)$=32+28+30+35=125$(명)
반 수를 5개로 늘린다면 한 반당 평균 학생 수를 $\frac{125}{5}=$**25(명)**으로 하면 됩니다.

2 (다섯 마을의 고구마 생산량의 합)
$=25+29+16+20+23$
$=113$ (t)$=113000$ (kg)
(다섯 마을의 고구마 생산량의 평균)
$=\frac{113000}{5}=$**22600 (kg)**

3 감을 1개 집을 가능성이 $\frac{1}{2}$이 되려면 사과와 감의 개수가 같아야 하므로 감을 **2개** 빼야 합니다.

4 드론이 $6+4=10$ (m)를 가는 데
2분 10초+1분 40초=3분 50초=230초가 걸렸습니다.
따라서 1 m를 가는 데 평균 $\frac{230}{10}=$**23(초)**가 걸렸습니다.

5 (종류별 책 수의 평균)
$=\frac{32+60+25+13+20}{5}=\frac{150}{5}=30$(권)
평균보다 적은 책의 종류는 소설책, 시집, 과학책이고 각각 5권씩 사면 사야 할 책은 모두
$5\times3=$**15(권)**입니다.

6

채점 기준		
	❶ 5일 동안 최고 기온의 합 구하기	3점
	❷ 금요일을 제외한 4일 동안 최고 기온의 합 구하기	3점
	❸ 금요일의 최고 기온 구하기	2점

7 30개의 마을에 있는 약국은 모두 $5\times30=150$(개)이고 그중 20개의 마을에 있는 약국은
$4\times20=80$(개)입니다.
따라서 나머지 10개의 마을에는 약국이
$150-80=70$(개) 있으므로 평균 $\frac{70}{10}=$**7(개)**의 약국이 있습니다.

8

채점 기준		
	❶ 1월부터 6월까지의 불량품 수의 합 구하기	5점
	❷ 5월과 6월의 불량품 수의 합이 몇 개 이하여야 하는지 구하기	5점

9 빨간색, 노란색, 파란색 구슬의 개수는
$4+1+6=11$(개)이므로 검은색 구슬이 나오지 않을 가능성은 '반반이다'입니다.
→ $\frac{1}{2}$

10 (복숭아나무 127그루에서 딴 복숭아의 무게)
$=11\times127=1397$ (kg)
$1397\div8=174\cdots5$이므로 최대 **174상자**까지 팔 수 있습니다.

11 운동을 한 시간은 어제 40분, 오늘 35분입니다.
내일 운동을 해야 하는 시간을 □분이라 하면
$\frac{40+35+\square}{3}=45$, $75+\square=135$, $\square=60$입니다.
따라서 내일은 60분=1시간 동안 운동을 해야 하므로
오후 4시 10분+1시간=**오후 5시 10분**까지 운동을 해야 합니다.

12 (혜수)+(유나)$=44\times2=88$ (kg)
(유나)+(지훈)$=48\times2=96$ (kg)
(지훈)+(혜수)$=46\times2=92$ (kg)
{(혜수)+(유나)+(지훈)}$\times2$
$=88+96+92=276$ (kg)
(혜수)+(유나)+(지훈)$=\frac{276}{2}=138$ (kg)
→ (혜수, 유나, 지훈이의 몸무게의 평균)
$=\frac{138}{3}=$**46 (kg)**

실전! 경시대회 모의고사

1회 25~28쪽

1 8일 **2** ㉠

3 예

4 화요일, 수요일

5 90°

6 7, 8, 9, 10, 11

7 예 ❶ 10원짜리 동전과 100원짜리 동전은 모두 4800＋51400＝56200(원)입니다. ▸3점
❷ 56200원은 1000원짜리 지폐로 56장까지 바꿀 수 있습니다. ▸2점 / 56장

8 126 cm **9** 30 cm

10 4마리 **11** 100°

12 정은, $\frac{7}{12}$ L

13 예 ❶ 수 카드로 만든 가장 큰 소수 두 자리 수는 7.61이고, 가장 작은 소수 한 자리 수는 16.7입니다. ▸3점
❷ 따라서 만든 두 소수의 곱은 7.61×16.7＝127.087입니다. ▸2점 / 127.087

14 43개

15 165, 166, 167, 168, 169

16 5.508 L **17**

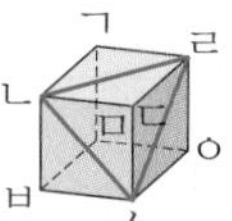

18 예 ❶ (처음 정사각형의 한 변의 길이)
＝32÷4＝8 (cm), 새로운 정사각형의 한 변의 길이는 8×1.4＝11.2 (cm)입니다. ▸2점
❷ (처음 정사각형의 넓이)＝8×8＝64 (cm^2)
(새로운 정사각형의 넓이)
＝11.2×11.2＝125.44 (cm^2)
➜ (늘어난 부분의 넓이)
＝125.44－64 ＝61.44 (cm^2) ▸3점 / 61.44 cm^2

19 98개 **20** 42초

4 (박물관의 입장객 수의 평균)

$$=\frac{93+154+123+105+110}{5}$$

$$=\frac{585}{5}=117(\text{명})$$

따라서 입장객의 수가 평균보다 많은 요일은 **화요일, 수요일**입니다.

5 삼각형 ㄱㄴㄷ과 삼각형 ㄷㄹㅁ이 서로 합동이므로
(각 ㄱㄷㄴ)＝(각 ㄷㅁㄹ)＝40°,
(각 ㅁㄷㄹ)＝180°－40°－90°＝50°입니다.
➜ (각 ㄱㄷㅁ)＝180°－40°－50°＝**90°**

6 16×0.4＝6.4, 0.7×17＝11.9
➜ 6.4<□<11.9
따라서 □ 안에 들어갈 수 있는 자연수는 **7, 8, 9, 10, 11**입니다.

7

채점 기준	❶ 모은 동전의 합 구하기	3점
	❷ 모은 동전을 1000원짜리 지폐로 몇 장까지 바꿀 수 있는지 구하기	2점

8 길이가 같은 선분의 수를 세어 보면 8 cm가 6개, 11 cm가 6개, 6 cm가 2개입니다.
➜ (전개도의 둘레)＝8×6＋11×6＋6×2
＝48＋66＋12＝**126 (cm)**

9

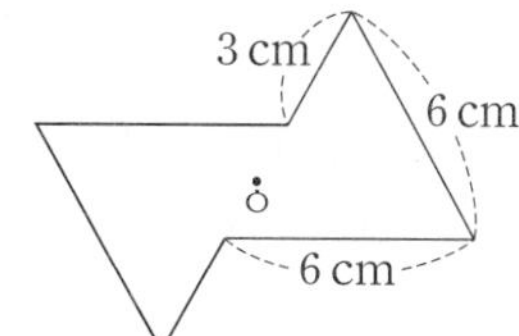

(완성한 점대칭도형의 둘레)
＝(3＋6＋6)×2＝**30 (cm)**

10 (구피 수의 평균)

$$=\frac{15+11+13+15+16}{5}=\frac{70}{5}=14(\text{마리})$$

따라서 옮겨야 하는 구피는 가 어항에서 15－14＝1(마리), 라 어항에서 15－14＝1(마리), 마 어항에서 16－14＝2(마리)이므로 모두 1＋1＋2＝**4(마리)**입니다.

11 삼각형 ㄱㄹㅂ과 삼각형 ㅁㄹㅂ은 서로 합동입니다.
(각 ㄱㄹㅂ)＝(각 ㅁㄹㅂ)＝(180°－40°)÷2＝70°
(각 ㄹㅂㅁ)＝(각 ㄹㅂㄱ)＝180°－70°－70°＝40°
➜ (각 ㅁㅂㄷ)＝180°－40°－40°＝**100°**

12 (정은이가 사용한 코코넛 오일의 양)

$$=3\frac{2}{3}\times\frac{3}{4}=\frac{11}{\cancel{3}_1}\times\frac{\cancel{3}^1}{4}=\frac{11}{4}=2\frac{3}{4}\ (\text{L})$$

(연호가 사용한 코코넛 오일의 양)

$$=4\frac{1}{3}\times\frac{1}{2}=\frac{13}{3}\times\frac{1}{2}=\frac{13}{6}=2\frac{1}{6}\ (\text{L})$$

따라서 **정은**이가 $2\frac{3}{4}-2\frac{1}{6}=2\frac{9}{12}-2\frac{7}{12}=\mathbf{\frac{7}{12}}$ **(L)** 더 많이 사용했습니다.

13

채점 기준		
	❶ 가장 큰 소수 두 자리 수와 가장 작은 소수 한 자리 수 만들기	3점
	❷ ❶에서 만든 두 소수의 곱 구하기	2점

14 • 올림하여 십의 자리까지 나타낸 수가 50개이므로 샌드위치 수의 범위는 41개부터 50개까지입니다.

• 8명이 똑같이 나누어 먹을 때 3개가 남는 경우를 알아봅니다.

한 사람이 4개씩 먹을 때: $8\times4+3=35$(개)

한 사람이 5개씩 먹을 때: $8\times5+3=43$(개)

한 사람이 6개씩 먹을 때: $8\times6+3=51$(개)

따라서 지혜가 만든 샌드위치는 **43개**입니다.

15 • 올림하여 십의 자리까지 나타내면 170인 자연수: 161, 162, 163, 164, 165, 166, 167, 168, 169, 170

• 버림하여 십의 자리까지 나타내면 160인 자연수: 160, 161, 162, 163, 164, 165, 166, 167, 168, 169

• 반올림하여 십의 자리까지 나타내면 170인 자연수: 165, 166, 167, 168, 169, 170, 171, 172, 173, 174

따라서 세 조건을 만족하는 자연수는 **165, 166, 167, 168, 169**입니다.

16 1시간 42분$=1\frac{42}{60}$시간$=1\frac{7}{10}$시간$=1.7$시간

10 km를 달리는 데 사용한 휘발유: 0.45 L

1 km를 달리는 데 사용한 휘발유: 0.045 L ($\frac{1}{10}$배)

(전체 달린 거리)$=72\times1.7=122.4$ (km)

➜ (사용한 휘발유의 양)$=0.045\times122.4=$**5.508 (L)**

18

채점 기준		
	❶ 처음 정사각형과 새로운 정사각형의 한 변의 길이를 각각 구하기	2점
	❷ 처음 정사각형의 넓이와 새로운 정사각형의 넓이의 차 구하기	3점

19 색칠되지 않은 정육면체는 2층, 3층, 4층의 안쪽에 9개씩 있으므로 $9\times3=27$(개)입니다.

➜ (한 면이라도 색칠된 정육면체의 수)

$=125-27=$**98(개)**

20 터널을 완전히 통과하려면 버스는

(버스의 길이)+(터널의 길이)

$=10+914=924$ (m)를 가야 합니다.

1 m를 가는 데 $\frac{1}{22}$초가 걸리므로 924 m를 가는 데

$\overset{42}{\cancel{924}}\times\frac{1}{\underset{1}{\cancel{22}}}=$**42(초)**가 걸립니다.

2회 29~32쪽

1	79	**2**	$10\frac{1}{5}$
3	30 m 미만	**4**	61°
5	409.5 g	**6**	3개
7	135°		

8 예 ❶ (전체 감자의 양)$=65+48=113$ (kg)

$113\div5=22\cdots3$이므로 팔 수 있는 상자는 최대 22상자입니다. ▸3점

❷ (감자를 팔아서 받을 수 있는 최대 금액)

$=9000\times22=198000$(원)입니다. ▸2점

/ 198000원

9	80°	**10**	82회
11	26개		

12 예 ❶ (첫 번째로 튀어 오른 공의 높이)

$=180\times0.7=126$ (cm)

(두 번째로 튀어 오른 공의 높이)

$=126\times0.7=88.2$ (cm) ▸3점

❷ 따라서 공이 두 번째로 튀어 오른 높이와 처음 떨어뜨린 높이의 차는 $180-88.2=91.8$ (cm)입니다. ▸2점 / 91.8 cm

13	4 kg	**14**	195
15	$20\frac{4}{9}$ L	**16**	123타

17

ㅂ ㅅ

ㄴ ㄷ

18 예 ❶ 검은색 바둑돌을 꺼낼 가능성이 $\frac{1}{2}$로 '반반이다'입니다. 흰색과 검은색 바둑돌의 수는 같으므로 지금 주머니에 검은색 바둑돌은 $5-1=4$(개) 있습니다. ▸3점

❷ 따라서 처음 주머니에 검은색 바둑돌은 $4+2=6$(개) 있으므로 들어 있던 바둑돌은 모두 $5+6=11$(개)입니다. ▸2점 / 11개

19	2867000원	**20**	680 m^2

1 수직선에 나타낸 수의 범위는 36 초과 42 이하인 수이므로 가장 작은 자연수는 37이고, 가장 큰 자연수는 42입니다.

➜ $37+42=$**79**

2 (어떤 수)$=\overset{3}{\cancel{12}}\times\frac{3}{\underset{1}{\cancel{4}}}=9$

➜ $9\times1\frac{2}{15}=\overset{3}{\cancel{9}}\times\frac{17}{\underset{5}{\cancel{15}}}=\frac{51}{5}=\mathbf{10\frac{1}{5}}$

3 깊이가 30 m와 같거나 깊으면 잠수병에 걸릴 위험이 높습니다.
비교적 안전하게 잠수할 수 있는 물의 깊이의 범위는 30 m보다 얕아야 하므로 **30 m 미만**입니다.

4 (각 ㄹㄷㄱ)=(각 ㄴㄱㄷ)=78°
➜ (각 ㄹㅁㄷ)=180°−41°−78°=**61°**

5 (새우 과자 한 봉지의 탄수화물 성분)
=90×0.65=58.5 (g)
➜ (새우 과자 7봉지의 탄수화물 성분)
=58.5×7=**409.5 (g)**

6 $\frac{1}{6}\times\frac{1}{\square}=\frac{1}{6\times\square}$, $\frac{1}{28}<\frac{1}{6\times\square}$에서
28>6×□입니다.
따라서 □ 안에 들어갈 수 있는 1보다 큰 자연수는 2, 3, 4로 모두 **3개**입니다.

7 (각 ㄱㄴㅁ)=(각 ㄷㄴㅁ)=50°,
(각 ㅂㅁㄴ)=(각 ㄹㅁㄴ)=90°÷2=45°입니다.
사각형 ㄱㄴㅁㅂ에서
(각 ㄴㄱㅂ)=360°−50°−45°−130°=**135°**입니다.

8

채점 기준	❶ 팔 수 있는 감자 상자 수 구하기	3점
	❷ 감자를 팔아서 받을 수 있는 최대 금액 구하기	2점

9 (선분 ㅇㄱ)=(선분 ㅇㄴ)이므로 삼각형 ㄱㄴㅇ과 삼각형 ㄷㄹㅇ은 이등변삼각형입니다.
(각 ㄱㄴㅇ)=(각 ㄴㄱㅇ)=50°이므로
(각 ㄱㅇㄴ)=180°−50°−50°=80°입니다.
점대칭도형에서 대응각의 크기가 같으므로
(각 ㄹㅇㄷ)=(각 ㄱㅇㄴ)=**80°**입니다.

10 (5개월 동안 기록의 합)=81×5=405(회)
(5월을 제외한 4개월 동안 기록의 합)
=84+94+73+72=323(회)
➜ (5월의 기록)=405−323=**82(회)**

11 그림에서 서로 맞닿는 부분은 5군데입니다.
(겉면의 수)
=(전체 면의 수)−(맞닿는 면의 수)
=6×(정육면체의 수)−(맞닿는 부분의 수)×2
=6×6−5×2=36−10=**26(개)**

12

채점 기준	❶ 공이 첫 번째, 두 번째로 튀어 오른 높이 구하기	3점
	❷ 공이 두 번째로 튀어 오른 높이와 처음 떨어뜨린 높이의 차 구하기	2점

13 9 t=9000 kg, 10 t=10000 kg
(두 밭의 넓이의 합)=2150+2600=4750 (m^2)
(두 밭의 고구마 수확량의 합)
=9000+10000=19000 (kg)
➜ (1 m^2당 고구마 수확량의 평균)
$=\frac{19000}{4750}=$**4 (kg)**

14 평행한 두 면에 쓰인 수는 (11, 16), (12, 14), (13, 15)입니다. 11×16=176, 12×14=168, 13×15=195이므로 가장 큰 곱은 **195**입니다.

15 (1분에 채워지는 물의 양)
$=4\frac{7}{15}-1\frac{2}{5}=4\frac{7}{15}-1\frac{6}{15}=3\frac{1}{15}$ (L)
6분 40초$=6\frac{40}{60}$분$=6\frac{2}{3}$분
➜ (6분 40초 동안 물통에 채워지는 물의 양)
$=3\frac{1}{15}\times6\frac{2}{3}=\frac{46}{\underset{3}{\cancel{15}}}\times\frac{\overset{4}{\cancel{20}}}{3}=\frac{184}{9}=\mathbf{20\frac{4}{9}}$ **(L)**

16 남학생 수는 251명 이상 260명 이하이고, 여학생 수는 220명 이상 229명 이하입니다. 연필이 부족하면 안 되므로 학생 수가 가장 많은 경우에 필요한 연필의 수를 구하면 (260+229)×3=489×3=1467(자루)입니다. 1467÷12=122···3이므로 연필은 적어도 122+1=**123(타)**를 준비해야 합니다.

18

채점 기준	❶ 지금 주머니의 검은색 바둑돌의 수 구하기	3점
	❷ 처음 주머니에 들어 있던 바둑돌의 수 구하기	2점

19 (환전한 우리나라 돈)
=1126.3×2500=2815750(원)
(2500달러의 환전 수수료)
=20.5×2500=51250(원)
➜ (내야 할 금액)
=2815750+51250=**2867000(원)**

20 전체 밭의 넓이를 □ m^2라 하면
(아무것도 심지 않은 밭의 넓이)
$=\square\times\left(1-\frac{5}{8}\right)\times\left(1-\frac{3}{4}\right)\times\left(1-\frac{1}{3}\right)$
$=\square\times\frac{\overset{1}{\cancel{3}}}{8}\times\frac{1}{\underset{2}{\cancel{4}}}\times\frac{\overset{1}{\cancel{2}}}{\underset{1}{\cancel{3}}}=\square\times\frac{1}{16}=42.5$입니다.
➜ □=42.5×16=**680 (m^2)**

3회 33~36쪽

1 108 cm　2 $25\frac{5}{7}$ m
3 155.61 cm　4 64 cm
5 800000원　6 경유, $3\frac{1}{6}$ L
7 8 cm
8 예 ❶ 주사위의 눈은 1부터 6까지이고 그중 8의 약수는 1, 2, 4이므로 8의 약수가 나올 가능성은 '반반이다'로 $\frac{1}{2}$입니다. 주사위의 눈 중에서 8의 배수는 없으므로 8의 배수가 나올 가능성은 '불가능하다'로 0입니다. ▸4점
❷ 따라서 두 수의 차는 $\frac{1}{2}-0=\frac{1}{2}$입니다. ▸1점
/ $\frac{1}{2}$
9 56450원　10 75점
11 50　12 5 cm
13 예 ❶ (수애가 하루에 하는 일의 양)
$=\frac{1}{8}\times\frac{1}{5}=\frac{1}{40}$
(민재가 하루에 하는 일의 양)$=\frac{1}{2}\times\frac{1}{5}=\frac{1}{10}$ ▸3점
❷ (두 사람이 함께 하루에 하는 일의 양의 합)
$=\frac{1}{40}+\frac{1}{10}=\frac{1}{8}$
따라서 전체 일을 하는 데 8일이 걸립니다. ▸2점
/ 8일
14 32개　15 110개
16
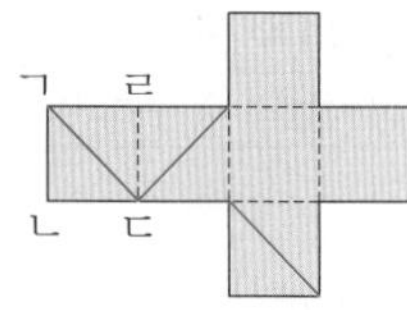

17 8
18 예 ❶ (회사원과 상인이 아닌 사람 수)
$=1200\times\left(1-\frac{1}{5}\right)\times\left(1-\frac{3}{10}\right)$
$=\overset{24}{\overset{240}{\cancel{1200}}}\times\frac{4}{\underset{1}{\cancel{5}}}\times\frac{7}{\underset{1}{\cancel{10}}}=672$(명) ▸3점
❷ (학생 수)$=\overset{336}{\cancel{672}}\times\frac{1}{\underset{1}{\cancel{2}}}=336$(명) ▸2점 / 336명
19 43세, 41세, 15세　20 5.325 km

2 $45\times\frac{4}{7}=\frac{180}{7}=\mathbf{25\frac{5}{7}}$ **(m)**

3 (재호의 키)$=156\times0.95=148.2$ (cm)
➜ (수진이의 키)$=148.2\times1.05=155.61$ (cm)

5 $206\div20=10\cdots6$이므로 말린 오징어를 10축 포장했습니다. 따라서 말린 오징어를 팔아서 받을 수 있는 최대 금액은 $80000\times10=$**800000(원)**입니다.

6 (휘발유 12통의 양)$=2\frac{4}{9}\times12=29\frac{1}{3}$ (L)
(경유 10통의 양)$=3\frac{1}{4}\times10=32\frac{1}{2}$ (L)
➜ **경유**가 $32\frac{1}{2}-29\frac{1}{3}=32\frac{3}{6}-29\frac{2}{6}=\mathbf{3\frac{1}{6}}$ **(L)** 더 많습니다.

7 삼각형 ㄱㄴㅁ과 삼각형 ㄷㅂㅁ은 서로 합동이므로
(선분 ㄴㅁ)=(선분 ㅂㅁ)=3 cm,
(선분 ㅁㄷ)=(선분 ㅁㄱ)=5 cm입니다.
➜ (선분 ㄴㄷ)$=3+5=$**8 (cm)**

8

채점 기준		
	❶ 주사위 1개를 굴렸을 때 8의 약수와 8의 배수가 나올 가능성 각각 구하기	4점
	❷ ❶에서 구한 두 수의 차 구하기	1점

9 전기 요금을 반올림하여 백의 자리까지 나타내면 48230 ➜ 48200원이므로 반올림하여 백의 자리까지 나타낸 가스 요금은 $104700-48200=56500$(원)입니다. 반올림하여 백의 자리까지 나타낸 수가 56500인 수는 56450 이상 56549 이하입니다. 따라서 가스 요금은 최소 **56450원**입니다.

10 (전체 학생의 점수의 합)$=80\times26=2080$(점)
(상위 10명의 점수의 합)$=88\times10=880$(점)
(나머지 16명의 점수의 합)
$=2080-880=1200$(점)
➜ (나머지 16명의 평균)$=\frac{1200}{16}=$**75(점)**

11 반올림하여 십의 자리까지 나타내면 50이 되는 자연수는 45부터 54까지이고, 이 중에서 짝수는 46, 48, 50, 52, 54로 5개입니다.
➜ (짝수들의 평균)$=\frac{46+48+50+52+54}{5}$
$=\frac{250}{5}=\mathbf{50}$

12 (선분 ㄹㅁ)=(선분 ㄴㄷ)=4 cm,
(선분 ㄱㄴ)=(선분 ㄷㄹ)=(선분 ㅁㅂ)=3 cm이므로
(변 ㄱㄷ)=(변 ㄷㅁ)$=3+4=7$ (cm)입니다.

(사각형 ㄱㄷㅁㅅ의 넓이)$=7\times7=49$ (cm^2)
(삼각형 4개의 넓이의 합)
$=(4\times3\div2)\times4=24$ (cm^2)
(사각형 ㄴㄹㅂㅇ의 넓이)$=49-24=25$ (cm^2)
사각형 ㄴㄹㅂㅇ은 정사각형이고 $5\times5=25$이므로
(변 ㅇㅂ)$=$**5 cm**입니다.

13

채점 기준		
	❶ 수애와 민재가 하루에 하는 일의 양 구하기	3점
	❷ 두 사람이 함께 전체 일을 하는 데 걸리는 날수 구하기	2점

14 (두 면에만 색칠된 정육면체의 수)
$=12+4+4+12=$**32(개)**

15 조건을 만족하는 몫은 25부터 34까지의 수이고, 나머지는 0부터 10까지의 수이므로 어떤 수가 될 수 있는 자연수는 $25\times11=275$부터
$34\times11+10=384$까지의 수입니다.
따라서 어떤 수가 될 수 있는 자연수는 모두
$384-275+1=$**110(개)**입니다.

17 0.8을 29번 곱하면 소수 29자리 수가 되므로 곱의 소수 29째 자리 숫자는 소수점 아래 끝자리의 숫자입니다. 곱의 소수점 아래 끝자리의 숫자는 8, 4, 2, 6으로 4개의 숫자가 반복됩니다.
→ $29\div4=7\cdots1$이므로 반복되는 숫자 중 첫 번째와 같은 8입니다.

18

채점 기준		
	❶ 회사원과 상인이 아닌 사람 수 구하기	3점
	❷ 학생 수 구하기	2점

19 (아버지)+(재형)$=29\times2=58$(세)
(재형)+(어머니)$=28\times2=56$(세)
(아버지)+(어머니)$=42\times2=84$(세)
{(아버지)+(어머니)+(재형)}$\times2$
$=58+56+84=198$(세)
(아버지)+(어머니)+(재형)$=198\div2=99$(세)
→ (아버지)$=99-56=$**43(세)**
(어머니)$=99-58=$**41(세)**
(재형)$=99-84=$**15(세)**

20 3분 45초$=3\frac{45}{60}$분$=3\frac{3}{4}$분$=3.75$분
(열차가 3.75분 동안 이동한 거리)
$=1.5\times3.75=5.625$ (km)
(기차의 길이)$=300$ m$=0.3$ km
→ (터널의 길이)
=(열차가 3.75분 동안 이동한 거리)−(기차의 길이)
$=5.625-0.3=$**5.325 (km)**

4회 37~40쪽

1 ㄷ
2 6601 이상 6700 이하인 수
3 68 cm^2 **4** 32.74 cm^2
5 11개 **6** 13.92
7 15° **8** 66분
9 예 ❶ (색 테이프 20장의 길이의 합)
$=18.2\times20=364$ (cm) ▸2점
❷ 겹친 부분은 19군데이므로
(겹친 부분의 길이의 합)$=3.1\times19=58.9$ (cm)입니다. ▸2점
❸ (이어 붙인 색 테이프 전체의 길이)
$=364-58.9=305.1$ (cm) ▸1점 / 305.1 cm
10 2점 **11** $6\frac{3}{8}$ L
12 예 ❶ (8일 동안 먹은 쌀의 양)
$=1\frac{5}{6}\times8=\frac{11}{\cancel{6}_3}\times\cancel{8}^4=\frac{44}{3}=14\frac{2}{3}$ (kg) ▸2점
❷ (남은 쌀의 양)$=16\frac{7}{10}-14\frac{2}{3}=2\frac{1}{30}$ (kg)이므로 최소 3봉지입니다. ▸3점 / 3봉지
13 ㄴ **14** 80°
15 7600 **16** 18
17 116° **18** 4, 16, 40
19 예 ❶ (주사위 한 개의 눈의 수의 합)
$=1+2+3+4+5+6=21$
서로 맞닿는 부분은 2군데이므로 눈의 수의 합은 $7\times2=14$입니다. ▸3점
❷ 따라서 (겉면의 눈의 수의 합)
$=21\times3-14=49$입니다. ▸2점 / 49
20 4.1208

3 삼각형 ㄱㄴㄷ과 삼각형 ㄴㄹㅁ이 서로 합동이므로 두 삼각형은 넓이가 같습니다. 삼각형 ㄱㄴㅂ은 두 삼각형의 공통 부분이므로 색칠한 부분의 넓이와 삼각형 ㅂㄴㄷ의 넓이는 같습니다.
→ (색칠한 부분의 넓이)$=17\times8\div2=$**68 (cm^2)**

5

43 49 61 64

하나의 수직선에 나타내면 두 수직선에 나타낸 수의 공통 범위는 49 초과 61 미만인 수입니다.
49 초과 61 미만인 자연수는 50부터 60까지이므로
$60-50+1=$**11(개)**입니다.

경시대비북 모의고사

7 삼각형 ㄱㄴㄹ과 삼각형 ㄷㄴㄹ은 서로 합동이므로
(각 ㄱㄹㄴ)=(각 ㄷㄹㄴ)=$40°$입니다.
(각 ㄱㄴㄹ)=$180°-110°\div2$
$=180°-55°=125°$
→ (각 ㄴㄱㄹ)=$180°-125°-40°=$**$15°$**

8 (11명의 경기 시간의 합)
$=90\times11=990$(분)
→ 후보 선수를 포함하여 $11+4=15$(명)이 경기에 참여하면 한 선수당 $\frac{990}{15}=$**66(분)**씩 참여하게 됩니다.

주의 11명이 같이 경기하는 것이므로 전체 경기 시간의 합을 이용해야 합니다. $\frac{90}{15}=6$(분)으로 계산하지 않도록 주의합니다.

9

채점 기준		
	❶ 색 테이프 20장의 길이의 합 구하기	2점
	❷ 겹친 부분의 길이의 합 구하기	2점
	❸ 이어 붙인 색 테이프 전체의 길이 구하기	1점

10 (유민이의 점수 평균)
$=\frac{10\times3+8\times2+5\times2}{7}=\frac{56}{7}=8$(점)
(선우의 점수 평균)
$=\frac{10+8\times2+5\times2+3\times2}{7}=\frac{42}{7}=6$(점)
→ (두 사람의 점수 평균의 차)=$8-6=$**2(점)**

11 (1분 동안 받은 물의 양)
$=3\frac{3}{4}+3\frac{1}{8}=3\frac{6}{8}+3\frac{1}{8}=6\frac{7}{8}$ (L)
3분 24초$=3\frac{24}{60}$분$=3\frac{2}{5}$분
→ (사용한 물의 양)$=6\frac{7}{8}\times3\frac{2}{5}\times\frac{3}{11}$
$=\frac{\overset{1}{\cancel{55}}}{8}\times\frac{17}{\underset{1}{\cancel{5}}}\times\frac{3}{\underset{1}{\cancel{11}}}=\frac{51}{8}=$**$6\frac{3}{8}$ (L)**

12

채점 기준		
	❶ 8일 동안 먹은 쌀의 양 구하기	2점
	❷ 남은 쌀을 담으면 최소 몇 봉지인지 구하기	3점

13 각각의 일이 일어날 가능성을 말로 표현해 봅니다.
㉠ 공 6개 중 흰색 공이 4개이므로 흰색 공 1개를 꺼낼 가능성은 반반보다 높습니다.
→ ~일 것 같다
㉡ 제비 50개 중 당첨 제비가 20개이므로 당첨 제비 1개를 뽑을 가능성은 반반보다 낮습니다.
→ ~아닐 것 같다
따라서 일이 일어날 가능성이 더 낮은 것은 **㉡**입니다.

14 삼각형 ㄱㄴㄷ이 이등변삼각형이므로
(각 ㄱㄷㄴ)=(각 ㄱㄴㄷ)=$(180°-50°)\div2=65°$입니다.
(각 ㄷㅂㅁ)=$180°-65°-65°=50°$
사각형 ㄹㅁㄷㅂ은 선대칭도형이므로
(각 ㄹㅂㅁ)=(각 ㄷㅂㅁ)=$50°$입니다.
→ (각 ㄱㅂㄹ)=$180°-50°-50°=$**$80°$**

15 • 수 카드 중 4 초과 7 이하인 수: 6, 7
• 수 카드 중 1 이상 3 미만인 수: 2
만들 수 있는 가장 큰 네 자리 수 ┌ □62□ → 7624
└ □72□ → 6724
7624를 반올림하여 백의 자리까지 나타내면
7624 → **7600**입니다.

16 전개도에서 평행한 두 면에 쓰인 수는 (1, 3), (2, 5), (4, 6)입니다. 앞쪽에서 보이는 면과 평행한 면의 수는 각각 4, 2, 3, 1, 6, 2입니다.
→ $4+2+3+1+6+2=$**18**

17 삼각형 ㄱㄷㄹ에서
(각 ㄷㄱㄹ)=$180°-46°-52°=82°$입니다.
삼각형 ㄱㄴㅁ과 삼각형 ㅂㄴㅁ이 서로 합동이므로
(각 ㅂㅁㄴ)=$(180°-48°)\div2=132°\div2=66°$,
(각 ㄴㅂㅁ)=(각 ㄴㄱㅁ)=$82°$,
(각 ㅂㄴㅁ)=$180°-66°-82°=32°$입니다.
→ (각 ㄷㄴㅂ)=$180°-32°-32°=$**$116°$**

18 세 수를 가장 작은 수부터 순서대로 ㉠, ㉡, ㉢이라 하면 ㉠+㉡+㉢$=20\times3=60$입니다.
㉠+㉢$=44$, ㉢−㉠$=36$이므로 두 식을 더하면
㉠+㉢+㉢−㉠$=44+36$, $2\times$㉢$=80$, ㉢=**40**이고, ㉠=**4**입니다.
→ $4+$㉡$+40=60$, ㉡$+44=60$, ㉡=**16**

19

채점 기준		
	❶ 주사위 한 개의 눈의 수의 합과 서로 맞닿는 부분의 눈의 수의 합 구하기	3점
	❷ 겉면의 눈의 수의 합 구하기	2점

20 분모는 1부터 1씩 늘어나는 규칙이고 분자는 3부터 2씩 늘어나는 규칙입니다.
25째 분수: 분모는 25, 분자는 $3+24\times2=51$
→ $\frac{51}{25}$
50째 분수: 분모는 50, 분자는 $3+49\times2=101$
→ $\frac{101}{50}$
→ $\frac{51}{25}\times\frac{101}{50}=2.04\times2.02=$**4.1208**입니다.

개념부터 응용문제 학습까지 딱 1권으로 완료!

개념만 하기에는 너무 쉽거나 부족할 것 같은데 그렇다고 심화를 하기엔 두 권을 풀어내는 게 역부족이다 싶을 때 정말 딱 괜찮은 책! 개념부터 약간의 응용까지 건드려줘서 아이도 한 권이라 부담이 덜하고 엄마 입장에서도 너무 어렵지 않은 문제를 고루 만날 수 있다는 게 가장 큰 장점이에요. 개념부터 응용까지 폭넓게 다루는 교재는 큐브수학 개념응용밖에 없어요.

닉네임
좋***

다양한 난이도 문제로 수학 자신감 UP!

세분화된 개념으로 개념을 꽉 잡을 수 있고, 문제는 간단한 기본문제부터 응용문제까지 난이도와 유형이 다양하게 구성되어 있어 단조롭지 않더라고요. 서술형 문제도 꼼꼼히 살펴보았는데 역시 짧은 서술형 문제부터 좀 더 사고를 요하는 긴 문장의 문제까지 갖춰져 있어서 지루하지 않았어요. **제대로 개념을 이해하면서, 시간이 걸리더라도 다양한 문제를 마주하고 익힐 수 있는 책이에요.**

닉네임
유*

개념응용

서술형 문제 집중 훈련이 필요할 땐! 큐브수학 실력

서술형 코너는 연습→단계→실전의 3단계 학습으로 구성되어 있어요. 저는 이 부분이 가장 좋았어요. '연습'은 풀이 과정을 자연스럽게 익히면서 스스로 풀 수 있을만큼 쉽게 느껴졌고, '단계'는 연습의 복습, '실전'은 혼자 푸는 건데도 두 번의 연습으로 완벽하게 풀 수 있어 **서술형 문제를 내 것으로 만든다는 느낌이 강하게 들었습니다. 답안 쓰기 훈련을 완벽하게 할 수 있어요.**

닉네임
삼**

반복 학습으로 모든 유형을 제대로 익히기!

다양한 유형 문제가 있고, **문제마다 유형-확인-강화 순으로 반복 학습이 가능해요. 유사 유형의 문제를 반복적으로 풀어 볼 수 있으니 실력 향상에 도움이 많이 됩니다.** 또 서술형도 3단계 학습으로 답안 쓰기 훈련이 정말 잘 됩니다. 그리고 해설지도 문제에 따라 약점 포인트, 정답률까지 나와 있어서 참고하기 너무 편하게 되어 있더라고요.

닉네임
슈****

상위권 도전 첫 교재로 강력 추천!

개념과 유형 문제집까지 다 끝냈는데 심화를 안 풀고 넘어갈 수는 없잖아요? 심화 문제집도 아이에게 맞는 난이도를 선택하는 것이 무엇보다 중요한데요. **군더더기 없고 깔끔한 문제 구성과 적절하게 나누어진 난이도 덕분에 심화 시작 교재로 강력 추천합니다.**

닉네임
블***

큐브 수학 심화

정답 및 풀이 5·2